普通高等院校船舶与海洋工程"十三五"规划教材

● 黑 龙 江 省 精 品 工 程 专 项 资 金 资 助 出 版

深海工程中立管系统的设计分析

康　庄　孙丽萍　主编

哈尔滨工程大学出版社

内 容 简 介

本书主要叙述了与深水立管设计和分析相关的理论和方法。主要内容包括:海洋立管的设计与分析方法、设计规范与标准、分析工具、立管的制造和铺设安装方法、立管结构强度理论、屈曲压溃和疲劳理论;本书还详细介绍了几种不同形式立管的结构、功能及设计分析方法,并通过工程算例为读者在理论和实际应用之间架起了一座桥梁。

本书可以作为船舶与海洋工程、机械工程、石油工程等学科的高年级本科生和研究生的教材,也可作为工程技术人员进行立管设计和分析的参考书。

图书在版编目(CIP)数据

深海工程中立管系统的设计分析/康庄,孙丽萍主编. —哈尔滨:哈尔滨工程大学出版社,2018.9
ISBN 978 – 7 – 5661 – 1780 – 9

Ⅰ.①深… Ⅱ.①康… ②孙… Ⅲ.①深海 – 海洋工程 – 海底管线 – 分析(力学) Ⅳ.①U173.9

中国版本图书馆 CIP 数据核字(2017)第 330037 号

策划编辑 史大伟
责任编辑 张玮琪
封面设计 刘长友

出版发行 哈尔滨工程大学出版社
社　　址 哈尔滨市南岗区东大直街 124 号
邮政编码 150001
发行电话 0451 – 82519328
传　　真 0451 – 82519699
经　　销 新华书店
印　　刷 黑龙江龙江传媒有限责任公司
开　　本 787 mm ×1 092 mm　1/16
印　　张 23
字　　数 605 千字
版　　次 2018 年 9 月第 1 版
印　　次 2018 年 9 月第 1 次印刷
定　　价 58.00 元
http://www.hrbeupress.com
E-mail:heupress@ hrbeu.edu.cn

前　言

21世纪是海洋的时代,人们越来越重视海洋能源的开发。我国是海洋大国,也是能源消耗大国,我国南海巨大的油气资源亟待我们去开发。中国共产党第十八次全国代表大会提出建设"海洋强国",要求推进实施"中国制造2025",实现制造业升级,明确了包括海洋工程装备在内的十大重点发展领域。作为国家大力支持的战略性新兴产业,海工装备制造业将得到快速发展。

作为海洋油气田开发系统结构的重要组成部分,深水立管以全新的形式、动态的特性及高技术含量变得格外引人注目。以往浅水立管形式根本不能应用到深水中,这使得立管技术更加具有挑战性。和浅水油气开发相比,海洋立管作为连接水上浮式及水下生产系统的唯一关键结构,其在深水中的应用具有更加独特的挑战性,要求更高层次的创新。我国在深水油气开发方面起步较晚,深水立管系统的设计与研发比较落后,到目前为止还没有相关的工程经验,因此本书的编写具有一定的工程指导意义。

深水立管的设计作为"海洋工程"学科的重要分支,已经形成具有自身特点的一套理论和方法,成为一门专门课程,有效地指导了深水立管的研制和海洋工程技术的发展。深水立管设计是任何一个深水油田项目开发的基础与技术依据之一;也是从最初的概念逐步发展到最后的工程装备,实现研制目标的创新过程。

全书共分为12章,第1章主要是概述性内容,使读者对海洋资源、海洋平台及海洋立管有一个全局性的认识。第2,3,4章分别详细介绍了海洋立管的设计方法、设计规范和分析工具。随后的第5章和第6章对立管的制造和安装做了详尽的说明。第7章和第8章对影响深水立管结构强度和安全性的屈曲压溃和疲劳问题做了全面的解释和分析。第9,10,11,12章分别对钻井立管、顶部张紧式立管、钢悬链线立管和混合式立管进行了分类介绍,针对不同的功能和结构形式,系统地阐述了几种立管的结构组成、功能用途、关键问题、设计方法、分析方法和安装方法。

本书作为高年级本科生和研究生教材,力求将基础理论和工程应用相结合、综述性和专业性相结合,对深水立管设计这门课程的基本概念、详细内涵、基础原理、研究领域、基本方法、未来发展等方面进行系统全面的阐述。希望读者通过这本书对深水立管设计的概念、内涵、理论、方法有一个全面的了解,以帮助和引导从事海洋立管设计和技术研究的读者更好地开展工作。

本书的编写得到了哈尔滨工程大学深海技术研究中心的大力支持和帮助。尤其要感谢在本书编写过程中给出宝贵建议的王宏伟、艾尚茂和马刚老师,同时要感谢深海中心的徐祥、贾五洋所做的相关资料的搜集和整理工作,以及李平、张立建、张橙和付森后期所做的文字校对工作。本书在编写过程中引用了一些专家学者的文献著述,在此对其作者、编者表示感谢。

由于编者能力有限,书中难免出现疏忽和纰漏,望各位专家和同仁给予批评和指正,同时也衷心希望本书能给读者带来帮助。

康　庄

2016年11月

目　　录

第1章 海洋资源与海工装备概述

1.1 海洋资源开发

人类的生存和发展始终与自然资源密切相关,随着科学技术的发展,对自然资源的认识和开发利用程度逐渐加深。从古到今,人类对自然资源的认识和开发,经历了从地上到地上地下兼顾,从陆地到陆海兼顾的过程。

在世界性的"人口膨胀、资源短缺和环境恶化"问题日益突出的今天,海洋资源开发受到沿海各国的高度重视,海洋经济日益成为国民经济的重要组成部分,海洋资源开发和海洋环境保护成为各国经济技术合作与发展的共同领域。

1.1.1 海洋资源开发内容

人类对于海洋资源的理解是随着科学技术的不断进步和对海洋认识的不断深入而发展的。狭义的海洋资源指的是能在海水中生存的生物,溶解于海水中的化学元素,淡水、海水中所蕴藏的能量,以及海底的矿产资源,这些都是与海水水体本身有着直接关系的物质和能量。而广义的海洋资源,除了上述的物质和能量外,还把港湾、四通八达的海洋航线、水产资源的加工、海洋上空的风、海底地热、海洋景观、海洋里的空间乃至海洋的纳污能力都视为海洋资源。

海洋资源种类繁多,既有有形的,又有无形的;既有有生命的,又有无生命的;既有可再生的,又有不可再生的;既有固态的,又有液态和气态的。海洋资源大至可以分为以下几类。

1.海洋生物资源

地球上的生命起源于海洋,在这个孕育了生命的地方,生活着种类繁多的海洋生物。据统计,世界海洋生物物种的数量有 20 多万种。这些海洋生物为人类的生产生活提供了丰富的物质资源,即海洋生物资源(图 1.1)。

图 1.1　海洋生物资源

联合国粮食组织把鱼类、肉类和豆类列为人类三大蛋白质来源,随着世界人口的不断增长,陆地资源日渐匮乏,人类逐渐将目光转向海洋,海洋鱼类、无脊椎动物和藻类已成为人类重要的食物来源。海洋生物除了作为人类的食物之外,还可以用于饲喂动物。此外,海洋资源还可用于医疗和工业材料领域,如螺旋藻经过特殊诱变可以大幅增强超氧化物歧化酶的合成,从而清除人体自由基,保护细胞 DNA、蛋白质,防止癌变和衰老;从甲壳类动物的外壳中提纯的甲壳胺及其衍生物已在诸如化工、贵金属提取及污水处理等很多领域内得到广泛的应用。

2. 海洋水及水化学资源

海水总体积 $13.7 \times 10^8 \ km^3$,海水中的水量约占地球总水量的 97.2%,冰约占地球总水量的 2.15%,淡水仅约占地球总水量的 0.63%。

今天,在世界上许多地区淡水资源稀缺,因此直接利用海水资源或者从海水中获取淡水意义重大。人类既可以用海水直接作为工业用水,耐盐植物的灌溉水,洗刷、卫生、消防等的生活用水,也可以通过太阳能蒸发、蒸馏、反渗透、电渗析等方法进行海水淡化直接获取淡水。

此外,海水中含有 80 多种元素,各种盐类约有 $5 \times 10^{16} \ t$,除了氯化钠以外,还包括大量的镁、溴、钾、碘、锂、银、金等元素,海水中各种元素含量如图 1.2 所示。此外,海水中含放射性元素铀约 $4.5 \times 10^9 \ t$,是陆地铀矿储量的 1 000 倍;海水中还含有约 $200 \times 10^{12} \ t$ 重水。

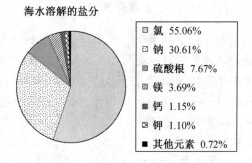

海水溶解的盐分

氯	55.06%
钠	30.61%
硫酸根	7.67%
镁	3.69%
钙	1.15%
钾	1.10%
其他元素	0.72%

图 1.2 海水中各种元素含量示意图

3. 海底矿产资源

所谓海底矿产资源,通常是指目前处于海洋环境下的除海水资源以外的可加以利用的矿物资源。在地球上已发现的百余种元素中,有80 余种在海洋中存在,其中能够直接提取利用的有60 余种。从海岸到大洋,从海面到海底均分布有丰富的海洋矿产资源。海洋矿产资源是人类社会可利用的重要物质基础。目前除油气资源外,其他海底矿产资源基本上未经开发,它们将是社会物质生产重要的原料来源。

按照环境与矿种的分类原则,可对海洋矿产做如下分类:

(1)滨海矿砂;

(2)海底热液矿床(包括硫化物矿床和多金属软泥);

(3)海底多金属结核;

(4)海底富钴结壳;

(5)海底磷矿床;

(6)海洋可燃矿产或油气资源(石油、天然气和天然气水合物)。

4. 海洋能资源

海洋能资源通常是指海洋中所特有的依附于海水的可再生能源,包括潮汐能、波浪能、海流能、海水温度差能和盐度差能等。海洋能在一定的条件下可以转化为电能和机械能,是具有开发价值的能源。海洋能分布广,蕴藏量十分可观,是受到广泛重视的新能源之一。

5. 海洋空间资源和海洋旅游资源

近期海洋空间开发主要集中在海岸和距离海岸不远的近海区域,随着海洋开发技术和交通系统的发展,海洋空间开发将扩展到海上、海中乃至海底,开发的规模和内容也将日趋扩大和复杂。当前,海洋空间资源除了作为传统的海洋运输、港口码头外,更为人类提供了新兴的生产、生活空间,诸如海上人工岛、海上工厂、海上城市、海上道路、海上桥梁、海上机场、海上油库、海底隧道、海底通信和电力电缆、海底输油气管道、围海造地、海洋公园及海洋合理倾废场所等。

凡是人类海洋旅游活动所指向的目的物或者吸引物,都可以称为海洋旅游资源。海洋旅游资源内容丰富,按照人类海洋旅游活动所依托海洋空间环境的差异,可将其分为海岸带旅游、海岛旅游、远海旅游、深海旅游、海洋专题旅游 5 类活动形式。作为海洋产业中的重要组成部分,海洋旅游业已越来越受到世界各国的重视,已成为沿海国家竞相发展的重点产业,与海洋石油、海洋工程并称为海洋经济的三大新兴产业。

1.1.2　海洋资源开发的特点

1. 海洋资源开发业的年轻性

虽然人类有着几千年的海洋开发史,但是许多海洋资源仍然处于没有充分开发利用的状态,其开发利用程度仍然处在发展的起步阶段,例如,海洋矿产资源尤其是深海矿产资源基本上保存完好。即使是海洋的传统利用,如世界海洋渔业也只是在近四五十年中才得到迅速的发展,而海洋能源、海洋空间等新领域则仅有三四十年的历史。

2. 海洋资源开发业多部门和多学科性

海洋开发所涉及的部门和学科众多,从地质、水文、气象到测绘,从水产、航运、能源到旅游,从经济、政治、法律到军事,从生产、科研、教育到行政国防,包含诸多部门和学科。

现代海洋资源开发是一个复杂的系统工程。首先是基础科学研究,为解决人类对海洋的认识问题;其次是技术研究,为解决开发海洋的技术能力问题;最后是把技术成果变成经济措施,由各种产业部门进行开发。这个系统工程的每一层面都需要多学科合作,单一学科或部门都无法承担。海洋基础学科中涉及物理学、化学、生物学、地理学、地质学、气象学、天文学 7 个学科,这些学科彼此互相渗透。

3. 海洋资源开发的国际性

海洋资源的特殊性质使各国在海洋资源开发活动中,容易建立一定的利益关系或发生利益冲突,这就需要找到一种共同的准则以协调利益、责任、义务的分配和履行。

4. 海洋资源开发的自然性

海洋开发生产活动和自然再生产紧密交融,例如渔业。

1.2　海洋油气资源开发

众所周知,石油和天然气是宝贵的燃料和化工原料。随着世界经济的不断发展,人类社会对油气资源的需求也不断上升,而目前陆地石油的勘探与开发已经发展得比较充分,因此海洋油气,特别是深海油气的勘探与开发在未来的油气开发中必将占有十分重要的地位。

1.2.1 世界及我国的能源需求

据英国石油公司 BP 发布的《世界能源展望(2016 年版)》(以下简称《展望》)分析称,尽管目前全球能源市场疲软、中国经济增速放缓,但随着世界经济发展,全球将需要更多能源以支持更活跃的社会经济活动,未来 20 年及以后能源需求仍将持续增长。

《展望》指出,2014 年至 2035 年的全球能源需求预计增长 34%,其中化石燃料仍将是未来 20 年中主要能源形式,满足 60% 的能源需求预增量,并占 2035 年世界能源供应总量的近 80%。其中石油将以每年 0.9% 的速度稳步增长,天然气将取代煤炭成为第二大燃料来源,也将成为增长最快的化石燃料(年增长率为 1.8%)。

而随着我国经济的快速发展,能源紧缺的矛盾日益突出。据统计,2000—2009 年,我国原油消费量由 2.41 亿吨上升到 3.88 亿吨,年均增长 6.78%,原油净进口量由 5 969 万吨上升至 1.99 亿吨,进口依存度也由 24.8% 飙升到 51.29%。而随着我国经济的持续发展,我国的原油需求将越来越大,然而我国原油生产却呈现下降态势。2009 年国内原油产量 18 949.0 万吨,同比下降 0.4%,相对于 2004—2008 年 2.3% 的年均增速而言,原油生产明显减缓。

另据《展望》预测:到 2035 年,中国预计将占全球能源消费总量的 25%,石油进口依存度从 2014 年的 59% 升至 2035 年的 76%。所以研究深海油气的勘探与开发对保障我国的能源安全,助力国民经济的持续健康发展有着重大的意义。

1.2.2 深海油气开发的主要难点

深海石油的勘探开发是石油工业一个重要的前沿阵地,是风险极高的产业。虽然国际上诸如北海、墨西哥湾、巴西及西非等地区深海石油开发已经有了极大的发展,但代价极高。与大陆架和陆上勘探钻井相比,深海作业的施工风险高、技术要求高、成本非常昂贵,因而资金风险也极高。

深海油气资源勘探最直接的风险是极大的施工风险。海洋平台结构复杂、体积庞大、造价昂贵、技术含量高,特别是与陆地结构相比,它所处的海洋环境十分复杂和恶劣。风、海浪、洋流、海冰和潮汐等时时作用于平台结构,同时还受到地震、海啸的威胁。在此条件下,环境腐蚀、海生物附着、构件缺陷、机械损伤及疲劳和损伤累积等不利因素都将导致平台结构构件和整体抗力的衰减,影响结构的服役安全度和耐久性。

虽然深水油气勘探开发的风险很大,但所获得的回报巨大。有报告指出,世界成熟浅水区域油气新发现的规模正大幅下降,目前浅水油气田的总储量虽然仍占主导地位,但深水油气田的平均储量规模和平均日产量都明显高于浅水油气田。因此,尽管深水油气田勘探开发费用显著高于浅水,但由于其储量和产量高,使得单位储量的成本并不很高,深海采油前景广阔。

1.2.3 海洋油气开发现状与趋势

海洋勘探开发始于 20 世纪初。从那以后,随着技术的进步,深水的定义在不断扩大。在 1998 年以前,只要离开大陆架即水深大于 200 m,就认为是深海。1998 年以后深海的水深扩大到 300 m,而现在普遍认为水深小于 500 m 为浅水,大于 500 m 小于 1 500 m 属于深水,大于 1 500 m 属于超深水。

技术的进步使得钻井越钻越深。始于 20 世纪 40 年代的海上石油工业用了近 30 年的时间实现了在 100 m 深的水区生产油气,又用了 20 多年达到近 2 000 m 深的海域,而最近 10 多年油气生产已接触到 3 000 m 深的水域。尤其在钻井、浮式生产系统和海底技术方面的改进和创新,大大降低了深水油气勘探开发的资本支出和作业支出,深水油气勘探开发项目的综合成本与浅水项目越来越接近。深水油气项目的开发周期(从发现到油气投产)也越来越短,20 世纪 90 年代后期发现的油气田一般在 5 ~ 6 年内投入生产,而在之前则至少需要 8 年时间。随着深水基础设施的不断完善,开发周期还可能进一步缩短。

在世界海洋石油的快速发展中,为寻找新的油气资源,各国纷纷进入深水及超深水领域,使得深水油田开发成为世界工业史上科技进步的热点之一,目前在深海工程的关键技术领域取得了举世瞩目的成就。与浅水油气开发相比,深水油气的开发具有高技术、高风险、高投资、高回报率和多模式等特点。

1.3　海上石油平台

在海洋油气资源的开发中,海洋平台为海上作业和生活提供场所,承载一切设施设备和人员载荷,同时要抵御恶劣的海洋环境作用,保证作业安全,因而是其中最核心的内容。随着海洋石油事业的不断发展,各类适用于不同水深和环境条件的海洋平台应运而生,主要可以分为固定式平台和浮式平台两类,其中固定式平台包括导管架平台(Jacket Platform)、重力式平台(Concrete Platform)、坐底式平台(Bottom-supported Platform)和自升式平台(Jack-up Platform);而浮式平台则包括顺应式平台(CT)、半潜式平台(SEMI)、张力腿平台(TLP)、单柱式平台(Spar)和浮式生产储卸装置(FPSO)等。深海海洋平台系统如图 1.3 所示。随着水深的增加,固定式平台自重和工程造价显著增加的缺点逐渐暴露,进而为适用性较强的浮式平台所代替。这里主要介绍部分浮式平台。

图 1.3　深海海洋平台系统示意图

1.3.1　张力腿平台(TLP)

张力腿平台(图 1.4)是采用干树式采油井所必需的两种仅有的深海平台之一,也是近些年来发展较快,受到工业界推崇的平台之一。平台由上部组块、浮体、张力腿、顶张力井口立管、悬链式立管(外输/输入)和桩基础构成。浮体的作用是支撑上部组块和立管的质量,提供立管所需的初张力,并保持足够的浮力使张力腿一直处于拉紧状态。张力腿的作用是把浮式平台拉紧固定在海底的桩基础上,限制平台的竖向位移,使平台在环境力作用下的运动处于允许的范围内。张力腿的桩基通常采用打桩,以提供张拉时所需的摩擦力。张力腿平台可用于钻井和生产,很多情况下也设计为采油生产平台。目前张力腿平台有四种类型(图1.5),除传统式张力腿平台外,其他三种都有专利保护。

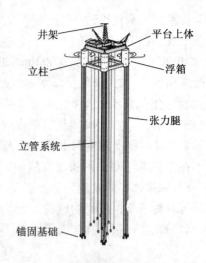

图1.4　张力腿平台结构示意图

图1.5　各种结构形式的张力腿平台示意图

(a)传统型张力腿平台;(b)海之星张力腿平台;
(c)迷你式张力腿平台;(d)扩展式张力腿平台

张力腿平台有许多优点,主要表现在以下方面:

(1)平台运动很小,几乎没有竖向移动和转动,整个结构很平稳,平台由张力腿固定于海底。

(2)可以使用"干式采油树"使钻井、完井、修井等作业和井口操作变得简单,且便于维修。由于平台的竖向移动很小,使得可以从平台上直接钻井和直接在甲板上进行采油操作。

(3)由于在水面以上进行作业,降低了采油操作费用,所以张力腿平台的操作费用通常较低。

(4)由于垂向运动较小,使得使用顶部张紧式立管(TTR)成为可能,并使得钢悬链线立管的连接构件得到简化。平台运动的减少相应地对各连接部件的疲劳性能要求降低,这对钢悬链线立管的连接起到了很大的帮助。

(5)实践证明张力腿平台在油气开发方面的技术使用已经很成熟,可应用于大型和小型油气田,水深也可从几百米到 2 000 m 左右。

张力腿平台的主要缺点有以下几个方面:

(1)对上部结构的质量非常敏感,载重的增加需要排水量的增加,因此又会增加张力腿的预张力和尺寸。

(2)没有储油能力,需用管线外输。

(3)整个系统刚度较强,对高频波动力比较敏感。

(4)由于张力腿长度与水深成线性关系,而张力腿费用较高,目前使用的水深一般限制在 2 000 m 之内。

世界上在建和在役的张力腿平台的工作原理一致,但是结构型式和应用方式却大不相同,下面介绍几种主要的张力腿平台:

(1)传统型张力腿平台,如图 1.5(a)所示。该平台由 4 根立柱和 4 个连接的浮箱组成。立柱的水切面较大,自由浮动时的稳定性较好。一般在上部结构和主体先安装好后,平台整体拖到场地并连接到张力腿上。

(2)海之星张力腿平台,如图 1.5(b)所示。这种平台结构由 1 根柱子和 3 个延伸连接的张力腿浮体组成,由于自由浮动时的稳定性较差,主体和上部结构的安装都需要吊装船体辅助进行。这种结构对上部结构的质量限制较严格,通常不宜用于上部质量较大的结构。锚固系统通常由 6 到 9 根张力腿组成,每个张力腿浮体上连接 2 到 3 根张力腿。所以这种张力腿通常只适用于相对小型的油气田开发。

(3)迷你式张力腿平台,如图 1.5(c)所示。其底部有一个很大的基座,由延伸的张力腿支撑结构和 4 根柱子组成。张力腿连接到基座上,浮力主要由基座和支撑结构提供。柱子相比于传统式张力腿要小得多。其主要特点是动力反应性能好,可用于小型到大型的油区。由于柱子的水截面较小,故平台自由浮动时的稳定性受到一定限制。

(4)扩展式张力腿平台,如图 1.5(d)所示。该平台是在传统型张力腿平台的基础上,延长了张力腿支撑结构,使结构的动力性能有了很大的提高。

1.3.2 深吃水立柱式平台(Spar)

随着人类石油勘探逐渐向深水领域扩展,涌现出一些新型的适应深海海洋环境的平台。为了减小波激运动,往往将这些新型结构物的自然频率设计得远离波浪功率谱的最大频率。深吃水立柱式平台(Spar)即为这种用于深海石油的开采、生产、处理加工和存储的平台结构形式之一。

Spar 平台由上部组块、筒式浮体、系泊缆、顶部张紧式立管、悬链式立管(外输/输入)和桩基础构成。浮体的作用是保持足够的浮力能支撑上部组块、系泊缆和悬链式立管的质量,并通过底部压载使浮心高于平台重心,形成不倒翁的浮体性能。系泊缆一般是由锚链＋钢缆/合成锚线＋锚链构成,其作用是把浮式平台锚泊在海底的桩基础上,使平台在环境力作用下的运动保持在允许的范围内。Spar 平台一般是采油生产平台。目前 Spar 平台有四种类型,其中三种为单筒式平台,一种为多单柱式平台,如图 1.6 所示。所有的单柱式平台都有专利保护。

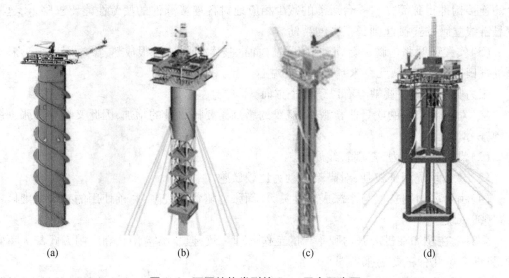

(a)	(b)	(c)	(d)

图 1.6   不同结构类型的 Spar 平台示意图

(a)传统式 Spar 平台;(b)桁架式 Spar 平台;(c)多筒体式 Spar 平台;(d)三柱浮筒式 Spar 平台

四种类型的 Spar 平台分别介绍如下:

(1)传统式 Spar 平台,如图 1.6(a)所示。该平台长度通常在 200 m 以上。浮力由上部"硬舱"提供;中部是"软舱",起到连接整体的作用;下部是固定式压载,主要起到降低重心的作用。

(2)桁架式 Spar 平台,如图 1.6(b)所示。该平台上部浮力系统和下部压载系统与传统式相似。中部"软舱"由桁架取代,这样不仅减小了钢结构质量,同时也减小了水流阻力,为锚固系统的设计提供了帮助。因此桁架式 Spar 平台目前已经取代了传统式 Spar 平台,被广泛使用。

(3)多筒体式 Spar 平台,如图 1.6(c)所示。它被用在 Red Hawk 项目上。这种结构是由几个直径较小的筒体(约 6~7 m)组成一个大的浮筒来支撑上部结构。

(4)三柱浮筒式 Spar 平台,如图 1.6(d)所示。第一个三柱浮筒式 Spar 平台于 2009 年在墨西哥湾建成并顺利安装,这种平台就其结构类型而言,更接近于深吃水半潜式平台。

Spar 平台被广泛用于水深较大的油田。它的主要优点如下:

(1)可支持水上干式采油树,可直接进行井口作业,便于维修,井口立管可由自成一体的浮筒或顶部液压张力设备支撑。

(2)升沉运动和张力腿平台相比要大得多,但和半潜式或浮(船)式平台比较仍然很小。

平台的重心通常较低,这样运动相对减小,特别是转动。

(3)对上部结构的敏感性相对较小。通常上部结构的增加会导致主体部分的增加,但对锚固系统的影响不敏感。

(4)机动性较大,通过调节系泊系统可在一定范围内移动进行钻井,重新定位较容易。

(5)对特别深的水域,造价上比张力腿平台有明显优势。

Spar 平台的主要缺点表现在以下几个方面:

(1)井口立管和其支撑的疲劳较严重。由于平台的转动和立管的转动可以是反方向的,故立管系统在底部支撑的疲劳是一个主要控制因素。

(2)立管浮筒和其支撑的疲劳较严重。立管浮筒和支撑的设计长期以来也是工程上的一项挑战。

(3)浮体的涡激运动较大,会引起各部分构件的疲劳,如立管浮筒、立管和系泊缆等。

(4)由于主体浮筒结构较长,需要平躺制造,安装和运输使用的许多设备会同主体结构发生接触,因此建造、运输和安装方案对设计影响很大。

1.3.3　半潜式平台(SEMI)

传统半潜式平台(图 1.7)通常由平台本体、立柱和下浮体组成。此外,在下浮体与下浮体、立柱与立柱、立柱与平台之间通常还有一些支撑和斜撑连接。立柱截面形状一般为圆形或者方形。平台上设有钻井机械设备、器材和生活舱室等供钻井工作用。平台本体高出水面一定高度,以免波浪的冲击;下浮体提供主要浮力,沉没于水下以减少波浪的扰动力;平台本体与下浮体之间连接的立柱,具有小水线面的剖面,立柱与立柱之间相隔适当距离,以保证平台的稳性,使得整个平台在波浪中的运动响应较小,因而具有较好的深海钻井工作性能。

图 1.7　传统半潜式平台示意图

考虑投资成本、工作水深范围、井口数目、服务年限和工作地域等因素,半潜式平台是很好的选择。其主要技术特点和优势可以归结为以下几点:

(1)半潜式平台属于浮式结构,因此可适应的水深范围较大,工作水深一般可达 3 000 m。

(2)由于半潜式平台仅少数立柱日曝露在波浪环境中,抗风暴能力强,船体安全性能良好,能适应较为恶劣的海域。

(3)半潜式平台甲板面积大,钻井等作业安全可靠性较高,具有较大的可变载荷,通过优化设计,其可变载荷与总排水量的比值超过 0.2,甲板可变载荷将达到万吨,因而平台自持能力增强,利于适应更大的工作水深和钻井深度。

(4)半潜平台的钻机能力强,钻井深度可达 10 000 m,具有多种作业功能(钻井、生产、起重、铺管等)等特点;能应用于多井口海底井和较大范围内卫星井的采油;此外,半潜式平台作为生产平台使用时,可使开发者在钻探出石油之后即可迅速转入采油,特别适用于深水下储量较小的石油储层。

目前国外出现的半潜式平台已发展到第五代,它们大都具有在水深超过1 500 m水域工作的能力,配备甲板大吊机,采用动力定位系统,结构设计条件高,抗风暴能力强。新一代的半潜平台趋于大型化和简单化,平台的主尺度增大,立柱浮体和主甲板间的内部空间增大,物资(水泥、黏土粉、重晶石粉、钻井泥浆、钻井水、饮用水和燃油等)存储能力增强。平台外形结构趋于简化,立柱从早期的8立柱、6立柱、5立柱等发展为6立柱、4立柱,现多为圆立柱或圆角方立柱。斜撑数目从14~20根大幅降低,以至减为2~4根横撑,并将最终取消各种形式的撑杆和节点,这些改变降低了节点疲劳破坏风险并减少了建造费用。平台主结构采用高强度钢,以减轻平台结构自重和造价,提高可变载荷与平台自重比,提高排水量和平台自重比。下浮体趋向采用简单的方形截面,平台甲板也为规则的箱型结构。

随着海洋开发逐渐由浅水向深水推进,半潜式平台将得到更加广泛的应用,如建立离岸较远的海上工厂、海上电站等,这对防止内陆和沿海的环境污染和加大海洋投资的开发力度都有十分重要的意义。

1.3.4　浮式生产储卸装置(FPSO)

浮式生产储卸装置(Floating Production Storage and Offloading,FPSO)系统(图1.8)作为海洋油气开发系统的组成部分,一般与水下采油装置和穿梭油轮组成一套完整的生产系统,是目前海洋工程船舶中的高技术产品,其设计建造技术难度较高。FPSO系统在二十世纪八九十年代主要用于海上边际油田或大型油田的早期开采系统,现在也用于深海油气田的开发中。近年来,随着技术的不断进步,FPSO系统的作业范围和作业能力都在不断扩大和提高,已经成为面向不同水深、不同环境条件的海上油气开发的主流手段。

图1.8　FPSO系统示意图

较之传统的固定式采油平台为中心的海上油气开采模式,FPSO系统在边际油田、早期开采系统和深海油气田开发中有其独特的优势,近年来得到了大力发展,已经成为海上油气资源开发的一种主要开采手段。与固定式采油平台模式相比,FPSO系统的主要优点有:

(1)投资省、开采风险低;

(2)施工周期短,建造质量有保障;

(3)建造费用对水深和海底地质条件不敏感;

(4)根据不同油田的开发需要,灵活调换生产模块;

(5)拆迁费用低;

（6）适应范围广；

（7）甲板面积宽阔。

FPSO 系统的主要缺点是：

（1）除了油田作业所需的设备与人员外，还需要额外的船用设备和人员，操作费用相对较高；

（2）通常不具备钻井能力，需要额外的移动式钻井装置协助其进行钻井和修井任务；

（3）需要采用费用较高的水下采油树和柔性立管。

1.3.5　其他类型的平台

随着深海油气开采发展的需求日益加大，浮式平台的类型也变得多种多样。近些年来新的概念和新的平台越来越多，这些概念有的已经推进发展成为具体项目，有的呈现出较大的发展潜力，有的则仍然停留在研发阶段。在这些概念和模式中，代表性的有 Sevan 浮式生产系统、浮式生产钻井系统（FPDSO）、ABB 单柱式浮式结构（SCF）、OPE 浮式生产系统（SSP）、深吃水半潜平台、辅助船钻井系统等，这里只选择其中的一部分加以介绍。

Sevan 浮式生产系统（图 1.9）是一种新型的 FPSO。和传统的船型浮式生产系统不同，它的形体是圆柱形。这种浮式生产系统形体简单，建造方便，适合于大型油田的开发。第一艘 Sevan 浮式生产系统于 2006 年建成。

图 1.9　Sevan 浮式生产系统

近年来国外海洋工程界提出了浮式生产钻井系统（FPDSO）的新概念，即在浮式生产系统的基础上加上钻井功能：浮式生产系统（FPSO）+ 张力腿钻井甲板（TLP）。该装置采用类似张力腿平台的技术用拉索将钻井甲板系于海底，甲板载荷则通过舷外的重块系统平衡，重块位于水下 100 m，以避免波浪作用和减少摆动。该装置的优点是几乎不受升沉、纵摇和横摇的影响；没有吃水变化的限制；采油树和防喷器可方便地放在钻井甲板上。这种装置分别于 1998 年 6 月和 2000 年 10 月在挪威的 Marintek 水池和荷兰的 Marin 水池进行了模型试验，并于 2001 年 8 月对巴西 1 200 m 水深的海域进行了可行性研究。

OPE 浮式生产系统（SSP）（图 1.10）是一种正在研究和试验的新型平台。它的形体也是采用圆柱形，在中心的部位延伸了一个框架重力结构，并在框架结构的底部连接了一个承重柱体，以降低平台的重心。平台具有生产和储油功能。

深吃水半潜是近几年工业界一直在寻求和发展的新概念。它的主要目标是发展和改进现有的半潜平台概念,使其适用于干树式采油方式;主要手段是通过降低平台的重心以减少平台的垂向运动,使得干树式采油系统得以使用。如图 1.11 所示,其概念采用了在传统的半潜式平台底部连接一个具有多个阻尼平板的桁架结构,可以极大地减少平台的竖向位移和运动,使得干树的采用成为可能,同时也可达到上部结构质量不受限制的目的。这种平台等同于 Spar 平台,但具有许多 Spar 平台不具备的优点,主要体现在以下几个方面:

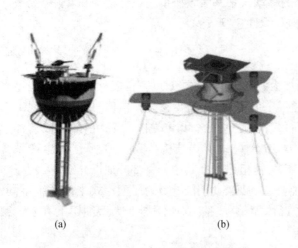

图 1.10　OPE 浮式生产系统的设计形式

图 1.11　带垂荡板的深吃水
半潜式平台示意图

(1)平台不需要大型吊装船来海上安装;
(2)可以进行岸边安装和连接调试;
(3)可以采用传统的建造方式,具有更多的建造选择;
(4)平台的质量比浮筒式结构要小。

辅助船钻井系统是将浮式结构与传统的钻井辅助船结合使用,从而降低对平台的尺寸和质量要求。由于平台的尺寸大小受所承受载荷的影响较大,而钻井系统的质量通常都比较大,如果能减少平台的钻井系统质量,则可以大大降低对平台尺寸的要求。辅助船钻井系统正是基于这个理念,采用将辅助船和平台连接作业的方式,将大部分的钻井载荷放在辅助船上。钻井时人员和设备由辅助船转移到平台,钻井完毕后再移回到船上。辅助钻井船可以支持多个平台的钻井,所以对大型油区的整体开发特别有效。例如,在赤道几内亚的 Okume 大型油田开发中,辅助钻井船同时支持了两个张力腿平台钻井。

1.4　海洋立管

1.4.1　海洋立管的定义和组成

中华人民共和国国家标准《海上油气开发工程术语》中关于海洋立管的定义是连接海底管道与海洋工程结构物上生产设备之间的管道,其底部的膨胀弯管亦属立管的一部分。对于海上浮式平台,立管系统指连接上部浮体与海底基础固定点之间的一段竖立的管形受力构件。例如,与海上平台连接的平台立管、与浮式生产系统连接的浮式系统立管、与人工岛连接的上岛立管等。通常把从海底穿出海面的各种管段统称为海洋管道的立管。立管系统包括立管、支撑构件、所有构成立管的附件和腐蚀防护系统。立管支撑构件是指将立管固定在海上平台的构件,或立管依附于平台的局部或连续的导向装置。立管管路上的附件包括法兰、三通、弯头、大小头、闸阀件等。图1.12为海洋立管系统示意图。

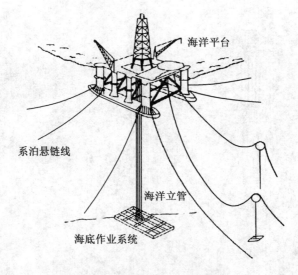

图1.12 海洋立管系统示意图

不同种类的立管由不同的结构组成,根据大致的结构分布可以粗略地分为以下几个组成部分:

(1)海底管段,它是指与海底完全接触或埋入海底而被完全固定的管段,把它看成是立管的一部分。

(2)过渡管段,它是指连接海底管道嵌固点到平台垂直立管的这一管段。海底管道嵌固点是指完全被约束,能够完全阻止热胀冷缩而且不受平台运动影响的管道的所在位置。

(3)垂直管段,它是指过渡管段和平台甲板管道间的那段基本垂直的管段。

(4)立管支撑构件,它是指沿立管所提供的一系列约束件,包括管道与海底的接触点、滑动套、平台上的弹性吊架、固定锚固件等。

1.4.2 海洋立管的分类及其发展概述

早期立管系统的主要结构是钢质管线的简单延伸,通常固定在导管架平台的桩腿上。随着水深的增加,固定式导管架平台已满足不了深水开发的要求。新型浮式生产平台(张力腿平台、深吃水立柱式平台、半潜式平台等)带动了新型深水立管技术的不断发展。在深水油气开发中,立管系统作为连接海底水下生产系统(水下井口、海底管汇、管道终端等)与海面作业平台的生产部件,无论在钻井期还是作业期,都具有多种功能(生产和回注、输出或输入流体、钻井、完井或修井等)。目前,国际常用的深水立管系统主要包括顶部张紧式立管(Top Tensioned Riser,TTR)、钢质悬链线立管(Steel Catenary Riser,SCR)、柔性立管(Flexible Riser)和混合式立管(Hybrid Riser,HR),如图1.13所示。

立管系统的发展是伴随着近代石油工业的发展而快速进步的,立管从浅水到深水领域的应用见证了石油工业的发展历程。近些年,立管系统已经逐步在超深水领域得到了应用,它在石油工业的海底钻探和石油生产中的作用越来越重要。立管系统是深水领域中起连接作用的最关键的组成部分。从海底管线和生产系统到主船体的漂浮系统,正是立管系统形成了流体和其他装置之间流通的通道。

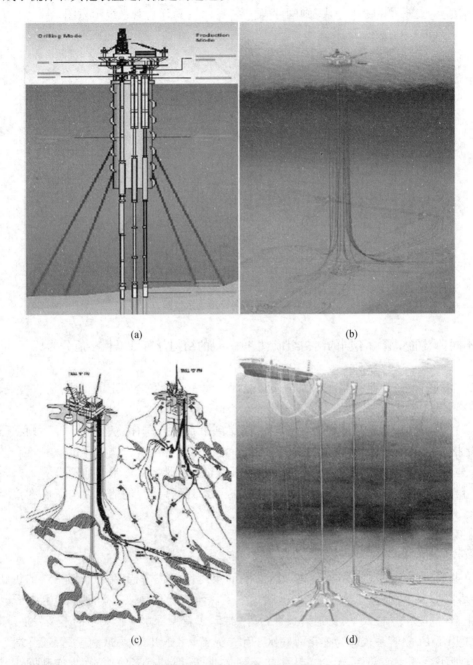

图 1.13　各种形式的立管示意图

(a)顶部张紧式立管;(b)钢质悬链线立管;(c)柔性立管;(d)混合式立管

20 世纪 50 年代,海洋立管第一次应用于加利福尼亚的离岸钻井驳船上,之后直到 1961 年,钻井立管才真正地在动态定位驳船 CUSS - 1 上用于钻井。从那时候起,立管的应用主要有四个目的:钻井、完井、生产/注入和输出。生产立管是配合浮式平台开采油气使用的,它比钻井立管出现晚,其第一次应用是在 20 世纪 70 年代,结构形式是以顶部张紧立管为基础开发的。现对四种常见的生产立管系统进行介绍。

1. 柔性立管

海上浮式生产平台的广泛应用要求立管能够随浮式结构物运动,能灵活地在任意情况下连接、回收和重复使用,因而柔性立管(图 1.14)应运而生。柔性管道最初的形式是纵向连接的帆布软管,主要用于水流的输送,具有易安装、运输轻便的优点,进而发展到如今的金属丝铠装胶管和金属波纹软管。

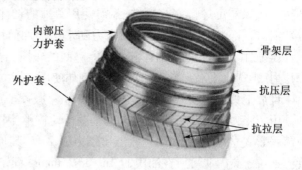

图 1.14　柔性立管结构形式

在 1976 年,柔性立管第一次在巴西 Garoupa 地区使用。1978 年,在巴西的 Enchova 油田,第一条柔性立管被安装在浮式生产设施上,真正成为海洋浮式生产系统的一部分。1994 年,柔性立管的作业水深突破 1 000 m,目前最先进的柔性立管作业水深达 1 940 m,位于墨西哥湾。由于柔性立管具有抗弯刚度低、轴向抗拉强度大的特点,在深海领域得到广泛应用,目前全球 80% 的动态立管采用的是柔性立管。表 1.1 列举了 1976—2007 年间柔性立管的部分应用情况。

表 1.1　柔性立管发展历史

年份	事件
1976 年	第一个动态柔性立管在巴西安装
1978 年	第一个带有热力跟踪的柔性立管在印度尼西亚安装
1982 年	刷新出第一个绝热柔性立管
1986 年	第一个动态柔性立管系统在北海安装,第一个带有 Coflon 压力层的柔性管道在北海和西班牙安装
1987 年	出现了直径最大的柔性立管
1988 年	创造了柔性立管作业水深的新纪录(567 m)
1989 年	第一个带有 Crossflex 抗压装甲的柔性立管
1992 年	第一次使用垂直铺设系统(VLS)安装
1997 年	创造了漂浮软管(1 709 m)和立管(1 390 m)的作业水深新纪录
1998 年	刷新了第一个带有 Teta 抗压装甲的柔性立管
2000 年	刷新了漂浮软管作业水深的新纪录(1 877 m)
2001 年	在挪威的 Asgard 油田第一次实施了产品完整性管理系统(PIM)
2002 年	巴西石油公司安装了最深的漂浮软管(1 886 m)
2003 年	第一个使用了 46 mm 厚绝缘填充器的工程
2005 年	BP 石油公司在墨西哥湾上的 THUNDER HORSE 平台上安装了最深的立管
2006 年	Total 石油公司的 Dalia 浮式装置上,在 1 400 m 水深第一次安装了 8 个整合生产集束动态立管
2007 年	在挪威的 Statoil Asgard 上安装了世界上第一个光孔动态气输立管

2. 顶部张紧式立管(TTR)

顶部张紧式立管是用于连接浮式生产平台和海床上的水下系统间的管道,用于干式采油树。该系统可进行完井操作,不需使用单独的钻井平台,可完成生产、回注、钻井和外输等功能。顶部张紧式立管需要的张力随水深增加而增加,其通过张力支撑立管质量、防止底部压缩、限制涡激振动损坏和邻近立管间的碰撞。在水深超过 1 500 m 时,为减小立管顶部拉力,须优化顶部张紧式立管结构(例如使用单层立管代替管中管立管)。

世界上最早的顶部张紧式立管在 1984 年服役于英国北海浮式产油系统中的张力腿平台。由于张力腿平台和 Spar 平台的垂荡运动较小,因此顶部张紧式立管多用于这两种平台顶部张紧式立管。除了 Spar 平台和张力腿平台,其他固定式平台也可采用顶部张紧式立管。如位于英国北海所在油田的 Tuscan Ardmore 固定式平台,采用了 4 根高压顶部张紧式立管。

目前已应用的半潜式平台都为湿树平台,但近年来随着对半潜式平台的研究与改进,很多设计单位正在探究将顶部张紧式立管应用于干式半潜平台。

表 1.2 给出了部分关于顶部张紧式立管在各油田项目中的使用情况。

表 1.2 顶部张紧式立管使用情况

平台名称	平台类型	运营商	时间	油田海域	水深		TTR数目
					/ft[①]	/m	
Brutus		Shell	2001 年	Green Canyon,GOM	3 000	914	—
Ursa		Shell	1999 年	Mississippi Canyon,GOM	3 950	1 204	12
Ram/Powell		Shell	1997 年	Viosca Knoil,GOM	3 215	980	—
Mars		Shell	1996 年	Mississippi Canyon,GOM	2 933	894	—
Heidrum	TLP	Conoco Norway Inc.	1995 年	Norwegian North Sea	1 148	350	—
Auger		—	1994 年	Garden Banks,GOM	2 860	872	32
Snorre		Saga Petroleum	1992 年	Norwegian Norh Sea	1 017	310	38
Jolliet			1989 年	Green Canyon,GOM	1 099	335	—
Hutton			1984 年	North Sea,UK	485	148	—
Nansen/Boomvang		Exxon Mobile	—	Alaminos Canyon,GOM	4 800	1 463	6
Holstein	Spar	Keer-McGee	—	GOM	3 675	1 120	14
Neptune		BP	—	GOM	4 344	1 324	15
			1996 年	GOM	1 930	588	16

3. 钢悬链线立管(SCR)

钢质悬链线立管出现于 20 世纪 90 年代中期,经过 20 多年的发展,已经出现了四种基本形式的钢悬链线立管,并都成功应用于张力腿平台、Spar 平台、半潜式平台、浮式生产平

---

① 1ft＝0.304 8 m。

台。简单悬链线立管(Simple Catenary Riser)、浮力波或缓波悬链线立管(Bouyant Wave / Lazy Wave Riser)、陡波悬链线立管(Steep Wave Riser)和 L 型立管(Bottom Weight Riser/L Riser)是钢悬链线立管的几种常见布置形式,这几种类型的悬链线立管的基本形式如图 1.15 所示。其中,缓波和陡波悬链线立管是为了减小立管的顶部张力、减小立管触地点与土壤摩擦而设计的,其隆起的部分通过安装浮力块来实现,因此它们适用的水深比简单悬链线立管更深。

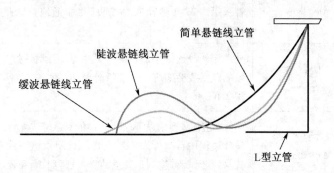

图 1.15　钢悬链线立管的基本形式

钢质悬链线立管集海底管线与立管于一体,一端连接井口,另一端连接浮式结构,无需海底应力接头或柔性接头的连接,大大降低了水下施工量和难度。它与平台的连接通过自由悬挂在平台外侧的柔性接头(Flexible Joint)来实现,无需液压气动张紧装置和跨接软管,节省了大量的平台空间。因此,与柔性立管和顶部张紧式立管相比,钢质悬链线立管的成本低,无需顶张力补偿,对浮体漂移和升沉运动的容度大,适用于高温高压介质环境。

1993 年壳牌公司(Shell)在墨西哥湾 872 m 水深的张力腿平台 Auger 上安装了世界上第一条钢悬链线立管,引起了工程界和学术界的极大关注。深海平台钢悬链线立管的出现,实现了将海洋输送立管和海底管线的合二为一。1997 年,钢悬链线立管被应用于巴西附近海域水深超过 605 m 的半潜式平台;2003 年,钢悬链线立管采用管套管的安装方式,被应用于水深为 1 920 m 的深海海域。从 20 世纪 90 年代中期出现以来,历经 20 年的发展,钢悬链线立管如今已在半潜式平台、张力腿平台、Spar 平台和 FPSO 中得到了广泛的应用,实际应用水深已经超过 3 000 m。近年来,钢悬链线立管在深水油气工程中的主要应用见表 1.3。

表 1.3　钢悬链线立管发展历史

时间	平台类型	钢悬链线立管
1993 年	张力腿平台 Auger	首根投入生产的钢悬链线立管,该立管外径 12 in[①],壁厚 0.688 in,工作水深 2 860 ft[②],通过柔性接头与平台连接
1997 年	半潜式平台 Brazil	首根应用于半潜式平台的钢悬链线立管,采用 API 规定的 X60 钢,该立管外径 10 in,壁厚 0.812 in,工作水深 1 985 ft
1998 年	张力腿平台 Morpeth	双向传送的钢悬链线立管,工作水深 1 670 ft,采用立式铺设安装立管的螺旋筋板,其余部分则采用卧式铺设(S – Lay)安装

表 1.3(续)

时间	平台类型	钢悬链线立管
2001 年	张力腿平台 Prince	由两根外径 12 in 的立管组成,工作水深 1 500 ft,立管间的分离角约 24°,柔性接头根据运动状况在 ±20° 间自动调整
2001 年	张力腿平台 Allegheny	立管采用 API 规定的 X65 钢,外径 6 in,壁厚 0.791 in,工作水深 3 300 ft,需要约 50 000 lb③浮力用于缓解立管对平台的作用。立管采用约 27 ft 的钛应力接头,并在触地点区域采用三层聚乙烯包裹
2002 年	张力腿平台 Typhoon	是水深外径比最小的钢悬链线立管,因此导致在触地点(TDP)区域的极度疲劳响应。采油管外径 10 in,采气管外径 18 in,工作水深 2 100 ft
2003 年	张力腿平台 Matterhorn	第一次应用绞盘铺设(Reel – Lay)的钢悬链线立管,工作水深 2 850 ft。设计过程中首次考虑了墨西哥湾的浸没流。绞盘铺设对设计、安装与疲劳试验,特别是管系的焊接、匹配、断裂提出了全新挑战
2003 年	半潜式平台 Na Kika	首次应用了管中管系统,该钢悬链线立管工作水深 6 300 ft,其中输出管为单壁型
2003 年	张力腿平台 Marco Polo	该钢悬链线立管有四个极限焊接节点,分离角能在 100° ~ 120° 之间浮动。采油管外径 12 in,采气管外径 18 in,工作水深 4 300 ft
2004 年	FPSO Bonga	第一个应用于浮式生产储运系统的钢悬链线立管
2004 年	立柱式平台 Front Runner	首次将钢悬链线立管用于立柱式平台,工作水深 3 000 ft,并开展涡激运动(VIM)疲劳分析

注:①1 in = 2.54 cm;②1 ft = 0.304 8 m;③1 lb = 0.453 6 kg。

4. 混合式立管(HR)

混合式立管(图 1.16)是刚性立管和柔性立管的结合,能提供畅通的、有条理的水下布置。刚性立管作为主体,立管上有浮筒以提供足够的浮力。顶部连接一根软管,软管直接与浮体相连,并可随浮体运动,这样浮体的运动几乎影响不到立管主体。混合式立管水动力性能优异,疲劳寿命较高。

在水深超过 1 000 m 的深水和超深水油田开发项目中,混合式立管作为一种有效的立管系统,在墨西哥湾、西非海域以及巴西海域的油田项目中得到了应用。第一根混合式立管的应用是 Placid Oil 公司在 1988 年位于墨西哥湾水深 469 m 的 Green Canyon 29 项目中使用的,并于 1999 年退役。1994 年,第二代混合式立管

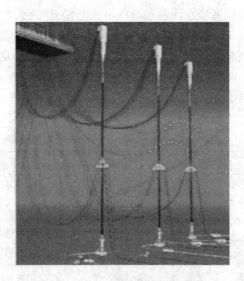

图 1.16 混合式立管示意图

系统在墨西哥湾 Enserch 公司的 Garden Banks 338 项目中得到了应用,水深为 639 m。2001年,在安哥拉的 1 350 m 水深的 Girassol 油田项目中,Total Elf 公司采用了 3 根混合塔式立管。2007 年,Total Elf 公司在西非安哥拉海域 1 350 m 水深的油田项目中采用了单根集束塔式立管系统。2007 年,BP 公司在西非安哥拉海域水深 1 300 m 的 Greater Plutonio 油田项目中,采用了 FPSO 作为浮体,集束式的混合塔式立管作为生产立管。集束式立管由 11 根管线围绕着一根核心管线组成,张力由顶部浮力筒提供。表 1.4 列举了 1988—2009 年期间混合式立管的部分应用情况。

表 1.4　混合式立管发展情况

油田名称	立管类型	运营商	安装时间	油田海域	水深/m	安装方案
Green Canyon 29	集束立管	Placid Oil	1988 年	墨西哥湾	469	钻井平台
Garden Banks 288		Ensearch	1994 年	墨西哥湾	670	
Girassol		Total Elf	2001 年	安哥拉海域	1 350	拖曳式浮托
Rosa		Total Elf	2007 年	安哥拉海域	1 350	
Grdater Plutonio		BP	2007 年	安哥拉海域	1 350	
Kizomba A	单管	Exxon	2004 年	安哥拉海域	1 006 ~ 1 280	J 型铺管船安装
Kizomba B		Exxon	2005 年	安哥拉海域		
Block 31 NE		BP	—	安哥拉海域	2 100	
P – 52		Petrobras	2007 年	巴西海域	1 800	
Cascade/Chinook		Petrobras	2009 年	墨西哥湾	2 600	

1.4.3　立管在深海油气田开发中的地位

随着人类进军深海步伐的不断迈进,面临的海洋环境也越来越恶劣,对深海油气开采设备的要求也越来越高。随着海洋油气产业的发展,越来越多的油气资源被勘探和发现,不管海洋油田开发采用何种浮式平台,都需要使用管道/生产管线和立管,海洋管道把海上油田的整个生产密切地联系起来,它们是现代海洋工程结构系统的重要组成部分。

海洋立管同时也是海洋管道系统中薄弱易损的构件之一,其内部一般有高温高压的油或气流通过,外部承受波浪、海流等荷载的作用,偶尔还会受到海冰、地震、海啸等偶然因素的影响。在内部流体和外部荷载的共同作用下立管可能会发生碰撞、疲劳破坏、断裂和腐蚀失效等,轻则停产,重则引起破损、油气泄漏,导致火灾和爆炸事故,不仅工程本身遭受损失,而且可能造成严重的次生灾害。因此,立管性能的好坏直接影响到油气开发的成本与利润及环境安全。

所以,对于新型立管的研究一直以来都是海洋开采设备研发中的一个热点。作为深海油气田开发系统中的重要组成部分,海洋立管以其全新的形式,动态的特性及高技术含量成为一个令人瞩目的焦点。

1.4.4 深海油气田开发中立管的选择

由于操作人员和安装承包商所关心的问题不一致,立管的选择需要综合性的考虑。深水立管的选择要考虑如下因素:环境、总体覆盖范围、工程施工能力、经验、技术、性能和安装能力等。深水立管的选择和浅水立管的选择大不相同。在确定合适的立管系统时,要进行以下五个步骤:

(1)确定可供选择的立管系统;

(2)找出立管系统的关键部分;

(3)评估运行成本;

(4)对比不同系统的生命周期;

(5)确定具有可行性的低成本立管系统。

立管选择步骤中的关键问题是技术的可行性和立管的成本。目前有四种可供选择的深水立管类型,分别为钢悬链线立管、顶部张紧式立管、柔性立管和混合式立管。

立管系统的选择取决于很多因素,将会在下面的内容中进行讨论。立管的应用随着作业区域的变化而变化,作业区域的环境状况、水深和浮式平台的类型对立管的选择有很大影响,表1.5 显示了在不同区域使用的不同立管类型。

表1.5　不同立管的应用区域

立管类型	最适合应用于	已经应用的地区
钢悬链线立管	1. FPSO 2. 半潜平台	1. 墨西哥湾的 TLP 平台输出立管 2. 西非的 FPSO 3. 墨西哥湾的半潜船
顶部张紧式立管	1. 干采油树(TLP,Spar)	1. 墨西哥湾的 TLP/Spar 生产平台 2. 南海的 TLP 平台
柔性立管	1. FPSO 2. 半潜平台 3. 浅水平台	1. 南海的 FPSO 2. 浅水油田 3. 墨西哥湾的回接装置
混合式立管	1. FPSO 2. 半潜平台	1. 墨西哥湾的半潜式平台 2. 安哥拉海域的 FPSO

每种立管都具有各自的特点,四类立管的优缺点见表1.6。

表1.6　不同类型立管的优缺点

立管类型	优点	缺点
钢悬链线立管	1. 简单,成本相对较低 2. 可用于高温高压环境 3. 直径和水深的范围很广 4. 可作为管线系统的一部分	1. 疲劳问题 2. 主体区域的布局 3. 柔性接头完整性问题 4. 触地点的问题 5. 较低和适中的船体运动 6. 静水环境

表 1.6(续)

立管类型	优点	缺点
顶部张紧式立管	1. 适用于干采油树方案(TLP,Spar) 2. 可直接连接于井口 3. 可直接连接于水面采油树	1. 有限的钻井距离 2. 超深水中较大的立管自重 3. 高温高压下较大的立管所受重力 4. 较高的成本
柔性立管	1. 较少的疲劳问题 2. 适合于 FPSO 3. 水下连接很方便简捷 4. 有最简化的构造 5. 较小的水下基础设施 6. 便于安装	1. 直径限制 2. 水深限制 3. 温度限制 4. 高成本 5. 质量很大 6. 操作困难 7. 触地点问题
混合式立管	1. 较好的强度和疲劳性能 2. 船体附近布局简单 3. 技术上具有可行性 4. 适合高强度的螺纹连接	1. 地基的问题 2. 硬件设施过于复杂 3. 安装复杂

1.4.5　深海立管技术上的难点

设计者通常要根据详细的说明和推荐规范来设计立管,然而由于海洋条件等外部因素的影响,有时需要做一些必要的修改。每根立管在满足结构完整性的同时,还要满足生产率、压力、腐蚀和温度的要求。运行过程中要考虑当遇到极限风暴条件、系泊失效、管线之间相互作用等情况时的防备解脱系统,以及立管在这些外部载荷作用下的保护措施。这些都需要在设计阶段加以考虑,以确保立管设计的安全性。

深水海流对立管有着显著的影响,浅水海流的作用也不可忽略,海流的作用随着水深、幅度和方向的变化而变化。一般情况下,立管的直径越大,所受到的载荷也越大。在深水中,这些载荷能够产生很大的弯曲作用力,并且不论水深如何,海流的脉动都会引起很大的疲劳载荷,这些对立管的寿命都是不利的因素。表 1.7 列出了目前各种类型的立管在设计中遇到的挑战与解决方法。

表 1.7　立管设计中遇到的挑战和解决方案

立管类型	设计挑战	目前解决方案
钢悬链线立管	柔性接头的完整性、疲劳	使用更好的材料
顶部张紧式立管	涡激振动等引起的疲劳	抑制装置,增加顶张力
柔性立管	在直径、水深与壁厚等方面的限制	使用新材料,优化设计方案
混合式立管	成本、地基安装与设计	简化系统,使用小规模立管 (单一形式混合式立管)

对于钢悬链线立管来说,常见的设计方面的挑战是如何保持立管顶端柔性接头的完整

性,除此之外,钢悬链线立管还要考虑疲劳破坏的问题,这一类破坏通常发生在两个位置:底部触地点和悬垂段顶部部分。钢悬链线立管的顶端必须能够承受全部的立管重力,同时抵消船舶的运动,而触地点和它上面的部分也都是应力危险区,因此,必须采用更好的材料或者其他的装置对这一区域进行加强。

顶部张紧式立管由于具有特殊的结构形式,因而对涡激振动(VIV)非常敏感,涡激振动导致的后果是疲劳破坏。因此,需要在顶部张紧式立管上使用一些涡激振动的抑制装置,或者采用增加顶张力的方法来抑制涡激振动。目前,深水立管涡激振动的抑制装置(图1.17)主要有螺旋列板(Strake)和导流板(Fairing)两种。螺旋列板价格便宜,但它增加了阻力。导流板阻力较小,拖曳力也比较小,但是价格比较贵。

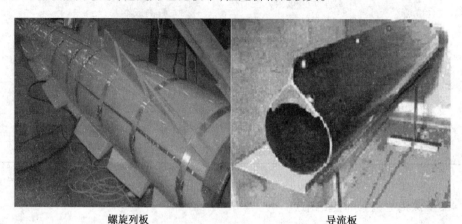

螺旋列板　　　　　　　　　　　　　　导流板

图1.17　涡激振动抑制装置

对于柔性立管来说,设计方面的挑战是加工工艺、设计内压对立管结构类型、直径、壁厚的限制等。因此,设计者必须考虑使用新材料和新技术来代替传统的多层截面形式。

近些年,混合式立管由于成本高,还没有得到广泛的应用,为了尽可能地降低成本,需要考虑简化和缩小系统构造形式。

总体来说,深水立管在应用方面面临的主要挑战如下:

(1)新的主要载荷组合(如深水和流载荷);

(2)新概念(复合式立管);

(3)新材料(钛合金等);

(4)新的临界失效模式(如海流导致的涡激振动疲劳)。

1.5　本章小结

本章从人类对海洋资源的开发开始,简单介绍了各种人类可利用的海洋资源,接着着重就海洋油气资源进行了较为详细的描述,强调了我国对海洋油气资源的巨大需求,突出了海洋油气开发的广阔前景。然后对各种常用海洋油气开采平台的结构形式、优缺点进行了详细的说明,最后引申出海洋油气开采的关键设备——海洋立管,并对其系统组成、分类、技术上的难点等进行了介绍。

参 考 文 献

[1] 吴家鸣.FPSO 的特点与现状[J].船舶工程,2012,34(2):1 – 4,102.

[2] 张帆,杨建民,李润培.Spar 平台的发展趋势及其关键技术[J].中国海洋平台,2005,20(2):6 – 11.

[3] 栾苏,韩成才,王维旭,等.半潜式海洋钻井平台的发展[J].石油矿场机械,2008,37(11):90 – 93.

[4] 童波.半潜式平台系泊系统型式及其动力特性研究[D].上海:上海交通大学,2009.

[5] 赵政璋,赵贤正.国外海洋深水油气勘探发展趋势及启示[J].勘探论坛,2005(6):71 – 76.

[6] 张大刚.深海浮式结构设计基础[M].哈尔滨:哈尔滨工程大学出版社,2012.

[7] 杜尊峰,余建星,谭振东.适于海上边际油田开发的平台选型与结构计算[J].海洋技术,2010,29(4).

[8] 李辉.张力腿平台水动力响应与总体强度研究[D].哈尔滨:哈尔滨工程大学,2011.

[9] 辛仁臣,刘豪.海洋资源[M].北京:中国石化出版社,2008.

[10] 余折.凹陷损伤立管的极限强度和疲劳寿命分析[D].上海:上海交通大学,2010.

第2章 深海立管设计与分析方法

2.1 概　　述

深水立管与浅水立管有重大差别,浅水立管用管卡固定在导管架上,水动力、冰或地震载荷等作用分析与导管架一起考虑。而深水立管,全由自身结构强度承受水动力和自身所受重力的作用,因此在结构强度设计、变形控制问题上,两种立管的理论方法和准则均不相同。

深水立管设计与分析主要包括以下几个方面:材料的选取、尺寸和形状的确定、静态设计和动态设计、强度分析、涡激振动(VIV)分析、疲劳分析、碰撞分析和安装分析等。

通过详细合理的设计和分析,深水立管的设计要达到如下目标:

(1)满足政府、规范要求,满足功能和运行要求;

(2)选择最简单、成本最低的类型;

(3)避免立管之间的碰撞;

(4)安装方便。

2.2　立管的设计

2.2.1　设计基础资料

设计基础资料(DBD)提供了立管管理、立管系统设计的方法和步骤,重点控制设计的改变。设计基础资料的目的是提供基本原理、一系列一致的数据、用于指定工程开发的合理要求和设计。设计基础资料是立管设计的基础,它将在整个工程过程中随着设计数据的增加而不断地被检查和更新。当设计数据发生变化时,变动请求将被递交给客户以获得批准。

典型的立管设计基础资料应该至少包括如下内容。

(1)系统描述和功能需求。描述立管系统的构型和关键部件,详细说明工程设计的总体要求。这部分也定义当立管的设计数据变化时设计机构不同小组间的管理方法。

(2)设计和分析要求。定义经认真考虑过的负荷条件和评定立管响应的标准。

(3)设计数据。提供立管系统的相关数据,包括但并不仅限于如下内容:

①油田布置和位置数据;

②系统设计寿命和油井生产数据;

③管道和立管数据;

④水面结构数据和运动(仅用于立管设计);

⑤海洋、地质数据和土壤数据;

⑥压力和温度数据;

⑦负荷情况(压力、流体含量、环境标准);

⑧立管工艺参数(包括管径、管道压力、输送介质密度和温度,以及保温层厚度等);

⑨立管防腐设计参数(包括管内和管外防腐措施、管内腐蚀裕量、管外防腐涂层和牺牲阳极块参数)。

(4)除设计数据外,也应包括生产系统各部件间关键设计接口设备的鉴定。

2.2.2　设计阶段的划分

海洋立管的设计通常按以下步骤进行:

(1)概念设计。该阶段设计的主要目的是确定技术可行性,确定下一设计阶段所需的信息,进行资本和进度估计,经常被称为"方案选择"。

(2)基本设计。该阶段的主要任务是进行材料选择和壁厚确定、确定立管的尺寸、执行设计规范校核、准备授权应用。基本方案需要在这个阶段定稿,也称作"确定阶段"。

(3)详细设计。该阶段的所有设计工作须足够详细以便进行采购和制造。而且,工程过程、说明书、测试、勘测和制图等工作须全面开展,这个阶段也称作工程"执行阶段"。

表 2.1 显示了设计分析中不同阶段的关键点。

表 2.1　典型的立管设计分析

步骤	描述	设计分析中的关键点
概念设计	确定可行的立管工程概念和构造,同时要考虑海洋环境和客户的要求	1. 找出具有可行性的立管构造 2. 主要布局和干扰分析 3. 海底工程和船体设计的干扰
基本设计	用于确定横截面和辅助设施的基本属性,并且为确定立管总体概念的基础提供分析指导	1. 横截面设计和辅助设施设计 2. 强度和疲劳设计 3. 动态分析 4. 触地点分析,特别是对钢悬链线立管 5. 安装工程 6. 管线和辅助设施的采购
详细设计	为满足系统的强度和疲劳的要求进行分析	1. 强度分析 2. 涡激振动和波浪疲劳分析 3. 合格检测,$S-N$ 曲线 4. 安装分析

2.2.3　设计流程的确定

设计流程的主要目的是以设计基本数据(如设计压力和温度、油田数据和产品处理数据)为基础确定最优化的立管设计参数,其设计流程如图 2.1 所示。

在这些参数中,下列参数是最重要的:

(1)基于流动保障性分析的立管尺寸(内径);

(2)基于管道存在性、成本和焊接的管道材料等级(如 API 5L 管、CRA 管、表面镀层管、

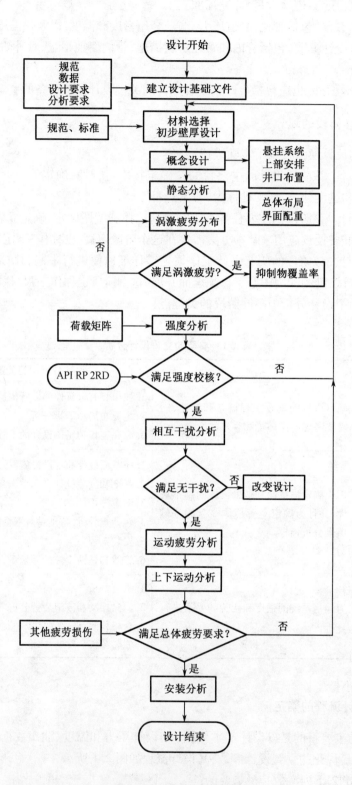

图 2.1 立管设计流程图

衬管);

(3)基于设计标准的管壁厚度确定(如压力负荷计算、强度校核);

(4)管道路径选择、立管顶部和海底布置(如管道排列图、立管悬挂系统);

(5)立管长度;

(6)管道覆层的类型和厚度(如抗侵蚀覆层、重力覆层、绝热覆层);

(7)管道阴极保护系统(如阳极类型、数量、与管道连接装置)。

一般来说,设计流程是一个交互式的过程,这些参数要与平台系统和其他管线的设计统一考虑确定。

2.2.4　立管材料的选择

1. 材料选择一般原则

海洋立管最常用的材料是从碳钢(如美国石油协会 API – 5L 规格,等级 X52 – X7O 或更高)到特种钢(也就是合金钢,如 130 铬)的钢材,其成本、抗侵蚀能力、质量要求、可焊接性等因素决定了材料的选择。

钢材的等级越高,单位体积(质量)的价格越高。然而,随着高等级钢材生产成本的降低,海洋工业的总体趋势是使用高等级的钢材。

材料选择可能是海洋立管设计中最初的步骤之一,它是立管系统设计中的关键要素。此外,材料选择还与制造、安装、运行成本有关系。

2. 预制、安装及运行的成本考虑

管道用材料级别的选择具有下述成本:

(1)管道预制　钢材的成本随着级别增高而增高。然而,级别增加将允许降低管道壁厚。因此使用高钢级管道与低钢级管道相比,制造成本将总体降低。

(2)安装　高级别钢焊接困难,因此高钢级敷设速度比低钢级低。然而,如果管道在非常深的水中,且船在最大敷设张力状态下敷设,应用高级别钢更合适,因为管道质量降低将导致敷设张力降低。总的来说,从安装的角度考虑,低钢级安装成本较低。

(3)运行　由于管道所运输的产品不同,管道可能遭受内部腐蚀、内部冲蚀、H_2S 导致的腐蚀。这一部分设计将通过材料的选择和运行程序的改进(即通过使用化学缓蚀剂)来避免腐蚀缺陷的产生。

3. 材料级别优化

基于过去二十多年管道设计的经验和管线管制造、焊接的技术进步,材料级别的优化被严格地进行着。这一优化要求在制造和安装成本最小化的前提下,保证运行需求。由于材料级别选择对管道运行寿命具有重大影响,运营者通常会参与材料级别的最后选择。

2.2.5　最小壁厚设计

深水立管钢管的壁厚是决定钢管承受安装和操作期间内、外载荷作用能力的关键因素,也是影响工程费用的关键因素,因此合理适度选择钢管壁厚,不仅能够确保立管安装和操作期间的安全运营,还能有效降低工程建设费用。

根据 API RP 2RD 中介绍的方法,海洋深水立管最小壁厚应基于以下组合应力和屈曲压溃应力校核结果确定。

1. 组合应力校核

在立管任何危险位置,将根据 Von Mises 屈服准则计算组合应力 σ_{e}:

$$\sigma_{e} = \frac{1}{\sqrt{2}} \sqrt{(\sigma_{pr} - \sigma_{p\theta})^2 + (\sigma_{p\theta} - \sigma_{pz})^2 + (\sigma_{pz} - \sigma_{pr})^2} \qquad (2-1)$$

其中

$$\left. \begin{array}{l} \text{径向应力}: \sigma_{pr} = -\dfrac{P_o D_o + P_i D_i}{D_o + D_i} \\[4mm] \text{环向应力}: \sigma_{p\theta} = (P_i - P_o)\dfrac{D_o}{2t} - P_i \\[4mm] \text{轴向应力}: \sigma_{pz} = \dfrac{T}{A} \pm \dfrac{M}{2I}(D_o - t_{min}) \end{array} \right\} \qquad (2-2)$$

式中　　P_i——内压;

P_o——外压;

D_o——外径;

D_i——内径;

t_{min}——立管最小壁厚;

A——管截面面积,$A = \pi(D_o^2 - D_i^2)/4$;

T——在分析处的真实管壁张力;

M——管的总体弯矩;

I——惯性矩,$I = \pi(D_o^4 - D_i^4)/64$。

组合应力校核准则为

$$\sigma_{e} \leqslant C_f C_a \sigma_y \qquad (2-3)$$

式中　　C_f——设计参数;

C_a——允许应力参数,$C_a = 2/3$;

σ_y——管材最小屈服强度。

2. 屈曲压溃应力校核

对于屈曲压溃应力校核,设计允许的净外压 P_a 应小于设计参数 D_f 与预测压溃压力 P_c 之积,校核公式如下:

$$P_a \leqslant D_f P_c \qquad (2-4)$$

$$P_c = P_o \left(g - \frac{s}{s_o} \right) \qquad (2-5)$$

$$P_o = \frac{P_e P_y}{\sqrt{P_e^2 + P_y^2}} \qquad (2-6)$$

设计参数 D_f 对于无缝或电阻焊管取 0.75。

式中　　P_y——与拉力并存的屈服压力,$P_y = 2Y_t t/D$;

P_e——弹性屈曲压力,$P_e = [2E/(1 - v^2)](t/D)^3$;

g——考虑管道不圆度的缺陷系数;

s/s_o——临界弯曲应变比。

3. 屈曲压溃扩展限制

对于深水立管,一旦发生局部屈曲,便存在着发生屈曲传播的风险,因此在深水钢悬链线立管最小壁厚设计中,需要通过比较设计压差与计算的扩展预测压力差,来判断是否存在屈曲压溃扩展的危险性。屈曲压溃扩展限制准则为

$$P_d < D_p P_p \tag{2-7}$$

式中　P_d——设计压差;

P_p——预测压力差,$P_p = 24\sigma_y(t/D)^{2.4}$;

D_p——设计参数,取 0.72。

2.2.6　立管的疲劳破坏

立管作为连接海上浮体与海底油井的通道,承受着较大的变载荷作用,容易发生疲劳破坏导致漏油。结构破坏将导致严重的生产事故、财产损失以及环境破坏。为减少或避免此类事故的发生,有必要对立管疲劳破坏产生的原因、疲劳计算的方法、预防疲劳破坏产生的措施等进行深入的研究。

1. 立管疲劳破坏的成因

(1)浮体运动　对立管产生疲劳损伤的平台运动可分为一阶运动和二阶运动。一阶运动是波浪直接作用在平台上引起的平台运动;二阶运动是由风为主要载荷产生的平台慢漂运动。与一阶运动相比,二阶运动具有频率低、周期长的特性。因此,我们又称一阶运动为高频运动,二阶运动为低频运动。

(2)涡激振动(VIV)　涡激振动是在一定速度的来流中,由物体背后交替泻涡导致的脉动压力而引起的结构振动。

(3)涡激运动(VIM)　小长径比(L/D)柱体(如 Spar 平台)在强流作用下引起漩涡脱落,从而产生大幅的水平运动。涡激运动是涡激振动的一个特例,它的响应幅值很大,周期较长。

(4)管土耦合作用　钢悬链线立管下端与井口相连部分至悬垂段部分之间与海床相互接触的区域称为触地段,该段因立管顶端在外部激励的作用下,与海床土体循环接触,承受较大的交变应力变化,尤其是触地段与悬挂段的交点即触地点更是成为立管疲劳损伤分析的重点区域。

2. 疲劳特性分析方法

疲劳破坏在微观层次上是一个极其复杂的过程,很难用严格的理论方法进行描述,目前针对工程结构的疲劳分析方法主要可分为两大类:基于 $S-N$ 曲线和 Miner 线性累积损伤准则的疲劳累积损伤方法,简称 $S-N$ 曲线法;基于 Paris 疲劳裂纹扩展准则的断裂力学方法,简称断裂力学法。$S-N$ 曲线法考虑了不同材料的疲劳特性、构件尺寸、表面状况等因素,采用应力循环范围来描述疲劳破坏的总寿命并结合 Miner 疲劳线性累积损伤理论估算结构疲劳寿命,可以较好地处理平均应力、应力变幅、多轴应力和应力集中的影响。断裂力学法研究裂纹在结构中的扩展机理,探索裂纹对结构强度的影响,并利用 Paris 疲劳裂纹扩展公式来计算疲劳载荷作用下裂纹的扩展速率。

$S-N$ 曲线法与断裂力学法互为补充,各有优缺点。从严格意义上来说,$S-N$ 曲线法仅适用于预报疲劳裂纹的起始寿命,但在工程中常将疲劳破坏的扩展过程简化为一个状态,同时疲劳裂纹起始阶段的寿命占总寿命中的很大一部分,从而把 $S-N$ 曲线法应用于结构

的全寿命评估。而断裂力学法明确考虑疲劳裂纹的扩展过程,可以更好地反映尺度效应并精确地估算剩余寿命,但必须假定初始裂纹存在并准确预估裂纹的扩展速率,最后才能计算出临界裂纹的出现时刻。最科学的方法是将 $S-N$ 曲线法与断裂力学法结合起来,用 $S-N$ 曲线法预报裂纹的起始寿命,用断裂力学法预报裂纹的扩展寿命,然后得到最终的全寿命。但这样做涉及的不确定性很多,同时由于断裂力学法本身还有许多理论需要发展和完善,最终会导致结果有很大的离散度,因而现阶段实用的海洋工程结构物疲劳强度分析仍主要采用 $S-N$ 曲线法。

3. 减轻疲劳的设计

减轻立管疲劳响应,可从立管疲劳破坏的成因入手,采用各种方法降低涡激振动和平台的涡激运动、降低平台的运动幅值等。减轻疲劳的主要方法如下:

(1)增加壁厚;

(2)加装涡激振动抑制装置如螺旋列板或整流器;

(3)移动浮体位置;

(4)改变整体构型;

(5)改变立管概念;

(6)采用复合管;

(7)改变安装方法;

(8)改进立管生产工艺;

(9)严格焊接要求。

2.2.7 立管的极限分析

所有依据极限状态用公式表达的相关失效公式都应在管道和立管的设计中加以考虑。立管的极限状态可以分为运行极限状态(SLS)、自存极限状态(ULS)、疲劳极限状态(FLS)、事故极限状态(ALS)四类:

(1)运行极限状态(SLS) 如果超越就会导致管道不能正常运行的状态;

(2)自存极限状态(ULS) 如果超越就会危及管道和立管完整性的状态,包括爆裂、局部弯曲、整体弯曲、不稳定破裂和塑性破坏;

(3)疲劳极限状态(FLS) 计算由环境载荷、运行条件、涡激振动、浮式装置运动等引起的累积循环载荷;

(4)事故极限状态(ALS) 由偶然载荷引起,如渔船拖网板撞击、坠落物体等。

进行极限状态设计检查时应考虑不同阶段和考虑事项,包括:

(1)暂时安装阶段;

(2)压力测试(充水和水压测试)阶段;

(3)管道运行(产品输送、设计压力和温度)阶段。

2.2.8 立管的在位分析

所谓在位分析即指模拟立管的工作状态而进行的力学分析。在位分析贯穿了立管的整个设计寿命,它可以包括一些连续的负荷情况,如:

(1)安装阶段;

(2)压力测试阶段(充水和水压测试);

（3）运行阶段（产品输送、设计压力和温度）；

（4）关闭、冷却循环阶段；

（5）侧向屈曲阶段；

（6）承受动态环境载荷阶段；

（7）承受冲击载荷阶段（如捕鱼设备、坠落物体等）；

（8）浮式装置的运动对立管动力性能的影响等。

在位分析可以分为静力和动力分析两大部分，各自分析的内容包括：

（1）静力分析　对于立管系统，静力分析可以确定立管的整体结构构型，如顶端悬挂角度、立管总长度、着陆点（TDP）等设计参数，这些工作可以通过使用 ABAQUS 等专用立管软件来完成。

（2）动力分析　动力分析通常研究立管系统的非线性动力响应，对于立管系统，由于浮式装置的运动、动力环境条件（风、浪、流）的作用，动力影响始终存在。立管系统的响应可由非线性动力分析来确定，在立管的有限元分析中应该特别注意材料非线性、几何非线性和边界非线性等因素的存在和影响。

2.2.9　立管设计准则

1. 轴向拉伸准则

立管在位运行过程中，其轴向受拉不超过其最大允许拉伸力。对于柔性立管中的黏结性柔性立管，其局部结构失效分析较为复杂，通常通过试验测定其所允许的最大拉伸力。而对于非黏结性柔性管道，其拉伸失效主要由销装层材料强度决定。

2. 弯曲变形准则

对于某些立管，立管长度有限，最大张力不会很大，其弯曲变形将会是其主要的失效形式。综合考虑立管局部结构受力、变形及管道屈曲等因素，立管在整体设计分析过程中需要考虑在一定安全系数的情况下，其最大弯曲半径必须满足一定设计要求。

3. 干涉碰撞准则

立管系统所处空间相对狭小，故立管之间、立管与系泊锚链及立管与海床等碰撞干涉的风险较大，通常需要校核立管在动态应用过程中与其他物体的间距不能小于其规定的许可值。

4. 疲劳寿命准则

立管线性设计需要考虑荷载长期作用对管道的损伤，需要通过对立管系统的整体疲劳寿命进行估计，以校核立管系统是否满足系统寿命要求。

2.3　立管系统的载荷分类

在立管的设计分析过程中需要考虑立管受到的载荷大小，通常立管所受荷载主要为压力载荷、波浪、海流及浮体运动载荷，以下分别介绍作用于立管上的环境荷载分析方法。

2.3.1　压力载荷

由于深水立管的工作环境是在深水和超深水中，管中的油气受到很大的压力才能被抽到平台上,所以立管内部油气的压力和外部海水的压力都相当大,进行静力分析时都应该考虑在内。

1. 立管内部静流体压力

通过立管某处的设计表面、意外表面内部压力、内部流体密度和温度可确定立管内部静流体压力。局部内设计压力和局部意外压力可由以下公式来确定:

$$P_{li} = P_{inc} + \rho_i g h \qquad (2-8)$$

式中 ρ_i——管内流体密度;

h——所求压力的位置与参照点之间的距离;

g——重力加速度;

P_{inc}——意外压力(对管道而言,指在任何意外运行的情况下,管道或管道段可以承受的最大内压)。

管道内部压力会对立管产生周向应力,该应力可由下式表示:

$$\sigma_h = PD/2t \qquad (2-9)$$

式中 σ_h——内压 P 产生的周向应力;

P——管道中的压强;

D——管道名义外径;

t——管道壁厚。

若管道内部温度超过 121 ℃,则必须考虑温度折减系数。如果需要的话还需考虑纵向接缝系数,对于无缝管可不考虑在内。

2. 立管外部静流体压力

作用在立管外部的静流体压力就是海水的压力,海水在立管周围的环向平均密度以及静水面都应当确定下来,以便能够确定并计算立管外部作用的静流体压力。静止海水的压强变化随海水深度垂直变化规律的表达式如下:

$$\frac{\mathrm{d}P}{\mathrm{d}z} = -\gamma \qquad (2-10)$$

式中 P——指定某点处的压强;

z——指定点位置与参照点之间的高度差;

γ——液体重度。

对于不可压缩流体来说,γ 为一常数。但是,对于可压缩流体来说,若要确切地描述高度与压强的函数关系,就需要通过代数的方法把 γ 表示为 P 或 z 的函数。为了安全生产的需要,防止立管某处的压力超过设计压力,需要在立管上安装一个压力控制系统。压力控制系统由压力操作系统、压力安全系统和相配备的装置、警报系统三部分组成。压力操作系统确保立管上的压力被控制或保存在一定的范围之内,压力安全系统则确保立管上的意外压力保持在设定的压力范围以内。

2.3.2 波浪力

在海洋工程中,无论是固定式平台、各种浮式平台,还是水下油气输送管道等都要受到强度相当大的波浪作用力,波浪对海工结构物的作用力不外以下四种效应:

(1)由于流体的黏滞性而引起的黏滞效应;

（2）由于流体的惯性以及海洋结构物的存在，使结构物周围的波动场的速度分布发生改变而引起的附加质量效应；

（3）由于结构物本身对入射波浪的散射作用而产生的散射效应；

（4）由于结构物本身的相对高度较大，结构物与自由表面接近扰动了原波动场的自由表面而产生的自由表面效应。

其中的散射效应和自由表面效应总称为绕射效应，对于与入射波的波长相比较小尺度的海洋结构物（如立管等），波浪对结构物的作用力主要为黏滞效应和附加质量效应。波浪对这类结构物的作用力与流体绕固体流动时候产生的绕流现象紧密联系。波浪对于立管的绕流力主要由绕流拖曳力和绕流惯性力组成，其中的绕流拖曳力由摩擦拖曳力和压差拖曳力组成。

摩擦拖曳力是由于流体存在黏滞性而在结构物表面形成边界层，在此边界层的范围内，流体的速度梯度很大，摩擦效应显著，产生了较大的摩擦切应力，摩擦拖曳力的大小与柱体表面附近的边界层内流体的流态和圆柱体表面的粗糙度有关。压差拖曳力是由于边界层在圆柱体表面某处分离，在分离点下游即在柱体后部形成很强的漩涡尾流，使得柱体后部的压强大大低于柱体前面的压强，由于前后的压强差而产生了一个拖曳力，而且压差拖曳力的大小也与柱体表面附近的边界层内流体的流态和圆柱体表面的粗糙度有关。在绕流流体对海工结构物的作用力中，除了拖曳力以外还有因流体加速度引起的惯性力。

在流体流场中，由于立管等柱体的存在，必将使得柱体周围的流体质点受到扰动而引起速度的变化，从而改变了原来流场内的压强分布，这种变化在柱体表面附近最大。由于柱体的存在而使周围改变了原来运动状态的那部分附加流体的质量也将对柱体产生一个附加惯性力，又称为附加质量力。到目前为止，对与波浪波长相比尺度较小的细长柱体（圆柱体直径/波长 < 0.2），在工程设计中仍广泛采用莫里森（Morison）方程计算波浪载荷，它是以绕流理论为基础的半理论半经验公式：

$$F = C_M \rho_w \frac{\pi D^2}{4} \frac{\partial u}{\partial t} - C_a \rho_w \frac{\pi D^2}{4} \ddot{x} + \frac{1}{2} C_D \rho_w D(u - \dot{x})|(u - \dot{x})| \qquad (2-11)$$

其中，u 及 $\dfrac{\partial u}{\partial t}$ 可近似地采用柱体没有插入波浪中的相对应于柱体中心处水质点的速度和加速度；C_M 为附加质量系数；D 为圆柱体直径；$\dot{x}$ 和 $\ddot{x}$ 为柱体某质点的运动速度和加速度。

应用 Morison 公式计算波浪力主要有两个关键问题：一是选择适合该海域海况的波浪理论来计算该流场中的流速及流体加速度，Dean 及 Komar 等对深水及浅水等使用不同的波浪进行了大量的实验和理论研究，提出了各种波浪理论的使用范围。第二是选取合适的拖曳力系数和附加质量系数，自从 Morison 方程提出后，有大量的学者对拖曳力系数和附加质量系数进行了模型实验和现场观测工作，通过大量的实验得知，这些水动力系数主要与雷诺数、波浪周期参数及柱体表面相对粗糙度等相关。Sarpkaya 等通过大量系统的实验研究得到拖曳力系数、质量系数、雷诺数及波浪周期参数之间的关系。

对于海洋立管等圆柱体结构的拖曳力系数及质量系数等，各国规范中建议值如表 2.2 所示。

表 2.2　各国规范对拖曳力系数和质量系数的建议值

规范名称	美国 API	挪威 DNV	中国海上固定平台入级与建造规范
采用的波浪理论	Strokes 五阶或流函数	Strokes 五阶	按照水深采用不同的波浪理论
拖曳力系数 C_D	0.6 ~ 1.0(不小于 0.6)	0.5 ~ 1.2	1.2
附加质量系数 C_M	1.5 ~ 2.0(不小于 1.5)	2.0	2.0
备注	考虑采用的 C_D 和 C_M 与所采用的波浪理论一致	可采用与不同的波浪理论对应的 C_D 和 C_M,但在高雷诺数时 C_D 必须大于 0.7	

2.3.3　流载荷

海洋结构物承受的基本环境荷载包括自重、静水压力、浮力、海流及波浪荷载,其中的海流及波浪荷载是水中结构物最主要的环境荷载之一。而波浪在水平方向的流速沿水深是按照指数规律衰减的,因此对水下立管而言,海流对结构物的影响将更为严重。海流指的是海水水平方向的运动,其产生的原因有很多种,按照成因可以将期分为潮汐流、风海流、梯度流及补偿流。由于海流的流速相对于波浪中水质点的往复运动来说较小,在只有海流的情况下,其水平方向的流场随时间变化是缓慢的,故通常将海流看作是定常水流,其对水下立管的作用力仅为拖曳力,应用 Morison 方程计算海流荷载的时候,可通过以下公式计算:

$$f = \frac{1}{2}C_D\rho_w u_c^2 \tag{2-12}$$

式中　u_c——某点处海流流速;

$\quad\quad C_D$——拖曳力系数;

$\quad\quad \rho_w$——流体密度。

通常海流流速是随水深逐渐衰减的,在一般的设计文件中缺乏详细的流速数据,工程中通常应用以下公式计算海流流速随水深的分布情况:

$$V(z) = V(H)\left(\frac{z}{H}\right)^{\frac{1}{7}}, 0 \leqslant z \leqslant H \tag{2-13}$$

式中　H——水深;

$\quad\quad z$——距海床高度;

$\quad\quad V(H)$——表面流流速;

$\quad\quad V(z)$——距海床 z 高度处的海流流速。

2.3.4　浮体运动载荷

浮体运动在立管整体设计与分析中是作为环境荷载考虑的,这是因为浮体运动由风、浪、流等环境荷载导致,而且顶端浮体的运动构成了立管结构分析的动边界条件。深水中应用的立管,为了保证立管长期处于良好的作业工况下,常规浮体的水平漂移量通常控制在水深的8%左右。

海上浮体结构在海洋环境荷载(如风、浪、流)的作用下会发生大的位移,这些运动主要包括如下两个部分:一阶高频响应(波浪频率)以及二阶低频响应(波浪的差频)。二者是浮体水平运动以及升沉运动的主要组成部分。海上浮体的一阶运动是关于其静平衡位置的运动,该运动频率高而幅度小,导致了立管顶部低应力疲劳循环。浮体的二阶慢漂运动由以下两部分组成:因波浪而产生的小幅度震荡、由风和流而引起的浮体大幅度漂移。前者将会造成立管触地点的高应力疲劳循环损伤,后者造成立管触地点的改变。顶部浮体的升沉运动也是导致触地点疲劳损伤的因素之一。现役的浮体结构中,浮式生产储油系统(FPSO)和半潜式平台的一阶响应较大,Spar 平台的一阶响应相对较小。Spar 平台和张力腿平台的升沉运动较小,而水平运动较大。

2.3.5　土壤载荷

现阶段海洋平台逐渐向深水领域扩展的过程中,大直径的柔性立管在技术和造价方面受到很多方面的限制,正在逐渐被钢悬链立管替代。而钢悬链立管通常是自由悬链线式的,其示意图如图 2.2 所示。

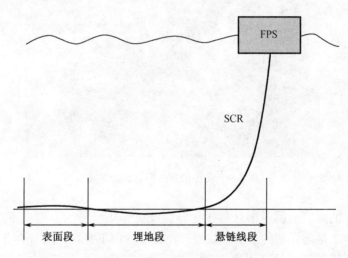

图 2.2　悬链线立管示意图

钢悬链线立管主要分为三个部分:

(1)悬链线段　立管的悬链线段顶部通过机械固定或其他手段连接在浮式平台上,使整个悬链线部分自由悬挂在其下方。由于整个立管都依靠连接点与浮式平台相连,因此连接处要承受很大的拉力作用。

(2)埋地段　钢悬链线立管平放于海底部分,由于重力作用陷入松软的海底土壤中。立管周围的土壤由于水流或其他因素,有时会发生回填现象,将立管埋住,因此成为埋地段。立管陷入土壤的过程则称为贯入过程。

(3)表面段　由于钢悬链线立管没有充分贯入海底土壤中,所以没有被土壤埋住,而是在海底表面上。

钢悬链线立管从上方垂下最先接触海底的位置称为触地点(TDP),此处受到的弯矩最大。触地点随着立管的运动不断变化,因此现在普遍应用触地区(TDZ)这一概念。触地区包括埋地段和表面段。

在对钢悬链线立管的研究中,触地点处所受弯矩最大,因此是疲劳损伤的高发区。触地区与海底泥土之间的相互作用十分复杂,长时间的接触伴随有沟渠现象产生,这已经多次被在海底油井作业的 ROV 观测到。钢悬链线立管触地区在海底泥土上形成的沟渠宽度可达 3 到 4 倍立管直径,深度可达 4 到 5 倍立管直径,沟渠形态如图 2.3 所示。现在人们对钢悬链线立管在泥土上形成沟渠的原理认识比较少,普遍认为沟渠的形成是因为两方面的原因。一方面,钢悬链线立管不断运动对海底土壤施加力,立管向下贯入和横向移动使得沟渠形成并且宽度和深度不断增加;另一方面,立管垂直向上运动离开海底土壤的一瞬间会产生一个真空吸力,将海水吸进以填补这一负压空间,水流在吸力作用下流速较快,对土壤产生侵蚀,进一步扩大了沟渠的尺寸。

图 2.3　管土相互作用引起的沟渠

垂直方向上的海底土壤对钢悬链线立管的抵抗作用可分为立管向下穿透土层受到的抵抗力和立管向上提起受到的土壤抵抗力。在较小的向下穿透压力作用下,海底土壤表现出一定程度的弹性,可以起到有限的缓冲作用,尽管这部分缓冲作用并不大,但对于钢悬链线立管触地端的疲劳寿命是有利的。当立管贯入到一定程度后,将不能继续向下运动,此时受到海底土壤全部的向上抵抗力。当向上提起时,立管触地部分将受到土壤的吸附作用,这类似于铺管船坐地后上浮的过程,立管所受到的海底土壤吸附力可能非常大。

立管在横向运动时,同样受到海底土壤两部分的阻碍作用,一部分来自海底土壤对立管的摩擦力,另一部分来自沟渠壁对立管的阻碍。立管不断运动埋于沟渠当中,由于沟渠深度可达 5 倍立管直径,因此沟渠壁对于立管的横向滑移的抵抗力是很可观的。沟渠壁对立管横向移动阻力的大小与土壤的抗剪切能力相关。立管是否能冲破沟渠壁的阻碍,滑移到沟渠外侧则取决于浮式平台运动幅度和环境载荷的大小,立管冲破沟渠壁后在海床上继续横向运动只受到摩擦力的影响。

钢悬链线立管在海床上轴向运动时只受到海底土壤对它的摩擦力作用,使立管触地段产生轴向位移的因素有以下几种:第一种来自浮式平台的作用,平台在风、浪和流的作用下会离开之前位置,或者周期性前后运动。钢悬链线立管上端连接平台,平台的移动会带动立管随动,触地端则跟着一起移动。当触地端发生轴向位移时,就会受到海底土壤的摩擦阻力。另一方面的因素和热力学相关,钢悬链线立管内部有石油天然气流动,温度有时较高,周围环境温度也处在不断变化中。当立管受热或者冷却时会发生热胀冷缩,因为立管比较长,因此热胀冷缩效应很明显。这导致立管长度不断变化,发生立管"自走"的现象,产生位移。这种现象发生时,立管会受到土壤施加的轴向方向的摩擦阻力。由于立管受到经常性的冷热交替的温度变化,长度变化也比较频繁,所以立管长期受到摩擦阻力作用。

钢悬链立管长期受到来自波浪、海流和土壤的作用,因此极易产生疲劳损伤。其疲劳损伤主要有以下几种形式。

首先是由于涡激振动(VIV)产生的疲劳损伤。如果立管漩涡脱落频率与其固有频率接近时,就会产生谐振,立管不断晃动。在这样的交变载荷下,疲劳损伤由此产生。

其次是钢悬链线立管垂向运动时受到土壤吸附力和抵抗力导致触地点处反复弯曲产生疲劳。如果立管横向位移速度比较快,会受到沟渠壁较大的阻碍,也会产生很大弯矩,这一瞬间产生的巨大应力可能使立管断裂。

另外一种疲劳损伤即来自海底土壤对立管的摩擦。由于立管随着波浪海流以及浮式平台运动,或者由于温度变化引起立管长度改变引起的"自走"现象,立管埋地段和表面段长期受到海底土壤的磨损和侵蚀,产生表面疲劳腐蚀。表面疲劳腐蚀会使立管壁变薄或脱落,造成结构强度下降,发生局部破裂,可能会引发原油泄漏。因此,必须重视钢悬链线立管触地区与海底土壤相互作用产生磨损的研究,避免类似现象发生。

2.3.6　立管之间的干涉作用

海洋立管在运行中,在浪流荷载、上部连接浮体运动等作用下,与其他的海洋结构物可能发生干涉碰撞,比如立管与海床上错综复杂的海底管线、立管与上端浮体或者船只、立管与系泊锚链发生碰撞,但是最重要的还是立管与立管之间发生的碰撞(图2.4)。

1. 可能引起立管干涉的因素

对于单根立管来说,一般承受波、流、受迫的波频及低频的浮体运动等载荷作用。对于两根相邻立管来说,二者之间是否发生碰撞会受到很多因素的影响,主要包括:载荷环境;在浮体上及在海床终端处立管的间距;立管结构形状和立管张力;在初始条件和偶然情况下的浮体偏移量,偶然情况如一根或多根锚链失效;海生物;水动力相互作用,包括屏蔽、尾波不稳定性及涡激振动;涡激振动抑制装置的使用,例如螺旋列板;立管作业,例如输送介质密度的变化、钻井/完井/修井作业;偶然载荷工况,例如预张力损失或者浮力损失;由于在质量、直径、有效质量、施加张力或者有效张力等方面的不同导致立管具有不同的静态/动态属性。

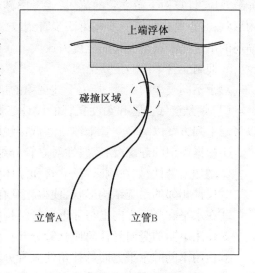

图 2.4　立管间碰撞示意图

2. 立管干涉分析工具及流程

当需要考虑水动力相互作用时,通常使用通用有限元软件来进行立管干涉分析。由于干涉分析的复杂性,同时针对多根立管进行干涉分析会导致工作量剧增且难以收敛。因此,在目前的工程实践中,通常会对同一时刻的两根临近立管进行整体结构分析,给出立管的最小间距。这样的分析通常是通过使用特定的弯曲、轴向、扭转特性的三维梁单元来建模。

立管干涉分析的主要流程如图 2.5 所示。

(1)考虑浮体偏移和流加载因素来确定碰撞是否可能发生。环境条件中无方向性的值和船体偏移应用于所有的方向上,从 0°~360°,典型地每一步以 5°~10° 为宜。忽略多根立管的任何水动力相互作用,对每根立管计算由自由流加载引起的静态偏移量,如果这个静态偏移量小于名义静态条件下立管间的最小间距,可以得出结论立管干涉是不可能发生的,也就没有进一步分析的必要了。

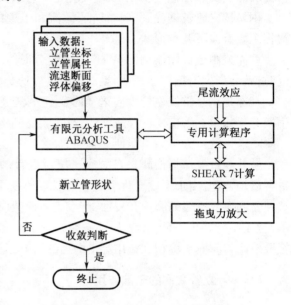

图 2.5 立管干涉分析流程框图

(2)如果初步评估揭示出相互作用效应是显著的,则要求进行精确分析,分析中要考虑可能的水动力相互作用效应。对于尾流效应来说,可以采用如下程序:①计算静态的上游立管结构形状;②计算在输入流载荷作用下静态的下游立管结构形状;③考虑来自上游立管的屏蔽效应,计算对下游立管的流入;④考虑算出的流入作为流载荷,重新计算下游立管的结构形状;⑤重复进行第三步和第四步直到收敛;⑥对于拖曳力放大效应来说,需要考虑前面描述的由于涡激振动引起的拖曳力放大。

3. 抑制立管干涉的主要措施

对于不同类型的立管,避免干涉现象的措施各不相同,总的来说有以下方案。

(1)钢悬链线立管和柔性立管的设计参数 对于钢悬链线立管或柔性立管的布置,可以考虑下列方案以减轻立管干涉或降低接触引起的载荷效应:

①根据类似的静态/动态属性对立管分组,如质量/直径比;

②增加耐磨性,如在喇叭口、立管和浮体接触区域等地方增加外护套;

③设计相邻的系统结构形状,使得立管在不同的竖向位置处跨越;

④在水平和竖直方向上与邻近立管结构错开;

⑤使用不同的竖向悬挂角使立管分开;

⑥使用不同的水平方向悬挂角使立管分开;

⑦通过改变浮力块或配重块分布来修正有效张力,从而调整横流结构形状刚度。

为了避免由于锚链失效对立管造成损伤,通常在任何情况下不允许锚链在立管上方跨越。

（2）顶部张紧式立管列阵　在 Spar 平台和张力腿平台上作业的顶部张紧式立管以竖向或接近于竖向的立管集束方式布置,这些立管表示为立管列阵。在立管列阵中,单根立管的数量也许达到 20 根或更多。顶部张力和立管间距是减轻立管干涉的主要设计参数。增加顶部张力或加大浮体终端处的立管间距,与此相关的成本可能会非常高,为减轻立管干涉或降低接触引起的负载效应而建议的其他设计变化是:

①根据类似的静态/动态属性对立管分组,如质量/直径比;

②清洁立管,去掉海生物;

③为减少碰撞引起的负载效应可在立管关键区域内采用缓冲器或涂层;

④张紧器同步作用来对立管阵列中的全部立管施加相等的负载或相等的有效长度;

⑤在关键位置处采用间隔框来使立管保持分开状态。

2.4　立管校核标准

立管系统的设计校核最终体现在壁厚校核,海洋深水立管因其受外部静水压力和内部介质压力等复杂的环境条件共同作用,在管壁厚度的校核方法上与浅水有所不同,所遵循的规范也不同。目前在深水海洋立管壁厚的设计上有很多指导性的标准和规范,如 DNV – OS – F201,API RP 2RD,API RP 111 等,这些标准和规范主要提供以下应力的校核标准:

（1）内压载荷　即爆破破坏模式;

（2）外压载荷　即管道横截面的屈曲或屈曲传播破坏模式;

（3）组合应力　因内外压差产生的弯曲和轴向荷载共同作用,即起皱或椭圆化现象。

2.4.1　内压设计标准

静水测试压力、立管设计压力和意外超压（包括作用于立管上的内压与外压）不能超过以下规定:

$$P_t \leqslant f_d f_e f_t P_b \tag{2-14}$$

$$P_d \leqslant 0.8 P_t \tag{2-15}$$

$$P_a \leqslant 0.9 P_t \tag{2-16}$$

式中　f_d—内压设计因子,适用于所有立管,针对海底管道时取 0.90,针对海洋立管时取 0.75;

　　　f_e——焊缝因子（纵向或螺旋裂缝焊接）,只有 $f_e = 1$ 的材料才能被使用;

　　　f_t——温度降低因子,当温度小于 121 ℃（250 ℉）时,$f_t = 1$;

　　　P_a——意外超压（内压减去外压）,N/mm² (psi[①]);

　　　P_b——指定的立管最小爆裂压力,N/mm² (psi);

　　　P_d——立管的设计压力,N/mm² (psi);

　　　P_t——静水测试压力（内压减去外压）,N/mm² (psi);

其中,P_b 由下面其中一式求得:

———————————

① 1 psi = 0.006 9 MPa。

$$P_b = 0.45(S + U)\ln\frac{D}{D_i} \qquad (2-17)$$

$$P_b = 0.90(S + U)\frac{t}{D - t} \qquad (2-18)$$

式中　D——立管外径,mm(in);

　　　D_i——立管内径,$D_i = D - 2t$,mm(in);

　　　S——指定的立管最小屈服强度,N/mm^2(psi);

　　　t——管道的壁厚,mm(in);

　　　U——指定的最小极限强度,N/mm^2(psi)。

当 $D/t > 15$ 时,式(2-17)和式(2-18)均可使用;当 $D/t < 15$ 时,取式(2-17)。

2.4.2　外压设计标准

在建造与作业期间,立管遭受的外压可能会大于内压。静水情况下,作用于立管的内外压力差可能会导致立管崩溃。在考虑到立管的各种物理性质、椭圆度、弯曲强度和外部压力后,所选择的立管应具有足够的强度用于防止压溃。

立管的崩溃压力不能超过沿立管各处的净外压,即

$$f_0 P_c \geqslant (P_0 - P_i) \qquad (2-19)$$

式中　f_0——压溃因子;

　　　P_c——立管的崩溃压力,N/mm^2(psi)。

以下公式可以用于估算 P_c:

$$P_c = \frac{P_y P_e}{\sqrt{P_y^2 + P_e^2}}$$

$$P_y = 2S\left(\frac{t}{D}\right)$$

$$P_e = 2E\frac{\left(\dfrac{t}{D}\right)^3}{1 - \nu^2}$$

式中　E——弹性模量,N/mm^2(psi);

　　　P_e——立管的弹性崩溃压力,N/mm^2(psi);

　　　P_y——压溃时的屈服应力,N/mm^2(psi)。

2.4.3　纵向载荷设计标准

立管受到的静态纵向载荷引起的有效张力不能超过下式给定的值,即

$$T_{eff} \leqslant 0.60T_y \qquad (2-20)$$

其中

$$\left.\begin{array}{l} T_{eef} = T_a - P_i A_i + P_o A_o \\ T_a = \sigma_a A T_y = SA \\ A = A_o - A_i = D^2 - D_i^2 \end{array}\right\} \qquad (2-21)$$

式中　A——管道的钢截面面积,mm^2(in^2);

　　　A_i——管道的内横截面面积,mm^2(in^2);

A_o——管道的外横截面面积,mm^2(in^2);

P_i——管道的内压,N/mm^2(psi);

P_o——管道的静水外压,N/mm^2(psi);

T_a——管道的轴向张力,N(lb);

T_{eff}——管道的有效张力,N(lb);

T_y——管道的屈服应力,N(lb);

σ_a——管道受到的轴向应力,N/mm^2(psi)。

2.4.4　联合载荷设计标准

作用于立管上的纵向载荷(包括静态与动态)和内外最大压差所组成的联合载荷有如下要求:

$$\sqrt{\left(\frac{P_i - P_o}{P_b}\right)^2 + \left(\frac{T_{eff}}{T_y}\right)^2} \leqslant \begin{bmatrix} 0.90 \\ 0.96 \\ 0.96 \end{bmatrix} \begin{bmatrix} 工作载荷 \\ 极限载荷 \\ 水压试验载荷 \end{bmatrix} \tag{2-22}$$

由弯曲应力和外压组成的载荷需要满足下式要求:

$$\frac{\varepsilon}{\varepsilon_b} + \frac{(P_o - P_i)}{f_c P_c} \leqslant g(\delta) \tag{2-23}$$

式中　f_c——压溃因子,建议值 $f_c = f_o/g(\delta)$;

$g(\delta)$——崩溃衰减因子,$g(\delta) = (1 + 20\delta)^{-1}$;

δ——椭圆度,$\delta = \dfrac{D_{max} - D_{min}}{D}$[其中,$D_{max}$ 为最大直径,单位 mm(in);D_{min} 为最小直径,

单位 mm(in)];

ε——立管的弯曲应力;

ε_b——纯弯曲下的屈曲应力,$\varepsilon_b = \dfrac{t}{2D}$。

为了避免屈曲,弯曲应力满足以下条件:

$$\left.\begin{array}{l} \varepsilon \geqslant f_1 \varepsilon_1 \\ \varepsilon \geqslant f_2 \varepsilon_2 \end{array}\right\} \tag{2-24}$$

式中　ε_1——最大安装弯曲应力;

ε_2——最大作业弯曲应力;

f_1——安装情况下,弯曲应力和外压共同作用下的弯曲安全因子;

f_2——作业情况下,弯曲应力和外压共同作用下的弯曲安全因子。

2.5　本 章 小 结

本章的主要内容是立管的设计和分析,按照对应的设计顺序,先依次介绍了设计目标、设计阶段、设计流程、设计过程中的关键组成部分(如材料选择、强度分析等)和设计中的关键问题(如疲劳分析)。然后就系统的主要组件分别作了详细的介绍,最后对立管所受到的各种载荷及相应的载荷校核标准都做了详细的阐述。

参 考 文 献

［1］安德鲁.海底管道工程［M］.北京:石油工业出版社,2013.

［2］吕莉.海洋立管法兰结构设计与有限元分析［D］.哈尔滨:哈尔滨工程大学,2008.

［3］魏帆.深水立管的水动力分析与抑制［D］.大连:大连理工大学,2009.

［4］何杨,孙国民,赵天奉.深水立管干涉分析研究［J］.中国海洋平台,2014,29(4):46－50.

［5］白勇.海底管道与立管［M］.北京:石油工业出版社,2013.

［6］金鹏.钢悬链线立管触地区管土作用分析［D］.大连:大连理工大学,2015.

［7］董永强.深海钢悬链线立管的分析与设计［D］.哈尔滨:哈尔滨工程大学,2008.

［8］冯晓伟.深水 TTR 立管选型及初始设计研究［D］.大连:大连理工大学,2014.

［9］宋儒鑫.深水开发中的海底管道和海洋立管［J］.船舶工业技术经济信息,2003(06):31－42.

［10］冯俐.悬链式单点系泊立管设计与分析技术研究［D］.大连:大连理工大学,2013.

第3章 立管设计规范与标准

3.1 概　述

尽管立管已经存在很多年了,但只是在近些年来随着深水技术的发展而产生了巨大的进步。早期立管的主要结构是钢铁生产管线的简单延伸,通常在导管架腿柱上夹紧,其使用不同安全系数的独立管道标准为基础。深水开发需要新方案和新技术来处理在浅水开发中遇不到的挑战。为了解决深水立管技术也需要新型的工业立管设计标准,第一个立管设计标准是美国石油协会的 API RP 2RD(1998),然后是挪威船级社的 DNV OS F201(2001)。这两个标准是海洋立管最常用的设计标准,当然还有其他的一些设计规范,例如,关于柔性立管的 API 17B 和 17J,关于管线钢管的 API 5C,关于套管和油管的 API 5CT,ABS的 SUBSEA RISER SYSTEMS 等。在立管设计过程中主要参考其设计准则和载荷分析,同时立管材料的选取、检测标准及维护等也是至关重要的。

3.2　API RP 2RD

3.2.1　概述

在 20 世纪 90 年代初,随着深海工程的迅猛发展,深海立管的作用也越来越明显,而当时却没有独立的深海立管设计规范,通常的立管设计主要是海底管道设计规范的简单延续。随着油田开发水深的不断增加,对深水立管设计规范的需求也日益迫切。

为了满足这一需求,美国石油协会在 1992 年成立了由 EXXON 石油公司领导的技术小组来开发立管设计规范。在 1998 年 6 月,美国石油协会正式出版了第一个海洋立管的设计规范 API RP 2RD,从此该规范被广泛用于深海立管工程设计之中。

美国石油协会的 API RP 2RD 规范涉及立管结构分析、设计制造、构件选择标准、通用立管系统的设计等。该标准采用了传统的许用应力设计法,结构的安全性通过一个安全系数来考虑。

3.2.2　立管设计考虑因素

为浮式生产系统设计立管系统是一个多学科交叉的任务,因为立管是浮式生产系统的一部分,所以它的设计受到环境及与浮体、海床设备之间耦合作用的影响。本节对部分应该考虑的设计因素进行了简单介绍。

1. 安全、风险、可靠性

立管系统的设计者在进行设计时需要考虑成本效益,同时也需要考虑环境保护和设备的安全性。设计者要仔细评估与经营管理相关的风险,努力减少立管由内外部压力造成失控的可能性。此外,立管系统经常在海底和海表面船体之间输送密封加压的碳氢化合物,因此风险评估在立管设计中也扮演着重要的角色。

可靠性与可能导致立管系统瘫痪的因素(包括部件的损坏、操作错误、外部影响和结构载荷等)有关。因此,可靠性评估是风险评估中不可或缺的一部分,立管可靠性评估的有效性在一定程度上依赖于现场经验的积累。随着越来越多现场数据的积累,这些评估的准确性也得以提高。

2. 功能性需求

与浮式生产系统相关联的立管,其功能性需求随着应用的不同而有着重大的变化,其功能性需求由其主要职责决定。例如,单个海底油井和多个海底油井相比,单个油井所对应的立管通常就有更少的功能要求。此外,立管的功能要求也与系统的复杂性相对应。

3. 结构

在该规范中,结构设计基于许用应力法,它强调所有立管的计算部位应力应该小于许用应力。设计者应该知道立管内部和外部的载荷分布,那些力应该综合考虑以满足特定的设计标准。设计者应该使用多种立管分析方法,以获得足够的立管响应信息,进而比较立管应力和许用变形量。

4. 材料

在立管设计中选择适用材料时,需要考虑的因素包括:

(1)屈服与极限应力;

(2)材料韧性和断裂特性;

(3)杨氏模量;

(4)剪切模量;

(5)泊松比、$S-N$ 疲劳曲线;

(6)基于流体特性和流速的内部腐蚀或磨损要求;

(7)H_2S/CO_2产生的水的盐度和酸度;

(8)内部腐蚀效应;

(9)外部腐蚀效应;

(10)生物淤积;

(11)工作温度;

(12)焊接、可焊性和热影响区(HAZ)属性;

(13)机械加工;

(14)制造过程;

(15)电化学腐蚀。

5. 运营

此处描述了设计者应该考虑的因素以设计出能够安全和高效安装、运营、维护的立管。立管的安全运营要求包括:

(1)设计者需要考虑立管运营时的所有现实状况;

(2)运营人员应该知道立管的安全运营限制,且这些信息应以易于理解的方式传达给运营人员。

3.2.3 设计标准

为保证立管安装和服役期间的安全性,其设计应满足一定的标准。该节的目的是提供安全、实用的设计标准。这里既考虑了立管的许用应力和许用变形量,也讨论了包括静水压溃、失稳、疲劳等的失效机理标准。

1. 许用应力

许用应力是指工程结构设计中允许构件承受的最大应力值,规范中对需要考虑的应力、复合应力、许用应力等均做了说明,其中为保证立管结构上的安全性,Von Mises 等效应力应满足如下不等式:

$$\begin{cases} (\sigma_p)_e < C_f\sigma_a \\ (\sigma_p + \sigma_b)_e < 1.5C_f\sigma_a \\ (\sigma_p + \sigma_b + C_p)_e < 1.5C_f\sigma_a \end{cases} \tag{3-1}$$

式中　σ_a——基本许用复合应力,$\sigma_a = C_a\sigma_y$(其中,C_a 为许用应力系数,$C_a = \dfrac{2}{3}$;σ_y 为材料最小屈服应力);

C_f——设计参考系数。

2. 许用变形量

为防止立管产生过大的弯曲应力,需要限制立管的挠度,而对于柔性立管,其弯曲半径应小于制造商的建议值。即使当立管应力和弯曲半径在许用范围内,大的曲率也会使管道的应力过大,立管变形量也需要进行控制以防止多个立管相互干扰或者和生产系统的其他部分相互影响。

立管系统可能包括张紧器、柔性接头、伸缩接头、连接跨接软管等部件。这些部件的冲程和旋转设计值可通过立管在极端海况下分析得到的最大值乘以一个合适的安全系数求得。

3. 静水压溃

(1)压溃压力　管件应足以承受安装或工作期间的外部压力,在分析时应该将共存负载(如张力和弯曲)的影响考虑在内。其他管道属性如椭圆度、偏心率、各向异性和残余应力等也应该在分析时加以考虑。

净许用外部设计压力 P_a 应该小于预期压溃压力 P_c 乘以设计系数 D_f,即

$$P_a \leqslant P_c D_f \tag{3-2}$$

其中,对于无缝管或者电阻焊(ERW)管道 D_f 取 0.75,而对内冷扩张管 D_f 则取 0.6。

(2)压溃传播　当立管设计满足外部压溃标准时,在低压条件下仍有可能由于一些意外情况引起立管的压溃,例如,撞击和张紧器失效而引起的过度弯曲等。一旦形成,这样的压溃可能会沿着立管形成屈曲传播,直到外压降低到传播压力以下或者一些压力属性发生改变阻止屈曲。在这种情况下,设计压力 P_d 应该小于预期传播压力 P_p 乘以设计系数 D_p,即

$$P_d < D_p P_p \tag{3-3}$$

其中,$D_p = 0.72$。

这里的管道设计应足以满足上面的传播标准,压溃标准也要满足。

4. 疲劳寿命

设计寿命定义为一个组件将要服役的时间长度,是通过累积疲劳损伤率计算得到的预估寿命。在将能检查得到或者安全和污染风险都比较低的位置,预估疲劳寿命应至少是设计寿命的 3 倍($SF = 3$);在不能检查到或者安全和污染风险都较高的位置,预估疲劳寿命应

至少是设计寿命的 10 倍($SF=10$)。运输、安装和在位工作所造成的累积疲劳损伤都应该考虑在内,应满足以下方程:

$$\sum_i SF_i D_i < 1.0 \qquad (3-4)$$

其中,D_i 是载荷每一阶段的疲劳损伤率;SF_i 是相关的安全系数。

5. 检查和替换

使用立管时应该对立管内部和外部的运行状态进行监测以显示是否超过了设计工况。这种监测包括在风暴和偶然载荷条件下立管部件的变形、压力和温度等。立管在外部目视检查时的一些重要内容包括外部损伤、管道变形、外部腐蚀、过度的海生物生长、水下浮标位置的变化等。对于缺陷应记录其类型、大小和位置,同时也应该评估缺陷对结构的影响。

立管的最大检查时间间隔基于预测损坏时间除以安全系数。例如,推荐的安全疲劳检测系数是 10。安全系数应该考虑预测不确定性、风险和易于检查。设计师也应该考虑维修或更换时所需的时间以确定最大的检查间隔。检查应包括疲劳、磨损、老化、腐蚀等方面。表 3.1 给出了不同构件对应的不同检查方法及检查时间间隔。

表 3.1 检查类型和时间间隔

构件种类	检查类型	时间间隔
水上构件	目检	1 年
水下构件	目检	3~5 年
所有构件	无损检测	根据需要
柔性管	目检	1 年或者连接后
阴极保护	目检或者可能的调查	3~5 年
已知或可能受损区域	适当的方法	曝露后
提出水面的构件	按厂商规定	断开连接后

6. 温度限制

经营者应该指定立管系统在服役和安装期间输送液体的最大和最小温度。温度标准应该被用来决定如下立管材料特性:

(1)温度减额系数;

(2)韧性和其他冶金特性;

(3)热塑性塑料、树脂和复合材料的机械特性。

在分析中应用到如下温度标准:

(1)金属管道应力和扩张分析;

(2)疲劳/破裂分析;

(3)腐蚀和阴极保护分析;

(4)对非金属材料的化学老化分析。

总之,设计者应该保证并论证立管在规定的温度、相应的化学组成和传输流体压力下适合营运。

7. 磨损

磨损可能发生在立管内部、外部或者立管的两个组件之间(如柔性立管的两层之间)。

对于将会遭受磨损的立管的任何一部分,设计者应该说明预期的材料损耗在设计许用值内或者已经采取足够的措施来保护立管避免过度磨损。

在材料损耗可以预测的情况下,应力分析中应包括材料损耗以获得保守值。

对于悬链线立管,设计应该考虑管道在海床触地点的运动引起的磨损。如果管道上的防腐层和重力层将要经受磨损,在设计时应具有合适的厚度和抗磨损特性。悬链线立管分析应该考虑岩土工程描述、地形学和任何可能在立管触地点附近找到的局部碎片。

8. 干涉

立管干涉定义为立管外壁和一个立管通常不会接触到的物体发生接触。接触可能发生在立管和任何离它足够近的物体之间,这可能是船体、锚链线或者其他立管。后者可能具有不同的尺寸、属性、海洋生长物范围、顶部张力、张力分配或者其他边界条件,也可能是由波浪效应引起的不同流场内的立管。

可以采取两种设计方法来限制立管干涉效应。一种方法要求立管和另一个物体的间隙在任何服役情况或环境状况下都应大于规定值。另一种方法允许立管和其他物体的接触,但是要求对接触效应进行分析和设计,这两种方法可以结合在一起进行分析。

3.2.4　不同种类立管的分析要素

本节主要按立管的形式介绍主要立管的结构分析程序及分析中的关键要素。

1. 顶部张紧式立管(TTR)

顶部张紧式立管包括了钻井立管、生产立管、完工/修井立管和输入/输出立管等。其在设计中需要了解以下一些具体信息:

(1)估算立管的长度(即水深);

(2)确定管道的数量;

(3)立管最小内径和立管的壁厚;

(4)是否需要用到压力接头、柔性/球形接头或者这些特殊接头的结合;

(5)需要评估立管内液体的密度、温度和压力等;

(6)对不同的工作场景,估算连接到立管顶部设备的尺寸和质量;

(7)如果用到伸缩接头,要知道伸缩接头的冲程要求;

(8)立管张紧器限制的评估;

(9)如果需要,需提供所用外部浮力筒的类型;

(10)所评估环境状况的描述;

(11)海上浮体运动的确定(如静态偏移量、慢漂偏移量和波频运动 RAO);

(12)分析中所用的 C_d 和 C_m 值;

(13)对于钻井立管,是否要用到海面防喷器或者水下防喷器,并估算防喷器或者下层隔水管的质量和高度。

在设计时需要经过概念设计阶段、基本设计阶段、详细设计阶段、特殊分析阶段等几个阶段。这里主要介绍前三个阶段。

(1)概念设计阶段　该阶段包括所有立管基本设计之前的任务,其中包括:

①明确任务。该任务的目标是明确立管所承担的任务,它取决于立管的类型和所考虑的海上浮体,该任务包括立管设计及运营要素的评估和所用的设计载荷及设计标准的确定。

②明确基本构型。该任务的目标是明确立管的基本构型,其中包括管件数目的确定、立管横截面的确定、立管长度的确定、井网内立管位置的确定等。

③数据收集和创建设计矩阵。该任务的目标是收集所有要求的数据(如描述环境载荷、确定海上浮体运动、压力的确定和温度的要求等)以进行立管的设计和分析,该任务也包括立管所用设计矩阵的的产生。

(2)基本设计阶段 此部分主要是初步确定立管及其组成部件的尺寸。这一阶段产生的初步管件尺寸和部件设计应该足够精确以在详细设计/分析阶段只要求小幅修改。基本设计和分析包括:初步进行立管尺寸确定、总体立管分析、总体立管响应评估、张紧器设计、单个管件的分析、立管部件设计分析、评估数据和任务等。

(3)详细设计阶段 此部分主要目的是获得最终立管设计方案,任务包括计算最后立管所受载荷、检查管道和部件的设计,如果需要的话修改设计,此步骤也可能需要一定的迭代过程。详细设计阶段包括:总体立管分析、总体立管响应评估、张紧器设计的验证、单个立管管件的分析、立管部件设计检查、设计迭代等。

2. 柔性立管

对于柔性立管的分析,主要参考 API RP 17B 的相关规范。柔性立管最常见的布置方式(图3.1)有以下几种:

(1)陡 S 型;

(2)缓 S 型;

(3)陡波型;

(4)缓波型;

(5)单自由悬链线型;

(6)双自由悬链线型;

(7)有时也会用到"中国灯笼"型,尤其对单点系泊系统。

布置方式的选取取决于水深、船体偏移和运动、间隙要求及其他设计因素。

3. 混合塔式立管

在设计混合塔式立管时主要包括分析、设计、安装几个部分。此处主要对其设计部分进行简单阐述。

混合塔式立管的设计通常和其他立管系统相类似,主要包含的内容如下:

(1)尺寸 确定管道尺寸,设计一个可以抵抗工作载荷(如自重和压力)的立管;

(2)初步分析 为张力、涡激振动抑制等确定最低限度的要求;

(3)极限载荷分析 考虑风暴影响,制定优化的总体布置,计算载荷大小并且优化关键部件以抵抗极限载荷;

(4)疲劳和断裂分析 调整总体设计,确定所需的设计细节以满足设计寿命要求,明确制造、检验要求,并且验证疲劳和断裂分析;

(5)安装分析 明确安装设备要求,确保天气条件满足。

其中,对于立管的设计过程来说,疲劳和断裂分析非常重要。立管的疲劳分析必须考虑一阶波浪效应影响、均匀流导致的涡激振动影响以及浮体的慢漂作用。在安装过程中也可能因为涡激振动或拖曳过程中的波浪作用产生显著的疲劳损伤,涡激振动的客观分析决定抑制设备的需求与否。立管重要部位一般需要经过断裂分析,它不像疲劳分析基于 $S-N$ 曲线分析方法,而是考虑了极限载荷和长期脉动载荷。

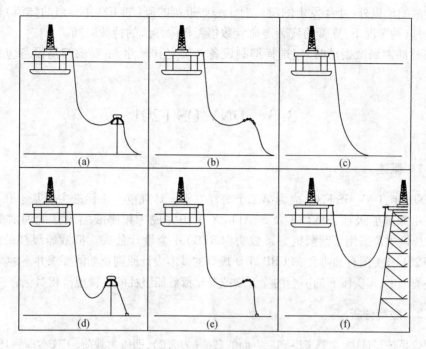

图 3.1 柔性立管的布置方式示意图

(a) 缓 S 型;(b) 缓波型;(c) 单自由悬链线型;
(d) 陡 S 型;(e) 陡波型;(f) 双自由悬链线型

4. 钢悬链线立管(SCR)

钢悬链线立管和柔性立管的静态和动态分析有许多相同之处。其主要内容包括:初始尺寸和总体布置设计、涡激振动分析和涡激振动抑制要求、极限响应和应力分析、疲劳分析、安装分析等。这里仅就涡激振动分析和涡激振动抑制要求做简单说明。

在设计时需对钢悬链线立管进行涡激振动分析以确定其疲劳寿命及是否需要抑制涡激振动,如果需要就选择抑制设备并确定其尺寸。分析时,涡激振动模型程序应该考虑剪切流和均匀流的共同作用并且最好用模型试验和实尺寸数据进行校准。同时要考虑立管和来流之间的角度,因为涡激振动主要发生在横流向方向,因此相应的结构和来流信息要在分析中体现。

此外,要注意其模态信息,如果在涡激振动分析中用到基于模态叠加的方法,那么模态信息通常就通过有限元或者其他模型方法获得:

(1)从有限元程序中得到的振型通常在总体系统中表达,当研究钢悬链线立管的平面外运动时,这些结果可以直接使用。钢悬链线立管的平面内运动是二维的,立管的上部主要在水平面内振动,平面内垂弯运动主要是垂向的,因此可以使用足以代表钢悬链线立管平面内运动的等效振型(因为无论是总体水平振型还是总体垂直振型都不能单独代表钢悬链线立管的总体平面内运动)。

(2)如果涡激振动引起的振动模态过高,钢悬链线立管的平面模态信息也可以由等效直梁模型得到,同时也要考虑梁下端的边界条件。

应该对每种来流涡激振动引起的疲劳损伤率进行计算,总的损伤可以通过对每种流对应的损伤进行叠加获得。当沿着立管评估其关键位置时,对立管的触地端要格外注意。除了研究正常的流以外(年年发生的流),对于一些极端的流(如100年一遇的洋流)也应该进行评估,在这种情况下,立管的疲劳寿命应数倍于极限洋流的持续时间。

当需要抑制涡激振动时,应选择抑制设备并确定其尺寸,主要的抑制设备包括螺旋列板、导流板等。

3.3　DNV OS F201

3.3.1　概述

在2001年,DNV OS F201成为第二个海洋立管设计规范。该标准主要基于联合工业项目(JIP),由挪威船级社、SINTEF及SEAFLEX承担完成。和挪威船级社的海底管道标准F101类似,该规范采用了荷载抗力系数法(LRFD)作为设计公式。挪威船级社的海管标准DNV OS F201和美国石油协会API RP 2RD规范的基本设计原则及功能要求并不冲突,在某些方面还是类似的,但美国石油协会的立管规范要比挪威船级社的立管规范相对保守一些。

3.3.2　载荷分析

在立管系统设计中,主要考虑到三方面的载荷(表3.2),即压力载荷、工作载荷和环境载荷。

表3.2　载荷分类

工作载荷	环境载荷	压力载荷
1.立管所受的重力和浮力,以及海洋附着物的质量等 2.内部流体的质量 3.顶部张紧式立管的张力 4.安装引起的残余应力 5.钻井过程引起的力	1.波浪载荷 2.由于液体密度不同引起的内部作用 3.洋流 4.地震 5.由于风、浪及流等引起的浮体运动	1.立管的外部水动力 2.立管内部的流体压力,即静态压力和动态压力

1. 压力载荷

压力载荷主要由于立管内部和外部的流体作用引起的。在设计中,设计者首先要确定其设计表面内压和意外表面内压,同时要知道其密度和温度值。设计者也有必要明确在相应密度和温度下的工作压力和最小表面应力。局部内部设计压力 P_{ld} 和局部意外压力值 P_{li} 由下列公式给出:

$$P_{ld} = P_d + \rho gh$$
$$P_{li} = P_{inc} + \rho gh$$

(3 - 5)

式中　ρ——内部流体的密度;

　　　P_d——立管设计压力;

　　　P_{inc}——立管意外压力;

　　　h——实际位置和内部压力参考点的高度差;

　　　g——重力加速度。

2. 工作载荷

工作载荷定义为系统物理存在和没有环境载荷与偶然载荷时系统的运转和工作所引起的载荷,当确定工作载荷的特征值时,要考虑如下内容:

(1)在工作载荷定义明确的情况下,应该使用载荷的期望值,例如立管所受的重力、浮力和运用的张力;

(2)在工作载荷变化的情况下,应考虑压力载荷、环境载荷和工作载荷的结合,并对量化临界进行敏感性分析,例如腐蚀和海洋附着物生长引起的质量变化等;

(3)在变形引起工作载荷的情况下,应该使用极值,例如预期的船体位移等。

3. 环境载荷

环境载荷是海洋环境直接或间接施加的载荷,主要的环境因素包括波浪、流和浮体移动。同时应将与特定位置相关的环境状况考虑在内,DNV CN 30.5 中所描述的原理和方法可以用来作为评估环境载荷状况的基础。

(1)波浪　风引起的波浪是作用在立管上的主要动态环境载荷,在设计分析时,需要选择适合的波浪理论来模拟立管所受载荷大小。

(2)流　根据相应的统计数据选择设计流速、剖面和方向。相应的流速应包括潮汐流、风致流、密度诱导流、全球环流等流的作用。

(3)浮体运动　浮体的偏移和运动会导致静态和动态的载荷作用在立管上,在实际分析时,需要以下主要数据:

① 静态偏移量,即取风、浪、流载荷引起的平均偏移量;

② 波频运动,即一阶波浪引起的运动;

③ 低频运动,即风和二阶波浪作用力引起的运动;

④ 升沉,即由锚链线和浮体位移联合作用引起。

3.3.3　分析方法

1. 概述

立管分析流程如图 3.2 所示,设计步骤可总结如下:

(1)确定所有相关的设计状况和极限状态;

(2)考虑所有相关载荷;

(3)进行初步立管设计和确定静态压力,进行设计检查(压溃、环向屈曲和屈曲传播);

(4)评估载荷状态;

(5)针对综合设计标准,确定广义负载效应;

(6)用合适的分析模型和方法进行立管分析;

(7)依据环境统计资料进行极限广义负载效应评估;

(8)检查是否超越相关极限状态。

2. 极限综合负载效应评估

对于运行极限状态(SLS)、自存极限状态(ULS)和事故极限状态(ALS),其特征载荷状况应该反映出在特定设计时间段内最可能的极限综合负载效应。对于永久的操作工况,使用 100 年的回归周期;对于短期的操作工况,负载效应的回归周期值取决于临时阶段持续的时间。

规范中的该部分分别就广义载荷效应、载荷工况、基于环境统计资料的设计和基于响

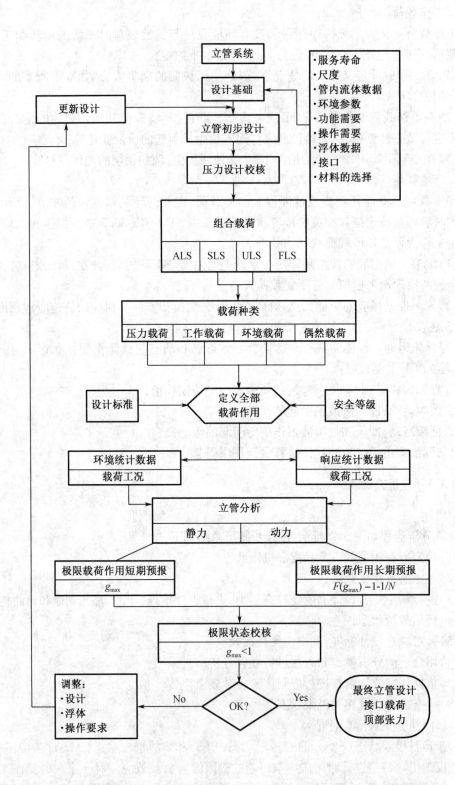

图 3.2　立管设计流程框图

应统计资料的设计等方面进行了简单说明。

3. 总体分析

在进行总体分析时,立管模型应该包括完整的立管系统(考虑刚度的准确模拟、质量、阻尼、沿着立管的水动力载荷效应以及顶部与底部的边界条件),同时立管应该离散为足够数量的单元以表征环境载荷和结构响应,并解决所有关键区域的负载效应。

表 3.3 给出了常用的动态有限元分析方法,动态分析时应用的主要技术如表 3.4 所示。

表 3.3　动态有限元分析方法

方法	非线性		
	环境载荷	特殊载荷	结构载荷
非线性时域(NTD)	莫里森载荷、实际表面高度的综合作用	段塞流、和其他细长结构的碰撞/交互作用	几何刚度、非线性材料、海床接触等
线性时域(LTD)		NA	在静态平衡位置线性化
频域方法(FD)	在静态平衡位置线性化	NA	在静态平衡位置线性化

表 3.4　常见的分析技术与应用

方法	常见运用
非线性时域(NTD)	1. 系统的非线性极限响应分析,尤其是三维激励下顺应式构型 2. 对有着很强非线性响应特性的系统(或系统的一部分),特殊的疲劳极限状态分析 3. 简化方法的验证(如非线性时域、频域)
线性时域(LTD)	1. 对有着较小(或中等)结构非线性特性和较大非线性水动力载荷的系统进行极限分析(如顶部张紧式立管)
频域(FD)	1. 筛分分析 2. 对有着较小(或中等)非线性特性的系统进行疲劳极限状态分析

4. 疲劳分析

立管系统的疲劳分析应该包括所有相关的循环载荷作用:

(1)一阶波浪力作用(直接的波浪载荷和浮体的运动);

(2)二阶浮体运动;

(3)热量和压力引起的应力循环;

(4)涡激振动的影响;

(5)碰撞作用。

前两个因素导致的疲劳响应可以通过和极限响应计算相同的方法进行分析。对于短期疲劳损伤计算,通常使用表 3.5 中所示的方法。

表 3.5　疲劳分析方法

分析方法		疲劳损伤评估		
波频响应	低频响应	波频损伤	低频损伤	波频损伤和低频损伤结合
总体频域分析	频域分析	窄带近似	窄带近似	总和
总体频域分析	时域分析	窄带近似	雨流计数法	总和
总体时域分析	时域分析	雨流计数法	雨流计数法	总和
对波频和低频激励的时域分析		对波频和低频响应的雨流计数法		

3.3.4　立管设计准则

立管设计中需要考虑四种极限状态:运行极限状态(Serviceability Limit State,SLS)、自存极限状态(Ultimate Limit State,ULS)、事故极限状态(Accidental Limit State,ALS)和疲劳极限状态(Fatigue Limit State,FLS)。

(1)运行极限状态(SLS)　指立管必须能够维持服役或工作状态;

(2)自存极限状态(ULS)　指立管需要保持完好,没有破损,但没必要工作;

(3)事故极限状态(ALS)　指在偶然载荷下的自存极限状态(ULS);

(4)疲劳极限状态(FLS)　指在循环载荷和累加疲劳下的自存极限状态(ULS)。

以上各极限状态详细介绍见表 3.6。

表 3.6　立管系统的常见极限状态

极限状态分类	极限状态	失效定义
运行极限状态	间隙	立管间、立管和锚链间、立管和船体间等没有接触
	过大的角度响应	超过规定运行极限的大角度偏移
	过大的顶部位移	对顶部张紧式立管,立管和浮体间超过规定运行极限的大顶部位移
	机械性能	连接器的机械性能
自存极限状态	破裂	管壁由于过大内压破裂
	圆周屈曲	总体塑性变形和管道横截面因为过大外压而屈曲
	屈曲传播	由圆周屈曲引起的屈曲传播
	总体塑性变形和局部屈曲	由弯矩、轴向力和过大内部压力引起的管道横截面总体塑性变形及管壁局部屈曲
	总体塑性变形、局部屈曲和圆周屈曲	管道横截面的总体塑性变形与圆周屈曲和/或管壁局部屈曲
	失稳断裂和总体局部屈曲	破裂组件的裂纹扩展或者横截面破裂
	液体密封	立管系统(包括管道和组件)的泄漏
	总体屈曲	由轴向压缩引起的整体柱体屈曲

表3.6(续)

极限状态分类	极限状态	失效定义
事故极限状态	与运行极限状态和自存极限状态一样	直接由偶然载荷引起的失效,或者是意外事故后的普通载荷引起的失效
疲劳极限状态	疲劳失效	过大的迈纳损伤累积或者是主要由环境循环载荷引起的疲劳裂纹扩展

1. 自存极限状态(ULS)

在自存极限状态下,立管的极限状态可分为表3.6所示的几种情况,下面仅就破裂、圆周屈曲、屈曲传播做介绍。

(1)破裂 为了防止破裂现象的出现,立管的设计应该满足如下公式:

$$P_{li} - P_e \leqslant \frac{P_b(t_1)}{\gamma_m \cdot \gamma_{SC}} \tag{3-6}$$

式中 P_{li}——局部偶然压力;

P_e——外部压力。

破裂抗力 P_b 由下式确定:

$$P_b(t) = \frac{2}{\sqrt{3}} \frac{2 \cdot t}{D - t} \cdot \min\left(f_y; \frac{f_u}{1.15}\right) \tag{3-7}$$

(2)系统圆周屈曲 将承受过大外部压力的立管管件在设计时应满足如下公式:

$$P_e - P_{min} \leqslant \frac{P_c(t_1)}{\gamma_m \cdot \gamma_{SC}} \tag{3-8}$$

其中,P_{min}是最小内部压力。

对外部压力(圆周屈曲)的抗力值 $P_c(t)$ 可表示为

$$P_c(t) - P_{el}(t) \cdot [P_c^2(t) - P_P^2(t)] = P_c(t) \cdot P_{el}(t) \cdot P_P(t) \cdot f_0 \cdot \frac{D}{t} \tag{3-9}$$

上述方程的解可以参考 DNV-OS-F101。

其中,管道的弹性压溃压力值可通过下式给出:

$$P_{el}(t) = \frac{2E\left(\frac{t}{D}\right)^3}{1 - v^2} \tag{3-10}$$

塑性压溃压力值可通过下式给出:

$$P_p(t) = 2\frac{t}{D}f_y\alpha_{fab} \tag{3-11}$$

管道的初始椭圆度可由下式给出:

$$f_0 = \frac{D_{max} - D_{min}}{D} \tag{3-12}$$

(3)屈曲传播 为了保证立管不会发生屈曲传播,必须满足下式:

$$P_e - P_{min} \leqslant \frac{P_{pr}}{\gamma_m \gamma_{SC} \gamma_c} \tag{3-13}$$

其中,在不允许发生屈曲传播时 γ_c 取1.0,屈曲允许在小范围内传播时取0.9。抵抗屈曲传

播的抗力值 P_{pr} 由下式给出:

$$P_{pr} = 35 \cdot f_y \cdot \alpha_{fab} \cdot \left(\frac{t_2}{D} \right)^{2.5}$$

2. 事故极限状态(ALS)

事故极限状态是由于偶然载荷或状况引起的极限状态,可以理解为立管在遭受不正常的工作条件、错误的操作或技术失效情况下的状态。相关的失效准则和偶然载荷可以按照发生的频率和幅值,根据风险分析和相关累积的经验进行确定。偶然载荷一般有以下几种:

(1)火灾和爆炸;

(2)碰撞(如立管干涉、掉落的物体和锚引起的碰撞、和浮体间的碰撞等);

(3)钩子/突出物载荷(如拖曳的锚);

(4)支撑系统的失效(如浮力筒、锚链线、动力定位系统的失效等);

(5)内部压力过大(如压力安全系统的失效、压力波动、油管的失效等);

(6)环境状况(如地震、飓风、冰川等)。

在设计结构抵抗偶然载荷时可以通过作用在结构上的载荷大小直接计算或者间接地设计可以抵抗载荷的结构。至于针对偶然载荷的设计必须保证整体失效概率遵从表3.7中的目标值。其概率可表达为第 i 次意外损伤发生的概率 P_{Di} 乘以该情况下结构失效的概率 $P_{f|Di}$ 累积之和,要求满足下式:

$$\sum P_{f|Di} \cdot P_{Di} \leqslant P_{f,T} \qquad (3-14)$$

式中的 $P_{f,T}$ 是表3.7中所示的目标失效概率。

表3.7 可接受的失效概率与安全等级

极限状态	概率基础	安全等级		
		低	普通	高
运行极限状态	每年每根立管	10^{-1}	$10^{-2} \sim 10^{-1}$	$10^{-3} \sim 10^{-2}$
自存极限状态	每年每根立管			
疲劳极限状态	每年每根立管	10^{-3}	10^{-4}	10^{-5}
事故极限状态	每年每根立管			

3. 疲劳极限状态(FLS)

在立管的设计过程中,必须考虑到其工作期间的疲劳强度。疲劳评估的方法可分为基于 $S-N$ 曲线的方法和基于疲劳裂纹扩展计算的方法。一般前者是在设计中对疲劳寿命进行评估时使用,而后者则被用来评估疲劳裂纹扩展寿命和建立无损检测检查标准。

(1)用 $S-N$ 曲线进行疲劳评估 当用到基于 $S-N$ 曲线的计算方法时,一般需要考虑以下几点:

①名义应力范围的短期分布评估;

②选择合适的 $S-N$ 曲线;

③厚度修正系数;

④应力集中系数(SCF)的确定,具体可以参考 DNV - RP - C203;

⑤所有短期条件下累积疲劳损伤的确定。

疲劳标准应满足下式：

$$D_{fat} \cdot DFF \leqslant 1.0 \qquad (3-15)$$

其中，D_{fat}为累积疲劳损伤（Palmgren-Miner 准则）；DFF 为设计疲劳系数，其值如表 3.8 所示。

表3.8　设计疲劳系数 DFF

安全等级		
低	普通	高
3.0	6.0	10.0

（2）通过裂纹扩展计算进行疲劳评估　当用到损伤容限设计方法时，就意味着立管组件应该进行设计和检查以使得最大初始缺陷的尺寸不会在工作期间扩展到临界尺寸，裂纹扩展计算通常包括以下主要步骤：

①名义应力范围长期分布的确定；

②选择合适的裂纹扩散规律和裂纹扩散参数，裂纹扩散参数应该为平均值加上二倍的标准差；

③评估最初的裂纹尺寸、几何形状和任何可能的裂纹开裂时间；

④预期裂纹扩散平面内循环应力的确定（对于非焊接部件，平均应力应该是确定的）；

⑤最终或临界裂纹尺寸的确定；

⑥疲劳裂纹传播与长期应力范围分布的综合考虑以确定疲劳裂纹扩散寿命。

疲劳裂纹扩散寿命设计和检查时应满足以下条件：

$$\frac{N_{tot}}{N_{cg}} \cdot DFF \leqslant 1.0 \qquad (3-16)$$

式中　N_{tot}——服役期间或者是到检查时所施加的应力循环总数；

N_{cg}——缺陷从一开始到临界缺陷尺寸所需要的应力循环数；

DFF——设计疲劳系数，具体可见表3.8。

4. 运行极限状态（SLS）

在许多情况下，由业主规定运行极限状态下的要求，但设计者也必须对立管的适用性进行评估并确定立管系统相关的运行极限状态标准。立管总体的运行极限状态与其变形、位移、旋转或者立管的椭圆度等都有密切的关系。

3.4　载荷抗力系数法与工作应力设计法的比较

API RP 2RD 与 DNV OS F201 的最大区别在于分析方法的不同，其中 DNV OS F201 基于可靠性分析的荷载抗力系数法（LRFD），而 API RP 2RD 基于工作应力设计法（WSD），相对来说 API RP 2RD 的分析方法更加保守，也更加简便。

3.4.1　载荷抗力系数法（LRFD）

载荷抗力系数法的基本原理是确保在任何极限状况下设计载荷不超过设计抗力，用公

式表示为

$$g(S_p; \gamma_F \cdot S_F; \gamma_E \cdot S_E; \gamma_A \cdot S_A; R_K; \gamma_{SC}; \gamma_m; \gamma_c; t) \leqslant 1 \qquad (3-17)$$

式中　$g(\bullet)$——广义负载效应,$g(\bullet) < 1$ 表示设计安全,$g(\bullet) > 1$ 表示设计失败;

S_p——压力载荷;

S_F——功能性载荷的负载效应;

S_E——环境载荷的负载效应;

S_A——偶然载荷的负载效应;

γ_F——功能性载荷的负载效应系数;

γ_E——环境载荷的负载效应系数;

γ_A——偶然载荷的负载效应系数;

R_K——总体抗力;

γ_{SC}——考虑安全等级的抗力系数;

γ_m——考虑材料和抗力不确定性的抗力系数;

γ_c——考虑特殊状况的抗力系数;

t——时间。

$g(\bullet)$ 是动态激励作用下的时变函数,上面定义的随时间而变的 $g(\bullet)$ 包括了一般情况下的载荷。在载荷效应和抗力可以分离的设计准则里,载荷和抗力系数设计法(LRFD)可写成更熟悉的形式:

$$S_d(S_p; \gamma_F \cdot S_F; \gamma_A \cdot S_A; \gamma_E \cdot S_E;) \leqslant \frac{R_k}{\gamma_{SC} \cdot \gamma_m \cdot \gamma_c} \qquad (3-18)$$

除采用上述的荷载和抗力系数设计法外,DNV 规范中的校核准则还经过了可靠度方法的验证,其系数说明如下:

——荷载效应系数和抗力系数取决于极限状态的类别;

——不同的失效模式和安全等级可以使用相同的荷载效应系数;

——抗力系数随着具体的失效模式和安全等级而变;

——为了考虑特殊荷载或抗力,在合适的地方可以使用附加安全系数。

荷载效应系数一般是为了考虑荷载自身的可变性和由于对相关知识和模型认识不全面导致的荷载效应计算不准确引起的不确定性。

抗力系数一般是为了考虑材料强度和基本变量(包括尺寸容差)的不确定性,以及不完善的抗力计算模型导致的模型不确定性。

3.4.2　工作应力设计法(WSD)

工作应力设计法(WSD)是一种结构安全裕度通过一个安全系数来表达的设计方法。它和基于可靠性分析的荷载抗力系数法相比,考虑了每个使用条件下的不确定因素影响。其公式可表达为

$$g(S, R_k, \eta, t) \leqslant 1 \qquad (3-19)$$

式中　S——总负载效应;

R_k——总体抗力;

η——利用率;

$g(\bullet)$——广义负载效应。

$g(\bullet)$ 为功能函数。需要强调的是总荷载效应 S 是相关压力载荷、功能载荷、环境载荷和偶然载荷在实际的极限状态和工况下的组合效应。

在荷载效应和抗力可以分开表示的公式中，工作应力设计法（WSD）可以表示为更熟悉的形式：

$$S_d(S) \leqslant \eta R_k \qquad (3-20)$$

API 和 ABS 规范采用的许用应力设计方法，它的主要缺点是所采用的安全系数是一个由经验确定的参数，从可靠性的角度看，传统安全系数偏大偏小的可能性都存在。

DNV 规范中采用的载荷抗力系数设计（LRFD）法以载荷系数、材料强度系数和工作条件系数代替单一的安全系数。其使用的分项系数并不是在容许应力基础上通过经验得来的，而是用可靠性方法进行过校准的。

3.5　柔性立管 API RP 17B 和 API RP 17J

3.5.1　概述

根据制作工艺，柔性管可分为黏结（Bonded）型柔性管和非黏结（Unbonded）型柔性管。黏结型柔性管是一种多层的复壁结构，管体各层之间紧密结合在一起，不会有相对滑移，一般由内胶层、中胶层、外胶层以及增强层组成。这种管道制作过程需要硫化，使各层黏结在一起，并有较高的黏结强度。其对应的标准规范有 API SPEC 17K 和 ISO 13628 – 10。

非黏结型柔性管各层之间没有黏结剂的粘合作用，允许层间发生相对滑移，同时各增强层的螺旋扁带之间也是非黏结的，允许相对滑移，可以更好地满足现场应用的特殊要求。与黏结型柔性管相比，非黏结型柔性管的性能更加优越，具有弯曲刚度小、同等外载荷下弯曲半径更小曲率更大等诸多优点。非黏结型柔性管的相关设计规范有 API SPEC RP 17B – *Recommanded Practice for Flexible Pipe* 和 API SPEC RP 17J – *Specification for Unbonded Flexible Pipe*，这里仅对非黏结型柔性管的相关规范进行介绍。

3.5.2　柔性立管设计考虑因素

在非黏结柔性管道设计中最重要的环节就是截面设计，以使得管道具备一定的力学性能要求，即在满足拉伸刚度和弯曲刚度的同时还要有扭转刚度。非黏结柔性管的设计流程主要包括三个阶段：概念设计、基本设计和详细设计（图 3.3 为设计的大致流程）。这三个阶段需要考虑以下五个重要因素：

（1）功能需求　由用户根据自身的使用情况提出管道的功能要求、使用要求和在位运行时的海洋环境等。

（2）设计依据　管道在各种工况下可能发生的失效模式及引发这些失效的荷载及其组合。

（3）设计准则　设计时要严格按照规范、标准，在确保管道在位运行安全的前提下进行设计。

（4）设计内容　内容包括管道的尺寸大小、功能层的材料选择、数量多少、排列顺序及满足刚度要求等。

（5）分析校核　包括理论分析、数值模拟和实验测试三个方法。

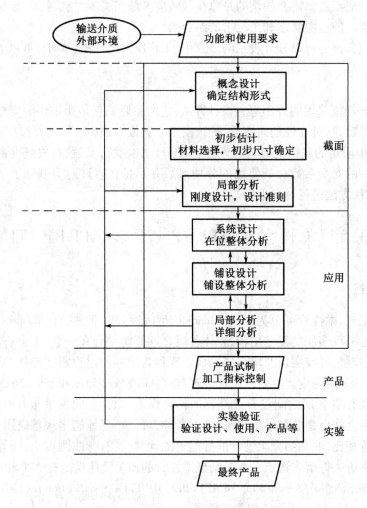

图 3.3 非黏结型柔性管设计流程框图

1. 功能需求

功能需求是管道设计的初始条件,一般海洋工程中的功能需求主要有一般要求、内部环境要求、外部环境要求和系统要求四方面内容。

管道功能需求的一般要求是用户对管道提出的最基本要求,主要指管道的内径、管道的长度(包括接头)和管道服役期间的使用寿命。

管道内部环境要求是指管道在位运行期间内部要求的压力等级、温度和内部输送介质的一些特性。其中内部介质特性有:内部介质的一般描述包括输送类型(流体、气体、流气混合)、运动类型和流向等;流体的特征参数包括流速、密度、黏度等;流体的成分数据包括化学组分、本征流体、详细杂质和是否含气体等;服役条件包括内部气体或者流体的腐蚀性、渗透性和相容性等。

管道外部环境要求是指海水环境要求及其他相关要求。海水环境要求包括水深、海水温度、海床环境、潮汐、波浪、流等。除此之外还有一些其他的环境要求主要有空气温度、阳光暴晒程度、有无冰荷载等影响管道正常运行的外部干扰。

管道系统的一般要求是指针对管道本身提出的一系列要求。主要分为一般要求、动态立管和静态海底管各自的系统要求,具体要求见表 3.9。

表 3.9　管道系统要求

类别	系统要求内容
一般要求	应用形式(动态/静态)、防腐、保温、泄气、防火、附加管线、截面形式、连接形式、检测、安装、热化学清洗
动态立管	线型、连接形式、附着搭接、浮体数据、干涉需求、载荷工况
静态海底管	路由、两端连接支撑、防冲击、海底稳定性、屈曲、交叉、附着搭接、载荷工况

　　管道设计的前期必须清楚功能需求中的每一项。功能需求中的各项要求是管道设计的初始条件,一根非黏结型柔性管道从设计到最终的产品实物都是严格按照各项功能需求来完成的。

　　2.设计依据

　　在设计柔性立管时,首先要知道管道从设计完成到在位运行要经历哪些荷载工况,在这些荷载工况中才能找到管道可能会发生的失效模式。在确定管道主要失效模式后,找出导致各自失效类型发生的主要载荷,最后根据这些载荷指标设计管道。基于失效模式的设计是从管体结构本身出发找出管道在各荷载工况下最薄弱环节对其进行设计。这种设计方法在设计初始阶段就开始考虑结构的失效问题,根据具体失效内容进行设计,对结构设计具有预见性和前瞻性。

　　(1)荷载工况　非黏结柔性管道从制作完成到在位运行期间要经历出厂验收测试工况、储存工况、安装工况和在位工况。确定管道在各类工况下所承受荷载形式是确定失效模式的关键。

　　(2)失效模式　当管道由于外力等其他因素而使管道失去原有功能时便称为管道发生了失效,而把导致管道发生破坏而失去储运功能的主要因素称为失效模式。非黏结型柔性管道的主要失效模式主要包括以下几种:

　　①爆破失效　管道在位运行过程中因管道内部注水、输油或输气管道内部压力过大导致管道爆破失效。

　　②拉伸失效　管道安装铺设与在位运行过程中自重及内部流体的质量因其顶部或其他部位拉力过大导致管道拉伸失效。

　　③压溃失效　管道安装铺设与在位运行过程中随着水深增加静水压力增大导致管道压溃失效。

　　④弯曲失效　管道在卷盘储存、运输与铺设过程及在位运行中管道曲率过大导致管道弯曲失效。

　　⑤扭转失效　管道运输牵引与在位运行过程中管道本身发生扭转导致管道扭转失效。

　　⑥挤压失效　管道储存及铺设过程中张紧器、托管架及卷盘处的挤压导致管道挤压失效。

　　⑦疲劳失效　主要发生于立管与浮体连接处,在位运行过程中波浪、浮体运动等环境因素引起管道周期性的往复作用导致的管道疲劳失效。

　　(3)设计荷载　要保证管道在各类失效下能继续安全工作,就必须在设计过程中针对每种失效下的荷载进行设计。如果管道的设计荷载大于相应失效模式下管道所承受的荷载就可以保证管道在工况中安全,管道亦不会出现此类失效模式。因此找出各类导致失效模式的荷载是设计中最关键的步骤,管道设计时确保设计荷载大于导致各类失效的主要荷载是柔性管道基于失效模式方法设计的核心内容。如表 3.10 所示为导致各类失效的主要荷载信息。

表 3.10　各工况下荷载形式汇总

失效模式	存在工况	主要决定载荷
爆破失效	1.出厂验收测试工况 2.在位运行工况	内压荷载
弯曲失效	1.存储工况 2.安装铺设工况 3.在位运行工况	弯曲荷载
拉伸失效	1.安装铺设工况 2.在位运行工况	拉伸荷载
压溃失效	1.存储工况 2.安装铺设工况 3.在位运行工况	挤压荷载 外压荷载
扭转失效	1.安装铺设工况 2.在位运行工况	扭转荷载

3.设计准则

管道的设计需要遵从一定的设计准则,对于非黏结型柔性管道的设计依据各结构层的特点分别有不同的设计准则。

(1)内护套层和外护套层　设计应考虑管线弯曲、轴向伸长和压缩、扭转、外部和环向压力、安装荷载等,设计准则为聚合物材料的最大允许应变,这两层设计准则为应变控制。

(2)骨架层　设计应考虑在最大内压、最大外压、最大椭圆变形下的破坏,以及骨架的疲劳(动态)。设计准则为钢材料的最大应力即屈服强度,骨架层的设计准则为应力控制。

(3)抗压铠装层和抗拉铠装层　抗压铠装层设计时应考虑抵抗环向力;考虑控制金属线间隙,防止互锁的失效。抗拉铠装层设计应考虑抵抗轴向力;考虑任何扭转特性的需要,控制金属线间隙和环向力(尤其对不含抗压层的结构)。抗压铠装层与抗拉铠装层设计准则均为钢的最大应力,即屈服强度。

4.设计内容

非黏结型柔性管道的设计过程包括概念设计、基本设计、详细设计及加工设计。设计内容是概念设计和基本设计阶段要完成的任务,详细设计是对设计分析校核部分,加工设计则是设计完成后对产品出设计图纸部分。这里只对概念设计和基本设计做简单说明。

(1)概念设计　管道概念设计是设计阶段的开端,概念设计阶段主要的目标是要根据用户提出功能需求及应用的海洋环境对管道做一个构型的选择。概念设计主要包括管道结构构型及各结构层材料的选择。构型选择是对设计管道在结构层数上进行选择设计,其设计依据主要源于功能需求及应用环境,具体包括应用形式、水深、内部输送介质、内压要求等方面。概念设计中的另一个阶段是材料选择阶段。概念设计中材料选择部分的主要任务是初步确定各结构层使用材料的范围。非黏结型柔性管道主要采用聚合物材料及金属材料两大类。

(2)基本设计　基本设计阶段是确定管道结构层设计参数的尺寸和每层使用材料的阶段,属于管道设计的定量化阶段。同时根据实际工况预先设定管道的刚度指标,主要是拉伸刚度和弯曲刚度指标。

5. 分析校核

明确了骨架层的尺寸大小、材料选择等内容后,下一步就是对骨架层的刚度进行分析,分析方法包括理论分析、实验分析和数值分析方法。对于非黏结型柔性管的理论分析手段是利用管道各功能层抗力的解析式和造成失效模式的主要荷载对管道进行强度校核。由于骨架层主要承受外压荷载,其失效以钢材的径向屈服应力失效为准,所以由平面圆环的屈曲荷载值公式 $q_{cr} = \dfrac{3EI}{R^3}$ 对骨架层的径向屈服应力进行校核,若不符合要重新设计骨架层。

采用实验方法进行骨架层的压溃性能研究比较有实际意义。通常理论方法是把骨架层等效为圆环或者薄壁圆筒,从而忽略了很多实际情况,而实验却能够比较真实地反映骨架层的压溃性能。

目前采用有限元方法分析骨架层的压溃性能非常普遍,对于有限元数值模拟,采用的建模方式不同(如单元选取、约束设置、荷载施加和接触设置等)不同,模型的计算速度和精度就会有所差异。

3.6　其他立管相关规范

3.6.1　API 5L 和 API 5CT

API 5L 和 API 5CT 是 API 专门为线管(Line Pipe)和套管(Casing or Tubing)制定的规范,其中 API 5L 规定了石油天然气工业管线输送系统用两种产品规范(PSL1 和 PSL2)的无缝和焊接钢管制造要求。而 API 5CT 规定了钢管(套管、油管、平端套管衬管和短节)、接箍毛坯及附件的交货技术条件,并建立了三个产品规范等级(PSL1,PSL2,PSL3)的要求。

1. API 5L

该规范中设立了两个产品规范的技术要求(PSL1 和 PSL2),PSL1 提供了一般的管线钢管质量水平要求,PSL2 包括增加的化学成分、缺口韧性、强度性能和补充 NDE 的强制性要求。其中包含了制造、验收极限、检验、标志等诸多工序的要求,这里仅对制造和验收做简单介绍。

(1)制造　管线钢的制造部分包括了管线钢的制造工艺、原料、焊缝(定位焊缝、COW 钢管焊缝、SAW 钢管焊缝、双缝钢管焊缝)、冷定径和冷扩径、对接管、热处理、追溯性等的要求。

(2)验收　这里对钢管的化学成分和拉伸性能进行了相应的要求,同时对钢管进行静水压试验、弯曲试验、压扁试验、导向弯曲试验以及针对 PSL2 钢管的 CVN 冲击试验、焊管 DWT 试验等一系列试验对管道进行试验检测,其他的还包括对表面状况、缺欠和缺陷、尺寸质量与偏差等的检查。

2. API 5CT

API 5CT 适用于符合 API Spec 5B 的下列接头：短圆螺纹套管（STC）、长圆螺纹套管（LC）、偏梯形螺纹套管（BC）、直连型套管（XC）、不加厚油管（NU）、外加厚油管（EU）、整体接头油管（IJ）。本规范标准适用的 4 组产品包括下列钢级管道：H，J，K，N 钢级的所有套管和油管；C，L，M，T 钢级的所有套管和油管；P 钢级的所有套管和油管；Q 钢级的所有套管。

该规范包括了购方需提供的资料、制造方法、材料要求、接箍、检验和试验、标记、涂层与保护等诸多内容。以下简单对材料要求、涂层与保护作以简单介绍。

（1）材料要求　这里主要对材料的化学成分、拉伸总则、夏比 V 型缺口冲击试验的一般要求、夏比 V 型缺口冲击试验管道吸能要求、套管和油管附件的夏比缺口试验吸能要求、最高硬度、硬度变化、工艺控制、淬透性、晶粒度、表面状态、硫化物应力腐蚀开裂试验等作了介绍。

（2）涂层与保护　该节对运输过程中的保护涂层和长期贮存用涂层都做了较为详细的要求，对于螺纹处螺纹保护器的使用要求、材料、钢级等做了简单介绍。

3.6.2　SUBSEA RISER SYSTEMS

SUBSEA RISER SYMTEMS 是美国船级社制定的立管规范，在实际中运用相对较少，其主要包括以下内容。

1. 强度设计标准

立管结构的设计须符合生产要求及现场实际情况，同时还必须满足以下基本要求：总体性能及几何形状、结构完整性、刚性及连续性、材料特性、支撑方式。

设计立管时须使外部载荷限制在可接受范围之内，满足强度规范。根据垂悬长度和给定的顶角，规定立管的最小壁厚，初步的立管设计可以此为基础。进行基本设计时可以根据设计极限的情况进行水动力分析。

除了基本的管结构，立管结构中的辅助结构亦须加以考虑。这些辅助结构须能承受较高的应力、弯矩及疲劳。辅助结构有螺纹接头、压力接头、应力节、浮筒和端头连接装置等。

立管设计必须满足规定的强度要求。根据 ABS 的许可、公认的规范、力学试验或高级的分析方法为依据所取的各种强度标准在设计中都适用。无论采用何种标准，设计过程必须保证一致，例如密切相关的压溃的管壁厚度、局部屈曲及屈曲传播强度标准。

强度标准包括以下失效形式：压溃、泄漏、屈服、局部屈曲、总体屈曲、疲劳、横截面变形。

金属立管的应力标准有以下几种分类。

（1）压溃压力标准　立管最小压力可按如下方法计算：

$$P_\text{b} = 0.90(SMYS + SMTS)\left(\frac{t}{D-t}\right) \tag{3-21}$$

式中　P_b——要求的立管最小压溃压力；

$\quad\quad D$——名义外径（直径）；

$\quad\quad t$——壁厚；

$\quad\quad SMYS$——设计温度下要求的最小屈服强度；

$\quad\quad SMTS$——设计温度下要求的最小张力强度。

如果材料强度有降低,则在计算 $SMYS$ 和 $SMTS$ 时须考虑对应的影响,对于管壁较厚的情况可适当调整压溃压力标准,调整可根据 BS 8010 - 3 的规定进行。

(2)环向压力标准 选择管壁厚度时,须考虑管结构在各种情况下的完整性,例如安装、压力测试和操作时,包括压力承受能力、局部屈曲或破裂、整体屈曲、底部稳性、冲击载荷防护以及高温和由于海床不平整产生的载荷。

内部压力要求常被作为壁厚设计的基础,通常以最大许用环压力 σ_h 的形式给出:

$$\sigma_h = \eta \cdot SMYS \cdot k_T \tag{3-22}$$

式中 $SMYS$——材料最小屈服强度;

k_T——与温度相关的材料强度折减因子(根据材料试验或公认标准如 ASME 31.8);

η——Von Mises 等效力利用率,石油立管取 0.72,连接无人操作平台的气体管取 0.60,连接有人操作平台的气体管取 0.50。

管道环应力 σ_h 由下式确定:

$$\sigma_h = \frac{(P_i - P_e) \cdot (D - t)}{2t} \tag{3-23}$$

式中 P_i——内部设计压力;

P_e——外部设计压力;

D——名义外径(直径);

t——名义壁厚。

对于腐蚀性流体,腐蚀产生的公差不予考虑,对于 $D/t < 20$ 的厚壁管,上述的环应力标准可根据相关规范(如 BSI BS8010 - 3)适当调整。

(3)纵向应力 为保证纵向应力下结构的完整性,必须满足以下纵向应力标准:

$$\sigma_l \leqslant \eta \cdot SMYS \cdot k_T \tag{3-24}$$

式中 σ_l——纵向应力;

$SMYS$——材料最小屈服强度;

k_T——与温度相关的材料强度折减因子(根据材料试验或公认标准如 ASME 31.8);

η——Von Mises 利用率,取 0.80。

(4)Von Mises 等效应力 根据 API RP 2RD,管道上任意一点的 Von Mises 等效应力都必须满足以下要求:

$$\sigma_e = \frac{1}{\sqrt{2}} \sqrt{(\sigma_r - \sigma_h)^2 + (\sigma_h - \sigma_l)^2 + (\sigma_l - \sigma_r)^2} \leqslant \eta \cdot SMYS \tag{3-25}$$

式中 σ_e——Von Mises 等效应力;

σ_r——径向法向应力;

σ_l——纵向法向应力;

σ_h——环应力(边缘法向应力);

η——Von Mises 等效力利用率,设计使用条件下取 0.67,设计极限或临时条件下取 0.80,试验条件下取 0.90。

对于生存情况下,Von Mises 等效应力的使用因子须满足船东/设计者和 ABS 之间的合约。

2. 失效形式

(1)外部压力下的失效 对于水深 1 500 m 以内的立管,须采用 API Bulletin 5C3 中的

塑性失效压力公式来计算所需壁厚,对于水深超过 1 500 m 的立管,特征失效压力可用下式计算:

$$P_c = \frac{P_{el}P_p}{\sqrt{P_{el}^2 + P_p^2}} \tag{3-26}$$

式中 P_{el}——弹性屈曲压力,$P_{el} = \frac{2E}{1-\nu^2}\left(\frac{t}{D}\right)^3$,其中 E 为杨氏模量,ν 为泊松比(钢质立管取 0.3);

P_p——失效时的屈服压力,$P_p = SMYS \cdot \left(\frac{2t}{D}\right)$,其中 $SMYS$ 为设计温度下要求的最小屈服强度。

通常不考虑立管的失效问题,只有当立管上的压力变化率的最小值满足下式时才会考虑失效:

$$P_e - P_i \leqslant \eta_b P_c \tag{3-27}$$

式中 P_e——外部压力;

P_i——内部压力;

η_b——屈曲设计指数(无缝管或 ERW 管时取 0.7)。

(2)外部压力和弯矩下的局部屈曲及失效 在安装和突发状况下,管道可能会受到过大的外部压力,局部屈曲和失效可能会导致管道横截面失稳,对此须进行检查。对于 $D/t <$ 50 的管道,当其受到过大的外部压力和弯矩时,须按下式进行压力校核:

$$\frac{\varepsilon}{\varepsilon_b} + \frac{P_e - P_i}{P_c} \leqslant g(f_0) \tag{3-28}$$

式中 ε——管中弯曲应变;

ε_b——纯弯矩作用下的屈曲应变,$\varepsilon_b = \frac{t}{2D}$;

P_e——外部压力;

P_i——内部压力,可看作气压;

f_0——不圆度,当 $(D_{max} - D_{min})/D$ 小于 0.5% 时不采用;

$g(f_0)$——不圆度折减系数,$g(f_0) = (1 + 10f_0)^{-1}$。

当形变超过 3% 时,须进行进一步失效分析,同时考虑载荷、传递性屈曲及管道的可作业性。

3. 疲劳分析

立管在服役期间都会遭受疲劳损坏,主要的原因有安装、波浪和流的作用等。金属立管的疲劳寿命一般通过 $S - N$ 曲线方法或者 Palmgren - Miner 累积损伤准则进行预测。在高危险区其疲劳寿命不能小于设计寿命的 10 倍,低危险区不能小于 3 倍,用 $S - N$ 方法进行疲劳分析时一般有以下几步:

(1)估计长期的压力范围分布;

(2)选择合适的 $S - N$ 曲线;

(3)确定压力集中系数;

(4)用 Palmgren - Miner 累积损伤准则估算累积疲劳损伤。

3.7 本章小结

在前面章节分别介绍了立管所受的静载荷、动载荷、疲劳之后,引出立管设计所要遵循的设计规范,在这里主要介绍了针对钢管的 API RP 2RD,DNV OS F201 和针对柔性立管的 API 17B,然后就 API 5L 和 API 5CT 等 API 专门为线管(Line Pipe)和套管(Casing or Tubing)制定的规范作了简单介绍,最后就立管设计规范所用的两种不同方法(载荷抗力系数法和工作应力设计法)进行了比较。

第 4 章　立管系统分析工具

4.1　概　　述

用于立管设计分析的专业软件主要有:非线性有限元软件 Flexcom 3D,海底管线安装分析,软件 Offpipe 和 Pipelay,疲劳分析和管线安装软件包 OrcaFlex、涡激振动疲劳分析软件包 Shear7 和 VIVANA。同时,一些通用的大型有限元软件如 ABAQUS 和 ANSYS 等也经常用于立管结构的分析计算。在进行设计分析时有众多的软件可供选择,而且现在各种软件的界面设计非常友好,可以方便地在短时间内学会使用,但精通软件和掌握海洋立管工程的设计分析并不简单。海洋立管的设计通常按概念设计、基本设计和详细设计这三步进行,无论是哪一阶段的设计,保证立管结构的安全性这一要求都贯穿始终,因而可以说海洋立管的结构设计是重中之重,需要加倍谨慎。

4.2　专业的立管分析工具

4.2.1　Flexcom 3D

Flexcom 3D 是爱尔兰 MCS 公司开发的专门对海底工程结构进行非线性有限元仿真的软件工具,MCS 总部在爱尔兰 Galway,拥有全球七个分公司,它是立管和系泊设计市场的翘楚。该公司对北海英国海域 90%、墨西哥湾 70% 的浮动生产开发设施、70% 以上的西非深水项目进行了分析、设计或验证。Flexcom 3D 的强大功能允许其对任意的海洋工程系统进行建模和仿真。

Flexcom 3D 是一个时域有限元分析软件包,可用于大多数海洋结构物的研究,包括柔性软管、隔水管、电缆、管道和空间框架结构。程序主界面如图 4.1 所示。在分析附加浮力块的刚性隔水管时,Flexcom 3D 提供了一个全新的分布浮力选项。后处理中,Flexcom 3D 直接读取 ASCII 文件,列出每一个节点处振幅、周期和相位,以及连接处的其他边界条件。

Flexcom 3D 的主要特点:能进行静态和动态(时域)的分析;进行模态分析(Modes 3D)和频域分析(Freecom 3D);进行三维平移和旋转;预测隔水管之间的干涉;模拟热、压力和段塞流载荷;计算锚系装置失效引起的垂直位移等。

4.2.2　OrcaFlex

Orcina 有限公司成立于 1986 年,是提供结构和流体力学顾问服务的公司。OrcaFlex 的首次发表是在同一年,是一款世界领先的动力学分析计算的海洋工程软件包。历经 30 年的发展,OrcaFlex 在技术能力和用户方便性方面赢得了很好的声誉,在应用于 Windows DLL 的分类方面也有其独特的兼容性,可以综合融入第三方软件。

OrcaFlex 可以进行非线性时域内的静态和动态数值分析,主要用于海洋工程结构物,包括柔性和刚性立管、锚泊系统等。系统中有 lines（线性结构）、6D buoys（6 自由度浮筒）、3D buoys（3 自由度浮筒）、vessels（浮体）等结构类型，利用这些结构可以模拟离岸海洋工程。环境因素包括海底地形、流和各种风谱、波谱。OrcaFlex 作为一种非线性有限元时域模拟软件，可以对在波浪和海流作用下的水下软管和漂浮软管进行全面的静力和动力载荷模拟分析。

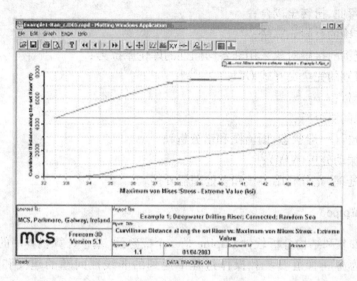

图 4.1　Flexcom 3D 界面

　　OrcaFlex 软件可以进行实现 3D、非线性、大位移的分析，利用强大精确的有限元方法（集中质量法），选择利用显式或隐式的迭代形式，可实现模态分析、疲劳分析和涡激振动分析。OrcaFlex 能分析柔性隔水管、海洋生产平台和油轮装油浮筒、电缆铺设、水下设备安装、锚系装置等。计算结果以电子表格的形式输出。程序的界面如图 4.2 所示。

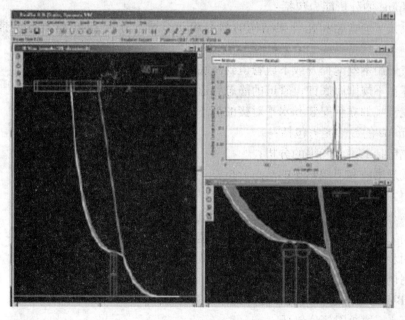

图 4.2　OrcaFlex 界面

OrcaFlex 已被诸多用户所使用,其主要用于海洋工程学及其他如地震、防御、海洋工学、海洋学研究、水产养殖等相关领域,主要特点如下:

(1)全 3D,非线性,大位移分析;

(2)稳定强大的建模技术;

(3)张力、弯曲、扭转全耦合;

(4)高度准确的有限元算法;

(5)对大范围的接触对象采用非各向同性的库伦摩擦力;

(6)最佳级别的完全交互式 GUI;

(7)模态分析;

(8)接触和间隙分析;

(9)疲劳分析(一般状态,雨流图和谱分析);

(10)涡激振动分析(VIV);

(11)并行处理,充分利用多核和多处理器硬件。

4.2.3 Offpipe

海底管线安装和结构分析软件 Offpipe 是一个成熟的、基于计算机程序的有限元分析系统。它是专门为海底管道安装和操作过程中遇到的非线性问题的建模和结构分析而开发的。

1. Offpipe 软件能力简介

Offpipe 包括一个核心程序和一系列可选的程序模型。核心程序是一个专用于非线性梁和钢丝绳结构建模的有限元分析系统。可选的程序模型给予 Offpipe 额外的建模能力。每一个模型使 Offpipe 能够分析在海上安装管道或操作过程中遇到的某一特定问题。Offpipe 拥有一系列优点,可以方便使用,增强分析能力,并确保计算解的准确性和收敛性。

(1)Offpipe 的分析能力包括:

①完成关于铺管船和托管架结构的静态和动态铺管分析,包括常规 S 型铺管和 J 型铺管;

②完成使用钢丝绳提升或下放管道到海底的铺管起始、弃管和回收分析;

③计算在不规则海底铺设管道的静态管道应力、跨距和挠度;

④完成常规的立管安装和水平对接的静态舷侧吊装分析。

(2)Offpipe 的数学能力包括:

①完成包括二维和三维的分析;

②完成规则波和不规则波的动态分析;

③使用力矩 – 弯曲关系模拟非线性材料;

④在动态分析中使用数值积分来计算管道和托管架的时域响应;

⑤使用二维问题的简化尺寸来提高执行速度;

⑥采用步长控制算法以确保迭代法的收敛;

⑦采用调谐外推法加快动态求解;

⑧在 IBM – PC 兼容台式机和便携式计算机上运行。

(3)Offpipe 的通用部分包括:

①有限元模拟完整的管道系统,包括在铺管分析中的托管架和海底状况;

②有限元模型是通过对用户输入的相关数据进行描述而自动生成的;

③有关于描述铺管船和托管架配置的带有几个选项的生成导向;

④在铺管分析中,计算悬链线上拐点和下拐点的管道应力,决定铺管船尾和托管架末端的管道角度和曲率,计算着地点的位置;

⑤在舷侧吊装分析中,计算舷吊支撑的管道和没有支撑的跨度处的管道应力和几何尺寸,决定舷吊钢丝绳的长度和张力,计算着地点的位置;

⑥在管道跨度分析中,决定所有管段的位置和长度,计算管道应力和挠度,完成安装、水压试验和运行工况的分析。

2. Offpipe 主要模型

Offpipe 使用一个详细的有限元模型来模拟完整的管道系统,它能明确模拟不同类型的管道配置,能够完成高精确度的分析。它成熟的用户界面和有限元模型的自动生成功能,使复杂问题的分析变得简单。它能在便宜的 IBM – PC 兼容台式机和便携式计算机上使用,允许在海上现场完成分析。

(1)铺管系统模型　在海底管道铺设过程中,Offpipe 使用一个详细的有限元模型,进行正常铺管、弃管和回收分析。图 4.3 显示了一个完整铺管系统的有限元模型。

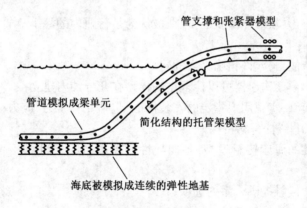

图 4.3　铺管系统的有限元模型

Offpipe 生成铺管系统的有限元模型,是根据用户以惯用的工程术语对一个简单问题所进行的描述。有限元模型的生成由 Offpipe 自动完成,并且它对用户是完全透明的。也就是说,与许多基于有限元方法的程序不同,Offpipe 不一定要求用户对有限元理论有所了解。

(2)铺管船模型　Offpipe 将铺管船上的管道或钢丝绳模拟成一连串的管道和钢丝绳单元,这些单元从对口站或第一个张紧器一直延伸到铺管船艉部。铺管船上的管道和钢丝绳由一系列不连续的管和张紧器单元支撑。

Offpipe 将铺管船模拟成一个刚体。在静态分析中,铺管船的位置完全由驳船偏移、纵倾角和用户提供的艏向来定义。图 4.4 显示了铺管船的模型。

在动态分析中,Offpipe 模拟了所有 6 种可能的铺管船运动。铺管船运动由波浪状况和用户给定的响度幅值算子(RAOs)来明确定义。用户给定的波浪状况可以是一个单一的规则波,也可以是一个二维的波谱。

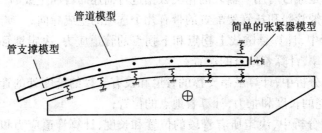

图 4.4　铺管船模型

4.2.4　Pipelay

Pipelay 由 MCS Kenny 公司和他的主要商业伙伴协作开发,该软件提供现代化、易操作、先进的求解方法来计算深水和浅水的立管安装分析。

Pipelay 作为一个专业的工程软件,允许立管安装工程师使用熟悉的语言输入数据,而不是用更复杂的有限元术语。该软件自动执行许多如建立有限元模型、运行分析、以报告格式展示结果等任务。

Pipelay 已被第三方软件广泛验证,现在被认为是行业内的海上立管安装分析首选的卓越工具,主要特点有:

(1)强大的分析能力,允许精确真实的建模;

(2)专业的图形模型构建器可以让复杂的模型在几分钟内建立;

(3)自动优化模型,实现用户指定的安装标准,包括立管张力、应力/应变、偏移角、顶端分离和更多的线性、非线性材料特性;

(4)刚性或弹性的海床接触模型,各向异性的摩擦力和平坦、倾斜或任意形式的海床形态;

(5)为建模轮架接触提供一系列选项;

(6)真实的立管内外接触模型;

(7)固定和浮式的插入能力;

(8)为安装过程中的焊缝损伤评估提供疲劳分析模块;

(9)自动生成网格、分析步骤和结果后处理;

(10)包括详细的线性结构模型 PLETs,PLEMs,ITAS 等;

(11)支持多种张紧器定义;

(12)可以输出 3D 动画、图表、汇总参数和计算结果汇总;

(13)集成 DNV 的局部屈曲检查;

(14)提供先进的质量控制功能;

(15)Sentinel HASP 软件加密狗。

4.3　立管涡激振动分析工具

4.2 节介绍的立管分析软件并不能进行立管的所有问题分析,对于立管的涡激振动分析需要专业的分析软件。比较常用的立管涡激振动分析软件有 Shear7 和 VIVANA 等。

4.3.1　Shear7

Shear7 是当前工业界应用最为广泛的涡激振动分析软件,它是由麻省理工学院 Vandiver 教授等人开发的。Shear7 可以预测横向的涡激振动响应,不仅可以估算多模态非锁定涡激振动响应,也可以估算单模态锁定涡激振动响应。它可以模拟线性变化的预张力和多种边界条件下缆绳和梁的固有频率、模态振型及响应。程序基于能量平衡原理预测结构的各阶模态响应,并采用模态叠加方法计算结构总的响应。

Shear7 可以根据选取的分析模型类型以及模型的结构参数计算结构的模态参数、固有频率、模态振型以及模态曲率。程序也允许通过外部有限元分析软件直接输入结构的模态参数。Shear7 的结果输出包括每一节点处的均方根位移、均方根应力、疲劳损伤、局部拖曳力系数、张力以及流速。Shear7 提供了两种升力系数模型——保守力模型与非保守力模型。保守力模型对于所有的约化速度采用同样的升力系数振幅曲线,而非保守力模型在不同约化速度处采用不同的升力系数振幅曲线,立管根据结构的几何外形或者是否有抑制装置分为几段,来选择相应的升力系数模型,就可以得到带抑制装置立管的涡激振动响应。非保守力模型基于 Gopalkrishnan 的实验数据。Shear7 的阻尼模型包括高流速区阻尼与低流速区阻尼两种形式。高流速区与低流速区分别指激励区的上部与下部区域。Shear7 根据指定的约化速度双带宽判断各阶模态的激励区与阻尼区。

Shear7 的涡激振动预报精确度得到使用者广泛的认可,但是它也存在一些不足。Shear7 不能计算立管流向(In-line,IL)的涡激振动响应,对于立管在剪切流下所产生行波现象模拟也存在不足,即便是在预报位移曲线趋势上也存在问题。此外,流的方向也只能模拟垂直立管的单向流,但是流的大小可以变化。当立管斜置于水中的时候,由于流不垂直于立管,因此需要采用等效的方法,即只计算垂直于立管的流的分量,没有考虑两个方向的相互影响。

此外,Shear7 不能直接计算钢悬链线立管的涡激振动响应,需要将钢悬链线立管等效为顶部张紧垂直立管,等效的原则是钢悬链线立管的弧长与顶部张紧垂直立管的长度一致,钢悬链线立管的单位长度质量与顶部张紧垂直立管的单位长度质量一致。用 Shear7 预报钢悬链线立管的涡激振动响应有如下三种方法:

(1)定义一等效的顶部张紧垂直立管,根据悬链线方程求出钢悬链线立管的最小和最大的预张力,假定预张力沿顶部张紧垂直立管的长度方向上是线性变化的,这样通过预报等效垂直立管的涡激振动响应,就可以得到钢悬链线立管的涡激振动响应。

(2)与(1)基本一样,由悬链线方程求出预张力沿钢悬链线弧长的变化,把钢悬链线每段的预张力和单位长度质量的具体信息输入到 COMMON.CAT 文件中,就可以间接地得到钢悬链线立管的涡激振动响应。

(3)由有限元软件计算得到钢悬链线立管的固有频率、模态振型以及模态振型曲率,将这些具体信息输入到 COMMON.MDS 文件中,也可以得到钢悬链线立管的涡激振动响应。

Shear7 是基于频域方法采用模态叠加求解立管结构的涡激振动响应,可以输出响应频率、振幅、振型以及疲劳损伤和疲劳寿命等,但仅适用于预报横向的涡激振动响应,如图 4.5 给出了 Shear7 预报涡激振动的计算方法流程图。

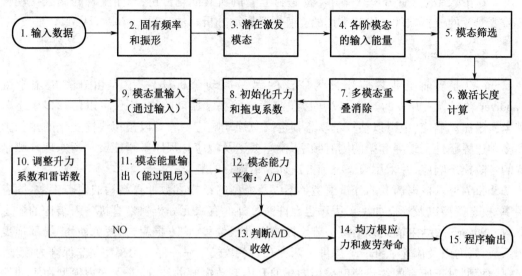

图 4.5　Shear7 的计算方法流程图

Shear7 4.5 之前的版本均采用竞争模态(Competing Modes)技术,即将立管沿长度方向按照可能激发的模态划分为能量输入区(Power – In)和阻尼区(Power – Out)。在版本 Shear7 4.5 中,笔者认为这种方式可能会降低各个模态的响应,对比立管试验测试的数据发现在每一个时刻仅可能存在一个主导的振动模态,随着时间的推移可能发生模态的跳跃现象,在下一时刻主导振动模态发生改变,这种可能激发模态的交替出现和消失将共分整个涡激振动时间,即提出了时间共享的概念(Time Sharing Concept)。这样每个振动模态的输入区将变长,计算后得到更大的响应幅值。

4.3.2　VIVANA

与 Shear7 一样,VIVANA 也是频域预报涡激振动软件。VIVANA 是一个基于有限元的软件,用于预测海流中细长海洋结构的涡激振动响应。它是由挪威海洋技术研究院的 Larsen 等人开发的。在 VIVANA 中,要求海流必须是不随时间变化的,但可沿结构方向变化。VIVANA 不仅可以预报单模态响应,还可以预报多模态响应;不仅可以预报横流方向的涡激振动响应,还可以预报顺流方向的涡激振动响应。但目前顺流方向的涡激振动预报仅适用于管道。VIVANA 的水动力模型基于一系列经验参数,它的结构模型采用非线性三维有限元公式。程序能够计算具有任意分布规律的张力、质量、刚度、直径的结构模型。采用频域分析方法,通过各个离散的频率计算响应振幅。计算立管横向振动时,升力系数和附加质量系数都是基于 Gopalkrishnan(1993)的实验数据。计算立管流向振动时,升力系数和附加质量系数都是基于 Aronsen(2007)的实验数据。对激励区外的阻尼,采用了 Venugopal (1996)提出的高流速区和低流速区阻尼形式,这和 Shear7 相同。

首先通过有限元软件得到立管在静水中的固有频率,根据固有频率和最大泻涡频率的关系,判断出哪些固有频率有可能被激励。其次,通过迭代的方法得到响应频率。具体步骤如下：

（1）根据无因次频率 f（横向 f 的范围是 0.125 到 0.2，流向 f 的范围是 0.2 到 0.9）的上下限判断哪些静水中频率落入无因次频率范围内。

（2）根据 Gopalkrishnan(1993) 实验中附加质量系数和振幅、无因次关系图（由于振幅对附加质量系数影响不明显，因此所取振幅 $A/D = 0.5$），可以得到附加质量系数。

（3）根据得到的附加质量系数对静水频率进行修正，然后重复（1）到（3）步骤，直到前后的响应频率满足收敛条件。

4.4　通用有限元分析工具

4.4.1　ABAQUS

ABAQUS 是一套功能强大的工程模拟有限元软件，其解决问题的范围从相对简单的线性分析到许多复杂的非线性问题。ABAQUS 包括一个丰富的、可模拟任意几何形状的单元库。并拥有各种类型的材料模型库，可以模拟典型工程材料的性能，其中包括金属、橡胶、高分子材料、复合材料、钢筋混凝土、可压缩超弹性泡沫材料以及土壤和岩石等地质材料。作为通用的模拟工具，ABAQUS 除了能解决大量结构（应力/位移）问题，还可以模拟许多其他工程领域的问题，例如热传导、质量扩散、热电耦合分析、声学分析、岩土力学分析（流体渗透/应力耦合分析）及压电介质分析等问题。图 4.6 为 ABQUS 运行界面。

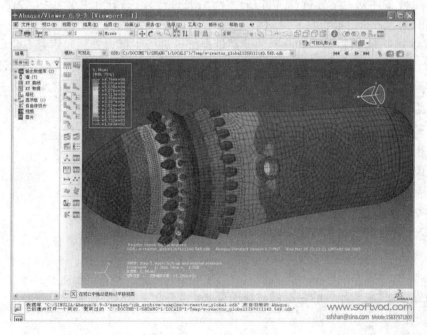

图 4.6　ABAQUS 界面

ABAQUS 有两个主求解器模块——ABAQUS/Standard 和 ABAQUS/Explicit。ABAQUS 还包含一个全面支持求解器的图形用户界面，即人机交互前后处理模块——ABAQUS/CAE。ABAQUS 对某些特殊问题还提供了专用模块来加以解决。ABAQUS 为用户提供了广泛的功能,且使用起来非常简单。大量的复杂问题可以通过选项块的不同组合很容易地模拟出来。例如,对于复杂多构件问题的模拟是通过把定义每一构件的几何尺寸的选项块与相应的材料性质选项块结合起来实现的。在一个非线性分析中,ABAQUS 能自动选择相应载荷增量和收敛限度。它不仅能够选择合适的参数,而且能连续调节参数以保证在分析过程中有效地得到精确解。用户通过准确的定义参数就能很好地控制数值计算结果。

1. 分析功能

(1)静态应力/位移分析:包括线性和几何非线性,以及结构断裂分析等。

(2)动态分析黏弹性/黏塑性响应分析:黏塑性材料结构的响应分析。

(3)热传导分析:传导、辐射和对流的瞬态或稳态分析。

(4)质量扩散分析:静水压力造成的质量扩散和渗流分析等。

(5)耦合分析:热/力耦合、热/电耦合、压/电耦合、流/力耦合、声/力耦合等。

(6)非线性动态应力/位移分析:可以模拟各种随时间变化的大位移、接触分析等。

(7)瞬态温度/位移耦合分析:解决力学和热响应及其耦合问题。

(8)准静态分析:应用显式积分方法求解静态和冲压等准静态问题。

(9)退火成型过程分析:可以对材料退火热处理过程进行模拟。

(10)海洋工程结构分析:对海洋工程特殊载荷如流载荷、浮力、惯性力等进行模拟;对海洋工程的特殊结构如锚链、管道、电缆等进行模拟;对海洋工程特殊的连接,如土壤/管柱连接、锚链/海床摩擦、管道/管道相对滑动等进行模拟。

(11)水下冲击分析:对冲击载荷作用下的水下结构进行分析。

(12)柔体多体动力学分析:对机构的运动情况进行分析,并和有限元功能结合进行结构和机械的耦合分析,同时可以考虑机构运动中的接触和摩擦。

(13)疲劳分析:根据结构和材料的受载情况统计进行生存力分析和疲劳寿命预估。

(14)设计灵敏度分析:对结构参数进行灵敏度分析并据此进行结构的优化设计。

软件除具有上述常规和特殊的分析功能外,在材料模型,单元的载荷、约束及连接等方面也具有强大功能。

2. 材料模型

材料模型定义了多种材料本构关系及失效准则模型。

(1)弹性

①线弹性:可以定义材料的模量、泊松比等弹性特性。

②正交各向异性:具有多种典型失效理论,用于复合材料结构分析。

③多孔结构弹性:用于模拟土壤和可挤压泡沫的弹性行为。

④亚弹性:可以考虑应变对模量的影响。

⑤超弹性:可以模拟橡胶类材料的大应变影响。

⑥黏弹性:时域和频域的黏弹性材料模型。

(2)塑性

①金属塑性:符合 Mises 屈服准则的各向同性和遵循 Hill 准则的各向异性塑性模型。

②铸铁塑性:拉伸为 Rankine 屈服准则,压缩为 Mises 屈服准则。

③蠕变:考虑时间硬化和应变硬化定律的各向同性和各向异性蠕变模型。

④扩展的 Druker – Prager 模型:适合于沙土等粒状材料的不相关流动的模拟。

⑤Capped Drucker – Prager 模型:适合于地质、隧道挖掘等领域。

⑥Cam – Clay 模型:适合于黏土类土壤材料的模拟。

⑦Mohr – Coulomb 模型:这种模型与 Capped Druker – Prager 模型类似,但可以考虑不光滑小表面情况。

⑧泡沫材料模型:可以模拟高度挤压材料,可应用于消费品包装及车辆安全装置等领域混凝土材料模型,这种模型包含了混凝土弹塑性破坏理论渗透性材料模型,提供了依赖于孔隙比率、饱和度和流速的各向同性和各向异性材料的渗透性模型。

⑨其他材料特性:包括密度、热膨胀特性、热传导率和导电率、比热、压电特性、阻尼以及用户自定义材料特性等。

(3)单元库　ABAQUS 包含丰富的单元库,单元种类多达 562 种。它们可以分为 8 个大类,称为单元族,包括实体单元、壳单元、薄膜单元、梁单元、杆单元、刚体元、连接元、无限元,还包括其中针对特殊问题构建的特种单元,如针对钢筋混凝土结构或轮胎结构的加强筋单元(* Rebar)、针对海洋工程结构的土壤/管柱连接单元(* Pipe – Soil)和锚链单元(* Drag Chain),还有专门的垫圈单元和空气单元等特殊的单元,这些单元对解决各行业领域的具体问题非常有效。

另外,用户还可以通过用户子程序自定义单元种类。对 ABAQUS 进行二次开发也极为方便,ABAQUS 支持 FORTRAN 或 VC + +来二次开发。

4. 4. 2　ANSYS

ANSYS 软件是融结构、流体、电场、磁场、声场分析于一体的大型通用有限元分析软件。由世界上最大的有限元分析软件公司之一的美国 ANSYS 开发,它能与多数 CAD 软件接口(如 Pro/Engineer,NASTRAN,Alogor,I – DEAS,AutoCAD 等)实现数据的共享和交换,是现代产品设计中的高级 CAD 工具之一。ANSYS 公司成立于 1970 年,是由美国匹兹堡大学的 John Swanson 博士创建的,其总部位于美国宾夕法尼亚州的匹兹堡,目前是世界 CAE 行业最大的公司。图 4.7 为 ANSYS 运行界面。

1. ANSYS 软件提供的分析类型

(1)结构静力学分析　用来求解外载荷引起的位移、应力和力。静力学分析很适合求解惯性和阻尼等对结构的影响并不显著的问题。ANSYS 程序中的静力学分析不仅可以进行线性分析,而且也可以进行非线性分析,如塑性、蠕变、膨胀、大变形、大应变及接触分析等。

(2)结构动力学分析　结构动力学分析用来求解随时间变化的载荷对结构或部件的影响。与静力学分析不同,动力学分析要考虑随时间变化的力载荷以及它对阻尼和惯性的影响。ANSYS 可进行的结构动力学分析类型包括瞬态动力学分析、模态分析、谐波响应分析及随机振动响应分析。

(3)结构非线性分析　结构非线性导致结构或部件的响应随外载荷不成比例变化。ANSYS 程序可求解静态和瞬态非线性问题,包括材料非线性、几何非线性和单元非线性三种。

2. 软件结构

ANSYS 的软件结构主要包括三个部分:前处理模块、分析计算模块和后处理模块。

(1)前处理模块　前处理模块提供了一个强大的实体建模及网格划分工具,用户可以方便地构造有限元模型。ANSYS 的前处理模块主要有两部分内容,即实体建模和网格划分。

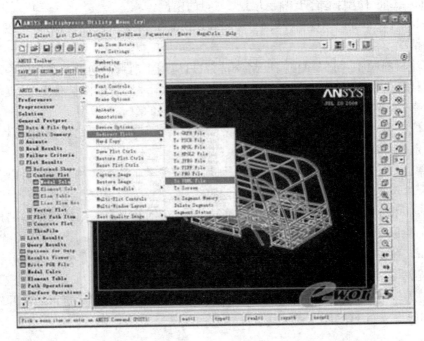

图 4.7　ANSYS 界面

（2）分析计算模块　分析计算模块包括结构分析（可进行线性分析、非线性分析和高度非线性分析）、流体动力学分析、电磁场分析、声场分析、压电分析以及多物理场的耦合分析，可模拟多种物理介质的相互作用，具有灵敏度分析及优化分析能力。

（3）后处理模块　后处理模块可将计算结果以彩色等值线显示、梯度显示、矢量显示、粒子流迹显示、立体切片显示、透明及半透明显示（可看到结构内部）等图形方式显示出来，也可将计算结果以图表、曲线形式显示或输出。

4.5　本章小结

本章主要介绍了进行立管设计和分析时所应用的主流软件，并分别对通用的有限元分析软件、专业的立管分析软件、立管涡激振动分析软件等各种应对不同分析需求的软件的应用范围、分析功能等做了不同程度的介绍。

参 考 文 献

［1］ 张建伟. ABAQUS6. 12 有限元分析从入门到精通［M］.北京：机械工业出版社,2015.

［2］ 郝勇. ANSYS15. 0 有限元分析完全自学手册［K］.北京：机械工业出版社,2015.

［3］ 王波.计算软件 Offpipe 和 OrcaFlex 应用于海底管道 S 型铺设分析的比较研究［J］.中国造船,2013,54（2）:107－113.

［4］ 王宏安.深水钻井隔水管系统分析软件开发及应用［D］.青岛：中国石油大学,2008.

［5］ 饶志标. 柔性立管涡激振动频域响应分析［D］.上海：上海交通大学,2010.

[6] 孙成赞,王允. Offpipe 软件在海底管道铺设中的应用[J]. 石油工程建设,2005(05):
57-60.

[7] VANDIVER J K, LI L. hear7 V4.4 Program Theoretical Manual[R]. Department of Ocean
Engineering, MIT, 2005.

[8] LARSEN C M, VIKESTAD K, YTTERVIK R, et al. VIVANA Theory Manual [R].
MARINTEK Report, Trondheim, 2000.

第5章 立管管道的制造

5.1 概 述

与普通陆地管道相比,海洋立管所处的工作环境危险且复杂多变,其既承受水深带来的巨大静水压载,又面临波浪、海流、浮体运动等引起的动态载荷,此外疲劳损伤、外物撞击等都可能引起立管的失效。因此对于海洋立管,任何设计或者制造过程中的失误都可能引发巨大的经济损失和生态灾难。

海洋立管具有多种结构形式,但本质上可分为刚性立管和柔性立管,这里只介绍钢质管体刚性立管的制造过程。总的来说,海洋立管的制造包括管线钢的炼制、板的轧制、管道成型、内外涂层的涂敷等过程。本章将对以上步骤作以简单介绍。

5.2 管线钢的炼制

5.2.1 管线钢的成分

在管线钢中加入合金元素可以改变钢的机械性能,表5.1列出了典型合金元素以及它们对钢的影响。API 5L规范考虑了众多的合金成分,对少数合金元素的最大剂量作出了规定,这使得钢生产商可以通过不同的生产工艺达到规定的强度、韧性和可焊性。

表5.1 合金元素对钢性能的影响

合金元素	对钢机械性能和腐蚀性质的影响
碳(C)	增加抗拉强度和硬度,但降低韧性、可焊性,增加腐蚀
锰(Mn)	增加抗拉强度、硬度和抗磨蚀能力,降低孔隙度,减少开裂
磷(P)	增加脆性和开裂,用量逐渐受到限制,对于甜性介质管道用量小于0.025%,对于酸性介质管道用量小于0.005%
硫(S)	增加孔隙度、脆性和开裂,形成的硫化锰俘获氢,导致内部开裂,表面出现的硫化物导致点蚀。用量逐渐受到限制,对于甜性介质管道用量小于0.01%,对于酸性介质管道用量小于0.005%
硅(Si)	增加抗拉强度但显著降低韧性,可作为还原剂用于钢的镇静(脱气)。限制用量在0.35%~0.4%
铝(Al)	用于细晶强化,可增加硬度,作为脱氧剂添加来镇静钢。当添加量为0.02%~0.05%时,有助于增加焊接韧性

表 5.1(续)

合金元素	对钢机械性能和腐蚀性质的影响
铜(Cu)	提高对 pH>4.5 环境中酸性开裂的抵抗力,影响焊接热影响区的腐蚀性;与 Ni 一起能稳定腐蚀产物膜,减少腐蚀,常与 Ni 一起用于弯管以及管道的厚壁段
铬(Cr)	增加抗拉强度和硬度,降低可焊性,是耐腐蚀性的主要影响因素。含铬量≥12%时,材料成为不锈钢
钙(Ca)	脱氧剂和脱硫剂,用于酸性服役钢管中夹杂物形态控制的二级添加物
钼(Mo)	增加抗拉强度和耐腐蚀性,减少点腐蚀,用于优质弯管
钛(Ti)	微合金元素,增加抗拉强度、硬化性能和耐磨性,与碳组合形成碳化物会降低韧性
铌(Nb)	碳钢中的微合金元素,常添加于 X42 以上等级的钢中
钒(Vn)	增加抗拉强度、硬化性能和耐磨性,是用作厚管材的微合金元素
氮(N)	增加强度但降低低温韧性
镍(Ni)	增加抗拉强度和低温韧性,提高耐腐蚀性,降低焊接腐蚀敏感性,提高焊接强度

含有多种合金元素的钢为达到要求的规格所进行的热处理工艺十分复杂。在实际生产中多采用碱性氧气吹炼法和电弧炉法,这两种方法都能生产出低碳低 SPOHN(硫、磷、氧、氢、氮的合称)且具有细晶粒和较高低温冲击韧性的钢。

用于生产电阻焊钢管(ERW)的钢含碳量非常低,正因如此,快速焊接的同时能够保持足够的韧性。但是管线建成后,焊缝周围的热影响区强度可能明显低于母管和焊件,这是因为没有足够的碳通过硬化以增加钢强度,也可能因细晶强化不足而导致晶粒过度生长。这通常不会有问题,但对于用卷筒式铺管船铺设的管道则可能有影响。通过对墨西哥湾某管道进行研究发现,当管道被卷起时,由于母管和热影响区(HAZ)的最终抗拉强度不同,将导致管道热影响区出现椭圆化和撕裂现象。

5.2.2 管线钢的炼制过程

在 20 世纪 50 年代,生产管道所用的钢是用酸性平炉法炼制的,这是用于生产中等低碳钢的最有效方法。熔化的钢用锰处理,去除大部分硫和氧,然后用钙、硅和铝镇静,从而在倒入铸模前去除剩余的氧和氮。完成的铸块被转移到成形车间切成方钢,制成无缝钢管或热轧成钢板用于焊接管的生产。现在炼钢仍沿用这一方法,但只能用来生产强度等级低且工作条件不太恶劣的钢管。

制造高品质管道所用的钢板,是用碱性氧气吹炼法炼制的钢熔融后制成的,用碱性氧气吹炼法制成的钢被称为碱性氧气转炉钢。利用这种方法生产出的钢含碳量低,含 SPOHN 量也低,且需要加入锰和微合金元素。钢板的生产顺序是:初级钢生产、二级钢生产、铸造。其大致生产流程如图 5.1 所示。

用于生产初级钢的熔炉内衬是碱性材料,通常是白云石。将分级后的矿石、生铁和废料放入熔炉处理,通过在钢中吹入氧气除去过多的碳。吹入氧气的方式有两种,一种是用吹氧嘴管深插入熔融的钢中吹入,另一种是从底部注入。其他添加剂也是通过吹入的方式加入的,这样可以保证添加剂分布均匀,通过相继添加锰、硅和铝除去硫和溶解氧。

在生产过程中,钢会吸收多种不同的气体,这会降低钢的抗疲劳性能。管道用钢必须完全"镇静",溶解在熔融钢中的氧气和氮气可以用氩气清洗的方式除去,用这种方法时需搅拌钢液,搅拌也有助于脱碳和脱磷、帮助浮选炉渣以及减少钢中吸收的氮含量。加入多种添加剂,比如硅、铝和钙,可用于吸收剩余气体。另外,真空脱气也是常用的方法。

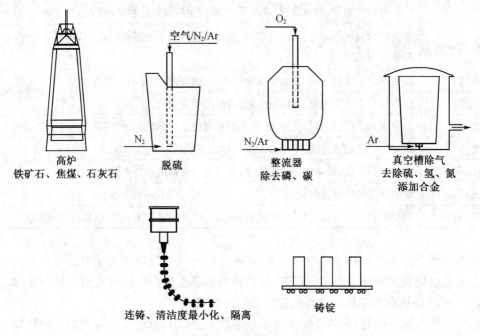

图 5.1　管线钢的生产步骤

将处理过的熔融钢倒入钢水包,进行二次炼钢。靠磁力搅拌第一个钢水包中的钢水,以除去残余炉渣,然后将其转移到另一个钢水包,通常从第一个钢水包的底部转移,以减少漂浮炉渣携带。电弧重加热后,往钢中注入适量的相关微合金添加剂以及其他主要合金元素,注入的同时进行磁力搅拌,确保添加剂和其他合金元素分布均匀。

二次炼钢后,钢被脱气然后快速连铸成钢坯。采用连铸是因为这样生产的产品连续性较好,也有助于减少钢坯中的相分离,相分离会导致轧制出的钢坯机械性能不连续。

连铸机包括一个喂槽,钢从底部以一定速率倒出,通过喂槽进入铸模。钢的外表面在铸模中冷却形成坯壳。连续喷水冷却坯壳内的液态钢,带有液芯的铸坯边移动边凝固。铸坯流过一系列被水冷却过的支撑导辊,这些导辊将钢从竖直状态引导成水平状态,并使液态钢降温形成最终的平板状。钢中有害材料的熔点较低,集中在铸坯的中心。为了减少有害材料的含量,用压轮紧压铸坯,紧压导致钢坯被热轧,其厚度约减少 12 mm,完全凝固后,将含有有害材料的部分从成形钢板的末端切除,循环到初级钢生产单元。

5.2.3　钢的加强

钢是一种多晶材料。小晶体(或者说是晶粒)含有被称为位错的晶格缺陷,它指晶体材料的一种内部微观缺陷,即原子的局部不规则排列(晶体学缺陷)。这限制了它们的强度,因此位错引起了晶体的塑性变形。宏观塑性应变是粒子级别塑性变形的累积效应,其他的变形是通过晶粒在其边界的相互作用导致的。钢的加强通过几种方法来增加位错的迁移阻力。一些主要的硬化过程概述如下。

1. 固溶强化

铁存在两种晶体形式:一种是 α - 铁,或者叫铁素体,其具有体心立方晶格(BCC);另一种是 γ - 铁,也叫奥氏体,其具有面心立方晶格(FCC)。铁素体从低温到912 ℃是稳定的(1 674 ℉,如图5.2所示)。超过912 ℃后铁素体转变为奥氏体,奥氏体仍然稳定直到1 394 ℃(2 541 ℉)。奥氏体柔软而有韧性,适合于锻造和轧制。因此,大多数这样的方法都是在等于或高于1 100 ℃(2 012 ℉)的条件下进行的。最古老、最简单的金属硬化形式是添加杂质,以形成一种合金。杂质阻碍位错的运动,并增加了它们移动所需的压力。碳和氮是用于制造钢最古老的杂质选择,它们在 γ - 铁和 α - 铁中形成间隙固溶体。因为较大的间隙(原子间的间距)中沉淀了铁碳化合物(碳化铁,Fe_3C),在奥氏体中两种元素的溶解度(碳质量分数达到2.1%)比在铁素体中高(碳质量分数达到0.022%)。小的碳化物颗粒拥有自身的强化效果,另外奥氏体淬火快速转变为叫做马氏体的四方结构。碳的过饱和固溶体被困在四方晶格内,强度得到非常显著的增加。马氏体有片状微观结构,非常硬、脆,容易开裂,这些不必要的特性可以通过回火得到缓解,同时保证其强度(再加热的温度范围150 ~700 ℃,即300 ~ 1 290 ℉)。

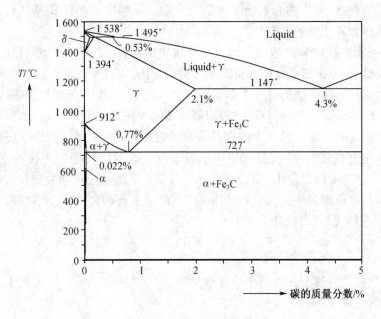

图 5.2　铁 - 碳相态图

许多其他元素(硅、铝、铜、铬、钙、锰、钼、镍、钒、钛)在 α - 铁和 γ - 铁中形成置换溶液(原子晶格代替铁原子,并且在这个过程中变形)。实际情况下,这些合金元素也有其他的用途,例如脱氧(硅)、促进硬化性(钼),或与硫的结合(锰)。

2. 粒度

通过热处理和机械加工所进行的晶粒细化是加强钢最重要的方法之一。这是因为多晶体的屈服应力(σ_0)已被证明与颗粒直径(d)的平方根成反比,即

$$\sigma_0 = \sigma_1 + \frac{k}{\sqrt{d}} \qquad (5-1)$$

其中,σ_1(摩擦应力)和 k 是材料常数,摩擦应力被认为是单晶的屈服应力。

晶粒细化是通过加入如镍、钛、钒和铝等元素实现的,同时保持碳含量在 0.03% ~ 0.08% 的范围内以及锰含量达到 1.5%,这种微合金化钢的晶粒细化通过在热轧期间奥氏体的再结晶发生,同时受温度及每个过程变形程度的影响。合金元素加强了碳化物和氮化物沉淀的形成,这些元素往往会阻止晶粒的成长,在特定的高温水平下控制轧制被称为热机械控制处理(TMCP)。

3. 弥散强化

弥散强化是在均匀材料中加入硬质颗粒的一种材料强化手段。硬质颗粒是指不溶于基体金属的超细第二相(强化相)金属材料,为了使第二相在基体金属中分布均匀,通常使用粉末冶金方法。第二相一般为高熔点的氧化物或碳化物、氮化物,其强化作用可保持到较高温度。弥散强化是强化效果较大的一种强化合金的方法,很有发展前途。若化合物在固溶体晶粒内呈弥散质点或粒状分布,则既可显著提高合金强度和硬度,又可使塑性和韧性下降不大,并且颗粒越细小,越呈弥散均匀分布,强化效果越好。

钢通常以超过一种以上相的形式存在,事实上,钢的几个相可以共存。铁素体或奥氏体基质通过固溶体和晶粒细化来加强,进一步通过控制微观结构中其他相的弥散来强化。最常见的相是碳化物、氮化物和其他金属间化合物。一种常见的结构是共析珠光体,其通常是层状铁素体和碳化铁的混合物。

综上所述,钢的强度和其他属性源自几个现象的综合效应,热处理的目的是通过调整实现所需的属性。$\gamma - \alpha$ 相变允许大量微观结构的变化,从而导致更大范围内属性的变化。

良好的可焊性是管线钢的另一个必要特征,焊接的主要危害是在热影响区马氏体的形成,这可能导致微裂纹。一般可以通过控制可淬硬性和预热焊接区域以及确保焊接后的冷却速度来避免裂纹的产生。另一个问题是焊接时氢的吸收,这可能会导致脆化,可通过使用低氢焊条来避免脆化的产生,其在使用前需进行干燥以尽可能避免接触水分。如上所述,降低碳的含量加上微合金化(钼、钛、钒、铌)可提高钢的强度和断裂韧性。此外,降低了碳和锰的含量具有改善焊接性的额外好处。以下两个主要的公式可用于判断可焊接性,其中式(5-2)是国际焊接学会(IIW)提供的碳当量公式:

$$CE_{\text{IIW}} = C + \frac{W_{\text{Mn}}}{6} + \frac{(W_{\text{Cr}} + W_{\text{Mo}} + M_{\text{V}})}{5} + \frac{(M_{\text{Ni}} + M_{\text{Cu}})}{15} \qquad (5-2)$$

其中,W 为质量分数。该公式适用于碳含量大于 0.12% 的钢。在一般情况下,CE 值越低,焊缝开裂率越低,通常 CE 值小于 0.32%。

第二碳当量公式(Ito – Bessyo 或裂缝测量公式参数)严格用于碳含量小于 0.12% 的钢。它主要是针对冷裂纹给出的:

$$P_{\text{CM}} = W_{\text{C}} + \frac{W_{\text{Si}}}{30} + \frac{(W_{\text{Cu}} + W_{\text{Cr}} + W_{\text{Mn}})}{20} + \frac{W_{\text{Ni}}}{60} + \frac{W_{\text{Mo}}}{15} + \frac{W_{\text{V}}}{10} + 5W_{\text{B}} \qquad (5-3)$$

其中,P_{CM} 的值通常在 0.18% ~ 0.20% 的范围内。

5.3　钢板的生产

对陆地以及海上直径超过 16 in 的管道通常使用 UOE 工艺制造,该制造方法的一个重要步骤就是生产高质量板材。管道高强度、高韧性、高延展性、良好的耐腐蚀性和良好的焊接性的综合需求已导致对板坯制造和随后对母板轧制的特殊工艺要求。随着安装水深的不断增加,对厚壁管的需求日益增加,也提高了铸造和热轧的要求。对于较厚和/或直径较大的管道,第一步是生产高品质的钢板,钢板的质量取决于钢的洁净度和浇铸的方式。

现代炼钢能够生产严格规范合金含量的高洁净度钢。连铸与凝固过程中轻压下技术的结合已被证明是制造400 mm厚板坯的最好方法,能够减少偏析、内部裂纹及中心疏松。在轧制期间通过热机械控制工艺(TMCP)的严格控制,能够实现钢板的属性要求。

5.3.1　钢板的垂直连铸

钢铁生产流程示意图如图5.1所示。在真空罐里将合金添加到洁净的钢中并且检查混合物含量。然后在1 700 ℃(3 090 ℉)下,将钢转移到连铸机,这些数量的钢生产出几个钢坯,每个钢坯随后生产得到几个子板。

图5.3所示是一个独特的垂直连铸机,由迪林格于1998年发明制造。不同于传统的圆弧连铸机,它具有一个长15.6 m(51 ft)的垂直段,铸坯的凝固过程发生在这里。和大多数先进的圆弧连铸机2~3 m的垂直段相比,长垂直段的第一个优点是它允许非金属夹杂物和气泡上升到顶部。钢被逐渐倾入铸机顶部的50 t模具,这确保了钢包切换时铸造的连续性。铸造的宽度范围从1 400~2 200 mm(55~87 in),厚度从230 mm(9 in)到最大为400 mm(15.7 in)。此部分之后是液压辊,辊顶部分被保持在一个固定的位置,而下面部分进行轻压下处理。铸坯以一个介于0.2~0.5 m/min(7.9~19.7 in/min)之间的特定速度向下移动。在顶部,外壳凝固而中心仍然红热,随着铸坯向下移动,固体壳的厚度增加,从约20%到在垂直段末端时100%为实心。

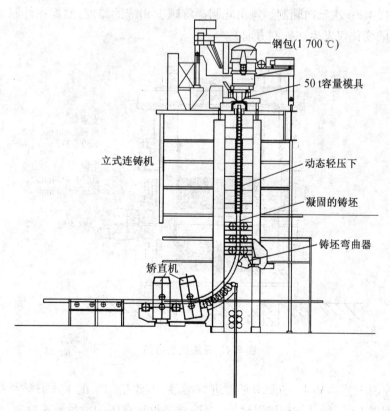

图5.3　垂直连续板坯连铸机示意图

　　轻压下技术是一项用于减小向铸坯中心宏观偏析的技术。这种偏析导致钢成分偏离铸坯中心，然后偏离板的中心，会影响韧性和耐酸性，并且可能导致中心的开裂。应用轻压下技术一方面可减少或消除铸坯收缩形成的内部空隙，防止晶间富集溶质元素的钢液向铸坯中心横向流动；另一方面轻压下所产生的挤压作用还可以促使液芯中心富集溶质元素的钢液沿拉坯方向反向流动，使溶质元素在钢液中重新分配，从而使铸坯的凝固组织更加均匀致密，达到改善中心偏析和减少中心疏松的作用。

　　连铸机的垂直部分终止于一折弯驱动辊(图5.3)。完全实心的铸坯弯曲至半径为8 m的状态，在三点弯曲矫直机90°端部进行拉直，弯曲过程中的温度由计算机水喷雾系统控制。直铸坯被火焰切割成由所需板的尺寸决定的特定长度的板坯。该板坯被存储供制板厂加工处理，在这之后将重复以上过程。

5.3.2　板材轧制

　　在轧板机上，板坯首先在推杆式膛式炉中再加热到约1 100~1 200 ℃(2 012~2 192 ℉)，再加热是其中的一个重要步骤，只需要3 h，板均匀性属性要求温度均匀。红热的板转到主辊支架上进行初轧制(或粗加工)，迪林格的主辊(图5.4)是一个轧制宽度为5 500 mm(216 in)的四辊基架，两个主辊的直径是1 180 mm(46.5 in)，每个由直径为2 400 mm(94.5 in)的支承辊支撑。支架具有108 MN的负载能力，最大转矩是2×4.5 MN·m，厚度是400 mm(15.75 in)。轧制是可逆的，并且以水作为润滑剂，通常的轧制速度为7 m/s(276 in/s)。一般情况下，板坯经过两次轴向轧制，然后将其旋转90°横向轧制两次以设置板宽，随后进行4~6次轴向轧制。每次轧制都将减少相应的厚度，然而在轧制方向上的长度增加(长度的变化仅发生在轧制方向)。

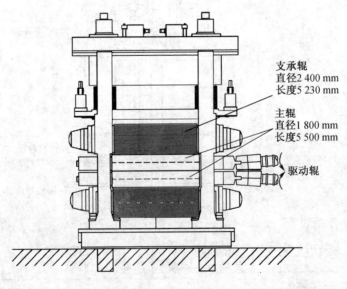

支承辊
直径2 400 mm
长度5 230 mm

主辊
直径1 800 mm
长度5 500 mm

驱动辊

图5.4　轧板机示意图

　　热机械控制工艺(TMCP)的要求是促进重结晶，因此粗加工的温度必须维持在重结晶终止所需温度以上(一般是接近该温度)。在迪林格粗轧机座的力量和速度下，粗加工可以在温度降低到这个临界水平以下之前完成。在该系统中，因为板的再加热，初轧不得不被中断,这可能会导致沿厚度方向的温度梯度并对沿厚度方向的属性产生影响。

综上所述,板坯的温度、板坯厚度的均匀性、在每一次轧制过程中厚度减小量、轧制温度、总厚度减少量以及轧制的总时间都可能影响板的机械性能,它们随特定的板的尺寸变化而变化。

二次轧制在一个四辊机架上进行,它的轧制宽度为 4 800 mm(189 in),辊直径 1 120 mm(44 in),有 90 MN 的负载能力,轧制速度为 6 m/s(236 in/s)。

接下来将板放入加速冷却装置冷却(ACC),该装置宽 4 700 mm(185 in),长 30 m(97 ft)。板通过喷水迅速冷却到 450 ℃(842 ℉),边缘和端部的冷却不均匀可以通过掩蔽来控制。除此以外还可以空气冷却,或者可以将板放置于控制的热箱中缓慢冷却。在某些情况下,加速冷却也可以应用在最终轧制前的中间步骤。热机械控制工艺(TMCP)的目的是降低奥氏体晶粒尺寸以及最终的铁素体晶粒尺寸,经过加速冷却处理之后能得到很细的铁素体和贝氏体。

接下来将板移至热矫直机进行平直,因为温度下降以及板边缘冷却速度的不同,所以板边缘的属性不同于板主体的属性。为了降低这种影响,所有的边缘都被修剪掉。在某些情况下,板在切割成不同尺寸之前可能会进行最后一次热处理。最后的冷矫正也能实现表面抛光和改进板平整度。最后的步骤涉及整个表面超声波检查、标记和称重。板的应力 – 应变响应总是呈现吕德斯带。所谓吕德斯带是指退火的低碳钢薄板在冲压加工时,由于局部的突然屈服产生不均匀变形,而在钢板表面产生条带状皱褶的一种现象。然而,吕德斯带在板形成管道的冷成型步骤中通常会被消除。

前面提到的属性要求和规范如下:

(1)无杂质清洁钢,碳和硫含量低;

(2)精确的微合金化;

(3)在严格控制的温度范围内轧制,其受合金含量和清洁度的影响;

(4)在轧制过程中控制温度的均匀性;

(5)板的加速冷却。

以上所有的加工步骤都可能会引起一些杂质和合金含量的变化,另外轧制温度对材料性能也有一定的影响。虽然轧制过程是通过计算机控制的,但是不同板之间的一些轧制参数仍会发生变化,这也会产生一些影响。尽管尽了最大的努力,但是透过板厚总是存在温度变化,在板的中间到边缘之间也总是存在温度变化。最后,加速冷却过程也存在不均匀性,最终结果是在给定的顺序、热量下板始终存在性能的差异。

由于沿板长方向轧制引起显著的变形,材料出现一些纹理,这导致轴向屈服强度比横向屈服强度低,对于常见的 X65 钢,在两个方向上的平均屈服强度值有 20 ~ 40 MPa 的差异是很正常的。由于沿钢板壁厚冷却速度的不同导致各部分屈服强度存在一定的差异,通常情况下,在板的上表面屈服应力最高,在中间厚度区域屈服应力最低。表 5.2 列出了 41.3 mm 钢板的顶部(T)、中心(C)、底部(B)轴向(A)和横向(T)的屈服应力。

制造商对合金含量和热机械加工对力学性能的影响很了解。然而,也许是因为钢铁行业竞争,这样的信息很少公布。日本公布的具有代表性的 7 种板钢的化学成分如表 5.3 所示,相应的主要力学性能如表 5.4 所示。它们都是低碳钢,只是合金含量有所不同。其中五种 X80 型板钢是通过加速冷却生产的。X65 和 X70 板钢是通过控制轧制得到的,板厚从

15 mm 到 32 mm 不等,管道直径从 30 in 到 42 in 不等。通过 UOE 工艺将板加工成管道。表 5.4 引述的力学性能是在管道周向测得的,测得的数据如下:

表 5.2　41.3 mm X65 板横向和轴向的全厚度屈服应力

项目	σ_0/ksi(MPa)
T - B	71.91(496)
T - C	66.54(418)
T - T	73.73(508)
A - B	67.80(468)
A - C	60.15(415)
A - T	67.54(466)

表 5.3　UOE 板的化学成分含量

钢	等级	C	Si	Mn	P	S	Mo	Nb	V	Ti	Al	B	其他	CE_{IIW}/%	P_{CM}/%
1	X80	0.058	0.25	1.61	130	16	0.17	0.051	—	0.015	0.027	—	Ni	0.378	0.163
2	X80	0.081	0.25	1.86	120	15	0.09	0.045	—	0.016	0.025	—	Ni	0.422	0.192
3	X80	0.062	0.23	1.86	100	27		0.045	—	0.014	0.003		Ni,Cu	0.399	0.183
4	X80	0.080	0.28	1.79	150	20			0.077	0.028				0.378	0.179
5	X80	0.039	0.20	1.55	170	20		0.042	—	0.015	0.024	13	Ni	0.311	0.133
6	X65	0.052	0.22	1.59	180	46	0.27	—	0.069	0.015	0.021	—	Ni	0.415	0.171
7	X70	0.055	0.33	1.54	240	36	0.27	0.044	0.068	0.014	0.025	—	Ni	0.407	0.175

注:P,S,B 的数量级为 10^{-6} ppm。

(1)钢的碳含量小于 0.1%,硫的含量非常低。CE 的范围从 0.31% 到 0.42%,PCM 的范围在 0.13% 和 0.19% 之间不等。

(2)所有的屈服强度值(API)超过指定等级 5 ~ 7 ksi(34 ~ 48 MPa)以上。这是一种常见的做法,以防止在轧制钢板时应力的变异;

(3)屈强比在 0.83 到 0.91 之间变化;

(4)X80 伸长率在 31% 和 37% 之间变化,X65 是 43%,X70 是 44%(基于 2 in 标准长度)。

(5)所有 X80 的转变温度小于 - 80 ℃,X65 和 X70 的转变温度更低。

(6)低温 V 型缺口冲击试验的能级都足够高,表现出基材充分的韧性。在低测试温度下落锤撕裂试验剪切区域指定为 100%,再次表明充分的韧性,以防止裂纹。

表 5.4　UOE 板横向主要力学性能

钢	过程	D/in /mm	t/in /mm	YS/ksi /MPa	TS/ksi /MPa	YS/TS	Elon /%	CVN			BDWTT	
								T /℃	Cv /J	vTrs /℃	Shear area/%	85% Shear /℃
1	ACC	40 (1 016.0)	0.591 (15.0)	85.3 (588)	93.7 (646)	0.91	37	−20	252	< −80	100	−35
2	ACC	36 (914.4)	0.630 (16.0)	87.7 (605)	98.2 (677)	0.89	33	−20	168	< −80	100	−52
3	ACC	30 (762.0)	0.591 (15.0)	83.8 (578)	97.0 (669)	0.86	35	−46	163	< −80	100	−60
4	ACC	30 (762.0)	0.591 (15.0)	85.1 (587)	100.6 (694)	0.85	31	−20	115	< −80	100	−53
5	ACC	36 (914.4)	0.591 (15.0)	85.0 (586)	100.8 (695)	0.84	33	−20	334	< −80	100	−35
6	CR	36 (914.4)	1.063 (27.0)	70.0 (483)	84.4 (582)	0.83	43	−45	164	< −100	100	−73
7	CR	42 (1066.8)	1.260 (32.0)	75.1 (518)	90.0 (621)	0.83	44	−60	159	< −120	100	< −80

注:ACC—加速冷却;CR—控制轧制;CVN—夏比 V 型切口试验;BDWTT—落锤撕裂试验;Cv—比定容热容;Trs—断口纤维为 50% 所对应的试验温度;85% Shear—转变温度;剪切面积为 85% 所对应温度为转变温度。

关于热机械加工以及钢的化学成分,不同制造商之间存在着某种程度上的差异,例如铸机、轧机和冷却系统就有所不同。制造商根据板厚以及客户指定的要求进行设计,其加工和合金含量也不同,例如管道的抗腐蚀性或者低操作温度。针对这个问题,在表 5.3 和表 5.4 中给出的数据应被视为现代实践做法的代表。

5.4　无　缝　管

大多数无缝管材都是由连铸生产的圆坯加工生成小直径管道或者当作铸块浇铸以生产大直径管道的。钢坯通过曼内斯曼工艺在高温下进行穿孔。随后的处理取决于所需管道的直径和壁厚。在本节中,首先概述圆坯的连铸,然后简要说明三种无缝管的制造工艺。对于各工艺生产的管道的尺寸,以及最后的机械加工步骤和热处理,不同厂家之间有所不同。这里描述的主要是基于瓦卢瑞克与曼内斯曼钢管的基本工序,它们在 2004 年就已经开始使用。

5.4.1　圆坯连铸

在无缝钢管的生产中使用的圆坯一般连铸生产。尽管确实存在一些立式连铸机,但是如今大部分钢厂还是用圆弧连铸生产圆坯,例如德国 HKM 就是其中之一,如图 5.5 所示。

连铸的好处类似于5.2节板坯连铸机的概述:减少偏析、孔隙度和圆坯中心的开裂,在给定的高温下有更加统一的属性。在实现这些的同时保持了较高的生产效率,干净的、低碳含量的钢是取得这样结果的必要条件。干净的合金钢液(或多或少地用5.2节中所描述的方式生产)在温度约1 700 ℃(3 090 ℉)时,在225 t的钢包中到达连铸机的顶部,钢液有控制地分成几股逐渐倾入一个钢液中间包中(图5.5只显示了一个圆弧连铸机)。中间包的容量为25 t,保持相对恒定的液体压头,作为一个缓冲区和再混合容器。此外,夹杂物会浮在顶部,使铸造产品更加洁净。

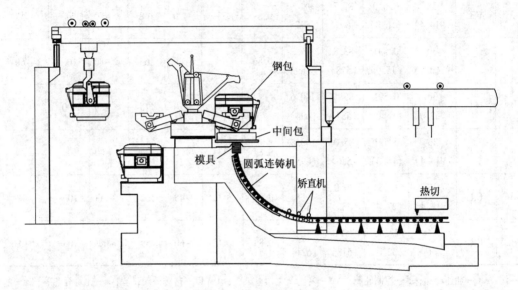

图5.5　圆弧连铸机示意图

钢液从中间包到一个圆形的模具,圆形模具是连铸机的主要组成部分。模具18 mm厚,700 mm长,是用铜制造的。它同心地放置在一个钢套内,加压冷却水循环通过二者之间的圆环域。因此,钢液从模具的顶部开始凝固,然后随着铸坯缓慢向下移动而继续凝固,在浇铸的最后,必须形成足够厚的外壳以包含钢坯的液芯。一个典型的特征是在凝固过程中为了适应收缩在模型内引进一个细小的内部锥体,该锥体防止凝固坯壳和模具分离,这反过来提高了热流量和减少圆坯中心孔隙的形成。为了防止钢粘到铜,要对模具进行润滑,圆形的模具、内部的锥体带来统一、高效的凝固,因此使产品得到更均匀的特性。

在坯体退出模具时,固体壳外层厚11~19 mm,厚度取决于铸造的速度。它逐渐向下移动,由V型齿辊支撑,并同时由水喷射冷却,模具下方的水流强烈,较远的地方水流平和。铸机的半径随坯体的直径变化,例如HKM的小铸机有10.5 m或19.5 m半径和30 m的冶金长度,分别生产直径177 mm(6.97 in)和220 mm(8.66 in)的圆坯,铸造速度可达3.5 m/min,但2~2.5 m/min更常见。较大的铸机有10.5 m,13.5 m,18 m,30.5 m半径,并分别生产117 mm,220 mm,270 mm,310 mm,340 mm(4.61 in,8.66 in,10.6 in,12.2 in,13.4 in)的圆坯,冶金长度是36.5 m,铸造速度可达2.5 m/s。在90°弯曲处的底部,坯体通过一对驱动的三点弯管机矫直。在水平辊床运输时,坯体继续凝固和冷却,最终被火焰切成9~14 m的坯料,坯料继续在冷却床进行冷却,并且可以再一次被切割成轧机所要求的长度。

5.4.2　自动轧管机

自动轧管机通常用于生产直径 7 ~ 16 in 之间的管,壁厚的范围在某种程度上与直径有关。例如,7 in 管的范围从 5.6 mm 到 25 mm,而 16 in 管从 11 mm 到 36 mm。该过程的主要步骤如图 5.6 所示。这个过程从直径为 180 mm,220 mm,270 mm,310 mm(这些数字是工厂得出的)的连铸圆坯开始,圆坯的直径和长度根据最终产品要求的尺寸选择。圆坯在火炉中预热,然后在转底炉中加热到成型温度(约 1 280°),热的圆坯送往穿孔机,这是一个现代版的曼内斯曼穿孔工艺。该圆坯被两个大的双锥度工作辊啮合,辊用长传动轴与大型电机连接。辊旋转圆坯的同时,迫使它前进,向前的运动迫使圆坯接触到一个锥形齿,锥形齿被一个长的水冷棒保持在适当位置。该圆坯被同时刺穿、拉长。当整个长圆坯被穿孔时,锥形齿变热,然后热的锥形齿被送去水浴降温。虽然该过程中由计算机控制着精度,但在穿孔过程中也会出现一些偏差,在最终产品中偏差保持在某一数量级。此外,轧机的旋转运动引起了外径螺旋状缺陷,螺旋的波长取决于进料速度和圆坯的尺寸。虽然大多数这种缺陷会在后续步骤中被除去,但一些缺陷在完工后还是会存在。

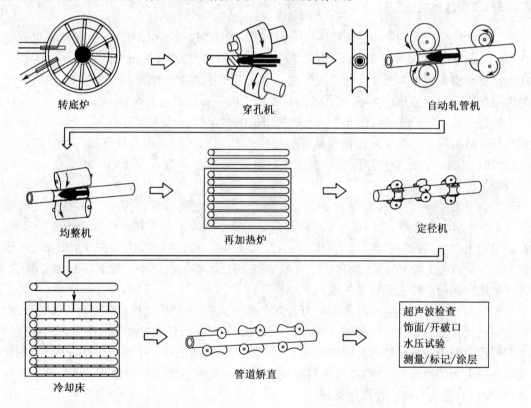

图 5.6　自动轧管机生产无缝管主要工艺流程示意图

接下来,空心圆坯移动到自动轧管机,它是该方法的主要步骤。轧制减小了其直径和壁厚,管道接下来移动到均整机旁,均整机的结构和穿孔机相似。均整的目的在于消除内外表面缺陷和降低管的椭圆度,减少壁厚不均匀现象。当管离开均整机时,便冷却下来并进入炉中,在那里它将被加热到约 1 200 ℃。

下一步骤是在定径机进行最后的外径削减。此机包括几套三辊机,相邻辊间的夹角为

60°。对大直径管用四辊机,相邻辊间的夹角为45°。辊组直径越来越小,逐步使管外径达到所要求的最终尺寸。

离开定径机后,管道在冷却床上降温,以达到所要求的微观结构。冷管最后通过矫直机。矫直机由几个与管道的轴向成一定角度的相对较平坦的辊组成,如图5.6所示,它们同时旋转、推进和矫直钢管。虽然在此步骤中引起的外径变化一般都比较小,但是这些变化足以除去吕德斯带,吕德斯带一般是低碳钢管道固有的。一些工厂在矫直后对管道进行淬火和回火,这导致吕德斯带的再现,因此如果要求这些管道具有不变的应力-应变响应,就必须对轧管机做出相应的规定。冷轧管可能会表现出一些各向异性屈服特性,淬火和回火管通常表现出各向同性屈服。

管道移动到终点线附近,在这里它们将被进行淬火和回火加工。最后的壁厚可由超声波检查,超声波、杂散磁通试验和磁粉探伤可用于缺陷检测。末端一般开坡口以适应焊接,在某些管道上,末端被制成连接螺纹(标准的或者定制的)。管道通常在指定的压力下进行水压试验,最后进行称重并标上其各自的 ID 号进行包装以便装运。

5.4.3 芯棒式轧管机

芯棒式轧管机适用于直径范围 1~7 in 管道的连续制造。壁厚的范围随直径变化而变化,从 2 mm 到更大尺寸的 32 mm。原材料是连铸圆钢坯,直径 180 mm,长度可达 5 m,该过程的主要步骤如图5.7所示。这些圆坯在一个转底炉中再次加热至约 1 280 ℃,然后使用曼内斯曼穿孔机穿透热的圆坯,操作的方式类似于前一节所描述的内容。

然后穿孔了的管坯通过由 6 个三辊机架组成的减径机,该机可减小外径,一步一步将其调整到所需的尺寸。减少外径使得某一直径的圆坯可以生产一定直径范围的管。在离开减径机时,用超声波进行壁厚测量并在操作室中显示,对壁厚进行连续的尺寸检查,必要时进行直接的干预和纠正。

将热管坯移到芯棒式轧管机附近,这是该工序的主要步骤。实心芯棒被插入到如图5.7中所示的圆管里,它们穿过 8 对相邻角度为 90°的辊站,每个辊站都减少外径一定量。在轧机的出口,该管的直径可以是 119 mm,152 mm,189 mm,并且管道可以长达 30 m。芯棒成型的一个重要方面是速度,速度对于保持这一部分足够热以便于去除芯棒是很必要的,芯棒使用特殊的芯棒去除器来提取。

管坯离开芯棒式轧管机时的温度约为 700 ℃,它们在火炉里又被加热到约 1 000 ℃,然后被移动到张力减径机。这里有多达 28 个三辊机架,可将管坯的半径和壁厚逐步减少到需要的尺寸。四个成型步骤的共同作用一个 5 m 的圆坯被加工成一个长达 160 m 的管,热管被留在一个大的冷却床冷却,随后被切割成所需的长度。测试和后处理步骤(包括热处理)与前面叙述的自动轧管机相似。

5.4.4 皮尔格式轧管机

皮尔格式轧管机是曼内斯曼兄弟的另一项发明,名字"皮尔格"与下述的一个独特的成型步骤有关。目前,皮尔格式轧管机被用于加工壁厚更大的管道,通常的直径范围为9.625~26 ft,对于较小的直径,壁厚范围是 25~60 mm;对于 26 ft 直径,壁厚范围是20~110 mm。该方法的优点是可以加工特定内径的管。现在,这种机器比较少见,主要用于加工油田管件、锅炉管和其他用途的管。

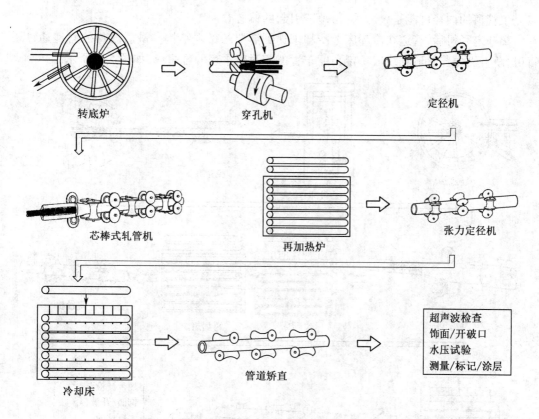

图 5.7　芯棒式轧管机生产无缝管主要工艺流程示意图

　　该方法的主要步骤如图 5.8 所示。原材料一般是浇铸件,一个相对短、厚的圆锭,重达 7 t。它们在转底炉中加热到约 1 280 ℃,高压锤击每个热圆锭的中心,与其他穿孔工艺相似,这个过程中可能会产生偏心,偏心在成品中会有一定程度的保留。锤击使底部产生一个顶头,下一步中用穿透的方法除掉它。

　　接着,将穿透后的圆锭移动到穿孔机进行第一次直径和壁厚削减。辊的运作与自动轧管机中穿孔机的辊相似,旋转圆锭的同时驱动其前进。

　　然后,圆锭移动到皮尔格式轧管机,这是主要的成型步骤。一个长的芯棒插入圆环,圆锭与两个偏心运行的肾形辊啮合。过程是往复的,这里的第一阶段是圆坯向前移动并与辊的厚侧啮合,当辊的薄侧发挥作用时第二阶段开始,圆坯与辊分离,并向后移动向前移动距离的一半。在下一个向前运动阶段,圆坯被旋转 90°再开始下一次循环。这种“两步向前,一步向后”的循环像一种朝圣仪式,所以这一工序被称为“Pilger”。这一往复的滚动使外径上留下了凹凸不平的痕迹,在完工的管道上也会有所反映。一旦用这种方式加工完成整个管道,就去除芯棒,并水浴冷却,用一个新的芯棒来轧下一个圆坯。在皮尔格式轧管机的出口处,因工艺操作原因,钢管尾端有一小段毛管余料(俗称皮尔格头)必须切掉。因此在轧管机后的辊道上须设置热锯,将钢管锯成特定长度并锯掉皮尔格头。

　　下一步,管道移动到冷却床,在这里可以冷却管道来进行晶粒细化。然后管道被火炉加热到约 1 200 ℃,然后移动到定径机。定径机与自动轧管机一节所描述的相似,它由几组三辊或四辊机组成,每一组都减少管道的直径和壁厚。由于临近辊的夹角为 60°或 45°,所以完工管道的内径可能是星形的,与锤击引起的偏心叠加。

离开定径机后,管道在冷却床上冷却来达到需要的微观结构。最后冷却的管道通过矫直机,矫直机由与管道轴线成一定角度布置的相对较平坦的辊组成,如图 5.8 所示。

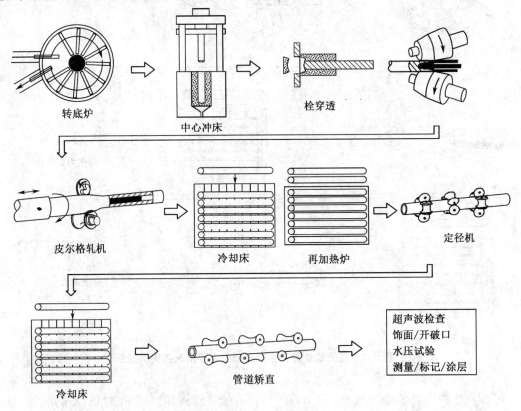

转底炉　　中心冲床　　栓穿透

皮尔格轧机　　冷却床　　再加热炉　　定径机

冷却床　　管道矫直　　超声波检查 饰面/开破口 水压试验 测量/标记/涂层

图 5.8　皮尔格式轧管机生产无缝管主要工艺流程示意图

随后,管道移动到终点线,可进行相应的热处理、端面加工、检查和标记。

在结束阶段不管是热加工还是淬火回火,上述三种方法制造的管道的应力 – 应变响应服从吕德斯带特性。吕德斯带大多通过冷精加工管道去除,也可以用特殊的合金化处理消除,但这并不常见。

5.5　焊　接　管

5.5.1　电阻焊管

在电阻焊(ERW)管制造过程中,管道开始为长条形板带,长条形板带形成一个封闭的圆形,通过热感应方法焊接焊缝。电阻焊管比 UOE 管和无缝管更经济,因为该过程是连续的,并具有较少的步骤,因此效率更高。它可供使用的直径范围为 2.375 ~ 24 in,壁厚从小直径管道的 2 mm 至大直径管道的 18 mm。

该板带通过类似于在 5.2 节中所描述的垂直连铸工艺生成的钢锭或板坯轧制而成。通过脱气、脱硫和精确的合金化处理得到细粒度的钢以满足管线的多种需求。长板带被热轧成卷,长度可达300 m(1 000 ft,随壁厚和直径变化),然后送到电阻焊机上,管道的制造过程如图5.9所示。板带被开卷并通过一系列辊拉平,板带的边缘通过铣削进行打磨修整后准备焊接,板通过超声波检测缺陷,并且形成一个封闭的圆形。一系列的成型辊首先使其形成一个开放的"C"形,"C"形板由一对半圆形的辊强行封闭。

高频(HF)感应加热器局部地熔化啮合面,通过压力使它们焊接在一起(即无焊条)。这是该过程的最重要一步,因为热量输入不充分或过度可使焊接出现缺陷,热量输入由加热器的闭环计算机控制以保持在最佳水平,从管道内外除去由此得到的焊珠并用超声波检查焊缝缺陷。电阻焊接导致在焊缝本身和热影响区晶粒粗化,这时可通过焊缝的局部热处理修正,仔细修正的热处理可以产生几乎属性均匀的主体和焊缝。焊接是水冷的,管道通过一系列的定径机,在这里冷成型为最终直径,得到一个高圆度横截面。定径之后,管道被切成12~18 m(40~60 ft)的小段,如果需要的话可以更长。电阻焊制造的效率体现在所有的步骤中,从板的开卷到把成品管切割成所需的长度,都沿着一个线性连续的步骤进行。根据直径和厚度的要求不同,轧机每小时可生产60~240根管道。

随后,管段通过一个包含有辊的矫直机,辊转动带动管道转动,同时迫使它向前运动并矫直。一些工厂将矫直管进行淬火和回火以替代图5.9中所示的焊缝的局部热处理,而有些工厂则是在焊接之后对整个管道进行热处理。这在一定程度上打破了过程的连续性,降低了通过量,但也可以提高耐腐蚀性。虽然经常进行焊接的最后检查(通常是超声波检查),但电阻焊管最终精加工和测试步骤类似于无缝管。

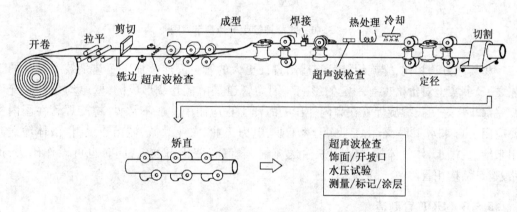

图5.9　电阻焊管主要生产步骤示意图

除了更高的生产效率,生产的电阻焊管厚度可以非常均匀,偏心率小到可以忽略,并且在压溃计算中可以假定为零,这减少了管道的净重,使成本降低。此外,管道生产时可以具有相对较低的椭圆度。均匀的厚度和良好的圆度有助于加快焊接速度,而且降低额外的成本。

尽管有这些优点,但如今的电阻焊管还只是主要用于陆地管线和一些要求不高的离岸管线。在早期阶段电阻焊管生产开发的过程中有不良纪录,管道焊缝出现了问题,并在热影响区有腐蚀倾向。尽管这些问题在很大程度上随着技术的发展得到了克服,例如应用高频感应加热和更加仔细的热处理,但是将电阻焊管应用在条件苛刻的海上仍有很大的困难。相比之下,电阻焊管在套管方面的应用更广泛。

5.5.2 螺旋焊管

生产大直径管道(通常直径在 20～100 in)的另一种连续工艺是螺旋焊接工艺。螺旋焊管过程如图 5.10 所示。连续板带被轧制至所需的宽度和厚度,然后热轧成卷。该板带被开卷并通过一系列辊拉平,然后对边缘进行修整和刨边,板带以适当角度通过下一个精密成型站并被卷成如图 5.10 中所示的圆形,管道直径由螺旋角和板宽决定。一般通过埋弧焊接(SAW)方法进行焊缝的焊接,首先焊接管道的内侧,然后再焊接管道的外侧。焊缝首先进行超声波检测,然后将焊接管通过一系列辊以增强它的圆度。管道随后被切割成所需的长度,也可以订购比标准 UOE 管(12 m 或 18 m)更长的管。每段长度通过射线照相检测,进行水压试验、刨边和标记等。

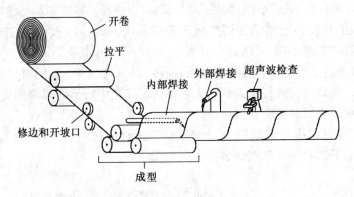

图 5.10 螺旋焊管生产步骤示意图

和其他方法相比,螺旋焊接可制造出直径更大的管道。连续加工工艺是效率最高的工艺之一,事实上对价格也有一定的影响。因为管道是由板卷绕形成的,壁厚均匀性和允许偏差都非常好。长螺旋焊管在高内外压的海洋工程应用中一般不常见,螺旋焊管在国内主要应用于自来水工程、石化工业、化学工业、电力工业、农业灌溉、城市建设,作液体输送时用来给水、排水,作气体输送时用来输送煤气、蒸汽和液化石油气,同时也可以作码头、道路、建筑结构用管等。

5.5.3 UOE 管制造

超过 16 in 的管道通常通过 UOE 工艺将板冷弯成型。板通常按照 5.3 节中所描述方式生产,通过图 5.11 所示的四个机械步骤形成一个圆形。该板边缘首先被卷曲成圆弧,然后形成一个 U 形板(图 5.12(a)),接着被压制成一个圆形(图 5.12(b)和(c)),随后板缝采用埋弧自动焊焊接,最后一步是为了改进它的圆度而进行机械扩径(图 5.12(d))。UOE 这个名称源于三种机械加工步骤的首字母。UOE 钢管最大直径为 64 in,长度为 12.2 m 或 18.3 m(40 ft 或 60 ft),壁厚范围随钢等级和直径变化而变化。目前,对于 X65 级钢,在整个工业界能提供的最大壁厚是 45 mm(1.75 in)。

第一步是将板的边缘卷曲成圆弧状,每边卷曲的宽度大约是该圆的一个半径,该过程可通过按压位于钢板两端的成型模具来实现。每次卷边加工长度是管径的 1～4 倍(取决于壁厚)。

然后板移到旁边的"U"形冲压机。在这里板最初停在一对沿着整个板长运转的侧辊的正中央,然后"U"形冲头向下移动,并通过三点弯曲折弯整个板。当板接触到一系列设置在预定高度的铁砧时"U"形冲头停止工作。然后"U"形冲头保持在适当位置,侧辊向内移动,如图 5.11 所示。选择侧辊的垂向位置和向内行程以使得 U 形钢板直臂("U"形钢板两端垂直部分)的最终位置几乎是垂直的。

之后管坯被输送到"O"形冲压机。"O"形冲压机由两个半圆形硬金属模具组成,如图 5.12(b)所示。在管坯上添加润滑剂来减少在加工成"O"形期间的摩擦,上部模具向下驱动迫使管坯形成近似圆形的形状[图 5.12(c)]。一旦通过这种方式生成管,该模具便被进一步压在一起,产生 0.1% ~ 0.2%的净压缩应变。康利斯公司的 5 万吨"O"形冲压机是目前工业界最强大的"O"形冲压机,它可以生产长度为 12.2 m (40 ft)的厚管道。

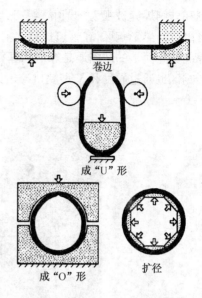

图 5.11 UOE 工艺四个冷成型步骤示意图

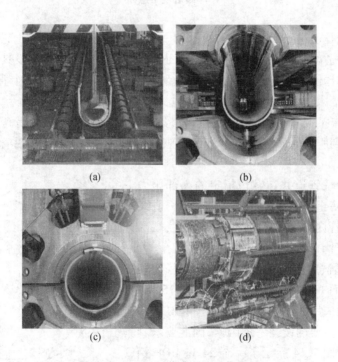

图 5.12 UOE 工艺中所用到的机械
(a)"U"形冲压机;(b)(c)"O"形冲压机;(d)扩径机

离开"O"形冲压机后,对管道进行清洗和干燥,然后准备焊接。管道通过一系列的压力辊以确保两个边缘对齐,并且沿其整个长度进行点焊。点焊之后进行检查,将管道传递到埋弧焊机,首先焊接管道内部,然后焊接管道外侧,图 5.13 展示出了这种焊缝的宏观图。内侧和外侧焊缝被视为"圆顶高帽"形状,在其外表面上形成小峰。在焊接基材之间的分界面可以看到热影响区,在管道扩径之前需要对焊缝进行大量的超声波探伤检测。无论是内外焊缝交界面上的缺陷还是焊材和基材间的缺陷,都可以通过 X 射线检验和维修。焊缝和热影响区也通过硬度和 V 型缺口冲击试验进行评估。

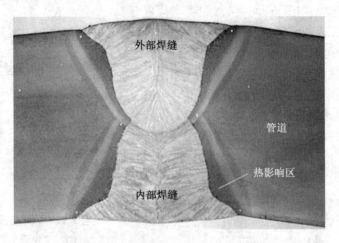

图 5.13　厚度为 40 mm(1.575 in),直径为 30 in 的 UOE 管焊缝宏观示意图

　　管道的扩径是通过图 5.12(d)中所示的一个内部的芯棒来实现的,芯棒由 8,10 或 12 段组成。选择合适的芯棒段使其半径接近管道的内径,其中一个芯棒段具有一个槽以适应管道的焊接。芯棒使用液压驱动,且一次扩径通常扩张半个直径到一个直径的长度(取决于壁厚)。芯棒插入管中进行径向扩径,同时添加润滑剂,然后收缩芯棒,将其从管上取下来,扩径管段和未扩径管段之间有一些重叠,然后重复该过程。扩径提高了管的圆度和平直度,且使其达到所需的最终尺寸。为了实现低椭圆度,在"O"形工序后管道通常扩张直径的 0.8% ~ 1.3%。

　　最后需要清洗管道并在客户指定的内部压力下进行水压试验,焊缝再一次进行超声波和 X 射线检测,最终需要对管内部和外部进行手动检测、端部开坡口、称重、标记特有的管号等,并发送调度。

　　UOE 管道已被广泛用于陆地管线,包括横跨阿拉斯加州和贯穿西伯利亚的管线。在过去的 15 年中,它也越来越多地应用在海洋工程中,其中在高外部压力下塌陷是一个主要的设计考虑因素,因此要求其具备较高的圆度。图 5.14 展示了一个 24 in UOE 钢管的横截面,在管道内外表面进行形状测量,径向位移变化被放大 20 倍。UOE 管道通常具有均匀的厚度,椭圆度在 0.1% ~ 0.3% 的范围内,但对于厚壁管可以略高,平直度通常在 API 规定值长度的 0.2% 以内。

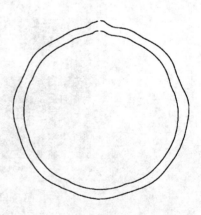

图 5.14　直径 24 in,厚度 1.250 in UOE 管的横截面示意图

5.5.4　JCO 成型

一种替代 UOE 大口径管材成型工艺的是所谓的 JCO 成型工艺。在此工艺中"U"和"O"步骤被 JCO 成型步骤所取代。从板的超声波检查到卷边都遵循和 UOE 工艺相似的步骤,卷曲板作为原料被送入冲压机中,同时由一个成型工具对其进行局部按压形成圆形,如图 5.15 所示。开始在板的一个边缘进行按压,然后朝中间宽度行进,前 N 次击打形成了一个"J"形的横截面,如图 5.15(a)所示。然后重复该过程,再从板的另一边缘开始,经过 $2N$ 次打之后形成"C"形横截面,如图 5.15(b)所示。最后击打中间宽度位置,封闭"C"形形成"O"形截面,如图 5.15(c)所示。管道首先进行定位点焊,然后用埋弧焊焊接,首先焊接管道内部,然后再焊接外部。管道焊接完之后圆周扩大约 1%,接着使用类似于 UOE 工艺中使用的扩径器。最后对管道内表面和外表面分别进行扫描,离相应平均圆的径向偏移被放大 20 倍。由 JCO 工艺形成的直径为 30 in,壁厚为 35.13 mm(1.383 in)的 X60 管的横截面如图 5.16 所示,该管道的椭圆度$\Delta_0 = 0.144\%$,其圆度很好。

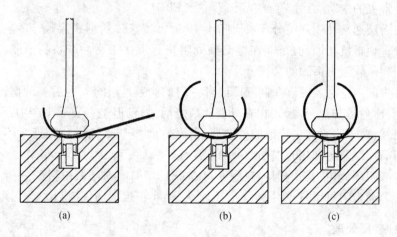

图 5.15　JOC 管材成型工艺流程示意图

(a)"J"形;(b)"C"形;(c)"O"形

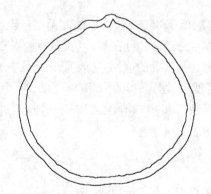

图 5.16　直径 30 in,厚度 35.13 mm(1.383 in)的

JOC 管横截面示意图

总的来说,JCO 管道在形状和力学性能方面都和 UOE 钢管非常相似。因此与相同 D/t 和等级的无缝管相比,JCO 管道具有更低的压溃压力。JCO 管的一个优点是具有较厚的壁。缺点是在此过程中,为了有一个良好的圆度,扩径 1% 是必不可少的。

5.6 内 涂 层

5.6.1 概述

管道的内涂层主要是用来阻止内壁腐蚀、抵抗侵蚀或者减少流动阻力的。减少流动阻力主要适用于运输气态介质的管道,如天然气,其可以通过减阻涂层显著增加流量(约 10%)。

对于有效抵抗腐蚀的内涂层,有必要对各个管道接头焊接在一起的区域也进行内壁涂装,否则环形焊缝将格外容易受到内腐蚀的影响,对管线弯管的内表面、法兰和其他部件也是如此。最常见的内防腐涂层是熔结环氧树脂(FBE)。

减阻内涂层通常使用双组分环氧树脂漆,其通常以液体的形式涂敷。虽然从长远来看它不能保护管道抵抗腐蚀,但是能在存储期间阻止管道接头腐蚀产物的形成,从而大大减少预调试期间从管道上清除的杂物量。

管道接头的内壁涂装可以在制管厂或者专门的涂装厂进行。在后一种情况下,尽管内壁喷漆(不要求管道加热升温)可以在外壁涂装之后进行,但是在实际生产中通常先进行内壁涂装。当然,对于需要加热管道的外防腐层涂装(如三层聚烯烃),则通常不得不先于内壁环氧树脂喷涂以避免加热时损伤内壁涂层。

针对内减阻环氧树脂漆的国际规范可参考 ISO 15741。对环氧树脂漆,一个内壁涂装生产线的生产力通常为每小时 30～40 个管道接头,略小于熔结环氧树脂。

5.6.2 表面处理

通常用气体火焰枪对管道接头进行干燥和预加热,并进行喷砂清理从内表面去除轧屑、腐蚀产物或者杂质。

喷砂清理期间相对湿度应低于 85%,且钢表面的温度应至少超过露点温度 3 ℃。在空气湿度较高时,露点温度可能会相当高,且在喷砂清理前通常把温度规定为 70 ℃ 左右。

首选的喷砂介质是钢砂,清理后的表面应该有统一的灰色外观(表面质量依据 ISO 8501 − 1 的 Sa2.5)。喷砂清理后,遮盖管道两端的一段距离(50～100 mm,取决于涂层)使此处不被涂装以方便接头焊接。在喷砂清理之后应立即进行涂装,不过只要延迟不超过 4 h 通常也认为是安全的。

5.6.3 熔结环氧树脂

除了从内部涂敷时使用了气体火焰枪以外,内壁熔结环氧树脂的化学预处理、电加热、粉末涂敷、固化、修理、检查和试验一般原理和相应的外壁防腐涂层一样。

对于直径非常小的管道,环氧树脂粉末的无气喷涂并不切合实际,一种包含液体底漆涂敷的流化床方法已被开发出来。流化床是一个其内含有的环氧树脂粉末在垂直向上的气流作用下保持悬浮状态的容器,在里面加热过的管道接头浸入其中直到获取规定厚度的涂层。

5.6.4　环氧树脂漆

对于气体管道的内壁涂装,冷却气体接触涂层时没有固体物质(如 $C_{18}H_{20}$)析出很重要。同样地,必须保证没有涂层中的溶剂释放到静水压试验水中,可能会要求一批油漆样品存放一段规定的时间(比如一年)以进行验证。

双组分环氧树脂漆的涂敷通常借助于安装在喷枪上的喷嘴进行,而喷枪插在一个旋转管内。规定的干膜厚度(DFT)可能会有所不同,但是至少应在 $100\ \mu m$ 以上。

5.6.5　环氧树脂漆的检查和试验

1. 外观检查

对所有的管道进行检查以证实涂层没有流挂、表膜不均或者其他缺陷。

2. 涂层厚度

按照规定的比例(最初是每一根管,但随后减少到一定的比例,如 10%)测量一定数量位置处(如管道每端四处位置)的干膜厚度。通常的可接受误差为 $20\ \mu m$。

3. 表面粗糙度

涂层表面粗糙度(Ra)的测量位置和涂层厚度测量的位置相同,且通常不超过 $25\ \mu m$。

4. 实验室测试

对每一批涂料,可通过研磨固化的试验样品并浸泡在混合物溶剂中来检查混合比例。此外,可用划格法检查其附着力,在任何情况下都不能有任何剥落或附着力损失。

5.7　外防腐涂层

5.7.1　概述

一般来说,搪瓷涂层已在海底管道外防腐涂装中占据支配地位,而对具有混凝土配重涂层的管道,沥青搪瓷则是首选。然而,更多先进的三层聚烯烃涂层正普及开来,且通常指定给没有混凝土提供机械保护的管道。因为熔结环氧树脂涂层在处理和运输过程中容易遭受机械损伤且不如混凝土涂层耐冲击,所以很少用于海底管道。

外壁聚烯烃涂层可以在制管厂进行涂敷,因为它们对处理和运输过程中的损伤有一定的抵抗作用。通常来说,外壁涂层的涂敷在专门的涂装厂进行,一般在内壁涂装完成后就立即进行外壁涂装,除非外壁涂装工序包括加热(加热会损伤内壁涂层)。

一些组织已经提出了外壁涂装的几种规范,例如涵盖了一系列涂层(包括热涂搪瓷、多层聚烯烃、FBE 和弹性体)的 DNV RP F106。

5.7.2　表面处理

在喷砂清理之前,通常用热的淡水或者淡水水蒸气清除管道表面所有的盐分或污染物。在喷砂清理前一刻,对管道外表面进行干燥和预加热,预加热温度取决于随后的涂层。

尤其对如熔结环氧树脂或弹性体这样容易受到影响的涂层,可以规定对盐分(NaCl)污染物的试验,可接受的最大值约为 $20\sim40\ mg/m^2$,该值在规范 DNV RP F106 中有明确规定。

应用钢砂将管道外表面喷砂清理后应该有统一的灰色外观(表面质量依据 ISO 8501 –
1 的 Sa2.5)。对喷砂清理后的表面进行真空除尘并轻微磨削以除去钢表面缺陷。随后清
空管道内部的磨料或其他杂质以不污染外涂层,外涂层应该在喷砂处理后规定时间内(取
决于涂层类型)涂敷。

涂层的附着力通过化学预处理(尤其是酸洗和铬酸盐转化膜)可以得到显著增强。酸
洗通常使用稀释的磷酸,而磷酸能有效去除有害污染物,例如无机盐和油脂等。

5.7.3 沥青瓷漆

由沥青瓷漆组成的热敷层用一层或多层玻璃纤维组织内缠绕层加强,且具有沥青浸渍
玻璃纤维毡外缠绕层。一般来说,总厚度为 5 ~ 6 mm,但最近的规范允许 4 mm。将由氧化
沥青和矿物质填料混合得到的热搪瓷加工至规定的硬度和软化点,并且保存在大约 220 ℃
的温度下。

涂底漆时管道温度应大约为 40 ℃,如果需要可以从管道内部通过热空气加热。合成
的底漆通过无气喷涂设备形成厚度约为 20 μm 的干膜。当底漆已经干燥但依然保持发黏
的状态时,涂敷搪瓷。为了避免纵向焊缝空隙的生成,建议在管道开始旋转并进入搪瓷涂
装站之前沿着焊缝涂一系列的搪瓷,如图 5.17 所示。在涂装站里热搪瓷浸没管道,同时玻
璃纤维内包裹层螺旋缠绕到管道上,如图 5.18 所示。随后用相似方法涂敷浸渍的外缠绕
层,最后隔开管道接头,用水冷却涂层,如图 5.19 所示。

图 5.17 涂敷到准备好的管道上的搪瓷

在冷却到大约 80 ℃ 之后,除去管道末端的涂层,通常为 250 ~ 280 mm,且涂层以 45°倒
棱角。除了倒棱角的斜面和相邻的区域以外(管道安装时接头焊接期间底漆会在这里产生
有毒气体),其他地方的底漆保留下来在随后的存储中作为临时的腐蚀保护。

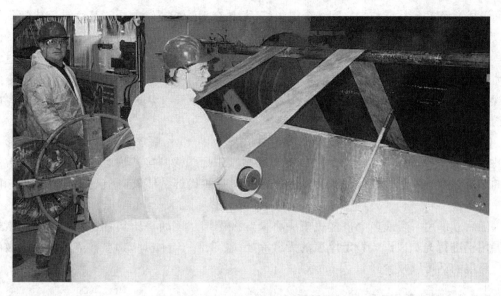

图 5.18　玻璃纤维螺旋缠绕到管道上

图 5.19　搪瓷涂层的水冷

5.7.4　三层聚烯烃涂层(PE/PU/PP)

现在有环氧树脂底漆、聚合物胶黏剂与聚乙烯(PE)、聚氨酯(PU)或聚丙烯(PP)上层组成的三层涂层。三种上层材料选择之间的主要差别在于与价格相对应的耐热性。聚乙烯不应用于温度超过 85 ℃的工况,在温度不超过 100 ℃时允许使用聚氨酯涂层,而聚丙烯涂层则在温度介于 75 ℃和 140 ℃之间时的表现令人满意。然而,随着聚烯烃涂层的不断发展,这些温度限制仅供参考。

这三层涂层的优良表现是由于聚合物胶黏剂和环氧树脂间形成了化学键(而不是和钢

之间形成），而环氧树脂与钢之间结合得很好，尤其在用磷酸或铬酸盐对基底进行化学预处理以后。

在进入熔结环氧树脂涂装站之前将管道静电加热到大约 220 ℃。环氧树脂粉末通过无气喷枪喷射，静电将粉末吸引到管道，在这里粉末烧结到热的管道表面，没有黏附的粉末则按规定的最大比例（如 10%）循环回到该系统。环氧树脂底漆厚度最小为 50 μm，且在厚度大约为 150 μm 时可以获得更优越的性能。

当环氧树脂漆正在发生胶凝作用但还没有完全固化时，喷雾涂敷聚合物胶黏剂形成 140 ~ 200 μm 的薄膜。研究显示，一种聚乙烯与顺丁烯二酸酐接枝物对熔结环氧树脂有更好的黏接强度。同时，用一种液态、无溶剂环氧树脂替代熔结环氧树脂底漆可以获得相同的涂层特性。

随后立即用一个或多个挤塑机模头将聚烯烃上层从侧面挤压到管道上。柔性的聚烯烃层用辊进行光顺以形成特定厚度的无缝涂层，通常 2 ~ 3 mm 厚，如果管道随后会涂敷混凝土涂层的话可以减少到 1 ~ 2 mm 厚。

5.7.5　熔结环氧树脂

熔结环氧树脂独立作为防腐涂层早于它在三层涂层中的应用，但是要起到有效的腐蚀保护作用，熔结环氧树脂干膜厚度应至少为 400 μm。熔结环氧树脂在三层涂层中的高耐热性是因为它基本上是干燥的，作为与水接触的独立涂层，熔结环氧树脂不应在温度超过 70 ℃ 的情况下使用。

薄膜涂层易受机械撞击而损伤，且在处理和运输期间可能会产生数量众多的洞，除非涂层由一层覆盖物保护，如纤维增强水泥砂浆或者液态涂敷的聚合物混凝土，有限的小孔可以通过环氧树脂熔化棒修复。

5.7.6　弹性体涂层（氯丁橡胶）

弹性体涂层是一种由未硬化的弹性氯丁橡胶片材制成的厚（通常 12 ~ 15 mm）涂层，其包裹着管道，随后在高压锅中硫化处理。片材通常手工涂敷到固定的管道上，这使得涂层适用于弯管管线。

在喷砂处理和检查盐分污染物后 2 h 内将底漆涂敷到预热的管道上，随后涂敷黏合剂。弹性体片材被铣削到要求的厚度和合适的尺寸，并存储在制造商建议的温度下。在涂敷到管道之前，片材用溶剂清洗以使得它们胶黏，边缘被倒棱且缝合在一起形成光滑的涂层。

涂装后的管道用尼龙胶带紧紧缠绕并放在高压锅中进行硫化处理。硫化处理应该在弹性体涂装之后一定时间内开始，通常是 72 h，当环境温度较高时时间更短。硫化处理涉及加热和增压（如 145 ℃，500 kPa），且至少应持续 2 h。在硫化和冷却之后去除尼龙包裹。

5.7.7　检测与试验

1. 外观检查
对所有管道进行外观检查以确定其涂层没有缺陷或者瑕疵。
2. 漏涂点检查
通过检查电绝缘材料对整个管道进行检查以寻找小孔。对管道施加一个电压，电压大小取决于涂层类型，同时用一个环状线圈沿着管道移动，线圈发现任何小孔时都会产生电火花,而电火花可以被扩声系统探测到,如图 5.20 所示。

图 5.20　熔结环氧树脂涂层的孔洞检测

3.涂层厚度

按一定比例(最初是每一根管道,但随后减少到一定比例,如 10%)测量一定数量位置处的涂层厚度,通常使用精度大的磁性或者电磁性涂镀层测厚仪。

4.附着力

有机涂层与金属基底间的附着力,与涂层对金属的保护有着密切的关系,它主要是由附着力与有机涂层下金属的腐蚀过程所决定的。涂层附着力的检测方法主要有划 X 法、划格法和拉开法。

5.阴极剥离

碱性和阴极保护可能会减少涂层的附着力,这就是所谓的阴极剥离。熔结环氧树脂尤其容易受到影响,因此对熔结环氧树脂或者三层聚烯烃涂层经常会要求其出具属性文件。对测试样品添加一个人为的洞,放在特定的溶液中,在规定时间内经受特定电压。常见的测试标准是 ASTM G8。

6.实验室测试

依据涂层类型的不同,要求进行特定的实验室测试,例如:

(1)细菌耐药性;

(2)吸水性;

(3)热传导性;

(4)密度;

(5)弹性模量、拉伸强度、线性膨胀(聚烯烃、氯丁橡胶);

(6)软化点和针入度。

5.7.8 其他涂层系统

1. 胶带缠绕

用于管道防腐保护的冷敷胶带是一个两层系统,由有黏合剂(通常是沥青或者丁基橡胶)的聚合物(通常是 PVC 或者 PE)胶带组成。胶带在拉力下螺旋缠绕到旋转的管道上,管道可能涂敷或者没有涂敷底漆。重叠的数量决定了总涂层厚度,通常是 2 mm。

2. Somastic 涂层

Somastic 是一种由氧化沥青混合矿物质填料组成的乳香脂。热的乳香脂螺旋挤压到管道上,形成厚度约 15 mm 的无缝涂层。但该涂层的机械强度很低,该方法已很少使用,被热涂搪瓷替代。

3. 煤焦油瓷漆

除了沥青被煤焦油替代以外,热涂的煤焦油瓷漆和相应的沥青瓷漆相同。之前煤焦油瓷漆因为能抵抗更高的温度(高达 85 ℃)且煤焦油对有机植物生长有毒而成为首选。然而其极大的毒性对环境、工人的健康产生的影响和涂层涂敷期间的安全性引起人们的关注,如今煤焦油瓷漆在大多数国家被禁止使用。

4. 烧结的聚乙烯(PE)

烧结的聚乙烯的涂敷和熔结环氧树脂的涂敷相似,聚乙烯粉末静电喷涂到加热的管道上,在那里熔化形成无缝涂层。通常壁厚为 4 mm,且管线钢要有一定的体积提供热容量以熔化相应的聚乙烯层,因此该方法对薄壁管道并不适用。大多数的海底管道都有足够的壁厚,但烧结聚乙烯涂层方法没有得到太多应用。

5. 双层聚乙烯/聚丙烯(PE/PP)

首先在管道上挤压涂敷共聚物胶黏剂,随后是聚乙烯或聚丙烯上层,二者的差别是聚丙烯在高温下更合适。对于小直径管道,挤压可以是纵向的,但是当尺寸较大,适用于海底管道时,通常采取侧向挤压涂敷到旋转的管道上。柔软的聚烯烃层用辊进行光顺以形成厚度为 2~3 mm 的无缝涂层。双层聚烯烃涂层现在应用得并不多,它已被高性能的三层涂层所取代。

6. 无溶剂酚醛环氧树脂

无溶剂酚醛环氧树脂可以喷射涂敷,一次涂敷厚度可达 1.2 mm,除了耐热性可高达 160 ℃以外,其性能与熔结环氧树脂和三层涂层相似。涂层可以在温度高达 90 ℃时涂敷到基底上,因此主要用于陆地管道的修复。在短距离上操作温度超过传统涂层的耐热性的情况下,该涂层涂敷于海底管道比较合适。

7. 金属薄膜

金属薄膜由抗腐蚀合金制成,如蒙乃尔合金或者 90/10 铜-镍,且只用在非常暴露的地方,例如管道立管的干湿交替段。所有的薄膜间连接或与基底间的连接都应是焊接的,且都应经受 100% 密性检验。应注意到薄膜在一定程度上妨碍了水下管道的状态评估。

5.8　本章小结

本章对立管管道的制造过程进行了详细的介绍,从管线钢的炼制、钢板的生产、无缝管焊接管的生产到内外涂层的涂敷检测,贯穿了管道生产的整个过程。其中对炼钢时添加各种元素对管道性能的影响、钢板轧制的工艺、针对不同直径无缝管焊接管生产的方法、不同种类内外涂层的功能及涂敷工艺都进行了详细介绍。

参 考 文 献

[1] MIKAEL W. Braestrup. Design and Installation of Marine Pipeline[M]. Oxford:Blackwell Science Ltd,2005.

[2] STELIOS K. Mechanics of Offshore Pipelines[M]. Burlington:Elsevier,2007.

第6章　立管的铺设安装

6.1　概　　述

深水立管很长,无法在陆地上完成全部加工安装,因此需要在陆上生产一段段的标准节点(一般立管节点的标准长度是 40 ft),然后在海上安装船上进行总体焊接、铺设和安装作业。除此之外,由于海上充满各种不利的因素以及不确定因素,管道的铺设安装遇到了更多的问题,例如由于波浪的存在,管道将受到各种弯曲应力的作用,这些都需要认真对待。

立管通常通过铺管船或拖轮铺设,而国际上铺管船法应用最为广泛,这是因为该方法铺设水深可达 2 700 m,能够在远离岸边的海域进行铺管作业,同时还兼顾了经济效益。铺管船法自成功应用以来,随着市场要求的改变已经做了几代的改进和调整,由于当时铺设管道深度不大,所以第 1 代铺管船的船体外形和普通船舶一致而且焊接作业线属于侧边型布置;为了面对更加复杂的海况,第 2 代铺管船则开始使用半潜式平台船体,同时焊接的作业线也由侧边转至船体中央,提高了整个铺设过程的稳定性;第 3 代的铺管船已经基本把焊接作用线设定为中央式,并且利用悬臂式托管架;现在铺设水深更大,面对的环境更加复杂多变,所以第 4 代的铺管船开始安装动力装置,以此来实现对铺设过程的控制。

从船体形状上来看,铺管船大致可以划分为驳船式、普通船形式和半潜式三种。驳船式铺管船排水量大,比较适合较浅水域施工,如挪威 Stolt offshore 公司的 Arwana 号铺管船和意大利 Saipem 公司的 Castoro – 12 号铺管船。普通船型式铺管船吃水深度相对较深,适合需要承载较重设备或高起吊力时使用,如 Skandi Navica 号铺管船和 Allseas 公司的 Solitaire 号铺管船。半潜式船体巨大,吃水深度大,稳定性高,多用于深海和环境较为恶劣的海域,如挪威 Stolto Offshore 公司的 LB200 号铺管船和意大利 Saipem 公司的 Castoro Sei 号铺管船。

从铺管方法来看,铺设方法也主要分为以下几种:S 型铺设(S – LAY)、J 型铺设(J – LAY)、卷筒铺设(REEL – LAY)和拖曳铺设(Tow – Method)。其中 S 型铺设、J 型铺设和卷筒铺设更加适合深水区域的铺设。

6.2　立管的铺设方法

6.2.1　S 型铺设

由于立管在铺管船甲板作业线上进行焊接、检验,然后移动穿过船尾托管架并到达海底,至此管道的整体形态看上去像一个被拉长的"S",因而命名这种铺设方法为 S 型铺设,如图 6.1 所示,管道的焊接和涂装如图 6.7 所示。

采用 S 型铺设法时,管道在下海输送过程中在托管架的支撑下自然弯曲成 S 型曲线,一般需要安排一艘或者多艘起抛锚拖轮来支持铺管作业。在开始作业前,需要将 1 个锚定位在海床上,然后将锚缆引过托管架并系到第 1 根管子的端部。管道下海过程中的张紧力和管线变形必须有监控,防止应力应变超过管线设计允许值。S 型铺设时管道可分两个区域:一段为上弯段,是从船甲板上的张紧装置开始,沿托管架向下延伸到管道开始脱离托管架支撑的抬升点为止的一段区域;另一段为下弯段,是从拐点到海床着地点的一段区域。管道在下弯段的曲率通过沿生产线放置的张紧器产生的张力来控制,管道在上弯段的曲率和弯曲应力则一般依靠合适的滑道支撑和托管架的曲率来控制。一般 S 型铺设的铺设速度为 3.5 km/d。

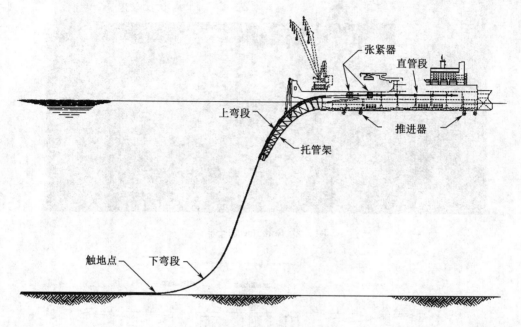

图 6.1　S 型铺设示意图

S 型铺设的核心是 S 型铺管船,图 6.2 所示的是 Allseas 公司的 Solitaire S 型铺管船,它是目前世界上最大形的铺管船,管段存储能力 22 000 t,航速 13 kn,铺管速度曾达到每天 9 km,铺设管径 2″~60″,创造了铺管水深 2 775 m 的世界记录。配有的设备包括托管架、钢管夹持装置、张紧器、对中器、焊接站、无损检测站和涂层站等。

一般 S 型铺管船的作业流程为:先由驳船从陆地供应管道,再由铺管船上的起重机将管线吊放至安装舱室内,然后进行管段预处理,在流水线上的工作站上进行管与管之间的焊接作业,然后进行无损检测和涂层处理,将焊接后的管线利用托管架和张紧器铺设至海底,最后将管道与海底基础进行连接。

图 6.3 所示的过程需要起重设备将位于铺管船侧的运输船上的标准管段转移到预处理工作站,用坡口车对管子进行坡口处理,为焊接做准备。图 6.4 所示为坡口车与坡口示意图。

处理后的标准管段,在双节点预制工作站进行双节点预制,如图 6.5 所示。然后再进行四节点预制,如图 6.6 所示,管道的焊接和涂装如图 6.7 所示。

在管道的焊接制备过程中,一些重要的设备必不可少,一般需要夹紧器、对中器、外部焊接器、打磨机、涂装设备和超声波检测装置,如图 6.8 至图 6.12 所示。

图 6.2　Solitaire 铺管船

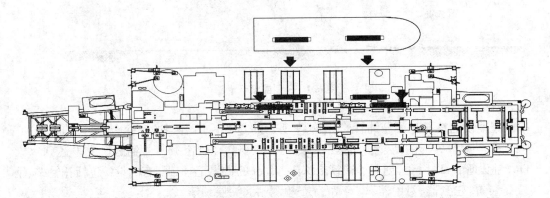

图 6.3　管子的运输和坡口处理

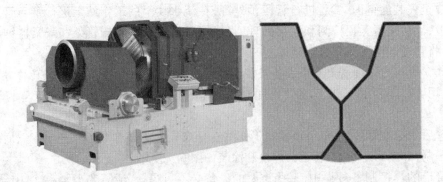

图 6.4　坡口车和坡口

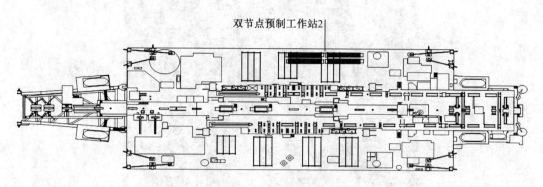

图 6.5 双节点预制

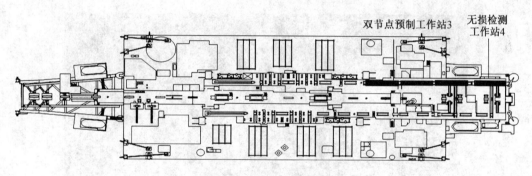

图 6.6 四节点预制

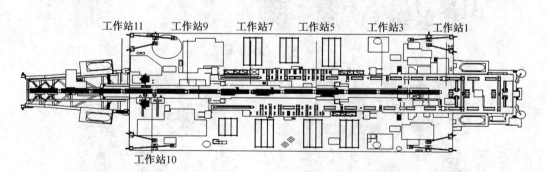

图 6.7 管道焊接和涂装

图 6.8　对中器

图 6.9　外部焊接器

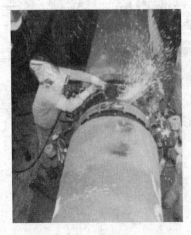

图 6.10　打磨机　　　　　　　　　　图 6.11　涂装设备

夹紧器的主要作用是固定管线两端,只有这样才能保证焊接的正常进行。管线对中机的最大作用是控制管线位置,依靠精准的定位来保证焊接的质量。外部焊接器的作用是可对管线两个端部进行焊接。打磨机用来对管道外表面,尤其是焊缝进行光滑处理。涂装设备主要作用是对已通过无损检测的焊缝部分进行涂层处理。

管道环形焊缝内部缺陷的检测主要包括两种基本类型,一是体积型缺陷,二是面积型缺陷。体积型缺陷主要是指焊接过程中形成的内部气孔和夹渣,面积型缺陷主要是指焊接过程中形成的未熔合和裂纹缺陷。超声检测(AUT)是使超声波与被检工件相互作用,根据超声波的反射、透射和散射行为,对被检工件进行缺陷检测、几何特征测量、组织结构和力学性能变化的检测和表征,进而对其应用性进行评价的一种无损检测技术。

图 6.12　超声波检测装置

AUT 检验设备能够对海底管道焊缝缺陷进行快速、精确的定位与定量检测(包括缺陷的三维几何尺寸),不像射线检验系统只能探测缺陷的二维几何尺寸。AUT 检验设备的检测结果可以在显示器上直观查阅,也可以通过计算机打印出来,或者保存电子档案,便于检验人员对焊缝质量进行准确的评判。

图 6.12 中管道外的环形设备是扫查器,它是管道环焊缝全自动超声检测设备的核心部分,可以在管道外壁自动行走,对管道环形焊缝进行缺陷检测。扫查器由直流伺服电动机驱动其主动轮,通过主动轮和导轨见的接触摩擦力驱动扫查器沿环形导轨行走。扫查器主要由导轨、行走机构、超声波探头调整机构三部分组成。扫查器结构简单,装卸方便,适用性强,可以满足不同管径、壁厚、材料及形状的环焊缝的检测要求。

管道制备处理完成后,要安全地输送到海底,这里要用到张紧器和托管架等设备完成这一操作。

1. 张紧器

张紧器是铺管船铺设系统中的一个关键设备。管线在作业线上经过坡口、预热、焊接(根焊、填充焊、盖面焊)、检测和补口等工序后,由张紧器夹持管线形成拉力,以防止其下放到海底时由于风、浪、流的作用引起管线震荡、弯曲等损坏。张紧器的另一个主要作用是保证管线在可控状态下的下放,它提供的张力平衡一部分管线所受的重力同时控制悬垂段。从这个角度上看,张紧器的能力代表了铺管船的铺管能力。张紧器的主要技术参数有:最大张紧力、适合管径、适合环境条件、装置总功率、装置质量、装置的外形体积。

(1)张紧器系统组成　深海铺管船用张紧器类似于浅海的张紧器,在 S 型铺管船上一般采用卧式结构布置。系统组成按照功能分类有:支撑工作部件的支架和底座、夹持管道的上下履带系统、铺管夹紧与升降液压系统、调节管道外包阳极凸块的液压悬挂系统、驱动履带行走的驱动系统以及控制系统等。按照总成分类有:主支架及底座总成、上履带总成、下履带总成、传动系统、液压系统、控制系统等。

(2)张紧器系统的工作原理　管线从铺管船船尾下水时,从船尾到海底有一段较长的悬空段,由于铺管船受风、浪、潮的影响上下垂荡,管线从船尾到海底之间的距离不断变化,这就使得悬空段的长度和管线应力也随着变化。如果将管线固定在船上,当船上升时,管线将承受很大的拉力,这个拉力可能使管线超过应力极限造成破坏或使铺管船定锚走锚造成事故。当船下降或将管线自由放在船上时,管线受自身重力和波流力的作用,将承受很大弯曲应力,该应力将超过管线材料的屈服极限,从而引起管线发生塑性变形。张紧器的作用就是要保持管线有一定的拉力,防止管线由于上述损坏,达到安全可靠的施工目的。为了实现上述动作,张紧器利用了电动机可以正反转的功能,根据铺设过程中管子必须保持的最小拉力,调节电动机的速度和电压,减速器被驱动,产生所需要的转矩,通过链传输带动夹持着管线的履带板运动,即可产生管线所需要的张紧力。

张紧器总体机构如图6.13所示,该系统底座用于与铺管船工作平台连接,上、下履带总成安装在主支架上,上履带总成通过主支架上的滑动槽实现上下运动。在液压式张紧器中,由安装在上、下履带之间的夹紧液压缸提供夹紧力,应用上、下履带夹紧管子。夹紧管子产生的拉力(张力),由上、下履带依托设备主支架传递给船体。根据铺管尺寸变化范围,上履带总成具有一定的升降调节空间,升降调节同样由夹紧液压缸来完成,夹紧液压缸的有效工作行程决定了调节行程的大小。上、下履带液压悬挂系统加蓄能器就相当于液压弹簧,可以适应铺管局部管径大小变化,在保证夹紧力的同时能够保证平稳地输送铺管,悬挂系统液压缸是该系统的核心元件。电动机驱动上、下履带运转,铺管输运采用减速器降速。电动机、减速器和制动装置通过固定托架固定在整个系统的最外侧,应用盘型刹车系统实现制动。张紧器液压系统包括夹紧系统、调整系统、悬挂系统,分别具有管线加紧、履带调整及载荷均布和吸收管径误差的作用,以保障恒张力输出。

图6.13　张紧器

2. 托管架

托管架是深水S型铺设关键设备之一,铺设过程中,管道水平通过张紧器进入到托管架,由托管架上的托辊支撑,形成上弯段;管道几乎垂直脱离托管架,形成悬跨段,在近海底处为下弯段。上弯段管道的安全主要由托管架的曲率半径保证,而且为了确保张紧器处的张力不至于过大而发生滑移,在满足铺设深度的情况下,管道的脱离角度应当保持在一个适当的范围内;同时,上弯段管道由托辊离散支撑,因此铺管时上弯段管道受托管架曲率半径形成的整体弯矩和托辊产生的局部弯矩作用,分别产生整体应变和局部应变。图6.14为托管架实图。

图6.14　托管架

　　如今托管架的形状已经有了很大的发展,从早期的直线形托管架改进成曲线形、铰接的托管架。应用最广泛的托管架有刚性托管架和铰接式托管架。

　　(1)刚性托管架　刚性托管架的特点是整个托管架由单节析架梁组成,一般采用高强度圆钢管制成三角形截面或梯形截面析架结构。通常托管架按弯矩变化设计成变截面的,并在与铺管船连接处达到最大。刚性托管架的曲率半径固定,难以适合不同海况和铺设要求。

　　(2)铰接式托管架　铰接式托管架位组合桁架梁形式,各节之间采用铰接式连接。由于可以通过调节各段之间的组合,其机械性能更为优异,弥补了刚性托管架的缺陷,因而在目前新设计的S型铺管船中多采用该设计方案。图6.15所示为140 m铰接式托管架模型图。

　　铺管过程中还会遇到对弃管和后续重新铺管时的收管操作,或者其他拖曳和起重辅助工作,这时需要通过收放(A&R)绞车来实现。

　　收放绞车最主要的作用是将管线平铺在托管架上,保证作业开始时系统的安全性。除了控制管线,它还有动力方面的功能,可以稳定地将管线铺放在托管架上,保证管线平稳地入水。它的负重的转换过程是自动进行的,同时具有自动张紧的功能。收放绞车由滚筒绞车和储缆绞车组成,布置方式如图6.16所示。

　　弃管和收管作业的基本流程分别如下。

　　弃管作业过程:①焊接弃管封头;②A&R绞车钢缆连接A&R钢缆连接器,A&R钢缆连接器另一端连接带有浮力材料的环形扣,环形扣通过常规卡环连接管道封头;③进行张力转换,起动A&R绞车收紧钢缆取代张紧器,向管道提供拉力;④释放张紧器,向前移船,由A&R绞车保持恒定的张力,将管道终端放至海底;⑤通过作业型ROV辅助打开封钩,A&R绞车继续释放,钢缆连接器与环形扣自动脱开,环形扣在浮力材料作用下竖直于海底,以便下次施工船舶用相同的方式回收管道并安装立管;⑥回收A&R绞车钢缆。

图 6.15　140 m 铰接式托管架模型图

图 6.16　收放绞车

收管作业过程:①铺管船在定位系统引导下靠近管端就位;②在观察型 ROV 观测下,作业型 ROV 和吊机辅助 A&R 绞车钢缆连接器钩头一端钩住竖直于海底的环形扣;③启动 A&R 绞车,保持一定的张力,向船尾方向移船,回收海底管道;④管道拖拉封头通过张紧器后,起动张紧器,夹住海底管道;⑤进行张力转换,以张紧器代替 A&R 绞车向管道提供张力,释放 A&R 绞车,然后回收 A&R 绞车钢缆;⑥切割封头,打磨坡口,重新开始正常铺设作业。

为了实现上述作业过程,A&R 绞车需要提供足够的钢缆长度和拉力吨位,并可实现恒张力控制。其驱动方式一般包括柴油机驱动、液压驱动和电动机驱动,电动机驱动是其主要发展方向。在总体布置形式上,A&R 绞车主要有单滚筒布置形式和双滚筒绞车加储缆绞车的布置形式,拉力在 200 t 以下的 A&R 绞车主要采用前者,拉力在 200 t 以上的绞车主要采用后者。

　　除以上铺设安装流程外,海底管道回接也是深水油气田开发中的重要环节。通过水下回接采油树、管汇、PLET 等水下生产设施,方能构建成为完整的水下生产系统,并通过海底外输管线将油气田产物输送到水面生产平台或者陆地终端。目前所采用的水下回接施工技术方法,主要有机械连接和水下焊接方式,其中机械连接方式适合深水海底管道回接。为完成深水海底管道回接,通常需要以下回接机具联合作业:水下连接器、连接器等工具、液压扭矩工具、管道牵引工具、管端清理工具、密封试压工具、密封更换/安装工具等辅助作业机具。以上机具均采用液压式动力源,并由水面远程遥控作业型 ROV 在水下操作。

　　为了完成海下两个待连接管道的回接作业,或者立管与海下基础的连接作业,需要测量两者之间的相对位置,根据位置参数完成连接作业。深水管道回接,在潜水员无法下潜完成测量任务的情况下,只能通过无人操作系统,通过 ROV 辅助操作进行测量。目前国外用于深水海底管道回接位置精确测量的设备主要有 ROV 辅助拉绳测量系统和水声测量系统。

　　ROV 辅助拉绳测量系统由 ROV 携带两个测量装置到水下作业区域,将其定位到两侧的管道上,拉绳张紧后,传感器获取相关参数并通过 ROV 传送到作业船上的上位机,最终将管道位置显示在 PC 界面上。水声测量系统则是将收发器安装在工作船与被测目标上,一般需要 3 个以上的基点构成基线阵,在确定声波在海水中的传播速度和传播时间后,可以通过测时、测相技术来确定应答器的空间位置。该测量系统比 ROV 辅助拉绳测量系统测量精度稍低,但作业水深不受限制。

6.2.2　J 型铺设

　　J 型铺管法从 20 世纪 80 年代以来为了适应铺管水深的不断增加而发展起来,是目前最适于深海管道铺设的方法,该方法用于刚性管道时效果最佳。由于铺设过程中管道几乎是垂直进入水中,管道形状呈现大 J 型而得名 J 型铺管法。图 6.17 为 J 型铺管船示意图。该方法在铺设过程中借助于调节托管架的倾角和管道承受的张力来改善管道的受力状态,达到安全作业的目的。典型的 J 型铺设速度为 1.0 ~ 1.5 km/d。J 型铺设法主要应用于深海区域的管道铺设,目前已经得到了广泛的应用。一般来说,J 型铺管船的造价成本会比其他类型的铺管船高,但是在涉及深海铺设的某些特定的情况下,这是唯一可行的方法。

　　J 型铺设的核心装备是 J 型铺管船,图 6.18 所示为 Saipem 7000 铺管船,是世界上最大的半潜式塔吊浮动作业平台,特点是起重能力大且具有双起重机的独特结构。Saipem 7000 上安装的 J 型铺设塔是世界上最先进的 J 型铺设塔,也是世界上最大的铺设塔。J 型塔总长为 135 m,铺管设备的总质量为 4 500 t。Saipem 7000 上的 J 型塔有上下两部分组成,具有两个焊接台,可以同时对两根管段进行处理,所以铺设速度可以达到其他 J 型铺管船铺管速度的两倍。其可以处理 4 节点管段,通过装载臂的旋转把管段布置在竖直的 J 型塔上;利用提升机将管段提升至铺设塔的上半部分进行定位,再进行焊接,在 3 个履带式张紧器作用下下放管段。此外,Saipem 7000 配备有先进的动力定位设施;能够在水深超过 2 000 m 的海域安装直径为 102 ~ 810 mm 的管道;拥有 12 个 Class 3 DP 推进器,即使在恶劣的海况下,仍能保持很好的动力。

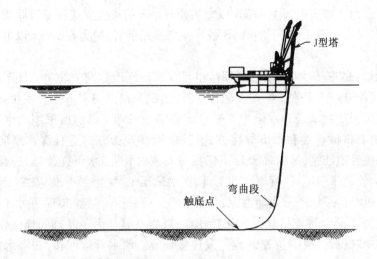

图 6.17　J 型铺管船示意图

图 6.18　Saipem 7000

　　管线的处理系统以及 J 型塔是整个 J 型铺设系统里最主要的两个组成部分。J 型铺设系统所需的铺管设备主要由以下部分组成：

　　(1)上管装置　上管装置的夹具预先夹住管段,旋转上管装置把管段送至 J 型塔的预铺设路径上；

　　(2)管道支撑装置　将管段维持在一定的角度来满足铺设的需求,根据铺设的需要可以调整支撑装置的角度；

　　(3)管道张紧装置　固定管段,保证焊接、检测以及涂层作业的正常作业；

　　(4)管道连接装置　将管段的最下端连接到前一次释放管段的最上端；

　　(5)管段下放装置　预铺设管段与已铺设的管线焊接成一体后,将管线下放。

　　J 型铺设系统中通常只有 1 个焊接台和 1 个检测站,为了提高管段铺设效率,选在岸上进行多节点管段的预焊接,一般都为 4 节点和 6 节点管段的预焊接(单节点管段标准长度为 40 ft)。由于整个铺管作业都在接近垂直的 J 型塔上进行,工作站台数量受到 J 型塔高度的限制,因而给整个铺管工作带来了很大困难,所以采用快速而可靠的管段焊接技术 4 节点管段和 6 节点管段预制法很大程度上提高了 J 型铺管法的效率。

在整个铺管作业过程中,运输船将岸上已经焊接好的管段(4 节点管段或者 6 节点管段)运至铺管船附近,由铺管船的起重机将管段吊至铺管船甲板,再将管段放置在铺管船的舱室内,为接下来的铺管作业做好准备。

1. 上管装置

J 型铺设的上管装置把预制的管段移至 J 型塔的铺设路径上。目前,主要有两种不同的上管装置,即旋转式装载臂和拖放式装载臂。

旋转式装载臂上有一系列的夹具,以这些夹具来固定管段。通过装载臂的旋转把管段移至预铺设路径上。装载臂的旋转由一些专用旋转设备来实现,如液压缸或者是钢绳。旋转式装载臂的上管工艺比较简单,Acergy polaris 和 Saipem FDS 的 J 型铺设系统采用的就是此种装载臂,如图 6.19 所示。

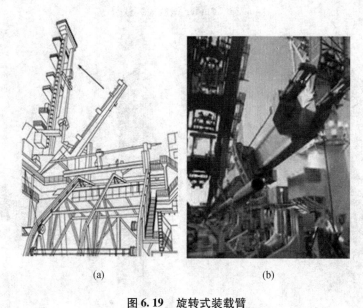

(a)　　　　　　　　　　　(b)

图 6.19　旋转式装载臂

(a)Acergy polaris 装载臂;(b)Saipem FDS 装载臂

拖放式上管系统的概念就是,整个上管系统在管段的末端用一些特殊的夹具固定,管段的上端用滑动的夹具固定,底部用固定在钢轨结构上的夹具固定。通过拖拉上管的形式,把管段送至 J 型塔预铺设路径上。DCV Blader 采用的就是此种方式的上管系统,如图 6.20 所示。

旋转式上管和拖拉式上管最大的不同可以用逆时针上管和顺时针上管来形容,图 6.21 是两种上管方式的三维模型图。

但是相对于旋转式装载臂,上管装置有以下不足:

(1)滑动夹具必须旋转到正确位置,才能接受管段;

(2)在上管过程中,由于沿着管段长度方向没有支撑,在管段上形成了很大的弯矩;

(3)J 型塔的调整角度较小时,此上管系统工艺复杂,由于管段底部也有夹具,在上管的过程中容易导致"锁住"现象,在滑向 J 型塔前底部支撑必须往后退,导致了整个铺管作业效率低。

图 6.20　Blader 拖放式装载臂

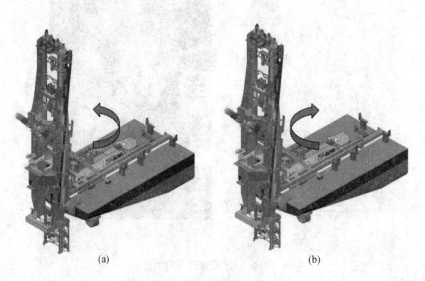

(a)　　　　　　　　　　　(b)

图 6.21　上管方式模型

(a)旋转式；(b)拖拉式

2.管道支撑装置(J 型塔)

J 型塔作为管道支撑装置,是整个铺管系统里最核心的部分。J 型塔一般都是可移动的,可以对立管、海底管线以及 PLET 等进行安装作业。实际项目中,J 型塔偏离竖直方向的角度的范围为 $0° \sim 15°$。

J 型塔按照其对管段尺寸的处理能力分为 2 节点、4 节点和 6 节点管段处理 J 型塔。Acergy Polaris J 型塔可以处理 2 节点管段,Saipem 7000 J 型塔可以处理 4 节点管段,DCV Balder J 型塔可以处理 6 节点管段。此外,不同 J 型铺管船中的 J 型塔的能处理管重也不一样,图 6.22 给出了几种典型 J 型塔,分别为 Acergy Polaris J 型塔、Saipem 7000 J 型塔和 DCV Balder J 型塔。

J 型塔的布置位置主要分为两种,一种是船中,一种船尾,如图 6.23 所示。

525mt J型塔　　　　　　750mt J型塔　　　　　　1 050mt J型塔

图 6.22　J 型塔

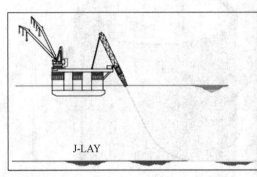

J-LAY

图 6.23　J 型塔两种布置形式示意图

J 型塔布置在船中时,一般安装在月池之上,管段从井架输送装置下放时,经快速焊接、检验后,进行现场补口。

J 型塔布置在船尾或者舷侧时利用一个几乎垂直的 J 型塔进行管线下放作业。J 型塔可以根据铺管作业的需要,调整自身的角度,即使在恶劣的环境下也能进行铺管作业。目前,在国外应用最多还是 J 型塔布置在船尾或者舷侧的 J 型铺管法,大型的 J 型铺管船,例如 Saipem 7000 和 DCV Balder,都采用这种方法,并且安装的 J 型塔一般是可拆卸的,以便于对铺管船的改装。

3. 管道张紧装置

张紧装置是海底管道铺设系统的核心部分之一,在 J 型铺管过程中,管段在预张紧力的控制下以接近竖直的方向放至海底的,张紧力由张紧装置提供,张紧装置的作用可归结为以下两点:

(1)固定管线的作用,保证焊接、检测以及涂层作业的正常运行;

(2)控制管线的张力,使得铺管船在风浪的载荷作用下,管线的张力在一定允许值的范围内,避免管线的破坏。

J 型铺设系统的张紧装置包括两种类型的夹具:

(1)滑动夹具,当待铺设管段与已铺设管线焊接成一体时,其可控制新的管线的下放过程。

（2）固定夹具，也称悬挂夹具，固定已铺设管线，当管线下放时松开。

滑动夹具包括张紧器和 J 型冠领两种。采用张紧器的 J 型铺管法是将铺设管段用张紧器夹紧，通过张紧器来控制管段的停止与下放，例如三履带式张紧器以及 Saipem7000 采用的双履带式张紧器。J 型冠领则更加适合在深水以及超深水铺设较大管径的作业中，因为单依靠普通张紧器以及夹具的摩擦力来固定很容易导致失效，针对这一缺点与不足，出现了一种新的张紧系统，就是 J 型冠领。而且 J 型冠领已经成功地运用在 DCV Balder 等铺管船上。

整个冠领夹具包括了两个相同铰链的半夹具，在每一根管段的末端具有环向的冠领结构。冠领夹具的半夹具是开放的，便于固定管段。因为整个冠领结构是由可更换的齿条来支撑，所以可以适合各种管径的管段作业。通过冠领夹具锁定管段上的冠领结构，以此来实现力的传递。冠领结构如图 6.24 所示。

图 6.24　J 型冠领和冠领夹

与张紧器相比，J 型冠领具有如下优点：

（1）质量轻；

（2）安全；

（3）无需太多的马力；

（4）相对张紧器而言，高度较低；

（5）机械原理简单；

（6）能支撑管线的质量很大。

J 型冠领具有如下缺点：

（1）增加管段预制时间；

（2）加工工艺特殊，导致造价昂贵。

4. 管道连接装置

通过布置在 J 型塔上的焊接台和检测站来实现待铺设的管段与已铺设的管线的连接作业，一般情况下 J 型铺设系统中的连接装置包括 1 个焊接台、1 个检测站和 1 个涂层站（Saipem 7000 具有两个焊接站）。通过管道连接装置来完成管段的对中焊接、检测涂层作业。图 6.25 为焊接站三维模型图。

管段在预铺设路径上时，可能是椭圆的或者管段斜角并不垂直于管段中线。为了确保预铺设管段与已铺设管线尽可能好地进行焊接，使用外部的对中装置（图 6.26），来实现预铺设管段与已铺设管线的对中,然后在焊接台上进行焊接作业。

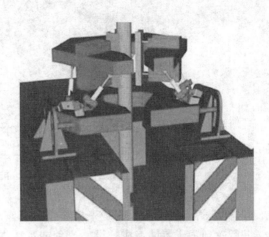

图 6.25　焊接站模型图　　　　　　　图 6.26　外部对中装置模型图

从图 6.26 中可以看出,外部对中系统中有两层平台。底下那层是基础平台,可以随着 J 型塔的角度进行调整。

5. 管道下放装置

管线的下放装置包括上述提到的张紧装置以及管道支撑装置,整个管线在 J 型塔和托管架的支撑下,通过 J 型塔顶部的滑动夹具以及固定夹具来完成管道的下放作业。

J 型铺管法的优点:

(1)触底点与铺管船间的距离比较短,在定位等诸多功能实现时有优势;

(2)不需要铺管船发动机提供过大的水平动力;

(3)同 S 型铺设相比,没有拱弯段,所以减小了管道的应力并降低了张紧器拉力,同时不必注意托管架的问题。

J 型铺设的缺点:

(1)只有一个或者两个焊接站,所以铺管速度慢;

(2)作业在垂直方向上完成,所以稳定性是个问题;

(3)需要较大功率的船进行作业环境下的动力定位;

(4)对铺管设备的要求较高;

(5)有最小水深的限制;

(6)成本相对较高。

6.2.3　卷筒铺设

卷筒铺设是 20 世纪 80 年代开始兴起的新型铺管方法,这种铺管方法效率高,铺管费用低,既能铺设硬管也能铺设软管,适合深水区域的管道铺设。目前,挪威、美国和英国已经拥有多艘可以进行铺管作业的船只,担当了世界上大部分的卷筒铺管作业。图 6 – 27 所示为 Lewek Constellation 号卷筒铺设管船。

图 6.27　Lewek Constellation 号卷筒铺设管船

　　这种铺管方法主要步骤是先将管道在制作场地上连接,接下来卷在铺管船的专用滚筒上,最后送到预定海域完成铺设。这种铺管法需要的主要设备包括:陆地接长预制场地(图6.28)、卷管滚筒、管道校直器(图 6.29)和铺管船。

图 6.28　陆地接长预制场地

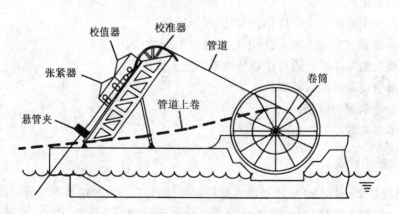

图 6.29　卷管滚筒和管道校直示意图

每个专用的卷管滚筒都和特定的铺管船一起搭配使用,普通卷管的管径可以从2 in到12 in不等,单层管的最大铺设管径可以达到18 in,一次可以接若干根长500~1 000 m的长管段,最大作业水深可以达到1 800 m。将这些管段再进行对接并通过管进矫直器进行造弯后,直接卷到专用滚筒上。这个过程也可以直接在停泊的铺管船上进行,因为一旦滚筒卷满了管道之后,可能重达400~600 t,如果缺少相应的起重设备会给滚筒的搬运带来一定的困难。因此,在考虑使用卷管式铺管法进行铺管作业时,必须清楚管道的焊接作业和卷管作业是在陆地预制场上还是铺管船上进行。如果相应的作业程序在铺管船上进行,铺管船就必须处于停泊状态;否则,就必须提供一座大型起重机和充足的辅助设备来搬运卷满了管道的滚筒。

该方法的突出特点是:几乎所有的焊接、检验、保温和防腐等工作均在陆地完成,可以保证管线的高质量;海上铺设时间不长,所需的工作人员很少,能够控制成本,增加收益;典型铺设速度可高达1 km/h,平均约为600 m/h;管道铺设时一次性铺管长度大,有连续性,降低作业风险。

6.2.4　拖曳铺设

拖曳法属于早期的管道铺设方法,这是由它的技术特点所决定的,主要针对海底管道和混合集束立管。拖曳法的管道首先在陆地的制造部门或在无风浅水域的铺管船上按照规定管长进行组装,通过起吊装置将管道吊至轨道上,然后固定上托管头、浮筒等设施,利用拖船将管道放下水,通过连接管道完成铺设。目前拖曳铺设已经发展成四种不同的方法,分别为水面拖行法、水面下拖行法、近底拖法和底拖法。

水面拖行法如图6.30所示。水面拖行的工作原理是利用浮筒的浮力,以强力的主拖轮牵引管道首端以保证动力,不过拖行时由于管段的漂移是一种失控的状态,因此在管段的尾部再布置一艘拖轮,对管段施加一个反向的拉力,从而使管段处于受力可控的状态,避免了拖曳过程中可能出现的风险。

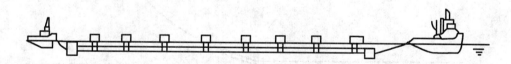

图6.30　水面拖行法示意图

水面下拖行法如图6.31所示。水面下拖行与水面拖行相差无几,仅仅是将管道位置下放至水中。相比于其他方法,水面下拖行的管道受风、波浪等环境荷载的直接作用较小,管道更安全。采用水面或者水面下拖行铺设管道的主要缺点是容易受到水面情况的影响,影响海上交通和需为沉放管子做特殊考虑。

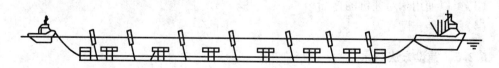

图6.31　水面下拖行法示意图

近底拖行法是近水面拖行技术的一种改进,也需要一条主拖船和一条牵制拖船。如图 6.32 所示,浮箱按规定的间距系在管段上,每个浮箱上还需要悬挂一段铁链。在工作时,浮箱上的铁链先离开海床,然后自身所受重力和浮力进行平衡使管道控制在设计的深度。这种方法通过控制铁链的收放给作业时的管道足够的稳定力,同时利用牵制张力控制管段的提升。该法的主要优势是:基本不受海面风浪的作用,同时不必在意海床地形的变化,因而可选择的范围大。

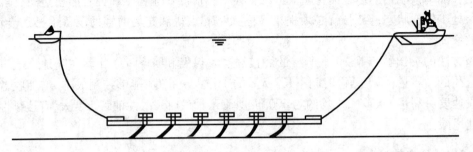

图 6.32　近底拖行法示意图

底拖法形式如图 6.33 所示。合理的拖行路线是十分必要的,因为线路的选择影响到防摩擦涂层设计、拖行时的稳定性、拖船的尺度等。这种方法受环境载荷影响小,这是由于它不需要牵制拖船。不过本方法要求拖船提供的力大,管道的涂装层损坏可能性大,而且管道有在海底受障碍影响机率,一般只适用于海底平坦的海域。

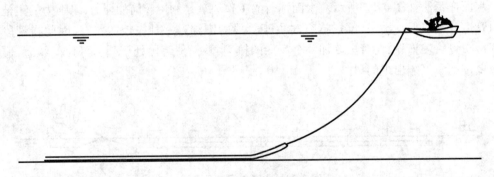

图 6.33　底拖法示意图

总体来说,拖曳式铺管的特点如下:
(1)管道或者立管束在岸上制造;
(2)灵活的制造进度表与海上进度没有冲突;
(3)可以使用相对廉价的拖船;
(4)可安装长度有限。

6.2.5　铺设方法对比

从目前的工程应用来看,不同的铺管方法都有其一定的特征和适用性。基于目前的铺管船,S 型铺设法的铺管直径最大,卷筒铺设法的铺管直径最小;卷筒铺设法的铺管速度最快,J 型铺设法的铺管速度最慢。铺管速度的快慢主要取决于管线的接长方式,S 型铺设法的管线接长是水平位置施工的,因此可同时进行多条焊缝的焊接,且不同连接段的焊接和防腐保温层/混凝土重力层施工可同时进行。J型铺设法的管线连接是在J型塔上完成的,同时只能进行一条焊缝的焊接,而卷筒铺设法在海上没有焊接作业。

S型铺设法应用的历史比较长,所以技术比较成熟;J型铺设法则在深水铺设时比其他方法有好得多的表现;卷筒铺管法效率高,经济效益好,不过受限于管径的大小;拖曳铺设可以在岸上进行管道或管束的焊接,焊接质量好,而且拖船价格便宜。现在当需要在广阔海域进行长距离管道铺设时因为作业环境的复杂性,经常会综合采用多种铺管方式。通过对以上四种铺管法进行系统的归纳和总结,表6.1中列出了各种不同铺设方法的优缺点及特征。

表6.1 四种铺设方法对比

S型铺设	优点	管道在水平方向装配时效率高; 技术成熟,对浅海和深海都有良好的适用性; 铺设速度快,铺设速度可达到一天3.5 km
	缺点	水深的增加,托管架长度增加,稳定性问题也就会变得更加严重,同时导致张力的增加,风险较大
J型铺设	优点	船尾不需设置托管架; 管道入水角基本垂直,减小了张力
	缺点	焊接点太少,铺设速度慢; 在垂直方向上完成操作,所以稳定性难以控制; 每天铺设长度1.5 km,只适用于深水作业
卷筒铺设	优点	几乎所有焊接工作在陆地上完成; 张力相对较小,与S型铺设相比可以较好地控制; 海上作业时间短、效率高、成本低; 管道铺设长度大; 正常铺设速度为每小时600 m
	缺点	需要陆地制造场所; 对钢材性能要求较高; 对可处理的覆层类型有限制
拖曳铺设	优点	管道在岸上制造,保证了良好的焊接质量; 拖船的成本很低; 拖曳方法丰富多样
	缺点	安装长度不太大,受到海床的形状限制; 适用范围窄、水深小

6.3 安装分析中的考虑因素

6.3.1 波浪载荷

考虑 S 型铺管时,波浪环境对铺设管道有以下四种效应:第一种是因为海水具有黏性,能够引起黏滞效应;第二种是由于铺管船惯性的存在,它的运动带来波动场的速度分布产生变化,引起了附加质量效应;第三种是因为铺管船会遇到波浪时引起散射,引发散射效应;第四种是由于结构物相对高度偏大,铺管船改变了波浪的自由表面,引起自由表面效应。

同入射波的波长相比,水下输油管道属于尺度较小的结构物。研究表明,这种结构基本不受波浪运动其他效应的影响,而波浪对管道的影响主要表现为前两种效应:产生的是拖曳力和惯性力。对于这种小尺度的结构,一般利用莫里森等人提出的方法进行波浪力计算。

莫里森公式是基于理论的经验公式,其理论基础是绕流理论。莫里森的观点是柱体 z 高度(以海底为基准)处的水平波浪力 f_H 包含两个部分:一是波浪中水质点产生的水平速度 u 对柱体的力,将其定义为水平拖曳力 f_D,另一个是波浪中运动水质点产生水平加速度引起对柱体的力,将其定义为水平惯性力 f_I。直立柱体在高度 z 处单位柱高所受的水平波浪力表示如下:

$$f_H = f_D + f_I = \frac{1}{2} C_D \rho D u |u| + C_M \rho \frac{\pi D^2}{4} \frac{\mathrm{d}u}{\mathrm{d}t} \qquad (6-1)$$

式中　u——任意高度 z 处波浪水质点的水平速度;

　　　C_D, C_M——分别表示垂直于管道的拖曳力系数和附加质量系数;

　　　ρ——海水密度;

　　　D——管道直径。

式(6-1)只适用于非倾斜管道,将管道所受水动力按照分立原则分成正交的两个分量,所以对于倾斜的管道来说,波浪力取拖曳力与惯性力的矢量和:

$$f_H = f_D + f_I = \frac{1}{2} C_D \rho D u_N |u_N| + C_M \rho \frac{\pi D^2}{4} \frac{\mathrm{d}u_N}{\mathrm{d}t} \qquad (6-2)$$

其中,u_N 表示与倾斜管道正交的速度分量。

6.3.2 海流载荷

在海洋中海流一般按形成原因分类有风流、梯度流、波浪流和潮流等多种。可以这样认为:海流是近似看作为稳定的平面流动,这是真实海流的表现造成的。目前,海流流速的原始数据基本都是现场实测得出。当没有实际测量时,美国 ABS 规范中推荐了一个近似公式,海面以下某点的流速表示为

$$u_c = u_m \left(\frac{z}{d} \right) + u_t \left(\frac{z}{d} \right)^{\frac{1}{7}} \qquad (6-3)$$

式中　d——水深;

　　　u_c——海面以下深度为 z 处得海流流速;

u_m——海面上的风速；

u_t——海面的潮流速度。

按照之前的假定,海流看作一种近似稳定的平面流动,所以单位长度管道所受的海流作用力表现为拖曳力:

$$f_D = \frac{1}{2} A_p \rho C_D u_c^2 \tag{6-4}$$

其中,A_p 表示单位长度管道在迎流面上的投影面积。

当共同存在波浪和海流时,它们联合作用在倾斜管道单位长度上的拖曳力为

$$\begin{cases} f_D = 0.5 C_D \rho D u_{nr} |u_{nr}| \\ u_{nr} = e \times [u_r \times e] \\ u_r = u + u_c \end{cases} \tag{6-5}$$

式中　u_r——波浪速度与海流速度矢之和；

u_{nr}——u_r 在垂直于管道轴线方向上的分量。

6.3.3　立管与船体耦合作用

立管的安装是通过安装船这一载体进行的,因此船体在安装环境工况下的运动会通过托管架、张紧器等船体结构对管道的结构强度和运动状态产生很大影响。与此同时,管道的重力、运动也会对船体产生作用,因此安装过程中考虑管道与船体的耦合作用对于施工的安全性是必不可少的。

管道铺设传统的分析方法是非耦合分析,首先不考虑管的影响计算铺管船的运动,然后作为边界条件作用于管的上端部。对于深水区域环境载荷作用下的浮式生产系统,其精确的数值计算、分析和设计必须采用耦合分析方法。耦合分析计算考虑了有限元模型中船体与锚链和立管的水动力、结构响应之间的非线性影响。开展耦合分析,需要建立船体和管线的有限元模型耦合的六自由度运动方程。在 S 型管道铺设过程中,即使是浅水作业,管线结构响应也对船的运动产生很大的影响。并且,在管道铺设过程中,也需要考虑管线与铺设结构之间的接触机理,特别是滑道和托管架上的一些支点,以及考虑张紧器的力学模型的准确模拟。

6.3.4　铺管船的定位方法

在铺设作业中,为避免对所铺设的管线造成损伤,通常使用铺管船定位系统来限制船体的运动。目前定位系统有两种,即锚泊系统和动力定位系统。

普通的滩海铺管船属于非自航式,它的系泊、铺管过程的定位与移位都依赖锚泊系统。锚泊系统是一个复杂的系统,含有锚和锚泊线等结构。锚泊线主要是锚链、锚索和它们与各种浮力器件的组合。锚泊缆索将浮动结构物连接于锚定点或系泊点,属于挠性机械部件,不能承受剪应力和弯矩。当前锚泊系统有缆索式、锚链式、新型材料式及混合式四种形式。一般浅海用锚链式,深海就用混合式或者新型材料式。当水深增加时,锚泊系统的抓底力变小,这增加了抛锚的困难程度,同时锚链长度和强度的要求都会提高,从而引起质量急剧增大,布链的作业也比之前复杂很多,最后的结果是系泊锚链的费用加大,其定位功能由于受到限制变得比较一般。铺管作业时,主要通过抛锚、锚机作业拉动船体运动、起锚和再抛锚这一循环作业的模式控制铺管船的前进方向和速度,工作效率低,耗费人力物力

较多。

动力定位系统属于新一代的定位系统,其优点是当水深增加时,定位成本不会像锚泊系统伴随至剧增,并且控制相对简单。它的主要原理是不断测量船舶运动时实际位置与目标位置的偏差,再结合外界环境载荷的影响求出使船舶恢复到目标位置应提供的推力大小,然后对船舶进行推力分配,命令各推力器产生应有的推力,这样船舶就基本可以保持在作业要求的位置。

IMO 和船级社对定位系统的要求如下。

DP1:安装有动力定位系统的船舶,可在规定的环境条件下,自动保持船舶的位置和舷向,同时还应设有独立的集中手动船位控制和自动舷向控制。

DP2:安装有动力定位系统的船舶,在出现单个故障(不包括一个舱室或几个舱室的损失)后,可在规定的环境条件下,在规定的作业范围内自动保持船舶的位置和舷向。

DP3:安装有动力定位系统的船舶,在出现任一故障(包括一个舱室或几个舱室的损失)后,可在规定的环境条件下,在规定的作业范围内自动保持船舶的位置和舷向。

6.4 深水管道铺设相关规范

目前,国内外都有深水管道铺设相关规范。其中国内的主要有石油天然气行业标准、中国海洋石油总公司出版的指南、手册等指导性文件;国外的规范主要有 ABS,DNV,API 等制定的与海底管道相关的标准。

6.4.1 国内规范和指导性文件

1.《海底管道系统》[中华人民共和国石油天然气行业标准(SY/T 10037 – 2010)]

该标准与挪威船级社《海底管道系统》(DNV,Submarine Pipeline System)类似,并引入了极限状态设计法,集中反映了海底管道方面的发展与进步;该规范从项目数据、安全原理和设计、荷载、强度和稳定性、管线、管道部件、设备和结构零部件、防腐涂层和配重层、安装、运行与维护、条件评估与再认证等方面对海底管道系统提出了要求。

该规范的第九章为"安装",从总则、管道路由、调查和处理、海上作业、管道安装、对管道安装采用塑性变形方法的补充要求、拖拉法管道安装、其他安装方法、岸上拖拉、连接作业、铺设后调查、悬跨修正和管道防护、防护和锚固结构的安装、立管安装、安装手册、竣工调查、最终试验和运行准备、文件等方面,对管道的总铺设安装过程进行了全面的规范化。

2.《海洋石油工程设计指南》(石油工业出版社,2009)

该指南主要内容包括了海洋石油工程所有各专业的设计和施工、HSE 评价报告的编写,以及海上油气田的陆上终端的介绍。其中第八册为《海洋石油工程安装设计》,主要介绍了海洋石油工程设施和设备在海上安装时应遵守的原则、规范、标准、依据和条件,以及导管架、上部组块、单点系泊、沉箱、海底管线、海底电缆等主要海上设施安装设计的基本内容。

该指南的第八册第八章为"海底管线安装设计",从安装方法、船舶和机具、计算分析、图样、装船程序、安装程序、完工报告等方面的内容进行了介绍,为海底管线的铺设安装提供了可借鉴的程序和步骤。

3.《深水工程手册》(中国海洋石油总公司,2010)

该手册的第三部分介绍了立管系统,内容涵盖深水立管工艺设计、保温技术、加热技术、人工举升要求、安装技术、应用与局限性等,在其中的安装技术部分,详细地介绍了不同种类的挠性立管、金属立管的安装步骤。

4.《环境条件和环境载荷指南》[中国海洋石油总公司企业标准(Q/HS 3007 - 2003)]

该标准与挪威船级社的 DNV No. 30. 5, Environmental Condition and Environmental Loads, March2000 类似。该规范给出了描述重要环境条件及得到环境载荷的指南,包括风条件、波浪条件、流和潮汐、风载荷、波浪和流载荷、涡激振动等方面的内容。

5.《海底管道结构分析指南》(中国船级社,人民交通出版社,2007)

该指南给出了刚性金属海底管线的铺设分析以及运行状态分析,其中运行状态分析包括在位应力计算及屈曲强度计算、悬跨分析、海床上的稳定性分析以及腐蚀管道强度分析等内容。该指南主要是针对海底管道结构方面的计算分析,为海底管道的检验和审图给出一个指导性的文件,并为在役海底管道的状态评定提供可借鉴的程序和步骤。

6.4.2　国外规范和指导性文件

1. API 规范

Design of Risers for Floating Production System(FPSs) and Tension - Leg Platforms(TLPs) API RP 2RD - 2006,该规范从立管的结构分析、设计准则、部件选取原则以及用于浮式生产系统的立管系统的典型设计方面进行了阐述。该规范中关于立管的结构设计的推荐做法,基于立管和相关部件在常规、极限和突发工况下的极限应力准则。

规范的第3.7至第3.9章节依次给出了金属立管、柔性立管和其他立管的安装、回收以及再次安装方面的内容。以金属立管为例,规范中从准备、测试以及需要的支持设备、运输与装卸、安装的考虑因素、弃置与回收、再次安装的考虑因素、水压试验等方面对立管的安装进行了详细的阐述。

2. ABS 规范

Guide for Building and Classing Subsea Riser System ABS - 2006,该规范是海洋金属材料的生产和输出立管的设计、预制、安装和维护的技术文件。在该规范中提到了安装指南所应包括的内容,给出了"S"形铺管船法、"J"形铺管船法、卷管式铺管法、拖曳式铺管法四种铺设安装方式的内容。

3. DNV 规范

Submarine Pipeline System Offshore Standard DNV - OS - F101 - 2010　规范给出了管线系统的设计、材料、预制、安装、测试、试运行、操作、维护、再次鉴定、弃置等方面的标准和准则。规范的第十章为"安装",从总则、管道路由、调查和处理、海上作业、管道安装、对管道安装采用塑性变形方法的补充要求、拖拉法管道安装、其他安装方法、岸上拖拉、连接作业、铺设后调查、悬跨修正和管道防护、防护和锚固结构的安装、立管安装、安装手册、竣工调查、最终试验和运行准备、文件等方面,对管道的总铺设安装过程进行了全面的规范化。

6.5 顶部张紧式立管安装流程

顶部张紧式立管(TTR)是海上油气开发过程中广泛应用的立管类型,主要应用于张力腿平台和Spar平台,可用于钻井、完井、生产以及注水。本节对典型的顶部张紧式立管的安装流程、安装过程重要工况和边界条件做简要的介绍。

6.5.1 安装过程简介

顶部张紧式立管安装是一个连续过程,安装步骤可以归纳为以下几个要点。

1. 准备工作及测试相关辅助设备

在此过程中需考虑立管与安装平台的兼容性,包括卡盘、运动补偿器和船体外部的卡槽,以保证顶部张紧式立管在安装的张紧力下不会发生破坏,同时应该考虑到顶部张紧式立管附属配件的安装。

2. 搬运和装卸

顶部张紧式立管安装需要用到经过特殊设计的井架,首先应将立管搬运到井架上,根据立管的存放状态通常有两种搬运方式:垂直搬运和水平搬运,如图6.34所示。顶部张紧式立管的搬运和装卸过程中需要精心保护以防止立管损坏,应当避免顶部张紧式立管在搬运过程中在甲板上或设备上拖曳,以及造成不可恢复影响的扭转或者弯曲载荷。立管接头应该被妥善保护,防止密封区域、螺纹及其他易损部分的损坏。同时最大和最小的存储温度应在顶部张紧式立管许用作业温度范围内。

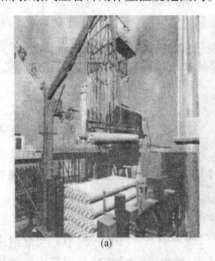

(a)　　　　　　　　　　　　　　(b)

图6.34 搬运方法

(a)水平搬运;(b)垂直搬运

3. 正常安装

将顶部张紧式立管搬运到安装平台之后,起重装置与立管顶部连接并将立管吊起,并且通过机械手将立管底部与安装井口对接,对接完成后,立管处于垂直状态。然后对立管进行安全测试工序,包括扭矩测试、热处理等。完成测试工序后,卡盘松开,起重装置先向上提起,然后开始下放立管。下放完成后卡盘装夹加紧同时起重装置脱离(图6.35)。

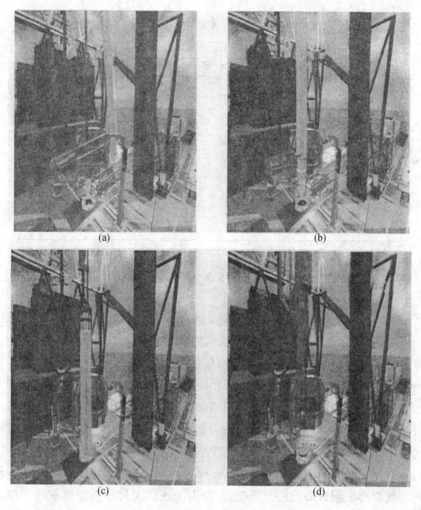

图 6.35 安装过程
(a)吊起;(b)对接;(c)下放;(d)脱离

4.试压

立管安装过程中和安装之后都需要进行现场试压,详细操作流程可参考规范 APIRP17B 中的要求,该规范也适用于立管部件的试压。

6.5.2 典型安装状态

从平台上安装顶部张紧式立管,根据安装作业过程,一般假设存在着三种典型的工况,如图 6.36 所示。第一种工况是飞溅区工况(Splash Zone Case),即立管安装的初始阶段,立管底部处于飞溅区,此时作用于立管的外载荷主要是由于波浪引起的水动力载荷。第二种工况为海底工况(Seabed Case),此时立管底部刚刚到达海底,但是还未与海底设备(如水下采油树、井口等)相连接,所以此时立管底部是完全自由的,未受到任何支持,波浪随着水深的增加影响力迅速减小,同样海流也会随着水深的增加而减小,但是在海底工况下,海流的影响占支配地位。第三种状态为安装完成工况(Installed Case),此时立管底部成功与海底设备对接,受到海底井口或其他设备的支持。

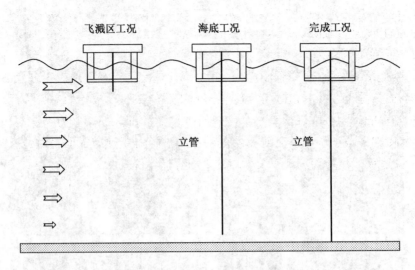

图 6.36　安装状态示意图

对于飞溅区工况而言,顶部张紧式立管入水后穿越飞溅区,此时立管受到波浪载荷最大。当立管顶部被固定时,在海流和波浪载荷的联合作用下,立管顶部将会产生显著的弯矩,使得立管处于十分危险的状态,立管有可能因此而失效。所以,飞溅区工况是安装作业不得不考虑的一种工况。

对于海底工况而言,顶部张紧式立管只有顶部受到平台的支持,底部完全自由,其余部分没有任何支持,立管的悬挂长度最长且约束简单,立管将会产生较大的横向变形,严重偏移井口位置。对于钻井立管而言,在安装过程中,通常情况下立管底部会悬挂某一大尺寸的重型设备,如水下防喷器(Blow Out Preventers,BOP)、下部立管组件(Lower Riser Package)等。此时,即使在海底附近海流的流速很低,但由于底部大尺寸重型设备的存在,也会因受到海流载荷的作用,而在法平面内会发生相当大的偏移,从而影响到立管的正常安装。所以,海底工况也是安装作业过程中极为重要的一环,有可能因为立管底部偏移过大而影响到与海底井口的正常对接。

当立管底部与海底设备(井口、海底管汇等)相连接以后,其底部受到来自海底的横向支持。横向支持需要足够的穿透深度以满足强度要求,同时还取决于海泥的刚度。此时,立管底部边界条件可视为刚性固定,顶部边界条件可根据不同情况分别视为刚性固定或者铰支。同时,由于立管刚刚安装成功,立管顶部还未与张紧器、伸缩接头等设备相连接,所以此时立管并未受到顶张力的作用,处于松弛状态,因此有必要分析在此状态下的立管响应。

6.5.3　边界条件

平台或者船体在波浪、海流等外载荷的作用下,会发生垂荡、纵荡、横荡、纵摇、横摇以及艏摇等运动。由于立管顶部与平台或船体相连,所以平台或船体的运动会通过立管顶部的连接传递给立管。因此,一般情况下,立管在安装或者紧急脱离时,将存在着两种不同的悬挂模式:硬悬挂模式和软悬挂模式,如图 6.37 所示。所谓硬悬挂模式,就是折叠并锁定伸缩节,将立管悬挂于分流器外壳,并解开张力器,立管顶部刚性连接于卡盘,即认为立管顶部与平台或者船体刚性连接,平台或船体的运动直接作用于立管顶部并传递给立管。因此,这种情况下,可能在立管中产生比较严重的载荷导致立管局部压缩,甚至会导致立管的失效。在软悬挂系统中,由于立管顶部与补偿器相连接,补偿器可以减缓或者消除纵摇和横摇的影响;而在垂直方向上,起重装置或者升降装置上都装配有升沉补偿器,以消除平台垂荡运动对立管的影响。软悬挂的优点是旋转补偿器和升沉补偿器能够吸收平台或者船体的运动,从而大大减小作用于立管系统的动载荷。相对于硬悬挂而言,软悬挂能够减小风暴条件下立管失效的风险以及安装窗口期更广等优点。

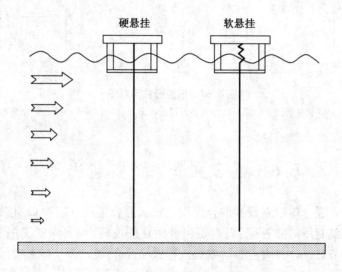

图 6.37　两种悬挂模式示意图

在顶部张紧式立管安装过程中,立管从平台的钻台上通过月池直接垂直下放,平台为立管的顶部提供支撑,此时立管处于悬挂状态,其顶部边界条件比较复杂。对于不同的安装阶段以及运动补偿器的状态,边界条件可视为铰支或固支,也就是认为立管顶部的边界条件会随着安装的进行而发生变化。在立管组站时,升沉、旋转补偿器与立管脱离,此时立管顶部可视为固支;而其他时刻,立管顶部可视为铰支。如果运动补偿器达到工作能力的极限或者出现机械故障,立管顶部的边界条件将会发生突变,直接由铰支变为固支,如图6.38 所示。边界条件的变化将会导致立管弯矩的重新分布,因此在补偿器达到工作极限或失效时(非设计条件下或者极端条件下),立管应具有足够的剩余强度以保证安全。

立管底部的边界条件比较容易判别,其与水下管汇连接之前,边界条件自由、无任何约束;立管底部与水下管汇连接之后,边界条件可认为固支。

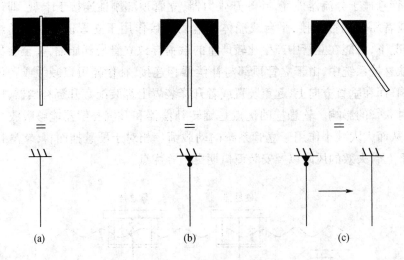

图 6.38   连接形式示意图
(a)立管顶部固支状态;(b)立管顶部铰支状态;(c)立管顶部由铰支变为固支

6.6   混合立管系统安装流程

混合立管分为混合单根立管和混合集束立管。混合集束立管可以有效简化油田布局,且海上安装不需要专用的铺管船,只需要租金便宜的拖轮,大大降低了海上安装的费用和缩短了工期。本节对混合集束立管的安装流程做简要介绍。

6.6.1   安装前准备流程

1.海底基础安装

海底基础安装主要包括海底吸力锚安装以及附属设施(如海底绞车、导向装置)等的安装。其中,吸力锚顶端设备有连接垂直立管的相关装置。

海底基础由陆地建造完成,由驳船运至目标海域并通过安装船进行安装,基本流程如下:

(1)将驳船靠近安装船,将海底基础于安装船上的 A&R 绞车和吊机索相连;

(2)将海底基础吊离驳船甲板并下放入水;

(3)将海底基础中路转移至绞车,解脱吊机索具;

(4)将基础下放至海底附近,并通过调整安装船位置使基础达到目标区域;

(5)吸力锚在自身重力下入泥;

(6)通过 ROV 控制吸力装置并使其在吸力的作用下继续下沉至目标深度;

(7)关闭吸力装置并解脱索具。

2.立管集束建造下水

将装配完毕的立管集束置于滚珠或滑道之上,由于浮力模块强度较差难以支撑集束体自身质量,故需要采取措施对其进行保护;在较好的天气条件下,利用拖船及绞车进行立管集束下水。

3. 顶部浮力筒和立管底部装置装配

分段形式建造的浮力筒需要分段运至立管集束建造现场,置于下水滑道上的小车之上,并依次焊接于立管集束顶端。对于整体形式的浮筒需要运至立管集束建造现场,将已经下水的立管集束顶端拖至驳船甲板之上,并与浮筒对正,固定并焊接。然后,将驳船压载,使浮力筒漂浮。

立管集束尾端入水后,通过吊车将底部装置下放入水,在船闸渠道中将其与立管束尾端相连,此种方法的难点在于将立管束固定于渠道中间位置,且需要在较短时间内完成结构的连接和检验测试。

4. 海上浮托

对于集束立管,多采用海上浮托方式。浮托操作由引导拖船和尾船联合完成,拖航速度一般为 4 kn。为了避免拖曳突变在所有的拖曳缆绳上均设有拉伸缓冲器,在绞车上配有载荷变化警报系统。一般由引导船提供 120 t 的拖曳张力以降低立管集束在拖航中的疲劳,为补偿张力变化,尾拖船通常也提供一个较小的张力。

浮托时立管各部分的浮态如下:

(1)顶部浮力筒部分压载以与立管集束保持相平;

(2)立管集束漂浮(浮力约为 30 kg/m);

(3)立管底部装置与附加浮力装置相连。

6.6.2 海上安装流程

1. 立管扶正

立管浮拖至安装海域后,首先通过仪器确定最佳的立管扶正位置。依据主要包括:不同流层的流速和流向、潜在障碍物以及扶正最后阶段立管底部与海洋基础之间的距离等。扶正后,首先在顶部浮力筒处添加浮力单元,保证浮力与立管湿重平衡。然后将浮力筒与安装船通过压载/卸载光缆及软管相连。最后去除立管上的其他临时性的浮力单元,并对立管各部分逐一注水。准备工作完成后,开始扶正操作。立管位置确定后,尾拖船释放绞车绳索使立管底部开始下沉。顶部浮力维持立管塔底部处于距海底基础 50 m 处的位置,同时调整顶部浮力使下拉立管塔时所需拉力不超过 15 t。然后,通过两个最大拉力为 20 t 的海底绞车将立管底部拉至预先安装好的海底基础处。

2. 立管与海底基础连接

立管与海底基础的连接由海底绞车完成。同时,应用声学应答器和 ROV 摄像机监测立管底部的位置。操作中,通过调整绞车缆绳长度来获得所需位置及方向,当立管底部到达恰当位置后,增大绞车拉力以保证立管底部与海底基础连接完毕。之后,通过压缩氮气排出顶部浮力筒舱室内的压载水,并去除顶部临时浮力单元。

3. 管线回接

海底管线的回接是指海底跨接弯管的安装,安装时的定位及实时控制通过 ROV 实现。

4. 跨接软管的连接

跨接软管安装时,首先用插销将跨接软管连接在浮力筒顶部鹅颈弯管上,然后用固定在 FPSO 上的绞车拖动跨接软管的末端,使之与 FPSO 相连。

6.7　钢悬链线立管安装流程

钢质悬链线立管出现于 20 世纪 90 年代中期,经过十几年的发展,已经发展为简单悬链线立管(Simple Cantenary Riser)、惰性波浪型立管(Lazy Wave Riser)、陡峭波浪型立管(Steep Wave Riser)等不同类型,并已被成功应用于张力腿平台、柱筒式平台、半潜式平台、浮式生产平台,使用水深超过 3 000 m,适用于深水湿式采油树生产、注水/气、输油/气的一种主要形式。钢悬链线立管集海底管线与立管于一体,一端连接井口,另一端连接浮式结构,无须海底应力接头或柔性接头的连接,大大降低了水下施工量和难度。

目前,钢悬链线立管的施工安装技术也日趋成熟。安装过程中不仅要保证安装的精度,还必须保证钢悬链线立管的强度。钢悬链线立管整个安装过程分为三个典型阶段:铺设阶段、提管阶段的移管阶段。

6.7.1　铺设阶段

一般在深水项目中,钢悬链线立管的铺设方法有 S 型铺设、J 型铺设以及卷筒铺设。本节以某 Spar 平台的钢悬链线立管的 S 型铺设为例,对其安装方式进行简要介绍。

钢悬链线立管的铺设一般需要安排一艘或者多艘起抛锚拖轮来支持铺管作业。开始作业前,需要将 1 个锚定位在海床上,然后将绞车锚缆引过托管架并系到第 1 根管子的端部。铺设过程中,管线的焊接、涂层等一系列作业都在工程船的甲板上完成,通过张紧器的夹紧系统和输送系统实现钢悬链线立管的海下输送。管道下海过程中的张紧力和管线变形必须有监控,防止应力应变超过管线设计允许值。随着钢悬链线立管的不断输送,绞车锚缆把钢悬链线立管拖至目标固锚点。S 型铺设时管道可分两个区域:一段为拱弯区,是从船甲板上的张紧装置开始,沿托管架向下延伸到管道开始脱离托管架支撑的抬升点为止的一段区域;另一段为垂弯区,是从拐点到海床着地点的一段区域。管道在垂弯区的曲率通过沿生产线放置的张紧器产生的张力来控制,管道在拱弯区的曲率和弯曲应力则一般依靠合适的滑道支撑和托管架的曲率来控制。图 6.39 为钢悬链线立管的铺设过程。

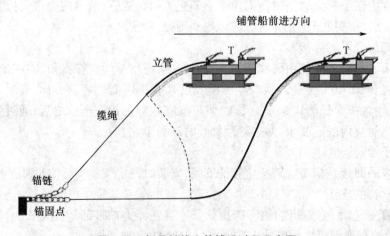

图 6.39　钢悬链线立管铺设过程示意图

6.7.2 提管阶段

钢悬链线立管的整个铺设作业完成后,立管平躺放置海底,通过工程船上的起吊设备将钢悬链线立管拉至工程船。在钢悬链线立管的整个提升过程中,工程船以一定的速度靠近海上浮体 Spar 平台,同时通过控制吊缆的伸缩来实现钢悬链线立管的提升作业。在钢悬链线立管提升作业中,必须控制吊缆收放的速度,以保证钢悬链线立管的强度以及吊缆张力符合要求。整个提升过程按吊缆受力的特点可分为三个阶段:

(1)提管作业前,钢悬链线立管平躺于海底,其端部与吊缆相连接。在此阶段认为吊缆是松弛的,不承受钢悬链线立管的质量。

(2)在提管的途中工程船以一定速度前行,同时通过吊缆逐渐将钢悬链线立管提起,吊缆所受的张力递增。

(3)整个提管作业结束,工程船到达指定目的地(与 Spar 平台保持合适的距离),钢悬链线立管被完全提起达到了目标形态,此时吊缆张力出现峰值。

提升过程如图 6.40 所示,数字代表提管流程顺序,细线代表吊缆,粗线代表立管。

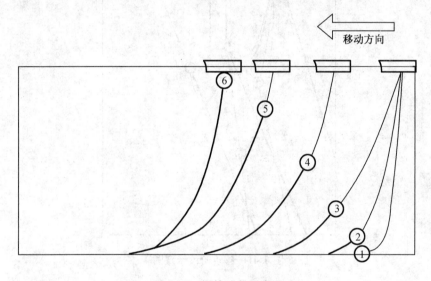

图 6.40 提管阶段示意图

6.7.3 移管阶段

钢悬链线立管的整个提管作业完成后,工程船与 Spar 平台保持合适的距离,接着进行钢悬链线立管的移管作业。在移管作业前,Spar 平台通过吊缆与钢悬链线立管的顶端相连,紧接着开始钢悬链线立管移至海上浮体 Spar 的移管作业。在该过程中,工程船以一定速度靠近 Spar 平台,同时操纵 Spar 平台的主吊缆和工程船的辅吊缆,通过两根吊缆的伸缩来完成整个移管作业。在钢悬链线立管的移管作业中,不仅需要控制两根吊缆的长度来调整吊缆拉头的位置,而且保证两根吊缆的收放速度相同,依此保障钢悬链线立管的安装强度和吊缆强度符合相关要求。根据主吊缆和辅吊缆的受力特点,将整个移管过程分为五个阶段:

(1)提管结束后,整个钢悬链线立管的质量全由工程船上的辅吊缆来承担。此时钢悬链线立管通过主吊缆也与 Spar 平台相连,并设定主吊缆至一定长度,主吊缆此时为松弛状态,没有张力产生。

（2）钢悬链线立管随着辅吊缆慢慢下放,其全部质量还是全由辅吊缆承担,主吊缆依旧保持松弛状态,没有产生张力。

（3）当钢悬链线立管下放至某一深度之后,主吊缆产生了一定张力,将钢悬链线立管缓慢拉至 Spar 平台指定位置。此时,钢悬链线立管的质量由主吊缆和辅吊缆共同承担。

（4）在钢悬链线立管回拉至 Spar 平台的过程中,主吊缆的张力不断增加,辅吊缆的张力逐渐减小,钢悬链线立管逐渐被拉至 Spar 平台。

（5）在此移管阶段,钢悬链线立管的全部质量由主吊缆承担,辅吊缆达到松弛状态,没有张力。此时,将辅吊绳与钢悬链线立管顶端断开。主吊绳继续回拉钢悬链线立管,直至将其悬挂于 Spar 平台指定位置。

移管过程如图 6.41 所示,图中各部分所代表内容同图 6.40。

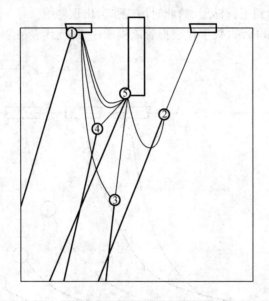

图 6.41　移管阶段示意图

6.8　柔性立管系统安装流程

柔性立管起源于 20 世纪 70 年代后期,初期柔性管线用于相对较好的天气环境,例如巴西海上、远东和内地。随着柔性立管的快速发展,如今已用于北海的不同海域,并且在墨西哥湾被广泛采用。柔性立管的主要特征是弯曲刚度相对轴向刚度较低,通过使用不同材料的层构造来实现这一特征。在外部和内部荷载条件下,这些层互相间可滑动,从而造成低弯曲刚度的特性。柔性立管合成结构中由高刚度的螺旋加强金属层提供强度,具有低刚度的聚合物密封层保证流体的完整性。由于柔性立管制造工艺复杂、制造材料昂贵,工程费用随水深增加而正比增加。相对于刚性立管,柔性立管可以利用卷筒铺设方式来提高作业效率。

柔性立管的安装主要包括甲板准备工作、立管释放下水及水下连接等工作。本节以文昌油田项目为例,对柔性立管安装流程做介绍。

6.8.1　甲板准备工作

1. 入水桥、托架与柔性立管滚筒的安装

根据甲板空间情况,入水桥选择安装在左舷船尾,托架安装在左舷甲板前部,以使入水桥与托架之间成一直线并距离尽可能远,便于立管的拉出、摆放和浮球的安装。立管滚筒采用专用吊架进行吊装,安放在托架的滚轮上。滚轮使用液压进行驱动,作业时利用滚轮来控制滚筒进行转动,以达到立管释放或回收的目的。

2. 把柔性立管基盘端拉出滚筒,对立管头进行处理

立管头的质量达 5~7 t,在释放立管的过程中,由于力矩的不平衡,会产生立管头促使滚筒速度加快的情况,导致滚筒和立管情况的不可控制,造成立管或设备的损伤,因此需要给滚筒增加控制速度的措施。根据甲板的设备情况,可使用 15 t 舷吊或 10 t 绞车。对滚筒的速度进行控制,拉出柔性立管的过程中要注意避免损伤立管,作业时施工人员注意巡视、观察,防止立管被滚筒或甲板上的锐物刮伤。立管头的处理包括拆除立管头上的盲板、安装法兰保护板及水下连接卡子等。

3. 安装浮球和小车

为了减小柔性立管对海底基盘的作用力,避免海底基盘的连接法兰或结构过早被破坏,需要在立管的下半段安装浮球,使柔性立管处于漂浮的状态,浮球的数量根据计算确定。文昌单点每条柔性立管上浮球的数量为 20 个,均布在 95 m 的长度上。行走小车安装在浮球的底部,目的是为了减小浮球在甲板上移动时的摩擦力。

4. 把柔性立管基盘端拉到入水桥上,连接配重块与立管头

由于安装浮球后的立管下水后呈漂浮状态,为了使立管头能够定位在海底基盘附近以便于潜水员进行连接,在立管头上连接一配重块,配重块的质量根据计算确定。文昌项目所使用的配重块质量为 6 t。

6.8.2　柔性立管释放下水

释放柔性立管,吊放配重块及立管头到海底基盘附近,立管头与海底基盘进行临时固定甲板工作准备就绪后,将船移到合适的位置。立管释放下水至立管头在水面附近,潜水员下水连接立管头与配重块,旋转吊机把配重块吊放于基盘朝向单点侧的连接法兰附近,在吊放的过程中 ROV 跟踪监视配重块、立管头的情况和位置。同时,甲板缓慢释放立管下水。在立管的释放过程中各个环节要紧密配合,同时也要注意在船尾用绞车来留住立管,避免其突然的下滑导致事故的发生。

配重块吊放到位后,向单点方向缓慢移船,同时释放立管。在移船的过程中要注意水中柔性立管的方向和受力情况,避免立管受力过大而把配重块拉离原设计位置或把连接钢丝绳拉断。柔性立管单点端拉出到甲板后,停船,把立管临时留住,在立管头安装临时拖拉头,主要对立管头进行穿引过浮筒护管的前期准备工作,如倒入防腐剂、安装拖拉头及卡接卸扣等。

把柔性立管全部释放下水,移船把入水桥定位到单点的上方。此时要注意立管与系泊腿的相对位置,不要形成交叉,而且柔性立管必须经过系泊腿的内侧,否则需要对立管的位置进行处理。

6.8.3　水下穿引

文昌项目中水下穿引的主要步骤如下：

（1）潜水员下水，将牵引钢丝绳穿过单点浮筒的护管。牵引钢丝绳的长度根据浮筒的高度及在水中的深度来确定，文昌项目浮筒位于水下6 m，浮筒高度11 m，采取船尾绞车绞拉穿引的方式，牵引钢丝绳长度设计为60 m。

（2）潜水员水下连接牵引钢丝绳与立管头。

（3）提拉钢丝绳，把立管头穿过浮筒护管。并临时寄放在浮筒顶部。提拉的方法可选取吊机提拉或绞车绞拉，如果使用吊机提拉钢丝绳，要注意船舶的位置要满足跨距要求，提升时要控制吊钩的速度，避免立管头与浮筒底部发生碰撞而导致钢丝绳断裂。使用绞车绞拉时船尾尽量靠近浮筒顶部，以减小钢丝绳的入水角度。立管头穿引过护管后，剩下的工作主要是立管护管法兰与浮筒及海底基盘的连接，由潜水员在水下完成。

6.9　立管安装实例

6.9.1　浅水立管安装实例

我国至今为止还没有深水油田开发的工程实践，因此对于深水立管的安装经验还是空白。但是我国对于浅水油田的开发有很长时间的工程积累，导管架平台作为广泛应用的浅水平台，它的立管系统的安装已经非常成熟。本节以渤海油田的导管架平台立管系统为例，对浅水立管的安装流程作简要介绍。

导管架平台立管安装主要步骤如下：

（1）码头装船。将建造完成的立管支撑结构以及上一节立管、护管吊装并固定在"海顺5"甲板上。

（2）海上运输。"海顺5"航行至施工海域。

（3）船舶就位。"海顺5"根据安装设计图纸抛锚就位。

（4）泥面障碍物清除。用电磁铁清除安装区域泥面上的杂物，清除完毕，由 ROV 检查清理结果是否满足要求。

（5）立管支撑结构安装。

①安装定位架。定位架紧贴泥面导管架横撑，通过牵拉缆调整定位架位置，如图6.42所示。

②安装导向滑轮、定位管卡。在导管架中部支撑适当位置安装导向滑轮与定位管卡。

③立管支撑结构挂扣、切割固定结构，准备吊装作业。

④深水立管支撑结构吊装翻身。吊钩移至吊点上方，并将主索具挂在钩头上，然后吊

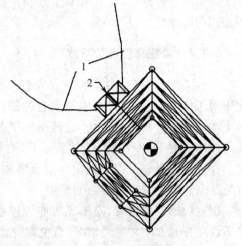

图 6.42　定位架位置调整示意图
1—牵拉索具；2—定位架

钩慢慢上升,深水立管支撑结构随之翻身,最终处于竖直状态,如图 6.43 所示。

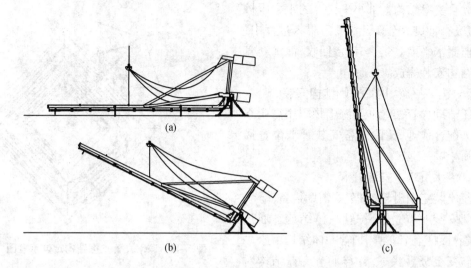

图 6.43 吊装状态示意图

(a)水平吊装;(b)中间吊装翻身;(c)竖直吊装

⑤深水立管支撑结构吊装入水。

⑥连接反向牵拉缆。将船上反向牵拉缆一端连在绞车上,另一端穿过导向滑轮,与吊装主索具连接,如图 6.44 所示。

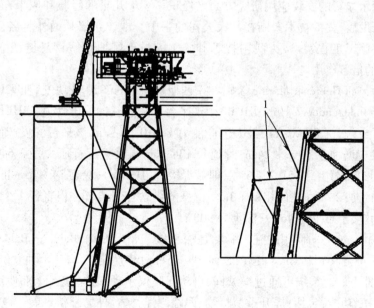

图 6.44 反向牵拉缆连接示意图

1—反向牵拉缆

⑦深水立管支撑结构定位。甲板绞车慢慢收紧,使护管上端靠到定位管卡凹槽上,深水立管支撑结构吸力桩紧靠定位架,可通过牵拉缆调整左右位置。深水立管支撑结构自重入泥后停止下放,切除定位管卡,如图 6.45 所示。

⑧深水立管支撑结构吸力桩贯入。启动深水立管支撑结构上部小平台上的水力压桩机,将吸力桩贯入至设计深度。贯入过程中,实时监测水平度。索具、设备回收,深水立管支撑结构安装完成。

(6)上节立管、护管一体结构安装。

①清理导管架管卡处海生物。用高压水和铲刀配合作业,清除准备安装管卡位置周边的海生物。

②潜水员水下安装管卡。

③安装定向滑轮、绞车等辅助设备。

④安装上节立管、护管一体结构。通过吊装翻身,将上节立管、护管一体结构由水平状态转变至竖直状态,并与下节支撑结构对

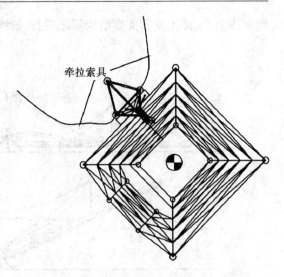

图 6.45　深水立管支撑结构定位示意图

接,上节护管喇叭口放入下节护管喇叭口中,上节立管与下节立管用法兰固定。

⑤管卡合龙就位。将各管卡由上而下一次合拢,并拧紧螺栓。

⑥辅助设备拆除回收,上节立管、护管一体结构安装完成。

6.9.2　深水立管安装实例

国外在深水立管的安装应用研究方面已经积累了十几年的经验和成果,有很多成果至今仍没有公开发表,关键技术垄断在几大公司的手中。本节介绍某国外著名公司深水钢悬链线立管安装施工工程实例,为我国技术和施工人员更好地理解钢悬链线立管的安装操作,提供一定的借鉴作用。

由荷兰承包商 Heerema Marine 公司在密西西比 Canyon 920 区块安装的 20 in 钢悬链线立管用于连接 Independence Hub(IHUB)生产平台和天然气抽输出管道。IHUB 是当今水深最深的海上平台(水深 8 000 ft),最大生产能力 1×10^9 ft[①]/d,该平台的投产使墨西哥湾地区的天然气供应增加了 10%。24 in 管道长 134 mile[②],最大运行压力是 3 640 psi,输量为 1×10^9 ft³/d。该管采用 API 5L X – 65 双埋弧焊接管(DSAW),涂敷 14 ~ 16 mil[③] 的薄膜环氧涂层(FBE)和附加 2 ~ 3 mil 的粗糙 FBE。钢悬链线立管上装有一根直径 1.21 in 不透水的涡流感应振动链,干重址为 460 t,湿重为 900 t。

Ileerema Marine 公司使用的施工船舶是深水施工船(DCV)Balder。Balde 总长 522 ft,宽 371 ft,毛重 48 511 t,其 Class III DPS 使用 9 个推力装置推进,有 7 个独立的启动室,可以产生 350 t 的推力。此系统可通过操纵杆、自动驾驶仪手动操作,或者全部使用动力装置来操作,其具备 DP 功能,包括:提升重型货物、跟踪漂浮物体、外力补偿、铺管等功能。

Balde 有两个重型货物起重机,起重能力 6 300 t,作业半径 110 ft。右舷的起重机包含有两个牵引系统,每个牵引系统都有 19 km 的钢缆,允许 Balder 船在深水中操纵重型机构。

---

① 　1 ft³ = 0. 028 316 8 m³。

② 　1 mile = 1 609. 344 m。

③ 　1 mil ＝25. 4 ×10⁻⁶ m。

2007 年第一季度,Heerema Marine 公司利用 Blade 安装 20 in 的钢悬链线立管,这是目前为止安装的最深的一条管道。此安装作业过程中技术难题主要是:需要将事先铺设的 4 条钢悬链线立管提起来,并将其从 A&R 绞车转移到 Blader 的起重机上,此外还要减小钢悬链线立管头所受的力。

Blader 上用来安装钢悬链线立管的设备有:

(1)具有 DP3 定位的 350 ton 的推进器;

(2)双起重机,最大起吊能力为 3 000 t。

(3)MLD 绞车,提升能力为 310 t。

(4)A&R 绞车,提升能力为 650 t。

钢悬链线立管的安装过程如下。

1. 将钢悬链线立管从海底提升

钢悬链线立管被放到海床上时,提升锁具和浮筒都安装在钢悬链线立管头位置,然后 A&R 绞车将钢悬链线立管从海底提升起来。A&R 绞车系统包括转换绞车、存储绞车、水平卷扬机、补偿滑轮、水平滑轮及其负载针、盲线长度测量装置等。A&R 绞车的钢缆起始于 Blader 左侧的 J 型塔。

Blader 在 IHUB 南侧,对钢悬链线立管进行提升。Balder 移船至钢悬链线立管的提升处,A&R 钢缆及索具下放并连接在浮筒上。在与钢悬链线立管连接后,移动到距离 IHUB 2 200 m 远的位置。在移动的过程中,A&R 钢缆以及立管呈悬链线状态,并且立管头被提升至距离海底 25 m 高的位置。Blader 朝 IHUB 移动,并且回收钢缆,当达到与 IHUB 距离为 40 m 时,立管头在距离水面 532 m 处,并且准备连接横向牵引缆。在此过程中钢悬链线立管的质量有可能超过 A&R 绞车的荷载。

2. 钢悬链线立管在 IHUB 底部横向牵引

使用 Blader 右侧的起重机将横向牵引缆以及起重机反扭转系统下放到水下 532 m 处,并钩住提升索具。当确认使用 ROV 连接好后,A&R 绞车开始下放组绳,使钢悬链线立管从 A&R 绞车转移到横向牵引绞车。对钢悬链线立管进行横向牵引,在水下从 IHUB 的北侧牵引到南侧,当所有的重量都转移到横向牵引缆时,通过操作液压卸扣释放 ROV 上装备的蓄压罐,该过程可使用 ROV 来操作。

当横向牵引后,牵引头在 IHUB 的左侧水深接近 550 m 处。

3. 回收钢悬链线立管

在 IHUB 的北侧,Blade 的左舷面对着 IHUB,以便有足够的空间将 A&R 钢缆连接到钢悬链线立管上,距离约为 30 m。A&R 钢缆下放到立管头处,A&R 钢缆挂钩挂在钢悬链线立管的索具上,一旦连接好,启动 Blader,旋转 90°,与作业线和 A&R 钢缆、J 型塔、托管架成直线位置,在这个过程中,Blader 和 IHUB 的距离为 30 m。

回收 A&R 钢缆,使得钢悬链线立管的重量由横向牵引缆转移到 A&R 钢缆上,当横向牵引线松弛时,ROV 操纵液压卸扣,横向牵引缆向 IHUB 摆动,钢悬链线立管在水下 535 m 处,并且继续下放 70 m 以减小弯曲应变。

4. 将横向牵引缆从 20 in 钢悬链线立管的基座上移除

IHUB 的横向牵引缆被 Blade 右侧的起重机提起,由于有锚链的存在,当 Blader 在合适的距离处时,横向牵引缆才能被移除。

横向牵引缆在起重机上,回收 A&R 钢缆到 135 m 处,移动 Balder 到 450 m 的距离,横向牵引缆重新定位在 Balder 左侧悬挂平台 SHOU-01 上,并将它与 MLD 绞车的信号线相连,卷缠在绞车上,横向牵引缆被缠绕到卷筒上。当移除横向牵引缆后,转换索具连接到左侧起重机的辅助块上,左侧的起重机转过 J 型塔,使用 ROV 对立管头进行定位,并将转换索具连接在立管头上,当确认连接好后,左侧的起重机将旋转到 Blade 的船尾,在旋转过程中,为防止起重机的滑轮侧向压力过大,起重机上的吊索处于松弛状态。并将所有的质量转移到起重机上,解脱 A&R 钢缆。当起重臂在船尾时,释放 A&R 钢缆张力并将所有的质量转移到起重机上。

钢悬链线立管被左侧的起重机提升,直到柔性接头与 Blader 的甲板齐平,在提升的过程中,Blader 移到距离 IHUB 为 625 m 处,起重机旋转到船尾的工作平台 TAF-01 处。

接下来准备安装钢悬链线立管、移除悬挂处的保护装置、移除柔性接头保护盖、移除柔性接头搁置工具、安装牵引缆。

在准备的过程中,钢悬链线立管所有的质量都在 Blader 的左侧的起重机上,在 625 m 处工作是为了防止超过起重机 600 t 滑轮的侧面荷载限制,并且为 Blade 提供足够的操作距离。

5. 安装钢悬链线立管

当所有的准备工作完成后,Balde 起重机旋转 180°,并朝 IHUB 移动,当充分接近时,Balder 右侧的起重机拎起 IHUB 上预先准备好的牵引缆,并将牵引缆移到 TAF-01 上,左侧起重机朝 TAF-01 移动,连接牵引缆,牵引缆从 TAF-01 上释放,起重机回转 180°。

在牵引前,IHUB 在压舱物的作用下相对于 Balde 有 4° 的倾角,这个倾角能保证吊索和 IHUB 的顶部有足够的空间。

下放钢悬链线立管,牵引绞车开始受力,在牵引线着力的过程中,IHUB 向 Balder 移动,通过扇形波速系统来衡量 IHUB 与 Balder 的距离。直到钢悬链线立管的柔性接头在引入座的 3 ft 处时进行牵引,此时右侧的起重机开始下放,柔性接头才能引入座。引导锥安装在座上以便于顺利地引入到座中。

在钢悬链线立管下放过程中,质量从起重机转移到 IHUB 上,为防止拉入时 SCR 应力过大,操作板布置在吊索上来减少牵引荷载。当所有的质量转移到 IHUB 时,操作板开始转动以减小立管头的荷载。当所有的荷载都转移到 IHUB 时,牵引缆在指定的标记位置剪断,牵引缆收回到生产甲板的导向平台上。

解脱浮筒上剩下的吊索,直到安装短管前,浮筒和立管头仍在 SCR 上。

6.10 本章小结

本章对深水立管的铺设安装进行了详细介绍。主要介绍了四种海洋管道铺设方式:S 型铺设(S-Lay)、J 型铺设(J-Lay)、卷筒铺设(Reel-Lay)和拖曳铺设(Tow-Method)。对相关的安装船、适用水深、适用立管形式、铺设能力、优缺点、相关铺设安装设备、铺设安装流程等做了详尽描述。然后对立管铺设安装中需要考虑的因素以及与深水管道铺设安装相关的规范做了介绍。然后以不同的立管类型分类,分别对顶部张紧式立管、混合式立管、钢悬链线立管以及柔性立管的安装流程做了总结和说明。最后以立管安装的实际工程为例,让读者更详尽地了解立管安装过程中的细节问题。

参 考 文 献

[1] 邓德衡.大直径薄壁海底管道铺设研究[D].上海:上海交通大学,2001.

[2] BAKRE, B, MCCLURE L. Reel method speeds lay of pipe-in-pipe[J]. Offshore, 2002, Vol162(8):72-156P.

[3] 梁政.海洋管道"J"型铺设研究[J].中国海上油气(工程).1993,5(1):13-19.

[4] Hecdo Loading History Effects for Deep-Water Slay Of Pipelines[J]. Journal of Offshore Mechanics and Arctic Engineering, 2004, Vol126(2):156-163.

[5] 邢静忠,柳春图,曾晓辉.海底石油管道单点提升分析[J].海洋工程,2002,3(2):19-21.

[6] 王林.深海托管架概念设计要素研究[D].大连:大连理工大学,2008.

[7] 任宪刚.铺管船概念设计稳性分析及仿真[D].哈尔滨:哈尔滨工程大学,2008.

[8] STEPHEN A H. Neil Willis. Steel catenary riser for deepwater environments[C] Hauston: Offshore Technology Conference, 1998.

[9] RUXIN S. Overview of deepwater pipeline and riser technology state-of-the-art and Tendency[A]. Overview of Deepwater Pipelines and Risers technology Worldwide for CNOOC 863, Houston, 2004.

[10] BRIDGE C, HOWELLS H, TOY N, et al. Full scale model tests of a steel catenary riser[A]. In Proc. Int. Conf. on Fluid Structure Interaction, Cadiz, Spain, 2003.

[11] 赵志高,杨建民,王磊,等.动力定位系统发展状况及研究方法[J].海洋工程,2002,24(2):91-97.

[12] Larsen, Carle, Martin. Static and dynamic analysis of offshore pipelines during installation[R]. NTII report No. SK/M35, Nor-wegian Institute of Technology, Trondheim, Norway, 1976.

[13] 梁政.深水开发中的 SCR 立管系统[J].中国造船,2008(4):80-84.

[14] 宋儒鑫.深水开发中的海底管道和海洋立管[J].船舶工业技术经济信息,2003(6):31-42.

[15] 周俊.深水海底管道 S 型铺设形态及施工工艺研究[D].杭州:浙江大学,2008.

[16] 孔维达.FPSO 系统柔性立管的安装施工[J].科技风,2010(3):211-213.

[17] 康庄.深水钢悬链线立管安装设计分析[J].船舶工程,2012,34(S2):191-194.

[18] 孙国民,李庆.深水立管海上安装设计简述[J].中国造船,2002,43(Z1):253-256.

[19] 夏宝莹,梁稷,苗春生.动力定位船立管安装技术[J].中国造船,2009,50(Z1):

[20] 李大全,柯昌雄.深水立管支撑结构与海上安装新技术探讨[J].工业建筑,2013,43(S1):768-771.

[21] 康庄,贾鲁生.塔式集束立管安装方案研究[J].中国海洋平台,2011,26(2):13-17.

第7章 深水立管的静水屈曲压溃

7.1 概 述

在实际工程应用中,由于深水管道系统所处的特殊海洋环境以及海上油气生产的复杂性,管道常常受到联合载荷的作用而发生屈曲及屈曲传播破坏,从而带来巨大的经济损失。

深水立管在海上铺设过程中,海底与铺管作业船之间的管道往往存在着相当长的悬跨段,悬跨段长度不仅与水深有关,而且受环境荷载和铺设施工荷载的影响。悬跨段可能因立管的初始缺陷或铺设过程中造成的局部凹陷或损伤在一定的静水压力作用下而发生屈曲失稳现象。这种屈曲一旦在管道局部形成,将容易因外部静水压力作用而沿着管道出现纵向屈曲迅速传播,造成危害性较大的屈曲传播破坏,将使整个管道变平压溃,令管道的整体结构失效。图7.1展示了深水立管在外部压力下的屈曲破坏。

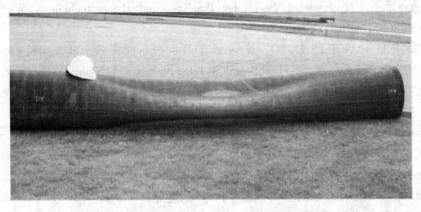

图7.1 管道在外部压力作用下的屈曲破坏

径向屈曲及屈曲传播是深水立管在超高静水压力作用下产生的特有现象。当外部静水压力达到圆管结构径向屈曲的临界压力时,深水立管就可能发生径向屈曲。特别是当深水圆管存在结构缺陷和局部过度弯曲变形时,径向屈曲的临界压力将大大降低。根据发生屈曲时的管截面形式可将圆管结构的径向屈曲分为U形屈曲、双凹屈曲以及扁平化屈曲。理想圆管发生U形屈曲的管截面变化过程如图7.2所示,管道双凹屈曲的变化过程如图7.3所示。

圆管结构发生局部径向屈曲后,如果其内外压差达到了屈曲传播的临界压力,该屈曲模态就会沿长度方向进行扩展使圆管结构发生塌陷,进而导致圆管的整体失效。值得注意的是,圆管结构屈曲传播的临界压力要远低于压溃屈曲的临界压力。屈曲传播可以分为干屈曲传播和湿屈曲传播。干屈曲传播是指在扩展过程中圆管结构没有裂纹产生,而湿屈曲传播则有裂纹产生。一般情况下,径厚比较大的圆管结构会发生干屈曲传播,而径厚比较小的圆管结构则发生湿屈曲传播。发生屈曲传播时,圆管结构管体沿长度方向的变化过程如图7.4所示。

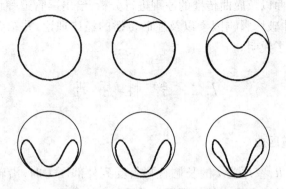

图 7.2　理想圆管 U 形屈曲的管截面变化过程示意图

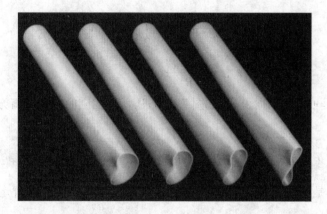

图 7.3　圆管双凹屈曲的变化过程

图 7.4　圆管结构屈曲传播的管体变化过程

　　屈曲传播问题将会严重阻碍立管的正常运行,造成较大的经济损失。在国外,每修复 1 km 的海底管道,需花费大约 150 万美元,因此屈曲传播会给海上石油、天然气的开发带来巨大的经济损失。控制管道的初始屈曲和屈曲传播对于海底立管工程具有十分重要的意义。多年以来,各国专家对屈曲传播问题进行了大量的研究,包括屈曲传播发生的条件、传播的形式、传播的速度及止屈措施等。

本章将对管道屈曲以及屈曲传播的原理进行分析,给出了管道弹性屈曲、塑性屈曲、相应的非线性公式、屈曲破坏影响因素以及屈曲传播的经典理论,并结合相应的工程实例对屈曲强度的校核进行了说明。

7.2 弹 性 屈 曲

7.2.1 理想管道屈曲

假定一根半径为 R,壁厚为 t 的长圆柱形管受到外部压力时,沿轴向均匀弯曲。非线性、小张力、适度旋转的运动产生的外部压力适用于如下方程:

$$\varepsilon_{\theta\theta} = \varepsilon_{\theta\theta}^{\circ} + zk_{\theta\theta} \tag{7-1}$$

其中

$$\begin{cases} \varepsilon_{\theta\theta}^{\circ} = \dfrac{v' + w}{R} + \dfrac{1}{2}\left(\dfrac{v - w'}{R}\right)^2 \\[3mm] k_{\theta\theta} = \dfrac{v' - w''}{R^2} \end{cases} \tag{7-2}$$

这里 v 和 w 是轴向和周向位移,如图 7.5(a)所示。相应的力的平衡方程可以从势能方程中推导出

$$V = \int_0^{2\pi} \frac{1}{2}(N_{\theta\theta}\varepsilon_{\theta\theta}^{\circ} + M_{\theta\theta}k_{\theta\theta})R\mathrm{d}\theta + PR\int_0^{2\pi}\left[w + \frac{1}{2R}(v^2 + w^2 - vw' + v'w)\right]\mathrm{d}\theta \tag{7-3}$$

其中,外部压力 P 是正的。式(7-3)中的力和瞬时强度都习惯做如下规定:

$$\begin{cases} N_{\theta\theta} = \displaystyle\int_{-t/2}^{t/2}\sigma_{\theta\theta}\mathrm{d}z = \dfrac{Et}{(1 - v^2)}\varepsilon_{\theta\theta}^{\circ} \equiv C\varepsilon_{\theta\theta}^{\circ} \\[5mm] M_{\theta\theta} = \displaystyle\int_{-t/2}^{t/2}\sigma_{\theta\theta}z\mathrm{d}z = \dfrac{Et^3}{12(1 - v^2)}k_{\theta\theta} \equiv Ck_{\theta\theta} \end{cases} \tag{7-4}$$

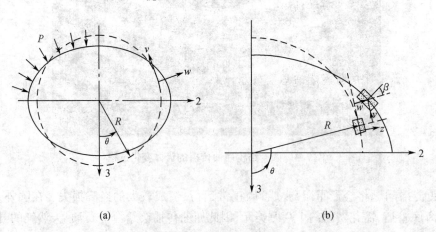

(a)   (b)

图 7.5 管道横剖面变形图

(a)理想管道屈曲横剖面变形整体示意图;(b)理想管道屈曲横剖面变形局剖分析图

利用变限积分,从式(7 - 3)中可推导出如下公式:

$$RN_{\theta\theta} + M'_{\theta\theta} - RN_{\theta\theta}\beta - PR^2\beta = 0$$

$$M''_{\theta\theta} - RN_{\theta\theta} - R(N_{\theta\theta}\beta)' - PR(v' + w) = PR^2 \tag{7 - 5}$$

其中,$\beta = \dfrac{(v - w')}{R}$,是图 7.5(b)中的中部外表面角度变化。

利用屈曲模型和线性化方程(7 - 5)得到了弯曲公式,结果如下:

$$RN'_{\theta\theta} + M'_{\theta\theta} = 0$$

$$M''_{\theta\theta} - RN_{\theta\theta} + PR^2\left(\dfrac{\bar{v}' - \bar{w}''}{R}\right) - PR(\bar{v}' + \bar{w}) = 0 \tag{7 - 6}$$

它的线性化运动学关系是:

$$\begin{cases} \varepsilon_{\theta\theta} = \dfrac{\bar{v}' + \bar{w}}{R} \\[2mm] k_{\theta\theta} = \dfrac{\bar{v}' - \bar{w}''}{R^2} \end{cases} \tag{7 - 7}$$

如下弯曲模型满足式(7 - 6)和式(7 - 7),而且具有周期性:

$$\begin{cases} \bar{w} = a\cos n\theta \\ \bar{v} = b\sin n\theta \end{cases} \tag{7 - 8}$$

将式(7 - 8)代入式(7 - 6)和式(7 - 7)的结果中,得到

$$\begin{bmatrix} n(1 + \rho n^2) & n^2(1 + \rho) \\ (1 + \rho n^4) - \gamma(n^2 - 1) & n(1 + \rho n^2) \end{bmatrix}\begin{Bmatrix} a \\ b \end{Bmatrix} = 0 \tag{7 - 9}$$

其中,$\rho = \dfrac{D}{CR^2} = \dfrac{1}{12}\left(\dfrac{t}{R}\right)^2$,$\gamma = \dfrac{PR(1 - v^2)}{Et}$。

矩阵 **b** 为 0 才能具有非平凡解,其特征值数列为

$$P_n = \dfrac{(n^2 - 1)}{12(1 + \rho)}\dfrac{E}{(1 - v^2)}\left(\dfrac{t}{R}\right)^3, \quad n = 2,3,\cdots \tag{7 - 10}$$

由于 R/t 很大的管道的 ρ 远小于 1,所以它经常被忽略。椭圆形时特征值最小,$n = 2$。然后,得出临界屈曲压力公式如下:

$$P_C = \dfrac{E}{4(1 - v^2)}\left(\dfrac{t}{R}\right)^3 = \dfrac{2E}{(1 - v^2)}\left(\dfrac{t}{D_o}\right)^3 \quad D_o = 2R \tag{7 - 11}$$

7.2.2　含缺陷的管道屈曲

现在考虑一个管道具有由 $(\bar{v}, \bar{w})$ 定义的轴向几何变形,线性化的弯曲方程变为

$$\begin{cases} RN'_{\theta\theta} + M'_{\theta\theta} = 0 \\ M''_{\theta\theta} - RN_{\theta\theta} + PR^2\left(\dfrac{v' - w''}{R} - \dfrac{\bar{v}' - \bar{w}''}{R}\right) - PR(v' + w - \bar{v}' - \bar{w}) = 0 \end{cases} \tag{7 - 12}$$

(在

$$\begin{cases} \varepsilon_{\theta\theta} = \dfrac{v' + w}{R} \\[2mm] k_{\theta\theta} = \dfrac{v' - w''}{R^2} \end{cases} \tag{7 - 13}$$

的情况下)。

v 和 w 由圆周的几何参数得到,我们假定为第一种变形模式(均匀椭圆),所以有:

$$\bar{w} = -a\cos 2\theta \qquad \bar{v} = \frac{a}{2}\sin 2\theta \tag{7-14}$$

通过观察,结果为

$$w = A\cos 2\theta \qquad v = B\sin 2\theta \tag{7-15}$$

其中,A 和 B 由下列方程求得:

$$\begin{bmatrix} 2(1+4\rho) & 4(1+\rho) \\ (1+16\rho)-3\gamma & 2(1+4\rho) \end{bmatrix} \begin{Bmatrix} A \\ B \end{Bmatrix} = \begin{Bmatrix} 0 \\ -3a\gamma \end{Bmatrix} \tag{7-16}$$

得到的解为

$$w = \frac{-aP}{P_C - P}\cos 2\theta \qquad v = \frac{aP}{2(P_C - P)}\sin 2\theta \tag{7-17}$$

其中,ρ 远小于 1 时,将其忽略。随着压力增加,管的椭圆度也不断增加,在临界压力处变得异常。椭圆度不断增加,在椭圆上的弯曲应力也将增加,材料最终发生屈曲。

Timoshenko 认为应该把开始屈曲的状态作为破坏应力的保守上限来考虑。在壳体压力以及弯曲压力达到屈曲应力时管开始产生屈曲。力和力矩为

$$M_{\theta\theta} = \frac{D}{R^2}(v' - w'') = \frac{-E}{4(1-v^2)}\left(\frac{t}{R}\right)^3 \frac{RaP}{(P_C - P)}\cos 2\theta \qquad N_{\theta\theta} \cong -PR$$

因此,第一次屈曲条件为

$$\sigma_0 = \left|\frac{N_{\theta\theta}}{t}\right| + \left|\frac{M_{\theta\theta\max}}{t^2}\right| = \frac{PR}{t} + \frac{6ARPP_C}{(P_C - P)t^2} \tag{7-18}$$

如果将开始屈曲和破坏联系在一起,那么式(7-18)等价于

$$P_{CO}^2 - (P_0 + \psi P_C)P_{CO} + P_0 P_C = 0 \tag{7-19}$$

其中,P_0 是屈曲压力,且

$$P_0 = \frac{\sigma_0 t}{R} = \frac{2\sigma_0 t}{D_0} \tag{7-20}$$

$$\psi = \left(1 + 3\Delta_0 \frac{D_0}{t}\right)$$

式(7-19)的解为

$$P_{CO} = \frac{1}{2}\left\{(P_0 + \psi P_C) - \left[(P_0 + \psi P_C)^2 - 4P_0 P_C\right]^{1/2}\right\} \tag{7-21}$$

这个结果等价于 Timshenkio 对环形动力学的推导结果。例如,应用弹塑性材料的线弹性分析方法,可得缺陷管的临界压力和位移的相应曲线,如图 7.6 所示。

在实际工程中,出现最多且影响最大的形状缺陷是圆管截面的椭圆度,椭圆度定义为

$$\beta = \frac{D_{\max} - D_{\min}}{2(D + t)} \tag{7-22}$$

其中,$D_{\max}$ 指管截面可能的最大外径;$D_{\min}$ 指圆管截面可能的最小外径。

大量研究表明,具有摘圆度的圆柱壳失稳时的临界屈曲压力明显下降。当椭圆管的外部压力达到某一值时,在椭圆长轴和短轴的四个端点处,就会因膜应力和环向弯曲应力的联合作用产生塑性铰,使圆管处于失稳状态。Timoshenko 基于上述公式给出了具有椭圆度圆管的临界失稳公式为

$$P_{cr}^2 - \left[\frac{2t\sigma_y}{D} + \left(1 + \frac{3D\beta}{t}\right)P_C\right]P_{cr} + \frac{2t\sigma_y}{D} - P_0 = 0 \tag{7-23}$$

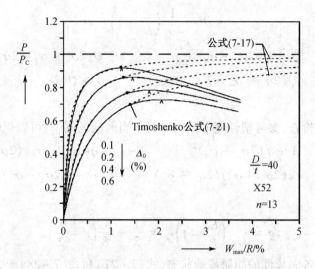

图 7.6 不同的幅值下的最大变形响应和压力关系

值得注意的是,它是取椭圆端点的管壁边缘出现屈服时(尚未出现塑性铰)的外压为临界压力,因此该计算结果偏于保守。在实际工程应用中,大多数管道除含有几何缺陷以外,还存在体积缺陷,即腐烛造成的损伤。对于这类问题,工程界一般将其分为两种情况进行处理:一种是整体腐蚀的情况下,按照整体壁厚减薄来处理;另一种是局部腐蚀的情况下,按照局部凹陷来处理。这两种方法的基本思路都是将体积缺陷转化为几何缺陷对管的径向屈曲问题进行分析和研究。

7.3 塑 性 屈 曲

塑性屈曲方程在力和力矩关系上与弹性屈曲是相似的,现在表示为如下形式:

$$R\dot{N}_{\theta\theta}' + \dot{M}_{\theta\theta}' = 0$$

$$\dot{M}_{\theta\theta}'' - R\dot{N}_{\theta\theta}' + PR^2\left(\frac{\bar{v}' - \bar{w}'}{R}\right) - PR\bar{v}' - \bar{w} = 0 \tag{7-24}$$

其塑性动力学关系为

$$\dot{\bar{\varepsilon}} = \dot{\bar{\varepsilon}}^0 + z\dot{k} = \begin{Bmatrix} \hat{\dot{\varepsilon}}_{xx}^0 \\ \hat{\dot{\varepsilon}}_{\theta\theta}^0 \end{Bmatrix} + z\begin{Bmatrix} \dot{k}_{xx} \\ \dot{k}_{\theta\theta} \end{Bmatrix} \tag{7-25}$$

其中

$$\begin{cases} \dot{k}_{xx} = 0 \\ \dot{\bar{\varepsilon}}_{\theta\theta}^0 = \dfrac{\bar{v}' + \bar{w}}{R} \\ \dot{k}_{\theta\theta} = \dfrac{\bar{v}' - \bar{w}''}{R^2} \end{cases} \tag{7-26}$$

关于本构方程,当预弯曲平衡状态计算中包含非线性的压力曲线时,各项同性的 J2 流理论是最恰当的。

$$Q = \frac{1}{4\sigma_e^2}\left(\frac{E}{E_t} - 1\right)$$

$$\begin{Bmatrix} \hat{\varepsilon}_X \\ \hat{\varepsilon}_\theta \end{Bmatrix} = \frac{1}{E}\begin{bmatrix} 1 + Q(2\sigma_x - \sigma_\theta)^2 & -v + Q(2\sigma_x - \sigma_\theta)(2\sigma_\theta - \sigma_x) \\ -v + Q(2\sigma_x - \sigma_\theta)(2\sigma_\theta - \sigma_x) & 1 + Q(2\sigma_\theta - \sigma_x)^2 \end{bmatrix}\begin{Bmatrix} \hat{\sigma}_X \\ \hat{\sigma}_\theta \end{Bmatrix}$$

$$(7-27)$$

对于分歧点的检查,参考塑性变形理论。对于当前问题而言,可以化简为

$$\begin{Bmatrix} \hat{\varepsilon}_X \\ \hat{\varepsilon}_\theta \end{Bmatrix} = \frac{1}{E_s}\begin{bmatrix} 1 + q(2\sigma_x - \sigma_\theta)^2 & -v_\varepsilon + q(2\sigma_x - \sigma_\theta)(2\sigma_\theta - \sigma_x) \\ -v_\varepsilon + q(2\sigma_x - \sigma_\theta)(2\sigma_\theta - \sigma_x) & 1 + q(2\sigma_\theta - \sigma_x)^2 \end{bmatrix}\begin{Bmatrix} \hat{\sigma}_X \\ \hat{\sigma}_\theta \end{Bmatrix}$$

$$(7-28)$$

$$q = \frac{1}{4\sigma_e^2}\left(\frac{E_S}{E_t} - 1\right) v_\varepsilon = \frac{1}{2} + \frac{E_S}{E}\left(v - \frac{1}{2}\right)$$

如果材料处于各向异性的屈服疲劳状态,式(7-27)和式(7-28)变为

$$\hat{\sigma} = C_d\hat{\varepsilon}$$

$$\begin{Bmatrix} \hat{\sigma}_X \\ \hat{\sigma}_\theta \end{Bmatrix} = \begin{bmatrix} C_{11} & C_{12} \\ C_{12} & C_{22} \end{bmatrix}\begin{Bmatrix} \hat{\varepsilon}_X \\ \hat{\varepsilon}_\theta \end{Bmatrix}$$

$$(7-29)$$

增加的力和弯矩变为

$$\begin{cases} \dot{N} = \int_{-t/2}^{t/2} \hat{\sigma}\,\mathrm{d}z = tC\hat{\varepsilon}^0 \\ \dot{M} = \int_{-t/2}^{t/2} \hat{\sigma}z\,\mathrm{d}z = \frac{t^3}{12}C\dot{k} \end{cases}$$

$$(7-30)$$

式(7-3)的屈曲公式可以利用式(7-26)和式(7-30)表示为与位移有关的形式。不难看出,接下来的屈曲模型满足微分方程和相应的周期条件。

$$\begin{cases} \bar{w} = a\cos n\theta \\ \bar{v} = b\sin n\theta \end{cases}$$

$$(7-31)$$

现在考虑三种边界条件的长立管,如图7.7所示。

7.3.1 横向压力

如果管道在轴向无约束[横向压力,图7.7(a)]情况下,初始屈曲状态如下:

$$\begin{cases} N_{xx0} = 0 \quad N_{\theta\theta0} = -PR \\ \sigma_\varepsilon = \frac{PR}{t} \end{cases}$$

$$(7-32)$$

对于此均匀载荷,分歧点的本构方程矩阵(7-28)化简为

$$\boldsymbol{D}_d = \frac{1}{E_t}\begin{bmatrix} \frac{1}{4}\left(1 + 3\frac{E_t}{E_S}\right) & -v_t \\ -v_t & 1 \end{bmatrix} v_t = \frac{1}{2} + \frac{E_t}{E}\left(v - \frac{1}{2}\right)$$

$$(7-33)$$

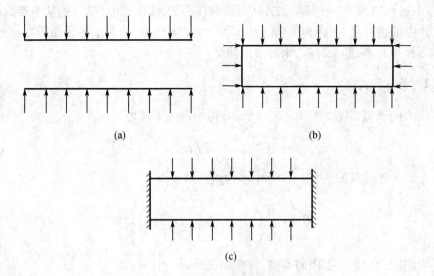

图 7.7　三种边界条件的管道

（a）侧向压力；（b）静水压力；（c）平面应变增压

在分歧点处令 N_{xx} 为 0，则有 $\dot{N}_{\theta\theta} = C_{22}\Omega\hat{\varepsilon}^0_{\theta\theta}$，$\dot{M}_{\theta\theta} = \dfrac{t^3}{12}C_{22}\dot{k}_{\theta\theta}$。其中

$$\Omega = \left(1 - \frac{C_{12}^2}{C_{11}C_{22}}\right) \tag{7-34}$$

将式（7-31）和式（7-34）带入式（7-3）的结果中，得到如下特征值方程：

$$\begin{cases} \begin{bmatrix} n(\Omega + \rho n^2) & n^2(\Omega + \rho) \\ (\Omega + \rho n^4) - \gamma(n^2 - 1) & n(\Omega + \rho n^2) \end{bmatrix} \begin{Bmatrix} a \\ b \end{Bmatrix} = 0 \\ \rho = \dfrac{1}{12}\left(\dfrac{t}{R}\right)^2 \gamma = \dfrac{PR}{C_{22}t} \end{cases} \tag{7-35}$$

对于式（7-35）的非平凡解，得出屈曲应力如下：

$$P_n = \frac{(n^2 - 1)}{12}\frac{C_{22}}{\left[1 + \dfrac{1}{12\Omega}\left(\dfrac{t}{R}\right)^2\right]}\left(\frac{t}{R}\right)^3, \ n = 2,3,\cdots \tag{7-36}$$

当 $n = 2$ 时临界屈曲压力为

$$P_C = \frac{1}{4}\frac{C_{22}}{\left[1 + \dfrac{1}{12\Omega}\left(\dfrac{t}{R}\right)^2\right]}\left(\frac{t}{R}\right)^3 \tag{7-37}$$

利用式（7-31）和式（7-32）得出

$$\begin{cases} C_{22} = \dfrac{E_t}{\Omega} \\ \Omega = 1 - \dfrac{4v_t^2}{\left(1 + 3\dfrac{E_t}{E_s}\right)} \end{cases} \tag{7-38}$$

式（7-37）方括号内的二阶项远小于 1 时可以被忽略。对于一个线性弹性材料，相应方程可以化简为公式（7-11）的结果。式（7-37）的基本参数取决于压力，因此临界屈曲压

力 P_C 可以由迭代得到。一种简单的方法是提高压力 P，估计式(7-28)的基本参数，得到式(7-37)中 P_C 的估计值，然后和所选的 P 比较。当 $P = P_C$ 时，得到临界屈曲压力。可以利用稳定的数值模拟技术，如二分法，来解决该问题。

7.3.2 静水压力

静水压力的表现情况如图7-7(b)所示，初始弯曲条件为

$$N_{xx0} = -\frac{PR}{2} \quad N_{\theta\theta0} = -PR \quad \sigma_\varepsilon = \frac{\sqrt{3}}{2}\left(\frac{PR}{t}\right) \tag{7-39}$$

这也是一个均匀压载状态，式(7-28)中本构矩阵形式为

$$\boldsymbol{D}_d = \frac{1}{E_S}\begin{bmatrix} 1 & -v_S \\ -v_S & \frac{1}{4}\left(1 + 3\frac{E_t}{E_S}\right) \end{bmatrix} \tag{7-40}$$

临界弯曲应力计算和上面的类似，得到相同形式的结果：

$$C_{22} = \frac{E_S}{\frac{1}{4}\left(1 + 3\frac{E_t}{E_S}\right)}\Omega = 1 - \frac{4v_S^2}{\left(1 + 3\frac{E_t}{E_S}\right)} \tag{7-41}$$

7.3.3 无轴向应变的压力

在图7-7(c)中的情况下，初始弯曲条件为

$$\begin{cases} N_{\theta\theta0} = -PR \\ \varepsilon_x = 0 \end{cases} \tag{7-42}$$

这种情况的压力状态是不均匀的。利用式(7-42)可以从式(7-27)中得到初始屈曲应力和应变的关系。临界屈曲压力为

$$P_C = \frac{1}{4}\frac{C_{22}}{\left[1 + \frac{1}{12}\left(\frac{t}{R}\right)^2\right]}\left(\frac{t}{R}\right)^3 \tag{7-43}$$

其中，C_{22} 可以通过把由流动理论计算得到的初始屈曲应力代入式(7-28)中计算得到。在线性弹性情况下，$C_{22} = E/(1-v^2)$。

静水压载是长管线安装与作业中需要重点考虑的因素，在设计中也需要重点去考虑分析。在压溃试验中，静水压载也常常是不可或缺的。图7.8展示了不同 D/t 的 X52 型管分歧点的压力值。从图中我们可以看到，当 D/t 很小时分歧点对应着相对比较小的应变值，也就是说曲线的斜率比较大。

相同材料的管道分歧点压力随 D/t 的变化曲线如图7.9所示，其中包含了弹性与弹-塑性的比较。这两种情况的曲线在 D/t 约为35的时候开始重合，当 D/t 小于35时，弹性曲线

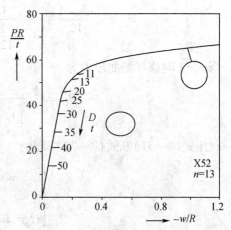

图7.8 不同 D/t 的 X52 管分歧点压力曲线

要比弹－塑性曲线下降速度更快。同时,由图可知弹性临界压力要比材料的正常屈服压力高一些。

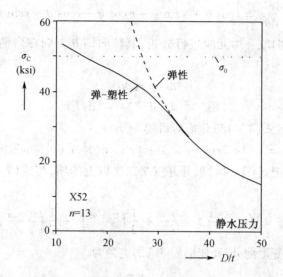

图 7.9 弹性与弹－塑性材料的分歧点压力与 D/t 的关系曲线

7.4 非线性理论

弹性与塑性弯曲仅仅在初始弯曲时是比较稳定的,可以满足轴向均匀弯曲的假设条件。随着弯曲加大,上述问题变成了非线性的问题,需要对非线性公式进行分析。对于大径厚比情况,立管在小变形的弹性阶段发生屈曲失稳,此时的几何变形和材料本构皆为线性关系。然而,对于小径厚比情况而言,发生屈曲失稳时几何变形和材料本构皆可能处于非线性阶段。对于存在初始缺陷的情况,由于径厚比的耦合影响,管道的屈曲失稳表现为更明显的非线性特征。本节将给出管道屈曲的非线性公式。

7.4.1 运动学方程

1. 环向应变的推导

假设一个半径为 R,壁厚为 t 的立管受到均匀的外部载荷,管线的横截面允许有微小的初始几何缺陷。

首先说明各个变量所代表的意义:$\bar{w}$ 与 $\bar{v}$ 定义为管道截面任意一点在径向和圆周环向的位移;w 表示平均半径上的点在径向方向的位移;v 表示这一点在环向方向上的位移,也就是说当 z 等于零时,$\bar{w}$ 等于 w,$\bar{v}$ 等于 v。为了便于环向应变的推导,可以把极坐标改成直角坐标,(x,y) 表示变形前的坐标,(x^*,y^*) 表示变形后的坐标,则有

$$\begin{cases} x = r\cos\theta \\ y = r\sin\theta \end{cases} \tag{7-44}$$

$$\begin{cases} x^* = r\cos\theta + \bar{w}\cos\theta - \bar{v}\sin\theta \\ y^* = r\sin\theta + \bar{w}\sin\theta + \bar{v}\cos\theta \end{cases} \tag{7-45}$$

将式(7-45)关于 θ 求导,可以得到

$$\begin{cases} \dfrac{\mathrm{d}x^*}{\mathrm{d}\theta} = -r\cos\theta + \bar{w}\cos\theta - \bar{w}\sin\theta - \bar{v}\sin\theta - \bar{v}\cos\theta \\[3mm] \dfrac{\mathrm{d}y^*}{\mathrm{d}\theta} = r\cos\theta + \bar{w}\sin\theta - \bar{w}\cos\theta - \bar{v}\cos\theta - \bar{v}\sin\theta \end{cases} \tag{7-46}$$

沿管道截面上环向取一微元段进行分析,其环向即 θ 方向在弯曲作用前的长度为 $\mathrm{d}s$, 变形后长度为 $\mathrm{d}s^*$。

$$\mathrm{d}s = r(\mathrm{d}\theta) \tag{7-47}$$

$$(\mathrm{d}s^*)^2 = (\mathrm{d}x^*)^2 + (\mathrm{d}y^*)^2 \tag{7-48}$$

把式(7-46)代入式(7-48)化简后可得

$$(\mathrm{d}s^*)^2 = [r^2 + 2r(\bar{v}' + \bar{w}') + (\bar{v}' + \bar{w}')^2 + (\bar{v}' - \bar{w}')^2](\mathrm{d}\theta)^2 \tag{7-49}$$

利用泰勒展开式把式(7-49)展开并省略二次以上的项,与式(7-47)结合可计算出 θ 方向的应变为

$$\varepsilon_\theta = \frac{\mathrm{d}s^* - \mathrm{d}s}{\mathrm{d}s} \cong \frac{\bar{v} + \bar{w}}{r} + \frac{1}{2}\left(\frac{\bar{v} + \bar{w}}{r}\right)^2 + \frac{1}{2}\left(\frac{\bar{v} - \bar{w}}{r}\right)^2 \tag{7-50}$$

由图 7.10 可知,变形前 $\mathrm{d}s$ 和变形后 $\mathrm{d}s^*$ 的夹角为

$$\beta = \frac{\bar{v} - \bar{w}}{r} \tag{7-51}$$

其中,β 以逆时针方向为正。β 角由两个方向的分量所组成,首先令 $\bar{w}$ 等于零,则 $\mathrm{d}s^*$ 会向逆时针方向转一个角度 $(\bar{v} - \bar{w})/r$;然后令 $\bar{v}$ 等于零,则 $\mathrm{d}s^*$ 会向逆时针方向转一个角度 $\mathrm{d}\bar{w}/\mathrm{d}s$; 将两个方向的角度相加,即可得到 β 的值。

为了计算上的方便,将管壁上每一点的位移都用平均半径上的位移来表示,由图 7.11 得到式(7-52)

$$\begin{cases} \bar{w} = w + z(\cos\beta - 1) \\ \bar{v} = v + z\cos\beta \end{cases} \tag{7-52}$$

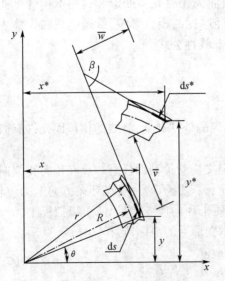

图 7.10 截面上任一环向微元段
节点位移关系

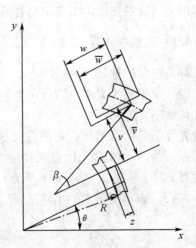

图 7.11 截面上任一径向微元段
节点位移关系

其中,$\beta = (v - w')/r$;$z = r - R$。

将式(7 - 52)代入式(7 - 50)可以得到

$$\varepsilon_\theta = (\varepsilon_{\theta\theta}^0 + z k_{\theta\theta} - \bar{\varepsilon}_\theta) \tag{7 - 53}$$

其中,$\bar{\varepsilon}_\theta$ 是初始缺陷的弯曲应变,可以表示为关于薄壁位移的结果

$$\varepsilon_{\theta\theta}^0 = \left(\frac{v' + w}{R}\right) + \frac{1}{2}\left(\frac{v' + w}{R}\right)^2 + \frac{1}{2}\left(\frac{v - w'}{R}\right)^2 \tag{7 - 54}$$

局部曲率为

$$k_{\theta\theta} = \frac{\dfrac{v' - w''}{R^2}}{\sqrt{1 - \left(\dfrac{v - w'}{R}\right)^2}} \tag{7 - 55}$$

7.4.2 材料本构关系

深海立管一般以碳锰钢为主要材料,其具有明显的屈服点和塑性变形能力,选择合理的本构关系来描述管道材料的应力应变关系对于非线性屈曲问题至关重要。

根据弹塑性力学的增量理论,在塑性状态的加载过程中,应变的增量由弹性部分和塑性部分构成

$$\mathrm{d}\varepsilon_{ij} = \mathrm{d}\varepsilon_{ij}^e + \mathrm{d}\varepsilon_{ij}^p \tag{7 - 56}$$

弹性应变增量可以通过虎克定律求得

$$\mathrm{d}\varepsilon_{ij}^e = \frac{1}{E}\left[(1 + v)\mathrm{d}\sigma_{ij} - v\mathrm{d}\sigma_{kk}\delta_{ij}\right] \tag{7 - 57}$$

塑性应变增量根据流动法则可得

$$\mathrm{d}\varepsilon_{ij}^p = \frac{1}{H}\left(\frac{\partial f}{\partial \sigma_{mn}}\mathrm{d}\sigma_{mn}\right)\frac{\partial f}{\partial \sigma_{ij}} \tag{7 - 58}$$

其中,H 可以通过单轴实验来得到,$H = 2\mathrm{d}\sigma/3\mathrm{d}\varepsilon^p$;$f$ 为屈服函数。对于材料发生等向强化的情况,有

$$f(\sigma) = (\sigma_x^2 - \sigma_x\sigma_\theta + \sigma_\theta^2 + 3\sigma_{x\theta}^2)^{1/2} = \sigma_{emax} \tag{7 - 59}$$

通常采用 Ramberg - Osgood 模型来描述应力 – 应变关系(图 7.12),可表示为

$$\varepsilon = \frac{\sigma}{E}\left(1 + \frac{3}{7}\left|\frac{\sigma}{\sigma_y}\right|^{n-1}\right) \tag{7 - 60}$$

其中,E 为杨氏弹性模量;σ_y 为屈服应力;n 为无量纲参数。

采用 J2 塑性流动等向强化理论能够很好地模拟钢材的塑性变形性能。对于海底管道而言,即使在 3 000 m 水深,由外部静水压力产生的管道径向应力约为 30 MPa,相比轴向应力和环向应力小很多,对等效应力贡献很小。同样根据深海油气管道铺设时管道截面的受力特性,剪切应力 $\sigma_{x\theta}$ 与环向应力和轴向应力相比,也非常小。因此,可以忽略管道的径向应力和剪切应力的影响,简化为平面应力的情况,增量形式的本构关系可表示为

$$\begin{Bmatrix} \hat{\varepsilon}_X \\ \hat{\varepsilon}_\theta \end{Bmatrix} = \frac{1}{E_\varepsilon}\begin{bmatrix} 1 + Q(2\sigma_x - \sigma_\theta)^2 & -v + Q(2\sigma_x - \sigma_\theta)(2\sigma_\theta - \sigma_x) \\ -v + Q(2\sigma_x - \sigma_\theta)(2\sigma_\theta - \sigma_x) & 1 + Q(2\sigma_\theta - \sigma_x)^2 \end{bmatrix}\begin{Bmatrix} \hat{\sigma}_X \\ \hat{\sigma}_\theta \end{Bmatrix}$$

$$\tag{7 - 61}$$

其中,

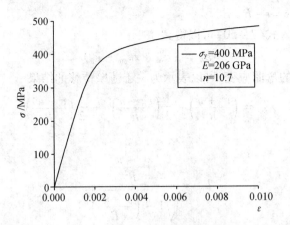

图 7.12   Ramberg – Osgood 模型应力应变关系曲线

$$Q = \begin{cases} 0 & \sigma_e < \sigma_{emax} \\ \dfrac{1}{4\sigma_e^2}\Big(\dfrac{E}{E_t} - 1\Big) & \sigma_e \geqslant \sigma_{emax} \end{cases} \qquad (7-62)$$

$\hat{\sigma}$ 表示 σ 的增量;υ 为钢材的泊松比;$E_t = E_t(\sigma_e)$,为材料的切线模量,且有

$$\frac{1}{E_t} = \frac{1}{E}\Big[1 + \frac{3}{7}n\Big(\frac{\sigma_e}{\sigma_y}\Big)^{n-1} \Big] \qquad (7-63)$$

7.4.3   虚功原理

由虚功原理可知,管道在任意加载时刻都满足以下用增量形式表示的平衡状态方程

$$R\int_0^{2\pi}\int_{-t/2}^{t/2} (\hat{\sigma}_x\delta\hat{\varepsilon}_x + \hat{\sigma}_\theta\delta\hat{\varepsilon}_\theta)\Big(1 + \frac{z}{R}\Big)\mathrm{d}z\mathrm{d}\theta = \delta\dot{W}_e \qquad (7-64)$$

其中,($\overset{\cdot}{_\circ}$)表示变量增量,且($\hat{_\circ}$)$\equiv$($\overset{\cdot}{_\circ}t\overset{\cdot}{_\circ}$)。等式左边为内力所做的虚功增量,右边为外力所做的虚功增量。由非线性环理论可以得到

$$\delta\hat{\varepsilon}_x = \delta\hat{\varepsilon}_x^0 + (\delta\hat{w}\cos\theta - \delta\hat{v}\sin\theta)\hat{k}$$
$$\delta\hat{\varepsilon}_\theta = \delta\hat{\varepsilon}_\theta^0 + z\delta\dot{k}_\theta \qquad (7-65)$$

其中,

$$\hat{k} = k + \dot{k} \qquad (7-66)$$

$$\begin{cases} \delta\hat{\varepsilon}_x^0 = \dfrac{1}{R^2}\big\{ \big[R + (\hat{v}' + \hat{w})\big](\delta\hat{v}' + \delta\hat{w}) + (\hat{v} - \hat{w}')(\delta\hat{v} + \delta\hat{w}') \big\} \\[3mm] \delta\dot{k}_\theta = \dfrac{1}{R^2}\Big\{ \dfrac{(\delta\dot{v}' - \delta\dot{w}'')\big[1 - (\hat{v} - \hat{w}')^2/R^2 \big] + (\hat{v}' - \hat{w}'')(\hat{v} - \hat{w}')(\delta\dot{v} - \delta\dot{w}')/R^2}{\big[1 - (\hat{v} - \hat{w}')^2/R^2 \big]^{\frac{3}{2}}} \Big\} \end{cases}$$
$$(7-67)$$

在纯弯曲作用时,由于曲率 k 在加载过程中预先定义,所以外力所做的虚功增量为 $\delta\dot{W} = 0$。单独外部静水压力作用时,对于每一加载步,外压所做的虚功增量为

$$\delta\dot{W}_e = -\hat{P}_R\int_{-t/2}^{t/2}\Big[\delta\dot{w} + \frac{1}{2R}(2\hat{w}\delta\dot{w} + 2\hat{v}\delta\dot{v} + \hat{w}\delta\dot{v}' + \hat{v}'\delta\dot{w} + \hat{v}\delta\dot{w}' - \hat{w}'\delta\dot{v}) \Big]\mathrm{d}\theta \qquad (7-68)$$

单独轴向拉力作用时,每一加载步单位管道长度内所做的虚功增量为

$$\delta \hat{W} = \hat{T} \delta \dot{\varepsilon}_x^0 \qquad (7-69)$$

将式(7-65)、式(7-66)、式(7-67)代入虚功方程(7-64),可以得到

$$\int_0^\pi \int_{-t/2}^{t/2} (\hat{\sigma}_x \delta \dot{\varepsilon}_x^0 + A\delta \dot{v} + B\delta \dot{w} + C\delta \dot{v}' + D\delta \dot{w}' + E\delta \dot{w}'') \mathrm{d}z \mathrm{d}\theta = \delta \hat{W} \qquad (7-70)$$

其中,

$$\begin{cases} A = -\hat{\sigma}_x \hat{k} \sin\theta + \hat{\sigma}_\theta \left\{ \left(\dfrac{\hat{v} - \hat{w}'}{R} \right) + \dfrac{z}{R^2} \left(\dfrac{(\hat{v}' - \hat{w}'')(\hat{v} - \hat{w}')/R^2}{[1 - (\hat{v} - \hat{w}')^2/R^2]^{\frac{3}{2}}} \right) \right\} \\[3mm] B = \hat{\sigma}_x \hat{k} \cos\theta + \hat{\sigma}_\theta \left(\dfrac{R + \hat{v}' + \hat{w}}{R^2} \right) \\[3mm] C = \hat{\sigma}_\theta \left\{ \left(\dfrac{R + \hat{v}' + \hat{w}}{R^2} \right) + \dfrac{z}{R^2} \left(\dfrac{1}{[1 - (\hat{v} - \hat{w}')^2/R^2]^{\frac{1}{2}}} \right) \right\} \\[3mm] D = \hat{\sigma}_\theta \left\{ \left(-\dfrac{\hat{v} - \hat{w}'}{R} \right) + \dfrac{z}{R^2} \left(\dfrac{(\hat{v}' - \hat{w}'')(\hat{v} - \hat{w}')/R^2}{[1 - (\hat{v} - \hat{w}')^2/R^2]^{\frac{3}{2}}} \right) \right\} \\[3mm] E = -\hat{\sigma}_\theta \left\{ \dfrac{z}{R^2} \left(\dfrac{1}{[1 - (\hat{v} - \hat{w}')^2/R^2]^{\frac{1}{2}}} \right) \right\} \end{cases} \qquad (7-71)$$

管道在弯曲和其他荷载共同作用下存在极值型屈曲和分枝型屈曲两种失稳形态。管道发生分枝型屈曲的破坏特征为受压区发生褶皱和折痕,而极值型屈曲破坏的特征表现为管道截面的椭圆化变形。大量实验和相关研究表明,对于径厚比小于35的管道发生的屈曲一般为极值型屈曲,因此深水油气管道屈曲时截面的变形呈椭圆状。假定管道变形对称于$\theta = 0$的轴线,管道环向位移v和径向位移w都是θ的函数,可以用三角级数来近似表示为

$$\begin{cases} w \cong R \left[a_0 + \displaystyle\sum_{n=1}^N (a_n \cos n\theta + b_n \sin n\theta) \right] \\[3mm] v \cong R \displaystyle\sum_{n=2}^N (c_n \cos n\theta + d_n \sin n\theta) \end{cases} \qquad (7-72)$$

采用三角级数描述管道截面的位移变化对公式推导以及数值计算都具有较好的适用性。将上述位移函数代入应变表达式,计算出应变增量,然后根据本构关系可以得到应力增量,由每一加载步的平衡状态方程可以得到对于任意的 $\{\delta \dot{a}_0, \delta \dot{a}_1, \cdots, \delta \dot{a}_N, \delta \dot{b}_3, \cdots, \delta \dot{b}_N, \delta \dot{\varepsilon}_x^0\}$ 有 $2N+1$ 个关于 $\{\dot{a}_0, \dot{a}_1, \cdots, \dot{a}_N, \dot{b}_2, \dot{b}_3, \cdots, \dot{b}_N, \dot{\varepsilon}_x^0\}$ 的非线性代数方程。

7.5　立管压溃的影响因素

用于油气运输的深海立管承受着自重、外部静水压力、管道内外温度差异引起的热膨胀力、覆盖物及海床作用力等诸多载荷。在设计时,选择壁厚较大的管道可以增强其抵抗屈曲的能力,但是会造成立管自重增加,也加大了管道安装维护的技术难度和开支。目前立管屈曲研究还处于探索阶段,迫切需要试验手段来验证和优化当前的理论。

7.5.1　压溃试验

对于立管压溃试验,最常见的方法是封闭管道两端,并把样品放入压力器内,如图7.13

所示(加载静水压力)。深海压力舱主要由舱体机构、试验保障系统、试验测量系统组成,舱体机构由压力舱前端盖、尾部密封端、舱内输送管件滑车和导轨、轴向力加载油压机、舱体测试连接开孔等组成。目前多数的试验研究报告中的压溃试验都是以这种方式进行的。

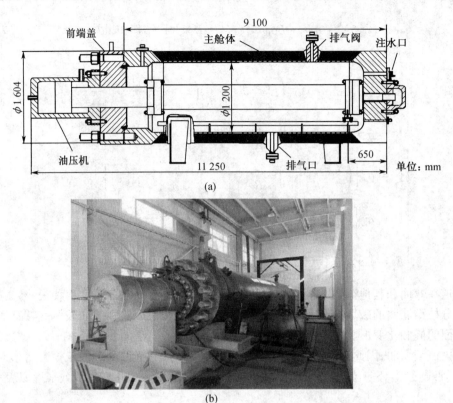

图 7.13　压溃测试设备示意图和实物图
(a)示意图;(b)实物图

试验选取 D/t 为 12.8 到 50 的 SS-304 无缝管为样本,样本的直径在 1.0 in 到 2.0 in 之间,它们的长度是直径的 20 倍以上。被测试样本的长度至少是其直径的 10 倍。每个测试管道会有一定的初始变形,每隔一定的距离测量一次管的直径,在轴向每一部分建立管的椭圆参数 Δ_0:

$$\Delta_0 = \frac{D_{max} - D_{min}}{D_{max} + D_{min}} \tag{7-73}$$

其中,D_{max} 和 D_{min} 是测量管的直径的最大值和最小值,如图 7.14(a)所示。在管长方向上 Δ_0 的最大值作为样品的初始椭圆度,在管的每一端的周向位置处测量厚度,它们的平均值定义为厚度 t。对于无缝钢管,一般情况下厚度离心率即是厚度的不均匀度,如图 7.14(b)所示,厚度的不均匀参数可计算如下:

$$\varepsilon_0 = \frac{t_{max} - t_{min}}{t_{max} + t_{min}} \tag{7-74}$$

两端的 ε_0 都要计算,它们的平均值作为该管壁厚的不均匀度。

测试时,通常封闭立管两端,放置在高压容器中。在空腔内装满水,使用容积式加压水泵缓慢增压,这个方法类似于“交替”增压。压溃程度随着压力的下降而下降。局部破坏的程度取决于压力系统的刚度,因此在一个柔性系统中,局部破坏会发生扩展现象,最大压力记为临界压溃压力 P_{CO}。

7.5.2 压溃预报

针对立管屈曲,也可以利用一些计算软件来模拟计算管道屈曲、压溃应力。例如,采用 ABAQUS 有限元分析软件中的特征值屈曲分析方法和 risks 分析方法求解立管发生径向屈曲及屈曲传播时的临界载荷。分析过程中,影响计算结果的主要因素有:材料属性、单元类型、模型长度、边界条件以及立管径厚比。其中,材料属性在立管系统的初始设计中给定,单元选用海洋立管分析的常用单元——S4R 壳单元。

在实际工程中,立管截面不会总是如前节所述的理想圆。在立管的建造、运输及安装过程中,难免会使立管出现具有初始椭圆度的几何缺陷。因此,本书基于小径厚比理想立管压溃临界屈曲压力公式的研究方法,得到了在某一径厚比条件下,具有不同椭圆度立管压溃屈曲的临界压力公式。

假定椭圆度的最大测量值是均匀分布的,径向位移可表示为

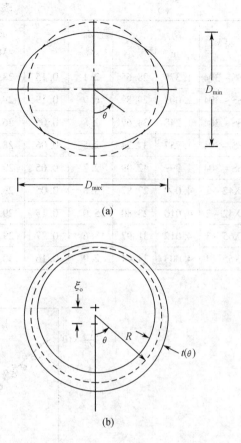

图 7.14 理想管道横截面缺陷图
(a)初始椭圆度;(b)壁厚偏心率

$$\frac{\overline{w}}{R} = - \Delta_0 \cos 2\theta \qquad (7-75)$$

其中,Δ_0 为管道椭圆度测量中的最大值。表 7.1 给出了 9 个典型例子的计算临界压溃压力 $\hat{P}_{CO}$。预测值和测量值间的误差在 0.4% ~7.1% 之间,平均差是 3.6%。这说明上述化简公式能够准确地解决管道屈曲问题。这种预测方法可以在一定程度上改善模拟中由厚度不均匀和残余压力等造成的问题。另外,通过对各种类型全尺寸的管道压力进行模拟,发现将上述方法用于数值模拟中所预测的破坏应力与测试值误差在 5% 以内。

图 7.15 给出了基于平均几何材料参数的预测值与测量值比较,其中实线表示预测值,可以看出预测值与测量值吻合良好。

表 7.1 几何材料参数以及测量和计算的破坏应力

材料	D /in	D/t	Z /%	Δ_0	E /Msi	σ_0 /ksi	n	S	P_{CO} /psi	$\hat{P}_{CO}$ /psi	η /%
SS-304	1.999	21.07	2.8	0.06	28.1	41.24	9.0	0.97	3 154	3 318	5.2
SS-304	1.999	24.09	5.9	0.19	30.8	40.24	11.5	0.92	2 484	2 474	-0.4
SS-304	1.254	25.34	5.1	0.12	27.6	49.8	14.5	0.88	2 563	2 664	4.7

表 7.1(续)

材料	D/in	D/t	Z/%	Δ_0	E/Msi	σ_0/ksi	n	S	P_{co}/psi	$\hat{P}_{co}$/psi	η/%
SS-304	1.375	28.65	2.1	0.15	28.7	50.1	14.0	0.88	2 092	2 145	2.5
SS-304	2.003	29.89	6.9	0.19	29.4	37.12	9.5	1	1 606	1 640	2.1
SS-304	1.248	34.67	2.8	0.05	26.6	43.5	12.0	0.85	1 300	1 269	-2.4
SS-304	1.757	37.24	2.5	0.06	28.0	40.31	7.0	1	1173	1134	3.4
SS-304	1.999	42.09	2.7	0.05	29.0	40.21	17.0	1	803	864	7.1
X42-1	4.000	27.87	3.8	0.05	29.7	48.0	—	0.93	2 720	2 660	-2.2
X42-2	4.010	23.80	5.0	0.15	29.6	54.3	—	0.93	3 307	3 408	3.1
X65-3	4.012	31.97	3.6	0.27	29.7	75.0	6.5	1	1 764	1 824	3.4
X65-4	4.003	24.44	2.9	0.16	30.2	104	—	0.95	4 187	4 345	3.8

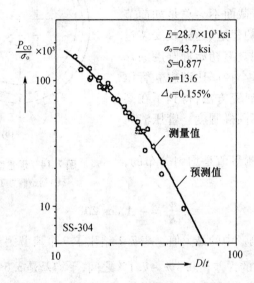

图 7.15　基于平均几何材料参数的预测值与测量值的比较曲线

7.5.3 初始椭圆度的影响

大量的研究表明,初始椭圆度对于立管临界压溃压力的影响是极大的。将立管的 5 个 D/t 的值分布在 14~39 之间,再把立管通过两块刚性板的挤压进行椭圆化。对于轴向均匀管,椭圆度在 12 倍直径的长度上呈 0.5%~5% 的变化。立管随后在外部压力作用下,压溃情形与 7.1.1 节中描述的情况相同。将测量的临界压溃压力绘制成如图 7.16 所示的曲线。对每组试验进行数值模拟(忽略剩余应力)。图中的预测压力实线与试验结果在所有 D/t 的情况下都吻合很好。结果表明,临界压溃压力随着椭圆度的变化而改变。椭圆度变化 1%,临界压溃压力 P_{co} 会变化 30%~40%。当椭圆度变化 5% 时,临界压溃应力会变化 50% 以上。

对于弹性弯曲立管,可以按照式(7-11)预测椭圆度与临界压溃压力 P_{co} 的关系。图 7.17 展示了 P_{co} 与 Δ_0 在 $D/t = 39.12$ 时的关系曲线,其中预测值和试验结果密切相关。相比之下,图7.16中在低 D/t 的情况下存在一定差别。在式(7-20)中的屈曲压力等于式(7-11)中的弹性失稳压力,即

$$\left.\frac{D_0}{t}\right|_{tr} = \sqrt{\frac{E}{(1-v^2)\sigma_0}} \qquad (7-76)$$

这可以视为取决于 E/σ_0 的过渡值(对于材料的应力-应变响应,在弹性极限压力 σ_0 的地方),对于高 D/t 的管道可以使用式(7-11)。对于低 D/t,可以利用数值分析来计算临界压溃压力的值。

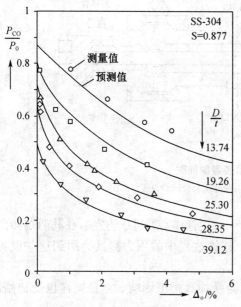

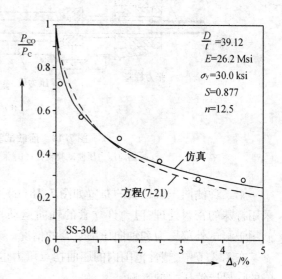

图7.16 不同 D/t 的临界压溃压力与初始椭圆度的关系曲线

图7.17 弹性弯曲管道临界压溃压力与初始椭圆度的关系曲线

由于初始椭圆度对临界压溃压力有很大的影响,所以在设计中必须始终考虑初始椭圆度。同时,分歧点的屈曲应力更容易得到,甚至包括塑性屈曲。在一系列的 D/t 值下,对比临界压溃压力 P_{co} 和临界屈曲压力 P_C 的不同点是非常有用的。

7.5.4 压载类型的影响

目前常用的立管压载试验有两种,第一种侧向压载试验的布置如图7.18(a)所示,将一个固体棒穿过样品管,并连接到刚性端点处。在立管和端点之间留有小空间,确保立管在轴向的扩张。这个间隙使用聚合物密封,使之能够维持压力压载,但不向立管提供轴向约束。加压时,当立管产生径向压力反应时,轴向压力也通过管表现出来。这种方案的一大优点就是可以缩短样本。测试部分较短将使测量的临界压溃压力升高一些,因为具有初始缺陷的立管此时比长的测试部分具有更大的振幅。使用这种方法时,必须确保立管扩张的轴向与径向没有任何约束的干扰。

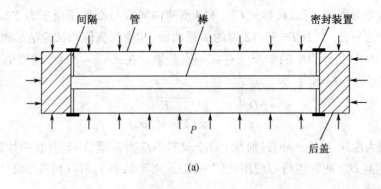

(a)

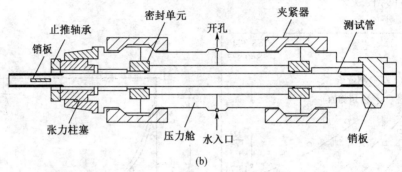

(b)

图 7.18 压载试验装置侧视图

(a)侧向压力压溃试验装置;(b)张力和外压复合试验设备示意图

第二种侧向压载试验的布置如图 7.18(b)所示,立管样本通过压力室后在其两端伸出。采用特殊的密封处理,但允许立管的轴向运动。扎管过程中的压力测试会用到这些设备,并用于测试外部压力和轴向压力复合的情况。

在 7.2 节中,塑性范围内的屈曲拐点压力也会受加载类型影响。立管同样也受初始缺陷的临界压溃压力的影响。

图 7.19 给出了一个 X52 型的立管在静水压和侧压加载情况下的临界压溃压力的对比曲线。假定立管的初始椭圆度为 0.2% ,侧向压力的加载降低了临界压溃压力的大小。而且,由于高 D/t 立管非弹性效应的减小,这两种情况下的临界压溃压力的区别也相应地有所减少。

7.5.5 壁面厚度变化

一般而言,立管的生产过程中都会产生一些壁厚的变化。通常对于长度是直径的 10 倍以上的管,壁厚的细微改变不会导致其长度的显著变化,但是立管的内外表面的偏心率会发生变化。在这种情况下,立管的壁厚可以精确记为

$$t(\theta) \cong t\left(1 + \frac{\xi_0}{t}\cos \theta\right) \tag{7-77}$$

其中,ξ_0 是两圆形面中心点的距离;t 是管壁厚度,定义 $\varepsilon_0 = \xi_0/t$。

对 X52 型管进行分析,在 $D/t = 20$ 情况下,偏心率对压力的影响如图 7.20 所示。壁厚理想情况下的结果和四个存在壁厚偏心率 ε_0 值的结果都给了出来。从图中可以看出,壁厚偏心率对初始屈曲的影响是非常小的。随着屈曲的加大,壁厚的变化会使壳应力分布不均匀,这可能导致屈曲损伤和极限载荷变化,与理想情况产生较大差别。$\varepsilon_0 = 5\%$,压溃临界应

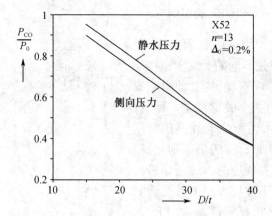

图 7.19　两种加载类型的临界压溃压力对比曲线

力降低约 1%，$\varepsilon_0 = 10\%$，压溃临界应力降低约 3.7%，$\varepsilon_0 = 20\%$，压溃临界应力降低约 11.5%。不同 D/t 情况下的管道的临界压溃压力与 ε_0 关系如图 7.21 所示。可以看出，其中的两种情况的结果曲线总体走势是相似的。总体来说，在 ε_0 小于 10% 的情况下壁厚偏心率对于临界压溃压力的影响较小。

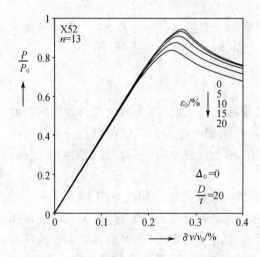

图 7.20　临界压溃压力与偏心率的关系图

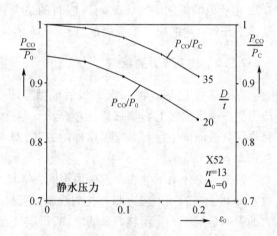

图 7.21　不同 D/t 的临界压溃压力与 ε_0 的关系对比图

　　在前文关于壁厚影响的分析中，没有考虑立管椭圆度。实际情况下，椭圆度与厚度的变化相互共存。但是大量的研究表明这两种缺陷的相互作用对于临界压溃压力的影响是比较小的。在实际的试验与数值分析中，一般都会忽略它们之间的相互影响。

　　如果 t 的变化超过 5%，那么测量足够数量的圆周的壁厚则可以产生一个关于 t 的傅里叶级数展开式：

$$t(\theta) = t\Big[1 + \sum_{m=1}^{M_t} (C_m \cos m\theta + D_m \sin m\theta) \Big] \qquad (7-78)$$

这个展开式在一些软件中可作为近似计算临界压溃压力的模型。

7.5.6 材料应力-应变响应的影响

D/t 的过渡值取决于钢管的屈服应力,并且在弹性与塑性屈曲中是不同的。对于塑性屈曲,临界压溃压力与 σ_0 成正比,这就使得它成为在深水立管设计中的一个关键变量。而且,应力-应变曲线的形状也影响着临界压溃压力。临界压溃压力是屈曲压力 P_0' 的正则化,P_0' 也取决于 σ_0',对不同材料硬度的 X52 管道进行分析,得出其临界压溃压力与 D/t 关系曲线如图 7.22 所示。其中,理想弹塑性响应(EP)的临界压溃压力最大,而 $n=13$ 时的临界压溃压力最小。从图中可以看出,三组结果在 D/t 较低时差别较大,最大差别达到 15%。在 D/t 大于 30 时,应力-应变曲线的形状对临界压溃压力的影响则显著降低。

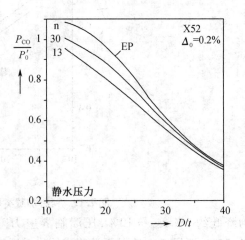

图 7.22 不同材料硬度的 X52 管的临界压溃压力与 D/t 关系曲线

同时,由于较小的初始椭圆度,例如图 7.22 中所取的椭圆度为 0.2%,压溃时的最大和平均应变值往往小于 0.5%。在这种应变规律下,EP 材料的应力是最高的,而 $n=13$ 的应力则是最低的。

7.5.7 残余应力的影响

在大多数生产过程中,管道最后成型工序是冷成型,常常会产生残余应力。周向弯曲应力会在一定程度上影响临界压溃压力。这个特殊的剩余应力的幅值可以在一个简单的管道环分裂测试中得到。应用这样的方法,对 X42 和 X65 的立管进行测试,产生的 σ_R/σ_0 在 0.1~0.45 范围内。

残余应力作用下的几个 D/t 值不同的 X52 管的临界压溃压力曲线如图 7.23 所示。通过 $\sigma_R=0$ 绘制的残余应力归一化曲线来计算破坏应力。对于低 D/t 的管,σ_R 对临界压溃压力的影响是很小的。随着 D/t 的增加,影响逐渐加大,$D/t=30$ 时,压溃临界应力比破坏应力降低了 13.5%。有趣的是,D/t 继续增大时,影响又减小了,因为管的塑性降低了。D/t 受 σ_R 和应力-应变响应形状的影响。

7.5.8 各向异性屈曲的影响

管材屈曲中通常表现出一些初始的各向异性特征。对于由外部压力造成的压溃破坏,与各向异性关系最大的是在轴向与周向压力的区别。临界压溃压力主要取决于材料在周向的应力-应变响应。

无缝钢管的周向与轴向屈服应力不同。这类各向异性可以通过定义参数 S,由非线性材料本构关系的屈服函数表示:

$$f = \left(\sigma_x^2 - \sigma_x \sigma_\theta + \frac{1}{S^2} \sigma_\theta^2 \right)^{1/2} = \sigma_{emax} \tag{7-79}$$

S 定义如下:

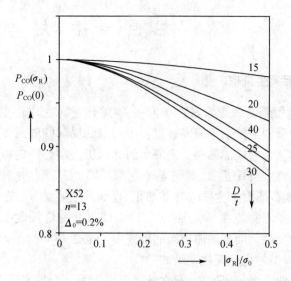

图 7. 23　几个 D/t 值不同的 X52 管的临界压溃压力曲线

$$S = \frac{\sigma_{0\theta}}{\sigma_{0x}} \qquad (7-80)$$

其中，σ_{0x} 和 $\sigma_{0\theta}$ 分别为轴向和周向的弯曲应力。在表 7.1 中可以找到典型管道的 S 的测量值。

在取不同的 D/t 值时，这种各向异性对 X52 管的临界压溃压力的影响如图 7.24 所示。

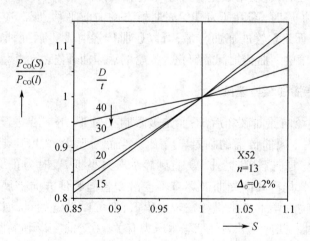

图 7. 24　不同 D/t 值时各向异性对 X52 管临界压溃压力的影响曲线

对于所有 D/t，P_{CO} 基本是与 S 成比例变化的。然而，S 对于低 D/t 的管道的临界压溃压力在塑性范围内的影响更大。由于这个原因，当 S 已知，式(7-20)中的屈曲压力被定义为

$$P_0 = 2S\sigma_0 \frac{t}{D_0} \qquad (7-81)$$

对于较高的 D/t，临界压溃压力 P_{CO} 对于 S 的依赖是较弱的。冷成型的生产过程中，管道可能会产生更为复杂的各向异性。

7.6 屈 曲 传 播

7.6.1 屈曲传播发生机理

深水立管特别是钢悬链线立管在海上安装、正常作业时往往存在着相当长的悬跨段，在此悬跨段可能因立管的初始缺陷或安装过程中造成的局部凹陷或损伤，同时在一定的静水压力作用下而引起立管的局部屈曲。当海水的静水压力超过一定极限(即临界承载压力时)，则该屈曲模态会在立管中扩展，将使整个立管塌陷，立管整体结构失效。当立管发生屈曲传播时，立管的横截面会发生凹陷并椭圆化，直到发生接触，最终形成为狗骨形状。屈曲传播现象说明立管的屈曲传播只会在局部发生，即只在一定长度范围内发生，而不是在全部立管区域内都会发生。而且屈曲模态的最终形成也是一个动态的变化过程，伴随着屈曲传播的发生，其边界条件也是随之变动的。

在一般的有关屈曲传播的研究中，通常将立管简化为一个带有四个塑性铰的平面圆环的变形问题，认为屈曲传播传递区的立管变形处于平面应变的状态，因而可以用一系列连续的圆环变形来模拟传递区的变形情况，圆环模型能计算出扩展压力。因此截至目前很多理论均是将立管简化为圆环或环 – 梁模型，利用能量原理来求解承载压力。

传递区的初始屈曲与屈曲传播在力学机理上完全不同，但又互相关联，从稳定性理论上看，二者在研究领域上均属于非线性的后屈曲分析。立管的屈曲传播传递区长度与立管的屈曲模态密切相关，均可视为失稳问题，可以应用非线性的后屈曲模态分析。屈曲传播则发生在初始屈曲之后，它在本质上不同于立管在外压作用下的经典失稳问题，实际上当屈曲沿着立管向前扩展时，可以视为其后屈曲模态的向前平移，所以应通过确定立管中后屈曲的实际模态来研究立管的屈曲传播，所以屈曲传播时发生后屈曲的长度是不断变化的。从而可以将立管的屈曲传播问题转化为立管的后屈曲模态的分析。

7.6.2 屈曲传播的经典理论

深水立管发生径向屈曲破坏后，屈曲是被限制在局部，还是沿立管轴向扩展直至立管系统失效，主要取决于屈曲传播的临界压力 P_P。当静水压力 P 大于或等于屈曲传播压力 P_P 时，屈曲就会沿立管向下或向上扩展，直到静水压力小于 P_P 时为止；当静水压力 P 小于屈曲传播压力 P_P 时，局部径向屈曲破坏将不会沿立管向其他方向扩展。尽管圆柱壳结构屈曲传播的临界压力在学术界中仍存在较大争议，但可以肯定的是，屈曲传播的发生主要与圆柱壳的材料属性、几何尺寸和外部静水压力有关，受弯曲变形和椭圆度等的影响很小。圆柱壳结构的屈曲传播发生在局部径向屈曲之后，且扩展长度与屈曲模态密切相关，属于非线性的后屈曲行为。

Palmer 提出的屈曲传播临界压力公式为

$$P_P = \left(\frac{\pi}{4}\right)\sigma_y\left(\frac{t}{R}\right)^2 = \pi\sigma_y\left(\frac{t}{D}\right)^2 \tag{7-83}$$

其中，D 是圆柱壳直径；σ_y 是屈服极限。

由于"无伸长"屈曲要比"有伸长"屈曲所需的能量低，所以式(7-83)计算结果普遍低于试验值。事实上，在圆柱壳结构中是很难实现"无伸长"屈曲传播的，实际工程应用中大

都通过修正 Palmer 理论公式来进行处
理。Wier Zblcki 在考虑圆柱壳材料硬化
效应的条件下,提出了位置可移动的塑
性铰模型。当圆柱壳结构发生屈曲传播
时,移动塑性铰的初始和最终位置如图
7.25 所示。

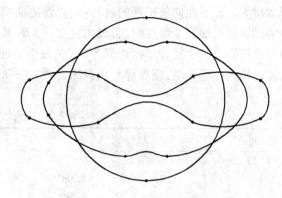

图 7.25　移动塑形铰模型图

　　圆环包围的面积为

$$A(\alpha) = \pi R^2 - 2R^2 f(\alpha) \qquad (7-84)$$

其中,$f(\alpha)$ 是时间参数的面积形状函数,
由几何关系决定。

　　基于该模型,通过能量原理推得屈
曲传播压力公式如下:

$$P_P = \left\{ 3 + 12\left[\frac{1}{3}\left(\frac{E_P}{\sigma_y}\right)\frac{t}{D}\right]^{0.7} \right\} \sigma_y \left(\frac{t}{D}\right)^3 \qquad (7-85)$$

其中,E_P 是线性硬化材料的切线模量。在无硬化的情况下,式(7-85)则退化为 Palmer
公式。

　　在深水工程领域,一些实验室和规范针对深水立管的实际情况,对屈曲传播的 Palmer
临界压力公式进行了修正:

　　Battle 实验推荐的屈曲传播临界压力公式为

$$P_P = \frac{6\sigma_y}{(D/2t)^{2.5}} \qquad (7-86)$$

　　DNV 规范推荐的屈曲传播临界压力公式为

$$P_P = 1.15\sigma_y \left(\frac{t}{D}\right)^2 \qquad (7-87)$$

7.6.3　屈曲传播实例

　　立管进入变化的后屈曲状态后,其横截面会逐渐凹陷而椭圆化,当立管圆截面变形足
够大直到发生接触时,将其作为后屈曲的稳定状态即临界状态,也为屈曲传播的临界状态。
本节将对一定厚度和半径比值的深水立管进行具体的后屈曲模态分析,进而进行屈曲传播
分析。将具体分析静水承载压力与发生后屈曲区域长度 L 与挠度系数 f 的关系。同时可求
出立管横截面变形后的径向和环向坐标,并以此作出截面变形图。其中的挠度系数为

$$f = f_0 + f_1 + f_2, f_i = \frac{w_i}{R}$$

设立管屈曲挠度函数为

$$w = w_0 + w_1 \cos \alpha x \cos \beta y + w_2 \cos^2 \alpha x$$

　　1. 屈曲传递区长度与承载压力

　　当立管的厚度和半径比值 $h/R = 0.05$ 时,设 $\theta^2 = n(h/R)$,当 n 取不同值时,因为有 $L = \frac{\pi}{4\theta}R$,即取不同后屈曲区域长度 L,计算可得到表 7.2。

　　由表 7.2 的计算结果可知,当 $n < 1$ 时,随着后屈曲区域长度 L 的增大,法向变形量 f 也

跟着增大。在屈曲向前扩展的过程中,立管的圆横截面不断发生凹陷,变形越来越大,直到立管的圆横截面发生接触时,有最大挠度 $w=R$,即 $f=1$ 发生时,达到临界状态。此时,由表中结果可知立管半径和厚度比值为 0.05,发生后屈曲区域的临界长度为 $L=31.4R$,这也是屈曲传播的临界长度,临界静水承载压力为 $\bar{q}_{cr}=0.368$,则有 $\bar{q}_{cr}=0.368E(h/R)^3$。

表 7.2 实例计算表

$\theta(n)$	L	f_1	f_2	f	$\bar{q}$
3	2.028	0.075	0.004	0.727	2.328
2	2.484	0.06	0.003	0.059 2	1.331
1	3.512	0.053	0.003	0.053 7	0.65
1/2	4.967	0.069	0.005	0.072 3	0.455
1/3	6.084	0.09	0.008	0.096 8	0.415
1/4	7.024	0.11	0.012	0.121	0.399
1/5	7.85	0.13	0.017	0.146	0.391
1/6	8.604	0.148	0.022	0.169	0.386
1/7	9.293	0.165	0.027	0.191	0.383
1/8	9.935	0.166	0.027	0.213	0.381
1/9	10.532	0.196	0.038	0.233	0.379
1/10	11.107	0.21	0.044	0.253	0.378
1/11	11.649	0.223	0.05	0.272	0.344
1/12	12.167	0.236	0.056	0.291	0.376
1/13	12.664	0.248	0.061	0.308	0.375
1/14	13.142	0.259	0.067	0.325	0.374
1/15	13.604	0.27	0.073	0.325	0.374
1/20	15.708	0.319	0.102	0.42	0.372
1/30	19.238	0.395	0.156	0.55	0.370
1/40	22.214	0.455	0.207	0.661	0.369
1/50	24.837	0.505	0.255	0.759	0.369
1/60	27.207	0.548	0.3	0.847	0.368
1/70	29.387	0.587	0.345	0.930	0.368
1/80	31.416	0.621	0.386	1.000	0.386

由表 7.2 可以看出,静水承载压力 $\bar{q}$ 随着后屈曲区域长度 L 的增大,其值不断减小。同时可以看出,静水承载压力 $\bar{q}$ 也随着挠度参数 f 的增大而减小。根据表 7.2 分别做出如图 7.26 和图 7.27 所示的 $\bar{q}$ 关于 L 和 f 变化关系图。

2. 截面变形图

在立管发生后屈曲后,随着发生后屈曲的区域长度的增加,其横截面不断凹陷而呈椭圆化,变形量也随着增加,当截面的上下端发生接触时,进入稳定的后屈曲状态,即临界线状态。在发生屈曲传播过程中,立管横截面也会发生相应的变形,最终表现为狗骨形状。由挠度函数可知,在 $x=0$ 处的横向圆横截面的法向变形量 f 最大,产生最大挠度。则在 $x=0$ 的截面处,法向方向的变形量为

$$f = f_0 + f_1\cos\beta y + f_2$$

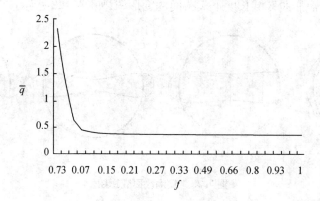

图 7.26　$\bar{q}$ 与 f 变化关系图

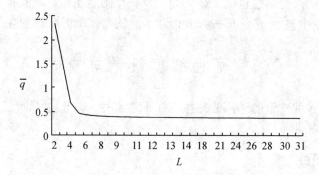

图 7.27　$\bar{q}$ 与 L 变化关系图

在 $x=0$ 处，环向方向的变形量为 v，则

$$\frac{\partial v}{\partial y} = \left[\frac{(\alpha^2 - \mu\beta^2)(\alpha^2\beta^2 w_1 w_2 - 0.5\beta\alpha^2 w_1)}{(\alpha^2 + \beta^2)^2} + \frac{(9\alpha^2 - \mu\beta^2)\alpha^2\beta^2 w_1 w_2}{(9\alpha^2 + \beta^2)^2} + \frac{1}{2}\beta w_1\right]\cos\beta y +$$
$$\left(\frac{1}{4}\beta^2 - \frac{\mu}{8}\alpha^2\right)w_1^2\cos 2\beta y$$

积分后可以得到 v 的表达式：

$$v = \left[\frac{(\alpha^2 - \mu\beta^2)(\alpha^2\beta w_2 - 0.5\alpha^2)}{(\alpha^2 + \beta^2)^2} + \frac{(9\alpha^2 - \mu\beta^2)\alpha^2\beta^2 w_2}{(9\alpha^2 + \beta^2)^2} + \frac{1}{2}\right]w_1\cos\beta y +$$
$$\left(\frac{1}{8}\beta - \frac{\mu}{16\beta}\alpha^2\right)w_1^2\sin 2\beta y \tag{7-88}$$

将 $\alpha = \frac{\pi}{2L}, \beta = \frac{2}{R}, \theta = \frac{\pi R}{4L}$ 代入式 $(7-88)$ 得：

$$v = \left[\frac{\theta^2(\theta - \mu)(2f_2 - 0.5)}{(1 + \theta^2)^2}f_1 + \frac{2\theta^2(9\theta^2 - \mu)}{(1 + 9\theta^2)^2}f_2 + \frac{1}{2}\right]f_1\sin\beta y + \left(\frac{1}{4} - \frac{\theta^2\mu}{8}\right)f_1^2\sin 2\beta y \tag{7-89}$$

将径向变形 f 和环向变形 v 代入式 $(7-89)$，可求出截面变形后的新坐标：

$$x' = (1-f)\sin\beta y + v\cos\beta y$$
$$y' = (1-f)\cos\beta y - v\sin\beta y$$

由此得出不同后屈曲区域长度下横截面的变形图,如图7.28所示。

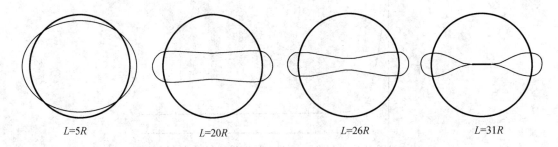

$L=5R$ $\qquad$ $L=20R$ $\qquad$ $L=26R$ $\qquad$ $L=31R$

图7.28 实例截面变形图

由图(7.28)可知,随着发生后屈曲区域的长度的不断增加,深水立管的横截面不断凹陷,椭圆化越来越明显,变形量也随之越来越大。一直到后屈曲区域长度为$L=31R$时变形停止,截面上下端发生接触,最终形成狗骨形状。此图与试验时所得的变形图十分相似。

7.7 屈曲强度设计与校核

发生屈曲一般说明立管的局部或整体存在不稳定性。对于立管而言,屈曲破坏模式包括局部屈曲和整体屈曲。

7.7.1 局部屈曲

局部屈曲(管壁屈曲)意味着立管横截面变形,通常包括倒塌、失稳和起皱纹。其引起因素包括:①仅有外压的系统压溃;②外压或内压、轴向力和弯矩的组合作用;③扩展屈曲。

1. 仅有外压作用下的系统压溃校核

当立管进入深水中安装时,因静水压增大而引起立管的压溃成为首要解决的问题。立管的压溃取决于很多因素,其中有立管直径/壁厚比(D/t)、应力–应变特性、起始的椭圆度(不圆度)等。还曾有研究表明轴向张力也影响到立管的压溃特征,虽然其影响程度较弯曲或静水压较小。

在空管或者内压低于外压的情况下,外压可能引起压溃。一个理论上的理想立管(完全是圆的,壁厚不变且材料无缺陷)在只受到静水压载荷时的临界屈曲压力由下式给出:

$$P_c = \frac{2E}{1-v^2}\frac{t}{D}\left(\frac{t}{D-t}\right)^2 \qquad (7-90)$$

式中 P_c——理想立管的临界屈曲压力;

$\quad$ E——管材的弹性模量;

$\quad$ v——管材的泊松比。

临界弹性屈曲压力对D/t很大($D/t>250$)的理想立管有效。在实际中,立管中存在残余椭圆度,而且立管在压溃前表面可能产生显著变形。因此,静水压溃压力还随立管的屈服性能而变化。

DNV OS F101中规定,沿立管方向上任一点的外压应满足下列要求:

$$P_e \leq \frac{P_c}{1.1\cdot\gamma_m\gamma_{SC}} \qquad (7-91)$$

其中，P_e 为特征压溃压力；P_c 为外部压力。其中外压压溃的特征抗力（P_c）可按照下式计算：

$$(P_c - P_{el})(P_c^2 - P_P^2) = P_c P_{el} P_P f_0 \frac{D}{t_2} \tag{7-92}$$

其中，弹性压溃压力 $P_{el} = 2E\left(\frac{t_2}{D}\right)^3 / (1 - v^2)$，$t_2 = t - t_{corr}$；塑性压溃压力 $P_P = 2f_y \cdot \alpha_{fab} \cdot \frac{t}{D}$，$\alpha_{fab}$

为制造系数，见表 7.3；椭圆度 $f_0 = \dfrac{D_{max} - D_{min}}{D}$，$D_{max}$ 为最大测量外径，D_{min} 为最小测量外径。

表 7.3　制造系数表

管类型	无焊缝	焊接、三扎辊工艺	焊接、膨胀工艺
α_{fab}	1.00	0.93	0.85

2. 组合荷载作用下局部校核准则

DNVOS F101 中说明，组合荷载作用下局部屈曲校核包括荷载控制标准和位移控制标准。

（1）荷载控制标准　结构响应主要由施加的荷载控制，受弯矩、有效轴力作用，管道在所有横截面上应该满足下列要求：

$$\begin{cases} \gamma_m \gamma_{SC} \left\{ \dfrac{S_d}{\alpha_c S_P} \right\}^2 + \gamma_m \gamma_{SC} \left\{ \dfrac{M_d}{\alpha_c M_P} \sqrt{1 - \left[\dfrac{\Delta P_d}{\alpha_c P_b(t_2)} \right]^2} \right\} + \left[\dfrac{\Delta P_d}{\alpha_c P_b(t_2)} \right]^2 \leqslant 1 \\ \dfrac{D}{t} \leqslant 45, \ P_i \geqslant P_e \end{cases} \tag{7-93}$$

或者

$$\begin{cases} \left[\gamma_m \gamma_{SC} \left(\dfrac{M_d}{\alpha_c M_P} \right) + \gamma_m \gamma_{SC} \left(\dfrac{S_d}{\alpha_c S_P} \right)^2 \right]^2 + \left(\gamma_m \gamma_{SC} \dfrac{P_e}{P_c} \right)^2 \leqslant 1 \\ \dfrac{D}{t} \leqslant 45, \ P_i < P_e \end{cases} \tag{7-92}$$

式中　M_d——设计弯矩；

S_d——设计有效轴力；

ΔP_d——设计压力差；

M_P——塑性弯矩抗力，$M_P = f_y (D - t_2)^2 \cdot t_2$；

S_P——特征塑性轴向抗力，$S_P = f_y \cdot \pi \cdot (D - t_2)^2 \cdot t_2$；

α_c——考虑应变硬化的流变应力参数，$\alpha_c = 1 - \beta + \beta f_u / f_y$，最大值为 1.2；

$P_b(t_2)$——破裂压力；

P_i——特征内压。

P_{ld} 为局部设计压力，且

$$\beta = \begin{cases} 0.4 + q_h & D/t_2 < 15 \\ (0.4 + q_h)(60 - D/t_2) & 15 \leqslant D/t_2 < 60 \\ 0 & D/t_2 > 60 \end{cases}$$

$$q_h = \begin{cases} \dfrac{(P_{ld} - P_e)}{P_b(t_2)} \cdot \dfrac{2}{\sqrt{3}} & P_{ld} > P_e \\ 0 & P_{ld} \leqslant P_e \end{cases}$$

其中，$P_b(t_2)$ 为破裂压力。

CCS 规范中，当立管在纵向应力和环向应力共同作用下，屈曲控制条件为

$$\left(\frac{\sigma_x}{\eta_{xp} \sigma_{xcr}} \right)^2 + \left(\frac{\sigma_y}{\eta_{yp} \sigma_{ycr}} \right) \leqslant 1 \qquad (7-95)$$

式中，$\sigma_x = \sigma_x^N + \sigma_x^M$，若 $\sigma_x < 0$，则取 0；$\sigma_x^N = \dfrac{N}{A}$，压应力为正，拉应力为负；$\sigma_x^M = \dfrac{M}{W}$，压应力为正，拉应力为负；$N$ 为轴向力；A 为管道净截面积，$A = \pi(D-t)t$；M 为弯矩；W 为弹性断面模数，$W = \dfrac{\pi}{4}(D-t)^2 t$；$\sigma_{xcr} = \dfrac{\sigma_x^N}{\sigma_x} \sigma_{xcr}^N + \dfrac{\sigma_x^M}{\sigma_x} \sigma_{xcr}^M$，其中 σ_{xcr}^N 为当仅有轴向力作用时的临界纵向应力（$M = 0, P = 0$），σ_{xcr}^M 为当仅有弯矩作用时的临界纵向应力（$N = 0, P = 0$），且有

$$\sigma_{xcr}^N = \begin{cases} \sigma_s & D/t \leqslant 20 \\ \sigma_s \left[1 - 0.001 \left(\dfrac{D}{t} - 20 \right) \right] & 20 \leqslant D/t \leqslant 100 \\ \sigma_{xcr}^M = \sigma_s \left(1.35 - 0.0045 \dfrac{D}{t} \right) & 20 \leqslant D/t \leqslant 100 \end{cases}$$

式中　σ_s——相当于 0.2% 残余应变的屈服应力。

σ_y 为环向应力，$\sigma_y = (P_e - P_i)\dfrac{D}{2t}$；$\sigma_{ycr}$ 为当单独 $(P_e - P_i)$ 作用时的临界环向应力，且有

$$\sigma_{ycr} = \begin{cases} \sigma_{yE} = E\left(\dfrac{t}{D-t} \right)^2 & \sigma_{yE} \leqslant \dfrac{2}{3}\sigma_s \\ \sigma_s \left[1 - \dfrac{1}{3}\left(\dfrac{2\sigma_s}{3\sigma_{yE}} \right)^2 \right] & \sigma_{yE} > \dfrac{2}{3}\sigma_s \end{cases} \qquad (7-97)$$

式中　σ_{yE}——弹性临界环向应力，$\sigma_{yE} = E\left(\dfrac{t}{D-t} \right)^2$；

η_{xp}, η_{yp}——利用率，由表 7.4 给出。

表 7.4　在位状态下的利用率

载荷条件	部位 1		部位 2	
	η_{xp}	η_{yp}	η_{xp}	η_{yp}
1	0.72	0.62	0.50	0.43
2	0.96	0.82	0.67	0.56

（2）位移控制标准　结构的响应主要由施加的位移控制，当立管承受纵向压缩应变时（内部过压），所有横截面上须满足以下条件：

$$\varepsilon_d \leqslant \frac{\varepsilon_c}{\gamma_\varepsilon}, \frac{D}{t} \leqslant 45, P_i \geqslant P_e \qquad (7-98)$$

式中　ε_d——设计压应变；

ε_c——特征应变，$\varepsilon_c = 0.78\left(\dfrac{t_2}{D} - 0.01\right)\left(1 + 5\dfrac{\sigma_h}{f_y}\right)\alpha_h^{-1.5}\alpha_{gw}$，其中 α_h 为最大屈服比，

$\alpha_h = \left(\dfrac{YS}{UTS}\right)_{max}$；$\alpha_{gw}$ 为围焊因子，考虑围焊对压缩应变的影响，该值与立管径厚

比有关；

γ_ε——应变抗力系数，见表7.5。

表7.5 应变抗力系数

NDT level	材料要求	安全等级		
		低	正常	高
I	附加要求	2.0	2.5	3.3
I	正常情况	2.1	2.6	3.5
II		—		

注:NDT level I 比 level II 要求更严格,局部屈曲还需要位移条件来控制。

当立管承受纵向压缩应变时(外部过压),所有横截面上需满足以下条件:

$$\left(\frac{\varepsilon_d \cdot \gamma_\varepsilon}{\varepsilon_c}\right)^{0.8} + \frac{\gamma_m \gamma_{SC} P_e}{P_c} \leq 1,\ \frac{D}{t} \leq 45,\ P_i < P_e \qquad (7-99)$$

其中

$$\varepsilon_c = 0.78\left(\frac{t_2}{D} - 0.01\right)\left(1 + 5\frac{\sigma_h}{f_y}\right)\alpha_h^{-1.5}\alpha_{gw}$$

(3)屈曲传播 前述的局部屈曲只出现在立管的某一局部,而屈曲传播使立管某一局部的局部屈曲发生扩展,屈曲传播的长度有几百米到上千米,扩展速度异常迅速。

立管在深水中,一旦有某部位由于意外事故产生局部损伤,该处的承载能力便降低,发生局部屈曲,屈曲将沿着立管的轴向扩展,将整个立管压溃。

屈曲现象的扩展是沿立管的轴线发生的,主要来源于静水压力。立管上发生屈曲传播,首先在立管上要有局部屈曲,这种局部屈曲由深水的静水压力、铺管时的管段弯曲、机械撞击的局部损伤等引起,且在 D/t 比较大的立管中容易诱发。当立管的铺设水深压力大于对应的屈曲传播压力时,立管上已经有的局部屈曲开始扩展并传播,直至水深小于传播压力相对应的传播深度。一个扩展中的屈曲特性是:激起一个扩展所需的压力要比维持屈曲传播所需的压力更大。

屈曲起始压力和屈曲传播压力都是立管径厚比 D/t 和钢材等级(屈服强度)的函数。在理论上,如果最大外压低于屈曲起始压力,只能产生局部弯曲屈曲。表现在管壁受压侧的局部有凹陷。当最大外压大于屈曲传播压力时,则由前述的弯曲引起的屈曲将沿管轴方向扩展,直到最大外部压力小于屈曲起始压力为止。如果最大外部压力小于屈曲起始压力,即使立管有弯曲引起的局部屈曲也不会扩展,只是保持着弯曲引起的局部屈曲状态;同样,由于其他原因造成的局部屈曲,判定它能否传播,也将由最大外压与屈曲传播压力之间的大小而定。关于屈曲传播压力的计算,DNV 和 CCS 规范的计算方法略有不同。

DNV OS F101 中规定,为了防止屈曲传播的可能性,深水立管外部的压力 P_e 应满足以下标准:

$$P_e \leqslant \frac{P_{pr}}{\gamma_m \gamma_{SC}} \qquad (7-100)$$

其中，P_{pr} 为扩展屈曲压力，$P_{pr} = 35 \cdot f_y \cdot \alpha_{fab} \left(\frac{t}{D}\right)^{2.5}$。

在 CCS 规范中，屈曲传播临界压力 P_{pr} 按照下式计算：

$$P_{pr} \approx 1.15\pi\sigma_s \left(\frac{t}{D-t}\right)^2 \qquad (7-101)$$

当外部压力大于 P_{pr} 的管道区段，应考虑使用止屈器。

7.7.2　整体屈曲

整体屈曲即立管像压杆一样的屈曲。对于钢悬链线立管埋置于海底面以下的部分，由于受周围土壤嵌制作用的约束，一般不会发生整体失稳。对于悬空的部分，可把立管视作普通的"压杆"，进行整体屈曲计算时内外压力的效应可以考虑采用一个有效轴力的概念，按照下式计算：

$$S = N + P_i \frac{\pi(D-2t)^2}{4} - P_e \frac{\pi D^2}{4} \qquad (7-102)$$

式中　S——有效轴力，等于空气中"普通"受压构件内实际的轴向力，拉力为正；
　　　　N——管壁力，$(\sigma_{1,t} + \sigma_{1,v} + \sigma_d)$ 与立管横截面积的乘积。

由结构力学知识可知，立管悬跨段的临界轴向力为

$$S_{cr} = \frac{\lambda\pi^2 EI}{L^2} \qquad (7-103)$$

式中　L——悬跨段的长度；
　　　　I——立管剖面的惯性矩；
　　　　λ——边界条件系数，若两端固定，则取 $\lambda = 4.0$；若一端固定，一端跤支，则取 $\lambda = 2.046$；两端跤支时 $\lambda = 1.0$。

如果 S 值为零或者为正，则表示不可能发生整体屈曲。如果 $S_{cr} < |S|$，可以产生有限的横向弯曲后使立管重新处于新的平衡位置。

以上方法利用了载荷抗力系数法（LRFD），通过以上一系列对比可以看出，载荷抗力系数法与许用应力设计法（ASD）相同之处在于都需要先定义立管的安全等级和地理位置。对于立管的强度，都考虑了立管弯矩和轴向力的组合。但是在计算组合力时，采用的公式形式是不一样的。载荷抗力系数法用载荷效应系数和安全等级抗力系数来反映各种载荷和立管安全等级对立管应力的影响，这些系数不仅反映了结构目标可靠度要求，而且反映了设计变量的散布情况，而常规的许用应力设计法用许用应力系数来表示各种因素的综合影响，从可靠性的角度看，该系数偏大偏小的可能性都存在，具有很大的不确定性。因此，载荷抗力系数法与许用应力设计法相比更能准确地描述荷载与立管抗力之间的关系，使设计出的立管在相应的载荷作用下达到所需的安全度，用极限状态方法在某些载荷条件下设计出的立管，可能比用许用应力设计法设计出的立管投资更多，但是这种方法更科学。

7.8　基于 DNV 规范的深水立管屈曲强度校核实例

7.8.1　立管基本数据与工况

(1)立管结构及尺寸：单层管结构，其名义外径 $D = 0.324$ m，管壁名义厚 $t = 0.01$ mm，腐蚀余量 $t_{corr} = 1.5$ mm，制造公差 $t_{fab} = 0.5$ mm，立管总直径 $D_{TOT} = (D + 2t_c) = 0.4129$ m。

(2)立管材料及力学性能：立管材料为 API 5L GRADE X52 SEAMLESS；弹性模量为 $E = 2.06 \times 10^5$ MPa，泊松比 $\nu = 0.3$，热膨胀系数为 $1.2 \times 10^{-6}/℃$，管材密度 $\rho_{os} = 7.848 \times 10^3$ kg/m^3，最小屈服强度为 358 MPa，最小极限拉伸强度为 455 MPa，材料无附加要求。

(3)立管外层包层厚度 $t_c = 0.04445$ m。

(4)操作工况及其输送介质：最大操作压力为 9.9288 MPa，工作水深为 1 200 m，管内物质密度 $\rho_{ocn} = 0.8 \times 10^3$ kg/m^3。

(5)海况：百年回归周期海底海流流速 $u = 0.55$ m/s，百年一遇有义波高 14.9 m，周期 12.2 s。

(6)立管管材截面积：

$$A = \frac{\pi}{4}(D^2 - D_i^2) = 0.0099 \text{ m}^2$$

(7)立管横剖面惯性矩：

$$I = \frac{\pi}{64}(D^4 - D_i^4) = 1.2164 \times 10^{-4} \text{ m}^4$$

(8)立管横剖面模数：

$$Z = \frac{\pi}{32}\left(\frac{D^4 - D_i^4}{D}\right) = 7.5085 \times 10^{-4} \text{ m}^3$$

(9)单位长度湿重：

$$W = \frac{\pi}{4}\left[(D^2 - D_i^2)\rho_{os} + (D_{TOT}^2 - D^2)\rho_{oc} + (D_i^2)\rho_{ocn} - D_{TOT}^2\rho_{ow} \right] = 1517.9 \text{ N/m}$$

(10)外部静水压：

$$P_e = 1025 \times 9.81 \times 120 = 1.21 \text{ MPa}$$

7.8.2　屈曲强度校核

1. 仅有外压作用下的系统压溃校核
弹性屈曲压力：

$$P_{el} = 2E\left(\frac{t_2}{D}\right)^3 / (1 - \nu^2) = 4.12 \times 10^5 \times \left(\frac{8.5}{324}\right)^3 / (1 - 0.3^2) = 8.17 \text{ MPa}$$

塑性屈曲压力：

$$P_P = 2f_y \cdot \alpha_{fab} \cdot \frac{t}{D} = 2 \times 326.4 \times 1 \times \frac{10}{324} = 17.13 \text{ MPa}$$

$$f_0 = \frac{D_{max} - D_{min}}{D} = 0.01$$

依据 DNV 规范的公式有

$$(P_c - P_{el})(P_c^2 - P_P^2) = P_c P_{el} P_P f_0 \frac{D}{t_2} \Rightarrow P_c = 6.72 \text{ MPa}$$

$$P_e = 1.21 \text{ MPa} \leqslant \frac{P_c}{1.1 \cdot \gamma_m \gamma_{SC}} = \frac{6.72}{1.1 \times 1.15 \times 1.308} = 4.06 \text{ MPa}$$

故满足设计要求。

2. 组合荷载作用下局部校核

设计弯矩：

$$M_d = 0$$

设计有效轴力：

$$S_d = S_F \cdot \gamma_F \gamma_C + S_E \cdot \gamma_E + S_A \cdot \gamma_A \gamma_A = \sigma_1 A \times 1.1 = 1\,128.4 \text{ kN}$$

设计压力差：

$$\Delta P_d = \gamma_p (P_{ld} - P_e) = 1.05 \times (1.1 \times 9.928\,8 - 1.21) = 10.2 \text{ MPa}$$

塑性弯矩抗力：

$$M_P = f_y (D - t_2)^2 t_2 = 326.4 \times (324 - 8.5)^2 \times 8.5 = 276\,160 \text{ N} \cdot \text{m}$$

特征塑性轴向抗力：

$$S_P = f_y \cdot \pi \cdot (D - t_2)^2 \cdot t_2 = 326.4 \times 3.14 \times (324 - 8.5)^2 \times 8.5 = 2\,748.5 \text{ kN}$$

考虑应变硬化的流动应力参数：

$$\alpha_c = 1 - \beta + \beta \frac{f_u}{f_y} = 1.151\,7$$

破裂压力：

$$P_b(t_2) = \text{Min}(P_{b,s}(t_2); P_b(t_2)) = 24 \text{ MPa}$$

$$\gamma_m \gamma_{SC} \left(\frac{S_d}{\alpha_c S_p} \right)^2 + \gamma_m \gamma_{SC} \left\{ \frac{M_d}{\alpha_c M_P} \sqrt{1 - \left[\frac{\Delta P_d}{\alpha_c P_b(t_2)} \right]^2} \right\} + \left(\frac{\Delta P_d}{\alpha_c P_b(t_2)} \right)^2 \leqslant 1$$

对于高安全等级而言，上式左边等于 0.275，小于 1，满足安全要求。

3. 屈曲传播

扩展屈曲压力：

$$P_{pr} = 35 \cdot f_y \cdot \alpha_{fab} \left(\frac{t}{D} \right)^{2.5} = 35 \times 326.4 \times 1.0 \times \left(\frac{10}{324} \right)^{2.5} = 1.9 \text{ MPa}$$

对于高安全级别：

$$P_e = 1.21 \text{ MPa} \leqslant \frac{P_c}{\gamma_m \gamma_{SC}} = \frac{1.9}{1.15 \times 1.308} = 1.27 \text{ MPa}$$

故设计满足要求。

7.9　本 章 小 结

立管因其工作水深而受到巨大的静水压力作用，其在一定的静水压力作用下可能会发生屈曲失稳现象，甚至会产生屈曲传播。本章首先介绍了弹性屈曲和塑性屈曲两种屈曲，并介绍了分析立管屈曲所用到的非线性理论；随后就立管压溃的影响因素做以分析介绍；最后就屈曲传播、屈曲强度设计与校核进行了剖析并给出了分析实例。

参 考 文 献

[1] 李志敏.船舶与海洋工程中复合材料圆柱壳结构屈曲和后屈曲行为研究[D].上海:上海交通大学,2008.

[2] 李兆超.地下管道屈曲稳定研究[D].杭州:浙江大学,2012.

[3] 刘贤雷.钢悬链线立管静力及涡激疲劳损伤研究[D].天津:天津大学,2010.

[4] 郑茂盛,胡军,藤海鹏,等.管道弯曲塑性屈曲应变的评价[J].焊管,2015,38(10): 19-27.

[5] 张朋飞.海底管道的垂向屈曲研究[D].南充:西南石油大学,2015.

[6] 陈川.海底管道的后屈曲模态与屈曲传播分析[D].广州:暨南大学,2009.

[7] 余雏麟.焊接圆柱壳轴压弹性及塑性屈曲实验研究和数值分析[D].杭州:浙江大学,2012.

[8] 王鹏,王峰会.内压和侧压作用下管道的屈曲分析[J].石油矿场机械,2008(08): 18-21.

[9] 刘昊.深海复合材料立管力学特性分析与优化设计研究[D].上海:上海交通大学, 2013,31(01):54-60.

[10] 余建星,李智博,杜尊峰.深海管道非线性屈曲理论计算方法[J].海洋工程,2013,31 (1).

[11] 陈希恰.深海柔性立管结构力学特性分析[D].上海:上海交通大学,2014.

[12] 袁林.深海油气管道铺设的非线性屈曲理论分析与数值模拟[D].杭州:浙江大学,2009.

[13] 张日曦.深水钢质立管弯曲抑制装置的关键技术研究[D].大连:大连理工大学,2013.

[14] 潘小兵.在役海底管道安全评估[D].哈尔滨:哈尔滨工程大学,2008.

第8章 深水立管疲劳介绍

8.1 概 述

由于深水立管的疲劳损伤占其结构损坏的很大一部分,因此对立管的疲劳分析是非常关键的也是不可缺少的一部分。疲劳是材料、零件和构件在循环加载下,在某点或某些点产生局部的永久性损伤,并在一定循环次数后形成裂纹,或使裂纹进一步扩展直到完全断裂的现象。

疲劳破坏是一种损伤积累的过程,因此它的力学特征不同于静力破坏,具体的表现如下:

(1)在循环应力远小于静强度极限的情况下就可能发生破坏,但不会立刻发生,而是经历一段时间;

(2)在疲劳破坏前,有时即使是塑性材料也没有显著的残余变形。

疲劳破坏的产生有两个至关重要的因素:

(1)循环应力或循环应变的作用;

(2)较长的时间积累或是次数积累。

对于立管而言,主要的交变载荷有四个来源:

(1)一阶浮体运动 由于立管与上端浮体相连,波浪直接作用在浮体上使浮体产生的运动。

(2)二阶浮体运动 以风为主要载荷使浮体产生的慢漂运动,与一阶运动相比,二阶运动具有低频率、高周期的特性,故也称二阶运动为低频运动。

(3)涡激振动(VIV) 对于任何非流线型物体,在一定的流速下,物体两侧会交替地产生脱离结构物表面的漩涡,这种漩涡的生成和脱落会产生作用于结构物上的横向和顺流向脉动压力。

(4)涡激运动(VIM) 流体流经物体后不仅可以引起立管的涡激振动现象,对于类似Spar 等大尺度海洋结构物的运动也会有影响,但其运动特征和立管的涡激振动又有明显不同。通常将流体诱发的大型海洋结构物的运动现象称为涡激运动,这也是另一组交变载荷来源。

8.2 疲劳损伤的介绍

8.2.1 疲劳的形成

疲劳破坏是工程结构失效的主要原因之一,工程结构的疲劳问题研究已有一百多年的历史。美国试验与材料协会(ASTM)在"疲劳试验及数据统计分析之有关术语的标准定义"(ASTME206-72)中规定:材料、零件和构件在循环加载下,在某点或者某些点产生局部的永久性损伤,并且在一定的循环次数后形成裂纹,或使裂纹进一步扩展直到完全断裂的现象,称之为疲劳。也可从裂纹扩展的角度理解疲劳的含义:对于初始裂纹长为 a_i 的构件,当承受静载荷时,若构件的静应力水平 σ 小于临界应力 σ_c,则裂纹不会扩展,此时构件安全可靠,只有当应力水平 σ 达到 σ_c 时,裂纹才会失稳扩展,导致突然断裂;但当构件承受交变载荷时,即使构件的应力水平 σ 小于临界应力 σ_c,裂纹也会继续扩展,直至最后断裂。这种在交变载荷作用下裂纹的扩展称为疲劳裂纹的扩展,由此产生的破坏称为疲劳破坏。

疲劳破坏时的应力远比静载荷破坏应力低,而且发生疲劳破坏时一般没有明显的塑性变形。具有初始裂纹或缺陷的构件,在交变载荷作用下,裂纹会逐渐扩展,最终导致疲劳破坏。对于没有初始裂纹或缺陷的构件,在交变载荷作用下也可能萌生裂纹,最后裂纹扩展至断裂。疲劳裂纹总是首先在应力最高且强度最弱的局部位置上形成,因此对工程结构的危害很大。目前主要从宏观的角度,研究结构的疲劳性能、抗疲劳设计方法、寿命估算方法和疲劳试验方法,考虑结构部件的形状、尺寸和工艺等因素,提高其疲劳强度。

8.2.2　疲劳损伤的特点

在循环载荷作用下,引起的材料力学性能劣化的过程称为疲劳损伤。疲劳累积损伤理论是指在交变载荷作用下疲劳损伤的累积规律和疲劳破坏准则,它对疲劳寿命的预测十分重要。疲劳损伤具有两种特点。

1. 不可逆性

疲劳损伤无论在空间上还是在时间上都是一个连续变化的内变量,是材料真实缺陷对材料力学行为影响的笼统表观量。因此,真实损伤与损伤状态变量之间有一定的函数关系。按照连续介质损伤力学的观点,疲劳累积损伤是在交变载荷作用下,材料内部结构不可逆变化的宏观连续变量;从能量观点看又是一种能量耗散的不可逆过程。从宏观角度是指用材料的微观裂纹、微孔洞数量、材料弹性模量、屈服极限、质量以及密度等的变化,来表征材料内部损伤变量,该变量与时间过程具有单调性。因此,无论是从宏观上还是微观上,疲劳损伤都是一个不可逆过程。

2. 随机性

疲劳损伤的随机性主要来自两方面,一是材料内在因素的随机性。微观观测表明,材料的实际损伤是各向异性的,同时分布和演化过程也是随机的、不连续的;而宏观疲劳损伤正是由于微观结构与组织分布的不确定性引起大量微损伤的集体贡献。材料的内在因素同样引起材料宏观性能如弹性模量、屈服极限、抗拉强度和断裂韧性等物理性能的随机分布。二是外部因素的随机性。外载荷、加工工艺和伺服环境等外部条件在疲劳损伤过程中伴有随机性,这种随机性也会引起疲劳损伤的巨大分散性。在实验室可以通过控制试验条件把这种分散性降低到最小。然而,即使严格控制试验载荷谱、试验条件及试验件等影响因素,疲劳寿命和疲劳特性数据仍表现出相当大的分散性。

8.2.3　疲劳累积损伤理论

立管在海上服役时受到风、浪、流等随机载荷的作用,结构在交变荷载作用下的疲劳损伤是一个积累的过程。结构的总疲劳损伤量可以通过把不同幅值的应力循环造成的疲劳损伤按适当的原则累加而得到,当结构总的疲劳损伤量达到临界值时就将发生疲劳破坏,疲劳累积损伤规律是进行立管结构疲劳分析的基础之一。

疲劳累积损伤理论可分为四类:线性疲劳累积损伤理论、双线性疲劳累积损伤理论、非线性疲劳累积损伤理论和概率疲劳累积损伤理论。工程中最常用的是 Miner 线性疲劳累积损伤理论。Miner 线性累积损伤理论指在循环载荷作用下,疲劳损伤与载荷循环数的关系是线性的,而且疲劳损伤可以线性累加,各个应力之间相互独立和互不相关;当累加的损伤达到某一数值时,试件或构件就发生疲劳破坏。

根据这一理论,结构在多级恒幅交变应力作用下总疲劳损伤度 D 等于各应力范围水平下的损伤度 D_i 之和。某一应力范围水平下的应力循环所造成的疲劳损伤 D_i 等于该应力范围在结构上作用的实际循环次数 n_i 与结构在该应力范围下恒幅交变作用时达到疲劳破坏所需循环次数 N_i 之比,假设应力范围水平共有 k 级,那么有:

$$D = \sum_i^k D_i = \sum_i^k \frac{n_i}{N_i} \tag{8-1}$$

式中　D——结构的疲劳累积损伤度;

　　　D_i——第 i 级应力范围 S_i 循环作用下的疲劳损伤;

　　　n_i——第 i 级应力范围 S_i 在结构上作用的实际循环次数;

　　　N_i——结构在第 i 级应力范围下恒幅交变作用下达到疲劳破坏时的循环次数。

当结构发生疲劳破坏时,疲劳累积损伤度 D 应等于1。由于 Miner 理论没有考虑载荷次序等因素对结构疲劳寿命的影响,使得 D 并不一定等于1。一般情况下,高 - 低加载 $D < 1$,低 - 高加载 $D > 1$,随机疲劳载荷作用 D 在 1 附近。

若结构设计寿命为 T_d,时间 T_d 内的损伤为 D,则疲劳寿命 T_f 为 $T_f = T_d/D$。

在结构的疲劳设计和分析中,疲劳累积损伤通常根据荷载谱来计算,应力长期分布一般考虑离散型、连续型和分段连续型三种类型的载荷作用情况。

(1)对于离散型载荷,设应力范围共有 A 级,那么

$$D = \frac{Tf_L}{A} \sum_{i=1}^k \zeta_i S_i^m \tag{8-2}$$

式中　T——应力范围作用时间;

　　　f_L——应力范围作用的平均频率;

　　　ζ_i——第 i 级应力范围 S_i 出现的频率;

　　　m, A——疲劳试验得到的参数。

(2)对于连续型载荷,应力范围的长期分布可用连续的概率密度函数表示,疲劳损伤度计算式为

$$D = \frac{Tf_L}{A} \sum_{i=1}^k E(S^m) \tag{8-3}$$

其中,$E(S^m)$ 为 S^m 的期望值。

$$\sum_{i=1}^k E(S^m) = \int_0^{+\infty} S^m f_s(S) \mathrm{d}S \tag{8-4}$$

其中,$f_s(S)$ 为应力范围分布的概率密度函数。

(3)对于分段连续型载荷,设荷载的长期分布是由若干短期海况组成的,且每一海况中应力范围的短期分布可用连续概率密度函数来表示时,对于每一短期海况,若设载荷谱中第 i 海况的作用时间为 Li,则 Li 期间的累积损伤度 D_{Li} 为

$$D_{Li} = \frac{N_{Li}}{A}E(S^m) \tag{8-5}$$

8.3 平台运动导致的立管疲劳

浮式结构系统在风、浪、流的作用下将产生较大的漂移运动,其运动幅度的大小取决于它们的锚固形式。TLP 平台和 Spar 平台的运动幅度较小,其最大漂移量为水深的 6% ~ 10%,而垂荡运动很小。FPSO 的运动幅度远远大于 TLP,其最大漂移量可达水深的 20% ~ 30%,如此大的浮体运动对立管的影响不容忽视。除了较大的漂移运动之外,浮体运动的动力特征是影响立管尤其是钢悬链线立管疲劳寿命的主要因素。

浮式平台主要受到波浪、海流、风载等环境载荷作用,在这些载荷作用下,平台会连同立管系统进行复杂的运动。平台运动往往会引起立管及其他位置上管道的振动和周期性的应力,进而引发管道疲劳损伤等问题。按平台响应导致的立管疲劳问题可以分为一阶高频响应导致的立管疲劳和二阶低频响应导致的立管疲劳。

8.3.1 一阶高频响应导致的立管疲劳

浮体的一阶运动是关于平衡位置的振荡,其幅度小频率高,容易引起立管顶部低应力疲劳循环,是造成立管顶部高周疲劳损伤的主因。浮体一阶运动的主要成因是波浪的一阶载荷。

根据伯努利方程可预测动态压力的分布满足:

$$P = \rho\frac{\partial\Phi}{\partial t} - \rho U_0\frac{\partial\Phi}{\partial x} - \rho\left(i\omega\Phi + U_0\frac{\partial\Phi}{\partial x}\right) \tag{8-6}$$

之后将物体上的波浪力求解得

$$F_j = -\iint\limits_S Pn_j\mathrm{d}s = Re(f_j^k e^{-i\omega t}) \tag{8-7}$$

线性速度势由两部分组成,即入射波势和绕射波势:

$$F_j = F_j^k + F_j^d = Re\left\{(f_j^k + f_j^d)e^{-iwt}\right\} \tag{8-8}$$

两者之和即为一阶波浪载荷。

一阶波浪力是浮体在波浪中最直接感受到的波浪作用力,变化的幅值相对较大,与波浪具有相同的频率。对于浮式海洋平台而言,其结构特征尺度与波长比一般较大,属于所谓的"大型结构物"或"大尺度结构物"范畴,必须考虑物体存在对波浪场的影响。基于线性势流理论的假定,一阶波浪力的大小与波幅成正比,其比例关系定义为波浪力的幅值响应函数(RAO)。

由于平台位置依赖于波浪周期,所以由单个波浪确定的波浪载荷造成的立管响应,与真实状况下立管的响应相差较大。通过基于观测数据的海况谱来确定波浪,进行载荷计算。可以采用 Pierson - Moskovitz 或 JONSWAP 单峰谱或双模态谱的方法来进行计算。波浪载荷的方向必须选取至少八个方向,以避免由于仅考虑一两个方向载荷产生的疲劳当成整体疲劳,而造成的过于保守问题。为了充分考虑来自所有方向波浪载荷造成的疲劳损伤,需要对立管响应进行线性化。

8.3.2　二阶低频响应导致的立管疲劳

浮体的二阶低频响应由两部分组成,一部分是风和流引起的大幅度漂移,另一部分是波浪引起的小幅度振荡。前者引起触地点的改变,后者将引起触地点的高应力疲劳循环,尽管触地点的应力较小,但应力的累积也将造成低周疲劳损伤。浮体的升沉运动也引起触地点的疲劳损伤。二阶非线性响应有长周期的慢漂响应和短周期的高频(相对于浮体固有频率而言)响应,其中对立管影响较大的是慢漂运动,其周期为 200～600 s。TLP 和 Spar 平台的慢漂运动对立管的影响较小,而 FPSO 的二阶非线性响应是影响立管疲劳寿命的关键因素。

二阶波浪力与波幅的平方成正比,它包括二阶平均波浪力差频力(慢漂力)与和频力(快变力)。与一阶的波浪激励力相比,二阶力的量级很小。但对于 Spar 平台这种系泊的海洋结构物而言,由于其在水平或铅直方向的恢复力很小,因而对应的固有周期较大,可能与低频的波浪作用力发生共振而引起相当大的横向偏移。

二阶平均波浪力是差频为零的特殊情况,只与一阶速度势的平方项有关,常用的二阶平均波浪力的计算方法有近场法和远场法。近场法是在基于势流假定的情况下直接在物面上对压力积分,在正规摄动展开下保留波陡的二阶项得到的。远场法则利用流域中能量和动量守恒方程求得二阶平均波浪力的表达式。

通常情况下,近场法要用到速度势的导数和泰勒展开,而采用传统理论求解速度势非常困难,因此计算比较烦琐,但近场法能够给出六个自由度的分量,清楚地显示二阶波浪力的各个组成部分。相比较来说,远场法计算更简洁、更准确,但远场法只给出二阶平均波浪力水平的三个分量,不能细致地反应二阶波浪力的组成及其影响因素。近场法,通常又称压力积分法,通过瞬时物体表面的水动力压力积分,在一个波浪周期上的平均来获得二阶平均波浪力。远场法利用流域(由物体表面、自由面和远离物体的辐射控制面围成)中能量和动量守恒方程,求得二阶平均波浪力的表达式。

8.3.3　立管运动疲劳分析方法

引起立管动态响应的主要动载荷为波浪和浮式平台运动,浮式平台在一阶与二阶波浪力作用下的波频与低频运动形成立管响应的动边界。波浪作用通过两个方面影响立管的设计,一是对立管产生水动力载荷,二是通过平台的 RAO 影响平台运动,进而形成立管顶端的动边界条件。

一般来说,立管动态响应分析方法主要包括三种,分别是时域内确定性(规则波)分析、时域内不确定性(不规则波)随机振动分析和频域内确定性分析。由于在随机海浪分析时,波浪能量涵盖了一个范围较宽的频率带,处于波浪频率带的立管固有频率都有可能被激发;而在规则波浪情况下,所有的波浪能量集中于立管某个单一的固有频率处。当波浪频率不接近立管固有频率时,该阶模态就不会被激发,于是时域随机振动分析要比规则波浪分析预测的应力值高,挪威船级社推荐时域内随机振动分析作为立管分析的最终验证方法。

立管系统的运动疲劳分析须考虑随机波浪载荷与浮式平台波频运动(直接波浪载荷和相关的浮式平台装置运动)以及浮式平台装置在二阶波浪力作用下的低频运动。运动疲劳计算的基本要求为波浪载荷必须以波浪散点图定义,散点图中每一海况产生的短期疲劳损伤可采用 Miners 准则进行线性组合,以得到对应于整个波浪散点图分布的长期疲劳损伤。

立管运动疲劳计算的一般流程如下:

(1)将海浪环境散点图进一步细分为一系列有代表性的数据块;

(2)在每个数据块中,选择一种海况代表该数据块中的所有海况,将该数据块中所有海况的发生概率都汇总到所选海况中;

(3)针对所有数据块的每个所选短期海洋状态计算其疲劳损伤。

8.4　立管涡激振动导致的疲劳

如果将柱状结构物置于一定速度的来流当中,其两侧会发生周期性的交替泻涡,因此柱体会受到横向及流向的脉动压力。当脉动频率接近立管的固有频率时,将可能引发柱体的振动,柱体的振动反过来又会改变其尾流结构,这种流体－结构物相互作用的问题被称作涡激振动(Vortex－Induced Vibration,VIV)。

深海立管在海流作用下,其两侧也会产生交替涡泄现象,导致立管受到横流向和顺流向的脉动流体力。进而产生往复周期性的应力,很大程度上造成立管结构的疲劳损伤,减少立管的使用寿命。当泻涡频率与结构的自然频率相互接近时,"锁定"(Lock－in)发生。"锁定"现象伴随着结构振幅的明显增加,将可能导致立管结构的疲劳失效甚至事故的发生,对深海工程安全性提出了挑战。立管一旦发生破坏,不仅工程本身会蒙受损失,还将引发严重的环境污染和次生灾害,因此深海立管的涡激振动疲劳损伤是立管设计中要考虑的一个重要因素。

8.4.1　涡激振动的机理

关于涡激振动问题,早在 1878 年 Strouhal 就发表了有关风吹声的试验研究,即在风场中放置一根垂直的钢丝绳,在风的作用下钢丝绳将产生振动,并提出了著名的斯特劳哈尔关系,即风吹声的频率仅与钢丝的直径和运动速度有关。20 世纪早期,冯卡门理论解释了钝体后稳定变换的漩涡脱落现象,由于流体会绕过结构物在结构物的后方形成漩涡,形成的漩涡会交替在结构物的两侧脱落,产生一个作用于结构物的交变周期激励,从而引起结构物周期性的振动。这种振动称为卡门涡振动,为涡激振动研究奠定了基础。

随后国内外学者开展了大量的风洞和水池试验,研究结构在空气和水中的涡激振动特性。从机理上说,涡激振动是由于流体在结构边界层分离过程中导致其表面压力分布不均进而形成脉动水动力,当结构为柔性或被弹性支撑时,在该力的作用下结构会发生振动并同时影响流体脱离的流固耦合现象。由于激励力与流体阻尼的平衡,涡激振动体现出稳定且自激的特性。在结构下游,通常会形成交替脱落的漩涡,即经典的"卡门涡街",如图 8.1 所示,该漩涡主要特点表现为稳定、非对称性、旋转方向相反并随主流向下游运动。

涡激振动具有很强的非线性特征。圆柱体产生共振时,漩涡泻放引起的载荷频率不仅可以锁定于圆柱体在水中的基本固有频率,而且可锁定于固有频率的次谐波和超谐波分量。随着振动幅值的增大,漩涡泻放强度增加,漩涡结构的改变将导致一个周期内出现更多的漩涡,漩涡的总环量随振幅的增大而增加。圆柱体最大涡激振动幅值由系统所能支撑的漩涡结构所决定,而漩涡结构与振动自由度、频率比、阻尼比、质量比和雷诺数等密切相关。

图8.1 边界层分离现象与卡门涡街示意图

(a)边界层分离现象示意图;(b)卡门涡街示意图

1.涡激振动的基本参数

涡激振动涉及的流体和结构描述参数众多,首先需要介绍的是与结构和流体相关的关键参数。根据相似性理论,无量纲物理量被广泛地用来描述不同系统之间物理现象类比的依据。在试验研究中,以无量纲形式给出的参数将作为不同试验结果对比的依据和参考,它们能够更一般地反映某种物理量的变化规律,沟通不同物理模型与不同试验之间的关系。

(1)雷诺数(Re):

$$Re = \frac{Inertia\ force}{Viscous\ force} = \frac{\rho UL}{\mu} = \frac{UL}{\nu} \qquad (8-9)$$

式中 ρ——流体的密度;

U,L——分别为来流速度和结构的特征长度;

μ,ν——分别是流体的动力学及运动学黏性系数。

本书中讨论的结构体为圆柱体,L可以取为圆柱体的外径D。当雷诺数较小($Re<5$)时,表明黏性力占主导地位,此时流动稳定,流体不脱离圆柱体;当Re提高时,圆柱体背后形成一对稳定的漩涡,当Re进一步提高时,漩涡拉长形成交替错开排列的层流涡道;当$Re>300$时,惯性力作用增大,流动变得不稳定,漩涡以某一特定的频率周期性脱离,涡道进入湍流状态,同时这种脱离状态将在较宽的雷诺数范围稳定。$300<Re<3\times10^5$称为亚临界区域,立管和管道等结构在自由洋流条件下通常处于该区域。进一步提高雷诺数Re,圆柱下游的漩涡脱离点将向后移动,漩涡脱离变得不稳定,同时作用在圆柱体上的拖曳力急剧下降。如果雷诺数达到更高时,即雷诺数进入超临界区($Re>3.5\times10^6$)时,涡街将重建,尾流中的漩涡重新有序地脱落。图8.2给出了圆柱体下游漩涡脱落的几个重要阶段。

(2)斯特劳哈尔数(St):在无量纲分析中,斯特劳哈尔数(Strouhal Number)被用来描述振荡流机制。1878年,斯特劳哈尔在研究风洞中流体通过钢丝绳的漩涡脱落的试验中发现在直径固定的情况下,漩涡的脱落频率随着来流速度的增加而提高,其关系中存在一个恒定常数,可以表达为

$$St = \frac{f_{st}D}{U} \qquad (8-10)$$

式中 U——来流速度;

D——圆柱体外径;

f_{st}——静止柱体的泻涡频率。

圆柱体的绕流问题中,斯特劳哈尔数可以用来描述流体边界层分离的不稳定性,并给

出漩涡脱落与来流速度的关系。该参数与雷诺数有潜在的联系,图 8.3 给出了斯特劳哈尔数和雷诺数的关系。

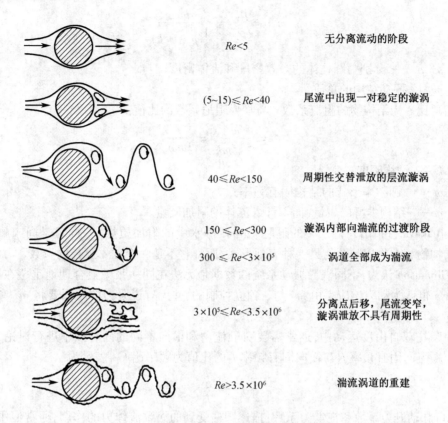

$Re < 5$	无分离流动的阶段
$(5 \sim 15) \leqslant Re < 40$	尾流中出现一对稳定的漩涡
$40 \leqslant Re < 150$	周期性交替泄放的层流漩涡
$150 \leqslant Re < 300$	漩涡内部向湍流的过渡阶段
$300 \leqslant Re < 3 \times 10^5$	涡道全部成为湍流
$3 \times 10^5 \leqslant Re < 3.5 \times 10^6$	分离点后移,尾流变窄,漩涡泄放不具有周期性
$Re > 3.5 \times 10^6$	湍流涡道的重建

图 8.2 漩涡泄放现象的漩涡发展阶段示意图

在亚临界区($300 < Re < 1.5 \times 10^5$)内,斯特劳哈尔数约为 0.21。

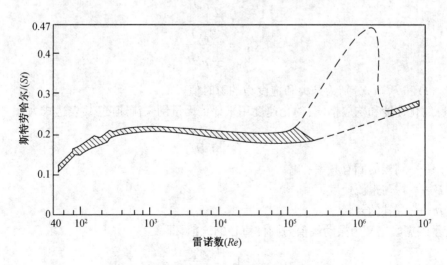

图 8.3 雷诺数与斯特劳哈尔数的关系曲线

质量比 m^* 定义为振动结构体的总质量与其排开流体质量的比值,对于圆柱体结构物,质量比可以表示为

$$m^* = \frac{\rho_m}{\rho_f} = \frac{m}{\frac{1}{4}\rho_f \pi D^2 L} \qquad (8-11)$$

式中 ρ_m, ρ_f——分别为圆柱体的等效密度和流体密度;

m——振动结构的总质量。

阻尼比 ξ 为结构物的阻尼系数 c 与临界阻尼系数的比值:

$$\xi = \frac{c}{2\sqrt{mk}} = \frac{c}{2m\omega_n} \qquad (8-12)$$

式中 k——结构刚度;

ω_n——圆频率形式的结构固有频率;

m——结构本身的质量,而不计入流体的附加质量。

Sarpakaya 曾指出,"静水中的阻尼"如同"静水中的附加质量"一样只是尚未解决的流体-结构物相互作用问题的另一种表现形式,而且它不是一个独立可控的参数。

Williamson 认为,不同涡激振动系统的数据是无法在同一张图上合理地重叠在一起的。Sapakaya 也认为动力响应是由 m^* 与 ξ 独立控制的,并无有说服力的原因要将 m^* 和 ξ 合并在一起。

在圆柱双自由度运动中,通常需要对顺流向和横向不同的固有频率进行讨论,定义振动系统顺流向固有频率 f_X 与横向固有频率 f_Y 的比值为频率比 f^*,表示为

$$f^* = \frac{f_X}{f_Y} \qquad (8-13)$$

(3)脉动升力系数和拖曳力系数:描述圆柱受到的涡致流体力的作用,通常使用无量纲的脉动升力系数 C_L 和拖曳力系数 C_D,其定义为

$$\begin{cases} C_L = \dfrac{F_L(t)}{\frac{1}{2}\rho DU^2} \\[3mm] C_D = \dfrac{F_D(t)}{\frac{1}{2}\rho DU^2} \end{cases} \qquad (8-14)$$

其中,$F_L(t)$ 和 $F_D(t)$ 分别为升力和拖曳力的瞬时值。

(4)约化速度和响应幅值:约化速度用来评估无量纲来流速度,其表达式为

$$U_r = \frac{U}{f_n D} \qquad (8-15)$$

式中 f_n——结构的固有频率;

U——均匀来流速度;

D——圆柱的外径。

无量纲振幅定义为振动幅值与圆柱直径的比值,即

$$\begin{cases} A_X^* = \dfrac{A_X}{D} \\[3mm] A_Y^* = \dfrac{A_Y}{D} \end{cases} \qquad (8-16)$$

其中,A_X 和 A_Y 分别为顺流向振幅和横向振幅。

2. 涡激振动的基本现象

频率"锁定"现象是圆柱体涡激振动的主要特征。大量试验表明,当流体通过弹性支撑的刚性圆柱体时,如果漩涡泻放频率接近圆柱体的固有频率时,则会发生在较宽的流速范围内漩涡的脱落频率被"锁定"在结构的固有频率 f_n 附近,导致此时的来流速度与漩涡脱离频率之间的关系不再满足斯特劳哈尔关系。图 8.4 给出了 Feng 在风洞进行的高质量比($m^* = 248$)单自由度弹性支撑圆柱的响应结果,图中上半部分为频率比 f/f_n,可见在 $5.5 < U_r < 7.5$ 的范围内漩涡的脱离频率始终锁定在结构的固有频率附近,而当 $U_r < 5.5$ 或 $U_r > 7.5$ 时,漩涡脱离频率将满足斯特劳哈尔关系。图中下半部分同时给出了结构振幅随约化速度的变化规律,可见在锁定区流速范围内,漩涡的强度增强,脉动升力明显增大,导致结构的振动振幅随之提高,最大振幅 $A/D = 0.53$ 对应的约化速度为 $U_r = 6.0$。试验中同时发现了迟滞现象,即当约化速度在一定范围内增加时,振幅趋于最大值;当约化速度由高向低减小时,振幅并不按原来的规律返回,对应的相位角变化也不相同,这表明结构涡激振动的非线性特征。

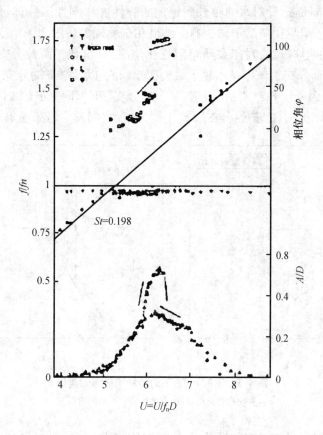

图 8.4　频率和幅值随约化速度 U_r 的变化规律曲线

注:$m^* = 248$,$m^* \xi = 0.255$

尽管锁定现象的产生机理还不完全清楚,但可进行如下的简单阐述。假设一个圆柱体可以沿着与来流垂直的方向运动,在横向脉动作用力的作用下圆柱体向上运动时,由于惯性的影响依附在圆柱体下游的涡片将滞后于圆柱体,即时的尾流轴线将发生向顺时针转动。同时,流体的相对速度也将发生顺时针方向的旋转,显然旋转角度是由流速和圆柱体即时速度决定的。因此,相对于固定圆柱体,运动圆柱体条件下的漩涡脱离点将发生变化,即上分离点将向上游移动,而下分离点将向下游移动,导致脱离漩涡的强度显著增强。增大漩涡强度的主要因素包括结构的横向振幅增大,环量的消散速度变慢,并与漩涡脱落频率和结构振动频率之差有关。当斯特劳哈尔频率远大于振动频率时,漩涡强度将不会增加。试验表明,漩涡强度和斯特劳哈尔数之间有潜在联系,漩涡的强度越大则斯特劳哈尔数越小,漩涡的强度越小则斯特劳哈尔数越大。当漩涡的脱落频率接近圆柱体的固有频率时,发生共振同时漩涡的强度增加,进而导致斯特劳哈尔数降低,即漩涡脱落频率将随着漩涡强度的增加始终依附于结构的固有频率附近,直到流速超过某范围,这种调节作用将无法限制漩涡泻放频率,从而两者发生分离。这就是锁定现象只能在一定的流速范围内发生的原因。可见,锁定现象可以认为是圆柱振动和漩涡脱离的一种耦合作用。随着进一步的研究深入,发现频率锁定区宽度以及最大峰值振幅还与结构自身的质量比 m^* 和阻尼比 ξ 有关。

Khalak 和 Williamson 针对水池中低质量比的弹性支撑刚性圆柱体进行了涡激振动试验,发现了与高质量阻尼比截然不同的响应结果和试验现象。图 8.5 给出了两种不同质量阻尼比类型对应的响应振幅,对于高质量阻尼比情况,只出现了两种分支:"初始分支"或者"初始 – 上端联合分支",该区域出现了最大振幅峰值,以及"下端分支"。而对于低质量阻尼比情况,出现了三个分支:"初始分支""上端分支"和"下端分支",最大振幅峰值将出现在"上端分支"中,同时在"初始分支"与"上端分支"之间发生迟滞现象。

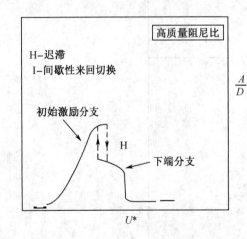
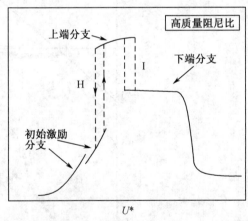

图 8.5　不同 $m^*\xi$ 下的两种响应振幅类型
注:横轴代表约化速度,纵轴代表无量纲响应振幅。

随着时间的推移,越来越多的试验开始关注刚性圆柱体的双自由度涡激振动,2008 年 Williamson 总结了最近的研究成果,认为在特定的质量比条件下顺流向振动将对横向振动产生显著的影响,并发现了新的响应分支。图 8.6 给出了质量比 $m^* = 2.6$,$(m^* + C_\text{A})\xi = 0.013$ 条件下的响应结果,可见由于顺流向振动的影响,横向振动出现了很大的振幅峰值 $A_{Y\text{max}}/D \approx 1.5$。试验中引入了定义两种顺流向响应分支类型的"SS"和"AS",分别对应顺流向的两个振动响应峰值。

　　与此同时,圆柱体下游的尾涡模式也出现了不同的形式,现阶段发现的几种不同尾涡形式有"2S""2P""2C"和"2T"等,如图 8.7 所示。其中"2S"模式为每个运动周期中交替泻放两个独立的漩涡,呈现出经典的卡门涡街形式;"2P"模式为每个周期泻放出两对逆向旋转的漩涡;而"2C"模式为每个周期泻放出两对同向旋转的漩涡;"2T"模式是在 Jauvtis 和 Williamson 的双自由度圆柱体的自由涡激振动中的"超上端响应分支"中发现的,其每个周期将泻放两对三元漩涡,试验中可以细分为两种形式,即半个泻放周期中由半个"2P"外加一个附加漩涡组成,或者由一个初始漩涡外加一个由于圆柱加速度产生的起始涡对"P + S"组成。

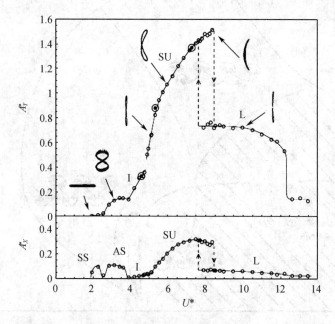

图 8.6　双自由度条件下圆柱体在质量比 $m^* < 6$ 条件下的超上端分支与高振幅响应

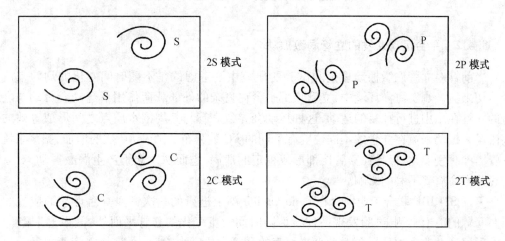

图 8.7　尾涡模式示意图

  Williamson 和 Roshko 给出了受迫振动圆柱条件下尾流模式与来流速度和输入振幅之间的关系,如图 8.8 所示。试验中发现通过改变圆柱体振幅或来流速度,尾涡模式也随之发生改变,试验中绘制了一条临界曲线来描述尾涡模式从一种形态突变到另一种形态的临界值。更早期的试验研究来自于 1964 年的 Bishop 和 Hassan(1964),其试验中发现当输入结构的振动频率从低向高过渡时,临界曲线会向高频方向偏移,当圆柱的振动频率从高向低过渡时,临界曲线会向低频方向偏移,如图 8.8 所示。实际上,尾涡形式的切换伴随着泻涡时间的转变,以及流体力相位的突变。

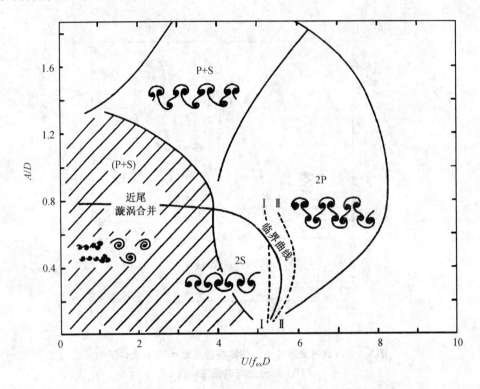

图 8.8 振荡圆柱体的尾涡模式与振幅和来流速度的关系

8.4.2 平台运动诱发的立管涡激振动

  当前针对立管涡激振动理论和试验的研究主要考虑的是不随时间变化的均匀来流或者剪切来流。真实海洋环境中,立管顶部平台在复杂的外部载荷作用下运动会带动与之相连的立管在水中进行往复的运动,这种运动会导致立管与其周围水质点之间形成等效的振荡流场。振荡来流在立管的不同位置有不同的 KC 数分布。随着 KC 数的增加,振荡来流在立管周围缓慢变化,极易在立管尾部形成稳定的泄涡,进而诱发立管产生涡激振动,对立管的疲劳寿命有着不利的影响。

  美国 STRIDE 联合工业项目在 Pend Oreille 湖上进行的一次针对平台运动顺应式立管屈曲问题的海上实测,试验发现一种特性随时间发生变化的立管平面外"间歇性"振动,并且发现振动并非由顶部平台运动直接引起的立管全局动力响应,而是与立管面内运动过程中的尾部泄涡频率紧密相关。这引发了对"平台运动能否诱发立管产生涡激振动"这一问题的关注。

　　为进一步研究该问题,MIT 的 Gonzales 进行了小尺度的模型试验,结果表明当立管的固有频率、平均泄涡频率和整数倍顶部平台运动频率三者中任意两个参数相等时,立管将在面外发生显著振动。Cunff 与 Rateiro 分别进行了类似的尺度较大的模型试验,结果表明立管面外涡激振动的响应频率始终与平台运动频率或其整数倍一致,该结论与 Sumer 得到的刚性圆柱体结论类似。

　　国内学者对平台运动诱发的涡激振动可能存在的"分时特性",以及引起的疲劳损伤规律进行了进一步研究。结果表明,振荡流下涡激振动响应频率有着明显的"分时特性",即主导频率随时间变化;振荡流下的涡激振动造成的疲劳损伤略小于定常流工况,但损伤在同一量级。

　　然而,对于"平台运动能否诱发立管涡激振动"这一问题,当前工业界和学术界还没有给出定性和定量的结论,也没有相关的规范涉及有关振荡流下涡激振动造成的疲劳损伤。

8.5　平台涡激运动导致的立管疲劳

　　相比于涡激振动,涡激运动同样是将大尺度结构置于来流中,在一定来流条件下,结构后方会出现周期性的漩涡脱落,使其表面压力周期性变化,进而诱发结构的振动,为流体诱发物体振动的机理。

　　涡激运动响应首先在 Spar 平台上发现并引起重视。Spar 平台主体部分为圆柱体或多个圆柱体的组合,当海流经过时,在一定的 Re 范围内,水的黏性引起边界层分离并在 Spar 主体结构后方产生周期性的漩涡脱落,漩涡脱落使主体后方压力降低,产生拖曳载荷导致结构流向运动。同时,由于漩涡脱落是在主体两侧交替进行的,也产生了垂直于流向的周期性振荡的升力,这种周期性激励的作用导致 Spar 平台涡激运动(Vortex - induced Motion, VIM)的发生。涡激运动使平台进行周期性的往复运动,这不仅会引发 Spar 平台的结构疲劳,同时作为立管顶端的边界条件,将对立管产生巨大的压力和负荷,周期性的应力使得立管产生疲劳损伤。

　　涡激运动问题自从在生产运营过程中被发现,就在工程上引起了广泛关注。观测数据表明,已安装并投入使用的 Spar 平台在较高流速下已出现过涡激运动幅值高于设计期间预计值的情况。Spar 平台涡激运动问题提出之后,学者们主要通过模型试验和 CFD 数值模拟等方法,从涡激运动发生机理、影响因素、关键特性、抑制方法及其对平台总体水动力性能的影响等方面入手,对涡激运动现象进行了大量的研究,得到了涡激运动原始激励、运动关键参数、锁定范围、减涡装置等方面的一些重要结论。

8.5.1　涡激运动与涡激振动的区别

　　涡激运动(VIM)与涡激振动(VIV)具有相同的产生机理,二者区别如下:

　　首先,涡激振动是针对细长杆件而言,而涡激运动研究对象为相对短而粗的大型结构物,结构物的吃水与特征长度之比较小,因此与涡激振动相比,涡激运动具有更强的三维特性。

　　其次,涡激运动为海洋平台水平面内长周期大幅度的往复运动,运动周期和幅度远远大于细长杆件的涡激振动。

　　最后,半潜式平台作为浮式海洋平台,还具有特有的漂浮、锚泊和水动力性能,因此在漩涡脱落作用下,半潜式平台的涡激运动特征与立管等细长体的涡激振动完全不同。半潜式平台涡激运动与 Spar 平台涡激运动也有很大区别。一方面,半潜式平台属于多立柱浮体,立柱间漩涡脱落存在干扰,受立柱的尺寸、形状、间距和来流角度等影响很大,为此带来了更多的不确定性因素,因此其涡激运动问题要比单柱式 Spar 平台的涡激运动复杂得多;另一方面,虽然新式半潜平台与传统的半潜式平台相比吃水增加了不少,但水下部分远远小于 Spar 平台,而且还有浮箱和撑杆以及其他的结构附属物,所以三维特性显著。

尽管如此,由于半潜式平台涡激运动与细长杆件的涡激振动和 Spar 平台的涡激运动产生机理类似,所以涡激振动以及 Spar 平台涡激运动的研究成果对半潜式平台涡激运动问题的研究仍然具有一定的借鉴意义。

根据现有的对 Spar 平台和半潜式海洋平台涡激运动研究结果可知,能够影响涡激运动的主要因素有以下几个:

(1)平台主体特征　包括平台的外部几何形状、主体附属物和涡激运动抑制装置。

(2)海洋环境条件　包括流速大小、流速剖面和来流角度,另外已有研究表明波浪对涡激运动的影响是不容忽视的。

(3)吃水　当吃水与特征尺度之比减小时,平台漩涡脱落具有较高的三维特性,导致涡激运动的减弱。

(4)平台锚泊系统的动力特性　锚泊系统控制着整个系统的固有周期,锚泊系统的属性关系着平台涡激运动发生锁定时对应流速的大小。

8.5.2　涡激运动疲劳的研究方法

与立管的涡激振动、浪致平台运动引起立管疲劳相比,国内对于平台涡激运动引起立管疲劳没有太多深刻的研究。相关学者探讨了 Spar 平台的 SCR 在涡激运动作用下的累积损伤,提出了计算此类疲劳损伤的详细过程,根据 Palingen – Mirler 线性准则算出立管的累积疲劳损伤,并给出了立管在各种因素共同作用下的累积疲劳损伤计算公式,最后对具体的工程实例做了敏感性试验,表明立管疲劳损伤对柔性接头处的倾斜角度比较敏感。目前主要通过模型试验、CFD 模拟和尾流振子模型等方法研究平台涡激运动的响应,然后通过有限元软件或方法对立管系统进行建模,并将平台运动响应作为边界条件,对平台涡激运动下立管的动态响应和疲劳损伤进行计算分析。

1. 模型试验

模型试验是 Spar 平台设计过程中预估涡激运动的传统方法。目前,Spar 平台涡激运动模型试验可通过三种方式来完成:①在拖曳水池的静水中进行模型拖曳试验;②在循环水槽中进行试验;③在海洋工程水池中造流进行试验。到目前为止,采用最多的试验方法是第一种方法,即在静水中拖曳模型来进行试验。

在模型试验中,尽可能真实地模拟主体和侧板外部的细节特征是很重要的,目前对于锚泊系统,一般每根锚链采用一根或多根线性弹簧来模拟,水平刚度与实尺度相似,并且保持横荡周期随纵荡位移的变化情况与实尺度相似。

2. CFD 模拟

借助于计算技术的不断提高,计算流体力学(CFD)飞速发展,已经成功地解决了很多工程问题。由于 CFD 模拟的种种优势,使得 CFD 模拟逐渐成为研究涡激运动现象的重要方法。和试验方法相比,它具有节省时间和费用、易于实施等优点,虽然不能完全代替模型试验研究,但是在设计前期对参数敏感度的研究上具有很大的作用。它可以应用在进行大量的模型试验程序之前,研究流场特征、流动形式以及进行减涡装置的辅助设计等方面。

由于 Spar 平台的主体外部通常安装有减涡侧板、锚泊线、外部管线及其他影响平台周围流场的附属物,而并非光滑圆柱体,因此 Spar 平台的尺度和几何形状是影响 CFD 模拟准确性的重要因素。另外,流场的分离特征较高的雷诺数以及复杂的几何形状也给 CFD 模拟造成了困难,因此需要从计算机硬件资源,计算时间及网格优化等实际角度去研究模拟的问题。

3. 实地检测

无论是模型试验还是 CFD 模拟,都需要实地检测的数据与之校准。鉴于海洋环境的不同以及平台种类各异,加之实地检测的复杂性,目前可用于试验和数值模拟相比对的数据很少,因此涡激运动研究的发展急需高质量的实地检测数据,用以验证现有的模型试验和用于有关洋流及 Spar 平台涡激运动的 CFD 模拟。

4. 尾流振子模型

尾流振子模型是研究涡激振动的基本方法之一,涡激振动与涡激运动具有相同的振动机理,也可以使用尾流振子模型对平台涡激运动进行模拟计算。如果不考虑具体的流场结构,而将流体和其中的振荡物体视为一个整体系统,把尾流看成一个非线性振子,尾流振子的振动引起结构的振动。反过来,结构的振动又对尾流有一个反馈的作用,这个过程就可以用尾流振子模型来描述,其中系数主要由经验和实验确定。求解之后,可以较好地再现系统的运动特性,并对现象本身从总体上和物理本质上能有较为直观的了解。

尾流振子模型具有如下特点:

(1)尾流振子具有自激自制的性质。自激是因为固定圆柱体的尾流也能产生周期性变化的力,自制则是由于升力的大小和频率都受到尾流本身的限制。所以方程必须是非线性的,才能满足尾流振子这一性质。

(2)振子应满足 Strouhal 关系,即本身的自振频率应符合固定圆柱体的漩涡脱落频率。

(3)为了表示圆柱体振动对尾流振子的影响,模型应通过一定的关系与结构的振动相耦合。

8.6　立管受到的其他疲劳

8.6.1　冲击载荷引起的疲劳

作用于立管上的载荷可以根据它们随时间的变化情况,分为静载荷、变载荷和冲击载荷,不同类型的载荷对结构部件所引起的破坏也不同。

冲击载荷即作用时间小于自振周期的一半时的载荷。在冲击载荷的作用下,其引起的应力和应变值不但与在其他载荷作用下引起的结果显著不同,而且零件的体积会根据所受应力发生变化,有时更为详尽的分析还要考虑应力波的作用。材料的强度极限 δ_s 和屈服极限 δ_B 都是随着应变速度的增加而增加的。在实际工程中很难对冲击载荷和冲击应变的速率进行准确的分析。因此在一般的设计实践中,常常采用引入载荷冲击系数或应力冲击系数的方法,这样计算载荷的公式就为

$$P_{ca} = K_{im} + P_n \tag{8-17}$$

其中,K_{im} 为载荷冲击系数,通常取经验值。

多次冲击载荷有其自身的特点:

(1)冲击载荷的特性以高速波的形式表现;

(2)材料在多冲载荷作用下的缺口效应也比静疲劳大;

(3)材料在多冲载荷下要发生一些独特的组织和性能变化,甚至性质上出现有别于一般静低周疲劳的变化。

所以从疲劳的观点来选材需要注意以下三点:

(1)材料的切口敏感度和擦伤疲劳敏感性小;

(2)要求材料的断裂韧性大,使得结构在使用中出现裂纹后,不要导致很快的灾难性破坏;

(3)材料的抗腐蚀性能。

8.6.2　启动与关闭疲劳

启动(Start-up)与关闭(Shut-down)疲劳会引起立管的低周疲劳(Low Cycle Fatigue, LCF)破坏。目前各个船级社的疲劳强度校核规范主要考虑的是高周疲劳,而没有涉及低周疲劳。其实,低周疲劳理论在 1965 年 Coffin – Manson 曲线提出以后已经发展起来。在 20 世纪 70 年代到 80 年代,低周疲劳在压力容器方面的研究发展迅速,其中欧洲与美洲的许多国家在这方面制定了设计规范,如 BS5500 和 ASME Sec. Ⅷ。但是在船舶与海洋工程领域,低周疲劳一直没有引起足够的重视,船舶结构低周疲劳强度评估方法还没有建立起来。直到最近有关船舶结构的损伤和低周疲劳的报道,如船舶在运行 5 年之内即出现裂纹,以及经过有限元分析发现临界点处的极值应力超过屈服应力的 3 倍等,才引起船舶行业对低周疲劳的关注,低周疲劳在船舶与海洋工程方面的研究才开始进行。Urm 在前人关于低周疲劳研究的基础上建立了油轮的低周疲劳强度评估方法。此外,Urm 等人和 Heo 等人针对油轮提出了将低周疲劳与高周疲劳相结合的疲劳强度评估方法。韩芸给出了一种船舶结构低周疲劳强度校核的改进方法。王琼研究了浮桥桥垮接头的低周疲劳问题,建立了移动载荷通行速度与接头疲劳寿命之间的关系,并指出在舟桥设计过程中载荷通行速度的重要性。吴晓源则首次将低周疲劳分析方法应用到浮式生产储油卸油轮(Floating Production Storage and Offloading,FPSO)上。另外,韩芸、王琼以及吴晓源等学者也分别对低周疲劳进行了综述。

低周疲劳的应力分量可以根据梁理论或者有限元分析得到,有限元分析时应该使得网格的大小等于立管的壁厚。对于低周疲劳而言,由于大的塑性变形,应该使用应变 – 寿命曲线进行疲劳寿命计算,但是海洋工程机构疲劳寿命计算中多用应力 – 寿命曲线,因此为了能够利用已有的应力 – 寿命曲线,低周疲劳的应力范围应该用塑性系数进行修正。Heo 等人已经证明 DNV 规范中的高周 $S – N$ 曲线可以用来计算低周疲劳寿命。

材料的低周疲劳寿命预测是工程应用比较关心的问题,很多研究也提出了相关模型。这些模型主要是将疲劳寿命与应力、应变或应变能密度等参量联系在一起得到的。其中,应用能量法则来进行疲劳寿命预测能够揭示疲劳损伤的本质,其精确度高,物理意义明确。通过近些年的不断发展,出现了很多用于低周疲劳寿命预测的计算模型。现列举主要的疲劳寿命预测模型进行分析。

1. Manson – Coffin 方程

Manson – Coffin 方程是等温低周疲劳寿命计算的基础模型之一。它实现了低周疲劳寿命研究从定性研究发展到定量研究的突破,也为高温低周疲劳寿命预测技术的发展奠定了基础。通过长期工程应用实践,Manson – Coffin 方程也暴露出几点不足之处:

(1)有的金属材料按 Manson – Coffin 方程分解后的弹性线和塑性线在双对数坐标系中不能很好地用直线拟合,而是向下略向内弯的曲线;

(2)按 Manson – Coffin 方程测定 $\varepsilon - N$ 曲线时,必须在滞后环曲线稳定后,测得其 $\Delta\varepsilon_e$ 和 $\Delta\varepsilon_p$,再由 $\Delta\varepsilon_e/2$ 和 $\Delta\varepsilon_p/2$ 确定出 b,c,σ_f' 和 ε_f' 4 个待定常数。实际中通常取 50% 寿命时所对应的滞后环为稳定的滞后环,但是有些材料在 50% 寿命时,其滞后环并未稳定,甚至有的材料到破坏也不稳定;

(3)成组试验中,当 $\Delta\varepsilon_t$ 固定时,各试件的 $\Delta\varepsilon_e$ 和 $\Delta\varepsilon_p$ 则不尽相同,因而也就得不出固定 $\Delta\varepsilon_e$ 和 $\Delta\varepsilon_p$ 时的一组数据,这造成测定 $P - \varepsilon - N$ 曲线的困难;

(4)Manson – Coffin 方程在描述接近低周疲劳与高周疲劳分界点的数据时存在较大误差,大部分 2 倍分散带以外的数据点均产生在该区域;

(5)高温低周疲劳过程中为动态弹性模量,对于强度较低韧性较好的材料在采用 Manson – Coffin 方程进行低周疲劳应变 – 寿命曲线计算时弹性模量是一个很重要的因素。

2. 拉伸滞后能损伤函数法

拉伸滞后能损伤函数法由 Ostergren 提出,该方法认为低周疲劳损伤是由试样吸收的拉伸滞后能或应变能来控制的,由损伤函数近似将能量 ΔW_t 表征为非弹性应变范围 $\Delta\varepsilon_{in}$ 和峰值拉伸应力 $\Delta\sigma_t$ 的乘积,而滞后能与疲劳寿命之间遵循幂指数关系:

$$\begin{cases} \Delta W_t \cdot N_f^\alpha = c \\ \Delta W_t = \Delta\varepsilon_{in}\Delta\sigma_t \end{cases} \qquad (8-18)$$

式中　σ_t——最大循环拉伸应力;

$\Delta\varepsilon_{in}$——非弹性应变范围,纯疲劳时用 $\Delta\varepsilon_p$ 代替。

拉伸滞后能损伤函数法存在以下不足之处:

(1)用拉伸滞后能损伤函数法对高温合金高温环境下低周应变疲劳试验结果进行处理,常常会出现计算出的塑性应变值非常小甚至是负值的情况,从而得到非常小甚至是负值的拉伸滞后能。在对拉伸滞后能 – 寿命曲线进行拟合处理时,这类点将被视为无效的数据点,不能使试验数据得到充分的利用。

(2)用拉伸滞后能损伤函数法来描述 $\Delta W_t - N_f$ 曲线时,对疲劳寿命起主要作用的是滞后能,其均应力的影响居第一位,平均应变的影响则较小。拉伸滞后能损伤函数法虽然考虑了平均应力的因素,但其采用的拉伸滞后能参量与疲劳损伤过程中试样吸收的真实滞后能存在一定的差异,由于平均应力的存在,这种差异对于高温合金的高温低周疲劳尤为明显。

(3)当 $N_f \to +\infty$ 时 $\Delta W_t \to 0$,即滞后能损伤函数法没有反映出材料的疲劳极限,这与实际情况不符。

低周疲劳寿命预测模型可分为局部应力应变法、应力场强度法、能量法以及其他法则。能量法则作为近几年低周疲劳研究的主要理论基础发展出了很多应用广泛的寿命预测模型。其能量模型主要有三种类型:塑性应变能理论、耗散能理论、总应变能理论。能量法则和三参数幂函数公式相结合发展出一种全新的寿命预测方法——三参数幂函数能量法。

对于以上提到的低周疲劳寿命预测模型,研究者们都进行了预测试验,以检验和比较各个模型的预测能力。结果发现,对于室温低周疲劳而言,常规铝合金、碳钢等的多数模型预测效果较好;对于高温低周疲劳来说,由于试验过程中材料本身弹性模量的变化、疲劳损伤和蠕变损伤的交互作用等原因,各种相关研究仍处于探索阶段。因此,大量的试验性研究有待进行。

8.6.3　安装疲劳

安装疲劳也是立管产生疲劳破坏的一个重要原因。在立管的安装过程中不当操作会引起材料内部细小的缺陷,对于焊接处,裂源往往出现在焊缝趾处。

立管安装方法会对立管结构疲劳造成不利的影响。例如,卷筒法铺设钢悬链线立管时,立管在卷筒上缠绕、退绕及矫直的过程会导致材料发生塑性变化。尽管立管在下水之前被矫直,但是塑性变形将引起残余椭圆度及残余应力等材料特性的变化,可能会对立管的极限强度及疲劳性能有很大影响。此外,深海钢悬链线立管所处工作环境复杂,长期承受交变载荷,焊接部位存在的残余应力及力学性能不均匀等特点使得其结构失效控制和疲劳可靠性遇到挑战。并且因为力学性能的不均匀,卷筒安装塑性变形时将会发生应力集中,并且在存在焊缝缺陷时塑性变形易导致焊缝缺陷加速扩展,因此采用卷筒安装管线的焊缝疲劳性能更加值得关注。

立管结构疲劳破坏是一个裂纹逐渐扩展的过程,造成立管结构疲劳破坏的因素很多,也有很大的随机性。在安装过程中材料及其焊缝存在的一些缺陷会导致应力的集中,而立管安装疲劳破坏往往就起源于这些缺陷。所以在安装过程中焊缝形式的选择、施焊工艺质量、焊后处理和安装操作的规范性等都将直接影响结构疲劳寿命。提高钢结构疲劳强度,在安装过程中就应采取措施减少或缓解应力集中。减小初始裂纹尺寸,降低构件所承受的应力(应力幅)和采用高韧性的材料,这三种方法都将增加荷载的循环次数,延长构件的钢结构疲劳寿命。

8.7　疲劳寿命分析基本方法

8.7.1　疲劳寿命的分析流程

结构疲劳失效以前所经历的应力或应变循环次数称为疲劳寿命,一般用 N 表示。结构疲劳寿命分析主要包括四个方面的内容:循环载荷下结构的响应、疲劳寿命估算方法、材料疲劳性能的描述和疲劳累积损伤法则。

一般的结构疲劳寿命分析流程如图 8.9 所示。

可见结构疲劳寿命估算基于结构的响应。由振动引起的疲劳与一般循环载荷以及响应特点有所不同,导致振动疲劳寿命分析的具体步骤与一般循环疲劳寿命分析有所差异。振动载荷作用下结构的疲劳寿命分析步骤如图 8.10 所示。

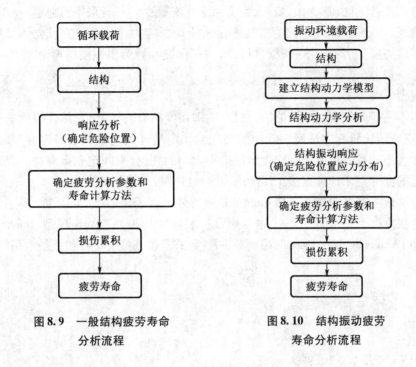

图 8.9　一般结构疲劳寿命
分析流程

图 8.10　结构振动疲劳
寿命分析流程

8.7.2　疲劳寿命计算方法

1. $S-N$ 曲线法

结构的疲劳寿命取决于材料的疲劳性能和应力水平。一般来说,材料的外加应力水平越低,结构的疲劳寿命越长;反之疲劳寿命越短。表示应力水平和循环疲劳寿命之间关系的曲线称为材料的疲劳 $S-N$ 曲线。

由于理论简单,操作容易,$S-N$ 曲线法是结构疲劳寿命估算最常用的方法。这里 $S-N$ 曲线法是一个笼统的说法,主要是与断裂力学法相对的一种方法,它不考虑结构的缺陷及裂纹的扩展。在对数坐标系中,$S-N$ 曲线有三种处理模型:一段直线、两段直线和三段直线。其中两段直线模型 $S-N$ 曲线最为常用。描述 $S-N$ 曲线关系最常用的是幂函数形式:

$$S^{m_1} \cdot N = C_1 \qquad\qquad (8-19)$$

其中,C_1 和 m_1 是材料参数。

$S-N$ 曲线法中材料参数主要来自于标准件的材料疲劳性能试验,目前大多数材料的在不同环境下的 $S-N$ 曲线可以在相关规范和材料手册中查得。

$S-N$ 曲线法适用于结构高周疲劳寿命估算(应力水平低、应变小、寿命循环次数高),因此 $S-N$ 曲线法也称为名义应力法,是最早形成的抗疲劳设计方法。它以材料或零件的 $S-N$ 曲线为基础,由结构形式按载荷谱的分析方法确定出压力峰值,用有关的结构力学公式计算出热点处的工作应力,然后叠加上实测得到的残余应力,求出应力的循环幅值及平均应力诸参数,再利用 Goodman 转换式求出对应对称循环载荷时的相当应力。通过 $S-N$ 曲线,就能求出对应的断裂循环数。对载荷谱的其余各组载荷重复使用上述方法进行处理,最后用 Miner 准则就能计算出结构的疲劳寿命。但是这只是个理论值,还应考虑焊接材质、载荷加载频率、结构表面粗糙度、海水介质、结构尺度等各种因素的影响。

对于低周疲劳问题(应力大、应变大、寿命循环次数少),一般采用的则是 $\varepsilon - N$ 曲线(应变-寿命曲线)。$\varepsilon - N$ 曲线也称为应变寿命法或局部应力应变法。它首先估算疲劳危险点的弹塑性应力应变历程,然后根据材料的 $\varepsilon - N$ 曲线和疲劳累积损伤理论,进行疲劳寿命计算。

2. 断裂力学法

断裂力学是研究具有初始缺陷的材料和结构强度的有力工具,它结合现代的无损探伤技术,能够克服传统研究方法所表现出的弊端。如定量计入初始缺陷对疲劳寿命的影响,以裂纹尺寸大小和裂纹扩展速率作为结构损伤大小的判据,来判定剩余寿命。以疲劳裂纹扩展为基础的疲劳寿命计算方法正逐渐成为结构疲劳校核发展的方向。

断裂力学认为裂纹的扩展速率 $d a / d N$ 是应力强度因子幅值 ΔK 的函数,描述裂纹扩展速率与应力强度因子之间的关系式称为裂纹扩展速率模型,有 Paris 模型、Donahue 模型、Priddle 模型、Walker 模型和 Forman 模型等,Pari 公式是描述疲劳裂纹扩展最常用的的公式:

$$\begin{cases} \dfrac{d\tilde{a}}{dN} = C_2 (\Delta K)^{m_2} \\ N = \displaystyle\int_{\tilde{a}_0}^{\tilde{a}_c} \dfrac{d\tilde{a}}{C_2 (\Delta K)^{m_2}} \end{cases} \qquad (8-20)$$

式中 $d\tilde{a} / dN$——裂纹扩展速率;

      ΔK——应力强度因子幅值,$\Delta K = K_{max} - K_{min}$;

      C_2, m_2——材料参数;

      N——裂纹由初始裂纹尺寸 $\tilde{a}_0$ 扩展到临界裂纹尺寸 $\tilde{a}_c$ 的疲劳寿命。

从式(8-20)可以看出,采用 Paris 公式评估疲劳寿命时有 3 个关键点:材料参数、应力强度因子、初始裂纹尺寸和临界裂纹尺寸。初始裂纹尺寸 $\tilde{a}_0$ 通常由无损检测或相关规范确定,断裂尺寸 $\tilde{a}_c$ 根据断裂韧度 K_{lc} 或相关规范确定;裂纹应力强度因子可查询应力强度因子手册,对于特殊结构,裂纹应力强度因子可通过有限元法、边界元法或权函数法等途径获得;材料参数 C_2 和 m_2 通常由材料手册或疲劳裂纹扩展速率试验获得。

3. 模型试验法

采用 $S - N$ 曲线法或断裂力学方法计算得出的疲劳寿命,其可靠性有待于试验的检验。工程结构疲劳强度试验有典型节点模型试验和大比尺模型试验。大比尺模型试验虽投资大、耗时长,但却能获得相对准确的试验结果。所以在试验对象确定后,设计者总是根据试验设备最大允许尺度尽可能地设计出其缩尺比尽量大的整体模型。典型节点模型试验相对于大比尺模型试验耗资较小,试验周期也较短。

Mukundan 等人做了一些立管振动疲劳特性的实验研究,主要为了验证疲劳理论计算模型的准确性。

4. 数值仿真法

计算机的发展和大量结构计算分析软件的开发极大地推动了疲劳理论的研究和发展。目前,有限元方法(FEM)已经成为一种强有力的结构分析工具。MSC. Fatigue 根据有限元计算获得的应力应变结果,结构载荷的变化以及材料的疲劳特性等条件,预测裂纹的扩展速率和时间。它研究裂纹扩展采用的是传统的线弹性断裂力学(LEFM)。有限元方法进行疲劳寿命设计已经在一些重要的工业领域(如汽车、船舶、航空航天和机械制造等)发挥了重要作用。Carpinteri 等应用有限元软件模拟了薄壁圆管应力强度因子的变化规律,取得了较好的结果趋;Khan 等采用有限元软件 Abaqus 计算了随机载荷作用下立管的疲劳寿命。虽然目前有限元方法分析疲劳裂纹的扩展在工程应用上还不是很成熟,尤其计算变幅载荷和循环加载的疲劳问题时比较麻烦,其计入弹塑性分析、裂纹闭合以及结构形状影响等因素时更是如此。但是作为一种研究手段它无疑是有价值和前景的,也将推动疲劳理论的进一步完善和发展。

8.8　改善疲劳寿命的常用方法

深海立管疲劳损伤的影响因素众多,其中与应力集中系数和 $S-N$ 曲线参数直接相关。其他影响参数,包括平台种类、立管种类、布置形式、材料类型、长度 L、外直径 D、壁厚 t、管内流体密度 ρ、沿立管长度方向的流速分布 $V(z)$ 以及顶端张力 T 等。

预防和减缓深水立管的疲劳损坏,增加疲劳寿命首先从疲劳的预报开始,在设计分析阶段,从精确海况数据的获取、平台运动的优化、立管材料的选取,布置形式的优化以及减涡装置的设计等方面增加立管系统的设计疲劳寿命。增加立管的疲劳寿命可以从以下几个方面着手:

(1)从立管本身的材料属性方面提高疲劳寿命。适当提高壁厚、利用锻造和挤压管、严格焊接要求、使用耐疲劳的钛合金部件、使用柔性立管等。

(2)从立管的布置形式方面提高疲劳寿命。采用混合立管形式(减少顶部浮体运动对立管的耦合作用)、改变顶部张紧式立管的顶部张力系数、采用缓波式钢悬链线立管布置形式、改变立管顶部的悬挂角度等。

(3)从平台的运动方面提高疲劳寿命。合适平台的选取、优化船型以降低波浪作用、系泊系统的优化、服役期改变船体位置(改变 SCR 触底点的位置)等。

本节则主要对减少涡激振动和涡激运动疲劳破坏的方法进行介绍。

8.8.1　抑制平台涡激运动

为了减小平台涡激运动对平台及立管造成的危害,需要采取有效可行的措施抑制涡激运动的发生。目前,抑制涡激运动的方法主要从两个方面来考虑。一是从流体动力学的机理出发,控制流体边界层,阻止或干扰漩涡的形成;二是通过调整系泊线的参数,使得平台的固有频率不在易于发生涡激运动的频率范围之内。在第一个方面,常根据干扰方式不同,分为"主动法"和"被动法"。"主动法"即沿 Spar 平台来流的切线方向注入流体,从而达到整流减涡的目的。"被动法"即在平台外部表面采用不同形式的扰流装置,可以改变分离点的位置,切断漩涡形成所必需的长度,从而扰乱漩涡的形成与泻放,抑制结构运动。理论上来讲,注入流体的方法更为有效,但是并没有广泛应用于实际中,因为在平台表面注入流体的费用非常昂贵,而且来流速度以及方向具有很大的随机性,流体喷射难以控制,因此在实际工程中应用存在很多困难。相对而言,减涡装置安装方便,经济性较好,而且减涡效果也十分显著,因此得到更多青睐并得以推广。

其中,螺旋式减涡侧板是应用最广泛的方法,如图 8.11 所示。在主体表面安装螺旋减涡侧板,能够扰乱 Spar 平台尾流速度的连续性,从而达到抑制涡激运动的目的。

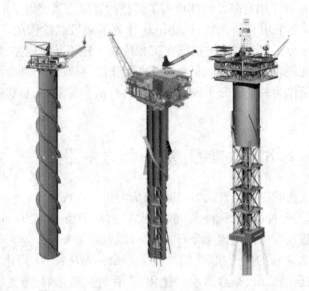

图 8.11　螺旋式减涡侧板在不同类型 Spar 平台上的应用

　　典型的减涡侧板为 3 组,每隔 120°分布于平台表面,螺距一般为 3.5 到 5 倍的硬舱直径,侧板宽度为直径的 10%～14%。此时理想的螺旋式减涡侧板具有非常良好的减涡效果,但实际上减涡侧板的效率常因各种因素而难以达到理想的效果。首先,平台具有各种各样的附属物,如立管、锚链、导缆孔等,都会影响到螺旋减涡侧板的效率;其次,由于建造以及运输的原因,有些平台的螺旋减涡侧板需要被截断或减小高度;最后,减涡侧板的形式不同,减涡效率也有所变化。

　　需要注意的是,在不同的来流方向上,减涡侧板的减涡效果是不同的,在某些方向上会出现明显的"热点"。如图 8.12 和图 8.13 所示,无减涡侧板(Bare)、侧板宽为 12%D(Strakes A)与侧板宽为 14%D(Strakes B)三种情况下,某模型试验测得的四点系泊圆柱,在各方向来流下引起的涡激运动幅值。

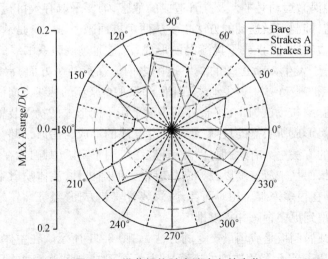

图 8.12　纵荡幅值随来流方向的变化

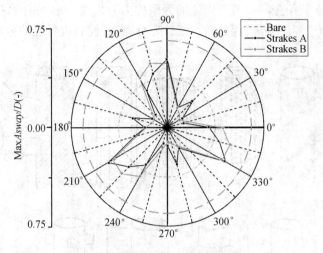

图 8.13 横荡幅值随来流方向的变化

总之,应针对不同形式的 Spar 平台设计合理的减涡侧板。

8.8.2 抑制立管涡激振动

为减少或消除涡激振动造成的破坏作用,延长深海立管的使用寿命,各国学者进行了大量的研究。首先,在结构设计阶段就需要针对涡激振动对立管的破坏采取一些预防措施,如尽量避免结构在稳定流中的约化速度处在可能发生涡激振动的范围,增加结构的有效质量和阻尼从而使其自振频率与涡脱落频率不相接近等。除此之外,因为深海水动力环境非常复杂,通常需要在立管结构上使用涡激振动抑制装置。常见的涡激振动抑制装置也分为主动抑制和被动抑制两种。同样因为装置设计简单,易于制作、安装和维护,成本较低,被动抑制被广泛应用到立管系统的工程实践中。

一般将被动抑制方法分为三种类:

(1)螺纹、线条、翼片、螺栓和半球面等表面突,影响分离线或分离剪切层;

(2)穿孔、丝网、控制杆和轴向板条等裹覆,影响卷吸层;

(3)飘带、整流罩、分隔板、导向翼、底排和狭缝等近尾流稳定器,阻止卷吸层的相互作用。

这些方法中,螺纹、线条和全面裹覆等具有全向性,即它们对于各种来流方向都是有效的,而翼片、部分裹覆和近尾流稳定器等只具有单向性,它们仅对某个来流方向有效。为了解决方向敏感性问题,通常将某些具单向性的装置安装在可自由转动的推力套环上,使其能够按照流场情况自动调整方向,从而成为具全向性的装置,比如风向标型整流罩。图8.14 给出了常见的被动抑制装置。

下面从抑制机理角度分三部分回顾涡激振动被动抑制措施的研究进展,在三类方法中各取一种应用比较广泛或研究比较充分、具有代表性的抑制措施即螺旋条纹、控制杆和整流罩,并对它们进行详细介绍。

1.控制分离线和分离剪切层

当流体经过非流线型物体时,一般会出现下列现象:边界层在某个位置开始脱离物面,并在物面附近出现与主流方向相反的回流,这被称为边界层分离现象。边界层脱离位置称为分离点,从分离点开始分隔主流与回流的界限称为分离线。早期的学者认为涡脱落的原因主要是大范围的边界层分离,因此致力于改变分离线,控制边界层的分离。

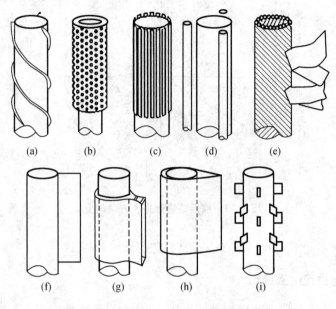

图 8.14　常见的涡激振动被动抑制装置示意图
(a)螺旋条纹;(b)开孔管套;(c)轴向板条;(d)控制杆;
(e)飘带;(f)分隔板;(g)导向翼;(h)整流罩;(i)短扰流板

　　最初研究者在圆柱体上以两种角度交替地安装短钢丝,以改变来流在圆柱表面的分离位置,并发现这种锯齿波状线条能够抑制涡脱落。通过引入分段后缘来研究钝后缘机翼的减阻问题,发现该方法能使拖曳力减少到64%。基于这种干扰流场分离线的方法,众多学者进行了大量研究,发现当强迫流场分离线成为错杂曲线,则钝体的尾流会表现出明显的三维特性,这被称为涡的位错现象常伴随钝体展向(轴向)涡脱落频率的变化,而且不同频率的脱落涡最终能够融合在一起。在较高雷诺数情况下,位错在时间和展向位置上表现出明显的随机性,若采取措施将其位置固定,则钝体的背压会增大,这意味着拖曳力减小,并且能够削弱涡脱落。后来的研究发现这种措施有一个缺点,就是方向敏感性,凸起部分转一定角度抑制作用显著降低,针对这一问题后来提出一种螺旋形排列的凸起抑制措施,解决了方向敏感性。

　　螺旋条纹[图8.14(a)]是目前应用比较广泛的一种被动控制型涡激振动抑制措施,其原理是通过在圆柱体轴向逐渐改变流场分离线,减小漩涡的相关长度从而使漩涡脱落为有限的单元而被削弱。螺旋条纹广泛应用于海洋立管系统的涡激振动抑制。它具有良好的抑制性能,能有效减少70%~90%的涡激振动响应振幅。当然它也有明显的缺点,螺旋条纹会显著地增大立管的拖曳力,从而增加水面浮动平台的漂移幅度和立管的张力负载;其次,表面粗糙度对螺旋条纹抑制性能影响较大,立管上生长的海洋生物会显著降低条纹的抑制作用,并进一步增加水流的拖曳力。图8.15为螺旋列板涡激抑制装置。

　　经过研究表明,螺旋条纹的抑制性能主要和形状(条纹高度和螺距)、覆盖率和表面粗糙度有关。所有的螺纹形状都能够削减涡激振动,但它们的效率差别很大,影响效率的最重要参数是条纹高度。全长覆盖的螺纹的抑制效率要好于部分覆盖的条纹,尤其是在均匀流下。除此之外,试验表明立管上布置螺旋条纹不仅能减少高模态振动的振幅,还能减少频率含量,特别是能减少会显著增加结构疲劳破坏的 3 次谐波成分,全长覆盖的螺旋条纹立管的疲劳破坏率比裸管低 8 个数量级。

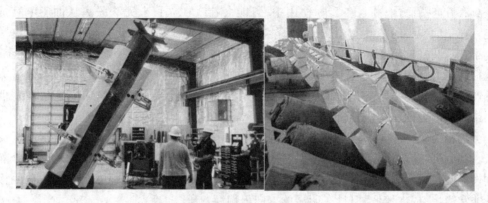

图 8.15　螺旋列板涡激抑制装置

2. 影响卷吸层

20 世纪 60 年代以后,一些学者提出了"卷吸层"和"汇流点"的概念,用以解释涡脱落机理和相关的现象。卷吸层存在于圆柱绕流形成的分离剪切层中;汇流点表示圆柱体两侧的卷吸层相遇和互相作用的区域。漩涡是由收卷过程形成的,人们认为通过干涉卷吸层,可能会抑制涡脱落,因此提出了一些影响卷吸层的抑制措施,如开孔或网格管套、控制杆、轴向板条等。

控制杆[图 8.14(d)]是一种相对于主圆柱体直径较小的细圆杆,靠近主圆柱体平行放置单根或多根,从而对主圆柱周围流场结构产生干扰,影响卷吸层,起到减小主圆柱体涡激振动和拖曳力的作用。单根控制杆的直径在一定范围内时,其抑制性能主要受两管的间距和来流角的影响。控制杆对来流方向非常敏感,当来流角发生变化时,其抑制性能可能会急剧降低,甚至会增加主圆柱体上的流体力。因此单根控制杆抑制措施适用于流向稳定的流场环境,比如河流,而不适用于流向变化频繁的深海洋流。但是控制杆结构极其简单,很多学者对其开展了丰富的科学实验研究,对深入了解立管涡激振动的抑制机理有重要的意义。

目前针对控制杆的研究成果主要是在主圆柱体附近放置单根控制杆,研究控制杆直径和相对位置对其抑制性能的影响。对于控制杆位于主圆柱体的驻点线上游、驻点线上、分离剪切层中和尾流区等不同位置,均有大量的研究,结果表明控制杆能够减少主管的脉动升力和拖曳力;对于不同直径的控制杆,主圆柱体上的升力和拖曳力均有所减小,当管径比 $d/D = 0.25$(d 为控制杆直径,D 为主管直径)时拖曳力降至最低;当主圆柱体尾流区的适当位置放置一个小控制杆能够显著地抑制涡激振动;控制杆对常规涡脱落的抑制作用对来流角和两个柱体的轴间距比较敏感,主圆柱体升力和拖曳力主要受控于来流角和轴间距的共同作用。

3. 控制尾流

随着研究的进一步深入,人们意识到涡脱落的发生是由汇流点从尾流轴线的一侧向另一侧转换来控制的,卷吸层的相互作用对涡脱落的产生具有更重要的作用,于是开始将工作的重点转向尾流区域,以阻止汇流点转换为目标,发展了飘带、分隔板、导向翼、整流罩等近尾流稳定装置。

飘带[图 8.14(e)]是一种廉价而有效的抑制措施,通常它由聚氨酯薄膜制成,当其宽度为 $D \sim 2D$ 时,长度可取 $6D \sim 10D$。它的优点是廉价、设计简单、制作容易、安装方便。缺点是具有方向敏感性,并且在实际使用中,可能会卷绕在立管上无法脱离从而影响其抑制性能。在单向飘带的基础上,发展了 3 条 120° 等分布置的多向飘带抑制措施,并通过实验研究了它对圆柱体涡脱落和拖曳特性的影响。流场可视化实验表明这种抑制措施能够有效地抑制尾流场中的涡脱落,并且它可以自动调整形状以适应来流方向,从而消除了方向敏感性。飘带长度是影响其抑制性能的主要参数,该实验中最适宜的飘带长度为 $2D$。但是对飘带对横向力的作用目前尚没有开展过深入的研究。

分隔板[图 8.14(f)]是安装在圆柱体后方的一个薄平板,它可以阻断尾流区的汇流点转换,抑制涡脱落或将其推迟至较远的下游区域,以消减圆柱体上的涡激力。影响分隔板抑制性能的主要参数是板前端到圆柱体的间距和板的顺流向长度。和飘带类似,分隔板的设计非常简单,成本较低,但具有明显的方向依赖性。

整流罩[图 8.14(h)]是一个短的机翼状部件,通常具有流线型外形,分段安装在立管上并可以自由转动,其形状参数主要用弦厚比来表示,弦长为其对称轴即驻点到尾翼末端的长度,厚度通常为前端旋转部分直径。旋转部分用推力套环与管分离,使整流罩能够自由摇摆。其抑制机理是按照流场方向将流经立管的水流调整为流线,并阻止尾流区卷吸层的相互作用,抑制涡脱落或将其推延至远离柱体的下游区域,减小涡激力。图 8.16 为整流罩涡激抑制装置。

图 8.16　整流罩涡激抑制装置

整流罩相比螺旋条纹具有一系列的优势:抑制性能更强,能够减少 80 % 以上的涡激振动响应振幅,并消减拖曳力达 50% 以上;尾流稳定性好,对于下游立管更加有利;即使覆盖有海洋生物,整流罩对于涡激振动的抑制仍然有效。目前,普遍认为整流罩对于深水涡激振动是一个更加有效的抑制方案。整流罩在深海采油工程中已经有不少成功应用,现有技术已实现在深海环境中为立管系统现场安装整流罩部件,如位于墨西哥湾深海洋流中的 Mars 和 Ursa 张力腿平台。整流罩的缺点主要是设计难度较大,制作和安装成本较高,另外这种分段摆动形式的措施存在其特有的动态稳定性问题。

短扰流板[图 8.14(i)]是一组沿柱面圆周交错排列的矩形翅片,它是一种全向性装置。位于来流场和分离点附近的扰流板能够扰动分离剪切层,而尾流场中的扰流板能够阻止汇流点转换,扰流板交错排列的目的是干扰涡脱落的展向相关性。研究表明短扰流板能够减少约 70% 的漩涡谐振激励,从而破坏漩涡的生成和脱落,有效抑制由其引起的结构振动。一般情况下,扰流板会给结构增加很大的拖曳力,例如扰流板高度达到 0.1D 时立管的拖曳系数将增加到 2.5。因此,若要使用扰流板抑制措施,结构必须具有更大的机械强度,以承受增大的拖曳力作用。

8.9　本章小结

　　本章主要对深水立管的疲劳成因、疲劳特点、疲劳形式、疲劳寿命、疲劳分析方法以及改善疲劳的措施等方面做了详细的介绍。

　　分别对立管结构疲劳损伤的成因平台的波浪运动、立管的涡激振动和平台的涡激运动做了详尽的介绍,对它们的产生机理、作用方式、影响程度进行了论述。

　　对立管的疲劳寿命分析流程进行了说明,对疲劳寿命通用的计算方法做了分类概括。最后以工程实际的角度对立管系统增加疲劳寿命的措施做了总结,尤其从抑制涡激振动和涡激运动的角度,对缓解涡激疲劳的原理的设备进行了详细的说明。本章使读者对深海立管疲劳有一个全面与深刻的认识。

参 考 文 献

[1] 白勇. 海底的管道与立管[M]. 北京:石油工业出版社,2013.

[2] 于卫红. 深水 S‑Spar 平台水动力性能及其立管系统疲劳特性研究[D]. 青岛:中国海洋大学,2011.

[3] 潘佳. 深水立管涡激振动响应和疲劳损伤分析[D]. 大连:大连理工大学,2015.

[4] 秦伟. 双自由度涡激振动的涡强尾流振子模型研究[D]. 哈尔滨:哈尔滨工程大学,2013.

[5] 张杰. 深海立管参激‑涡激联合振动与疲劳特性研究[D]. 天津:天津大学,2018.

[6] AROSEN K H. An experimental investigation of in‑line and combined in‑line and cross‑flow vortex induced vibrations[D]. Doctoral Thesis, Norwegian University of Science and Technology.

[7] AUBENY C P, BISCONTIN G. Interaction Model for Steel Catenary Riser on Soft Seabed [C]. Offshore Technology Conference, Houston, Texas, USA, paper No. OTC13113.

[8] BAARHOLM G S, LARSEN C M, et al. On fatigue damage accumulation from in-line and cross-flow vortex-induced vibrations on risers[J]. Journal of Fluids and Structures,2006,22:109－127.

[9] BLEVINS R D, COUGHRAN C S. Experimental investigation of vortex‑induced vibration in one and two dimensions with variables mass, damping and reynolds number[J]. Journal of Fluids Engineering,2009(13):101－202.

第 9 章 钻 井 立 管

9.1 概　述

对于海上石油开采来说，海洋钻井是非常重要的一个环节。浮式钻井立管通常在半潜式平台和钻井船上使用，如图9.1所示。

钻井立管是连接海底井口和海上钻机的关键设施，在钻井过程中起着至关重要的作用。而对深水钻井而言，钻井环境非常复杂，钻井立管的受力状态也随之变得很复杂，在此之前曾出现过各种各样的事故，尤其是当海洋环境较为恶劣时，由于立管强度不满足钻井要求而导致的钻井作业中断或钻井失败等事故。可见钻井立管的强度能否满足钻井过程中的强度要求就成为了必须要考虑的问题之一，即立管的稳定性和安全性的问题是需要特别考虑的。

随着水深的增加，保持钻井立管的完整性是一个关键问题。对于以双重作业、动力定位为基础的半潜式平台而言，钻井立管的设计分析尤其重要。为保证其整体安全性，需要对其进行一系列的动态分析。动态分析的目的是为了确定船舶的漂移极限，对回收及调配的限制。最近几年，人们往往通过一些测试来验证焊接接头、立管耦合剂密封系统是否合理匹配。对于墨西哥湾的立管安装而言，涡激振动是一个关键问题。

图 9.1　钻井船和钻井立管
系统示意图

一些开发公司设法采用一个检测系统来测量船舶的适时运动和立管的疲劳损伤。检测结果还可以作为涡激振动设计和分析的工具。

钻井立管的主要作用有：

（1）隔离油井与外界海水；

（2）钻井工作液的循环；

（3）安装水下防喷组件系统；

（4）支撑各种控制管线(节流和压井管线、泥浆补充管线、液压传输管线)；

（5）钻杆、钻井工作从钻台到海底装置的导向。

9.2 钻井立管组成及关键设备

9.2.1 钻井立管的组成

在各种海洋立管中,钻井立管是比较特殊的一种。因为要在极其恶劣的环境中工作,是一种高风险、高难度、高技术、高附加值的石油装备。一般来说,钻井立管系统主要包括卡盘/万向节、张紧器系统、分流系统、伸缩节、顶部柔性接头、立管单节、底部柔性接头、立管下部组件(LMRP)和防喷组件(BOP)等部件,图9.2展示了钻井立管系统的基本结构。

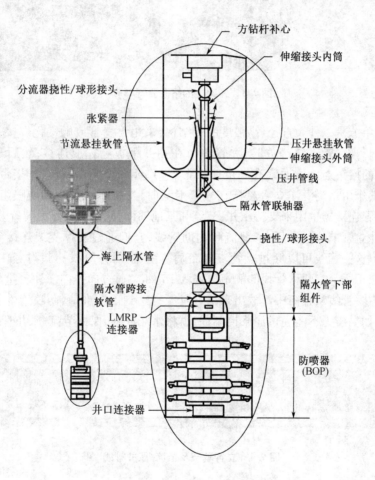

图9.2 钻井立管结构示意图

钻井立管作业时,会受到以下几种载荷的作用:波浪载荷、风载荷、潮汐作用、立管自重、浮力以及张紧器张力等。这些作用力作用在钻井立管上,使得立管在海水中的受力情况非常复杂。同时由于钻井立管的结构比较特殊,受力情况又比较复杂,近年来又发生过多次钻井立管失效的事故,因此对钻井立管的设计及分析需要给予足够的重视。

9.2.2 钻井立管单节

钻井立管不同于其他的海洋立管,其独特的功能特性和材料结构决定了其在设计和选型上的与众不同,图9.3所示为钻井立管单节。

图9.3 井架上的钻井立管单节

钻井立管单节是一种大直径、高强度的管结构,采用无缝管或电气化焊接,两端都焊接有立管连接器。当立管系统施放时,立管单节在钻井甲板上完成连接,然后下放到水里。立管单节顶端的接头连接处通常有一个连接台肩(Landing Shoulder)。连接台肩也称作立管支持台肩,其作用是当海洋立管悬挂在立管卡盘时,支持海洋立管和防喷组件的静态和动态载荷。立管连接器也用来支持压井、节流和其他辅助管线,以及浮力装置。

通常,钻井立管单节包含压井/节流和辅助管线,它们通过支撑支架连接到主管外部。大多数立管中,这些管线可以穿过立管支撑台肩。节流/压井管线一起附着在主立管的外轮廓上,如图9.4所示。两种管线的额定压强为15 ksi。通过向孔内灌注较重的泥浆,高压会通过节流压井/管线从井筒中释放出来。一旦压力达到了标准值,防喷组件就会打开,然后继续钻井。如果压力不能通过泥浆控制住,就将水泥注入,保持节流/压井管线的稳定。

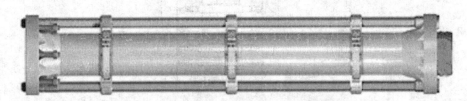

图9.4 立管单节及节流/压井管线

立管连接器选择应考虑如下要素:强度、支撑环额定载荷、应力放大系数(考虑疲劳寿命的要求)、可靠性、制造速度、制造载荷、保养需求、立管主管直径、强度与质量比等。

9.2.3 水面分流器系统

典型的分流器系统包括一个环形密封装置(可以同时打开放空管线并关闭泥浆管道)和一个控制系统。

1. 功能

分流装置与低压防喷组件(BOP)相类似。但气体或其他流体在压力作用下从浅层进入钻孔时,安装钻杆周围的分流装置就会关闭,流体就会从钻井平台分流。

当钻井顶部孔穿入 30 in 套管时,如果需要提供超平衡的压力,立管系统可能要采用较重的泥浆。此阶段防喷组件(BOP)还未安装,因为 30 in 套管通常缺少足够的压力强度,容易发生井喷,所以立管将引导石油至钻井船上的分流器系统。

2. 位置

水面分流器系统布置在钻井船上,通常直接安装在转台下面。分流器系统整合在一个外壳中。上部球接头/柔性接头是海洋钻井立管最上端的组件,通常安装在分流器系统底部。

3. 选择标准

分流器系统的选择应考虑并衡量以下内容:

(1)与钻井立管配合;

(2)所采石油特性。

9.2.4 特殊的张紧设备

张紧设备用于对海洋钻井立管的顶端施加垂向力,用以控制立管系统的应力和位移。该设备通常布置在钻井船的钻台周围。当浮动钻井船在风浪流作用下垂荡和偏移运动时,张紧系统向立管施加近乎恒定的轴向张力,使立管内力不受钻井船总体运动的影响,图 9.5 为一液压缸式张紧器示意图。设计一个有效的张紧系统应考虑以下要点。

1. 张紧线偏角

滚筒滑轮的布置应使张紧线保持最小偏角。这可以使张力的垂向分量最大,水平分量最小,并且增加张紧线寿命。由于张紧线存在偏角,实际施加到伸缩节外筒上的垂向张力要小于张紧器系统施加的张力。所以,采用缩减系数表示这些参数的差异。

2. 张紧线寿命

张紧线寿命取决于许多参数,包括钢丝绳构造、滑轮直径、应用张力、操作环境等。

3. 蓄能器和气压缸

每个张紧器单元都应配备有蓄能器,蓄能器必须足够大以容纳大于汽缸容积的液压液。张紧器的伸缩运动变化会使储藏气体膨胀或压缩,大容量气压缸将减小由此产生的压力变化。

4. 流体和气体流量需求

规格适当的张紧线会减小由张力筒压力损失引起的张力变化。与张紧器单元匹配的液压液应由张紧器制造商指定。

5. 摩擦和惯性损失

密封摩擦、滑轮摩擦、滑轮惯性、钢丝绳、张力杆、活塞都会对张紧器张力变化产生影响。

6. 动态张力限制参数(DTL)

不同的张紧器制造商都有不同的张紧器等级,通常采用的动态张力限制参数为最大允许压力乘以有效液压面积再除以张紧线数量,即

$$DTL = P_A \cdot A_{CYL}/N_{LP} \tag{9-1}$$

式中　　P_A——最大允许系统操作压力;

A_{CYL}——有效液压面积;

N_{LP}——张紧线数量。

张紧器系统的设计应允许一个张紧线停用（保养或维修），而不危害到剩余张紧线对海洋钻井立管提供所需张力。一个张紧线既可以是单一张紧器，也可以是一对张紧器，取决于制造商的设计。

7. 最大张力设置

张紧器最大张力不应超过动态张力限制参数的90%，所以包括动力载荷变化的最大张力会小于动态张力限制参数。

8. 流速限制装置

某些张紧器会在流体端口与各自空气/油分界瓶之间的线上布置流动控制装置。在流体全部参与升沉运动时，这一装置应提供最小的阻力。然而，如果一个张紧器的金属丝断裂或其他失效发生时，流速控制装置应探测液压流体不正常的高流速及张紧器中大量减小的流量，并允许过冲程以保护张紧器。

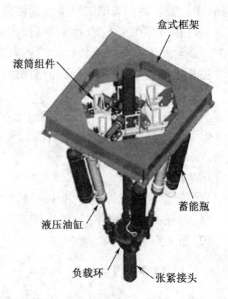

图9.5 液压缸式张紧器示意图

9.2.5 钻井防喷组件

钻井立管需要安装防喷组件，其作用是在立管结构发生破坏时，切断立管与海底井口的连接，防止因立管破坏造成石油泄漏，进而危害环境。海洋立管下端通过应力接头与防喷组件连接，如图9.6所示。

井喷是地层流体（油、气和水）无控制地涌入井筒喷出地面的现象。钻井过程中，井喷是危及海上作业安全的恶性事故。溢流失控导致井喷或井喷失控，使井下情况复杂，无法进行钻井作业。溢流和井喷的根本原因是地层和井眼系统的压力失去平衡。当对地层孔隙压力掌握不清，或由于某些外力及人为因素造成钻井液柱压力降低，使静液柱压力小于地层孔隙压力较多时，将导致溢流和井喷。为保持地层与井眼系统的压力平衡，在现场作业中，应使钻井液柱压力略大于地层孔隙压力，防止地层流体侵入井眼内。当溢流发生后，则要利用具有不同功能的各种先进的井控设备控制溢流。

防喷器组合的内容包括防喷器压力级别的选择、防喷器类型及数量、防喷器位置排列以及地面管汇布置等。防喷器组合的合理性和安全

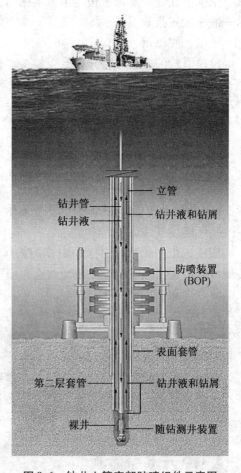

图9.6 钻井立管底部防喷组件示意图

性取决于钻井平台钻井时的危险性和防护程度、地层压力、井身结构、地层流体类型、人员技术素质、气象海流、交通运输条件、工艺技术难度和环境保护要求等诸多因素。简言之要求安全、合理和低成本。

钻井过程中用到的防喷器可以分为钻具内防喷器和钻具外环形空间防喷器两大类型。常见的钻具外环形空间防喷器有环形防喷器(万能防喷器)、闸板防喷器(单闸板防喷器和双闸板防喷器)。

1. 环形防喷器

环形防喷器又称为万能防喷器,其工作原理为:关井时,高压动力液进入防喷器关闭腔,液压力推动活塞向上运动,迫使密封胶芯封住管子外围;当高压动力液进入打开腔时,液压力推动活塞向下运动,让密封胶芯回到原位置,防喷器打开。其工作特点如下:

(1)能够在不同尺寸钻柱的任何部件上关闭;

(2)能关闭空井;

(3)能关闭试油抽油泵、测井或射孔的电缆及各种工具;

(4)在使用减压调节阀或缓冲储能器控制下,能够上下活动钻井或强行起下钻柱,但不能旋转钻具。

Hydril 公司的环形防喷器在业内的口碑是最好的,其 Hydril GXTM 型环形防喷器可以用于深水环境中。

2. 闸板防喷器

闸板防喷器工作原理:当发生井喷或者井涌时,高压动力液进入左右的液缸关闭腔,推动活塞带动着闸板轴及闸板总成沿闸板室内导向筋限定的轨道分别向井口中心移动,实现井封。同理,要实现防喷器开启,需要将高压动力液引入左右液缸开启腔。

9.2.6 完井和修井立管

钻井立管在实际使用过程中,还起到完井和修井的作用。根据用途不同分为完井立管和修井立管。

完井立管是将油管悬挂器通过钻井立管和防喷组件管连接到井的管道。完井立管也可以用来连接水下采油树。暴露在外面的完井立管用来承受外部载荷,如钻井立管的弯曲,特别是用在上下连接点处。

修井立管主要用于代替钻井立管从水下采油树重新介入油井,也可以用来安装水下采油树。修井立管暴露在海洋环境载荷中,受到来自波浪、海流和船舶运动的水动力载荷的作用。

图 9.7 所示为摘自 ISO13628 - 7 的典型完井和修井系统。完井和修井立管通过增加和减少部件来适应所需执行的任务。任意类型的立管都可以提供和海面设备之间的联系,同时可以抵抗表面载荷和压力载荷,也为必要的操作提供电线工具。

根据构造和设计,钻井系统应由以下部分组成:

(1)卡盘 是一种可以伸缩的夹紧装置,用来将立管支撑和固定于最上部的接头,通常用于钻井的转盘上。常平架安装在卡盘和装盘之间,用来减少冲击和均布载荷(该载荷往往是平台横摇/纵摇运动导致卡盘和立管产生的作用力)对结构物的影响。

(2)防喷组件适配器接头 是一个专用的 C/WO 立管接头,当 C/WO 立管布置在钻井立管内或者用于安装和回收水下油管悬挂器时,往往采用该接头。

（3）下部修井立管组合件（LWRP）是进行水下安装和修井时立管线上最下面的一个设备,它包括立管应力节和水下采油树之间的任何设备。下部修井立管组合件可以进行油井控制,以确保油井处于安全运行状态,也保证了连接油管和电缆的油井的正常工作。

（4）紧急断开插件（EDP） 是一个下部修井立管组合件的典型设备,它是立管与水下设备之间的节点脱离设备。当需要将立管和油井断开时通常使用紧急断开插件。

（5）应力节 是立管进行修井作业时管线最下端的接头。一般设计成锥形截面,这样的结构可以控制曲率和减少弯曲应力。

（6）伸缩接头 也称套筒接头,如图9.8所示,伸缩接头由两根同心镶嵌在一起的管道组成。它的作用是防止立管的损伤,并通过转盘的脐带缆起到控制作用,也可以保护立管免于平台垂荡运动产生的损伤。

（7）张力接头 是一种专用的立管接头。在远海修井作业时,可以与船舶或者平台连接的 C/WO 立管提供张力,一般安装在滑动接头的下端。

（8）采油树适配器接头 是一个从标准立管接头到水下采油树连接器的跨越接头。

（9）采油树接头 可以为油管悬挂和水下采油树安装/修井操作提供油量控制。

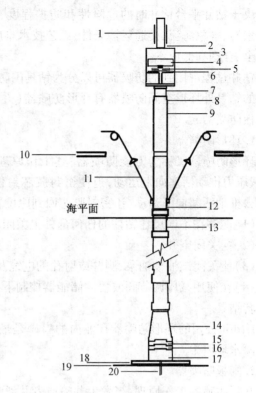

图 9.7 完井修井立管部件（ISO13628 - 7）示意图
1—顶部驱动;2—钻井接头;3—水面采油树张拉框架;4—盘管注入器;5—水面防喷组件;6—水面采油树;7—水面采油树接头;8—脐带缆;9—滑动接头;10—月池;11—立管张立缆线;12—张力接头;13—标准立管接头;14—应力接头;15—紧急断开插件;16—下部立管总成;17—水下采油树;18—引向基座;19—海床;20—井口

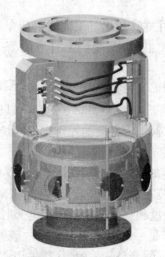

图 9.8 伸缩接头

9.3 钻井立管的规范要求及设计基础

海洋钻井立管系统的设计是个循环渐进的过程,从初步设计逐渐过渡到详细设计。钻井立管的初步设计的主要任务是计算钻井立管最小壁厚、确定主要参数并选择立管材料。

9.3.1 规范要求

钻井立管设计研究中主要用到以下规范:

(1) API RP 16Q *Recommended Practice for Design, Selection, Operation And Maintenance of Marine Drilling Riser System*(《海洋钻井隔水管系统设计、选择、操作、和维护的推荐做法》),1993 年出版。

(2) API RP 2RD *Recommended Practice for design of Risers for Floating Production Systems and Tension Leg Platforms*(《浮式生产系统和张力腿平台立管设计的推荐做法》),1998 年出版。

(3) API Bulletin 5C3 *Formulas and Calculations for Casing, Tubing, Drill Pipe and Line Pipe Properties*,1994 年出版。

(4) API Spec 16C *Choke and Kill Systems*,1993 年出版。

(5) DNV – OS – F201(《动态立管》)。

(6) ISO 13628 – 7/API RP17G(《石油和天然气工业水下生产系统的设计与操作》第七部分"完井修井隔水管系统"》)。

9.3.2 材料的选择

海洋立管最常用的材料是从碳钢(如美国石油协会 0I – SL 规格,等级 X52 – X70 或更高)到特种钢(也就是合金钢,如 13% 铬)的钢材。成本、抗侵蚀能力、质量要求、可焊接性等因素决定了材料的选择。钢材的等级越高,单位体积(质量)的价格越高。然而,随着高等级钢材生产成本的降低,海洋工业的总体趋势是使用高等级的钢材。材料选择是海洋立管设计中最初的步骤之一,它是立管系统设计中的关键步骤。此外,材料选择还与制造、安装、运行成本有关系。

材料选择所考虑的因素包括:强度要求、断裂和疲劳强度要求、焊接缺陷可接受标准以及腐蚀要求。钻井立管的选择可以先根据 DNV – OS – F201 进行粗略估算,然后再进行材料优化。材料等级的优化是基于管子的建造和焊接工艺的要求,以及在满足操作要求前提下建造和安装成本最低的要求。由于材料等级的选择对立管工作寿命有很大影响,所以材料等级的最终选择须与使用者协商。

9.3.3 壁厚

壁厚的选择在钻井立管设计中占有极其重要的地位,它不仅影响工程作业的安全性,还会影响工程的成本,因此应合理选择钻井立管的壁厚。钻井立管壁厚计算是个循环往复的过程,首先须选定壁厚,然后依据规范进行校核研究,如不满足规范要求须调整壁厚并再次进行计算分析,如此反复直至得到满意的结果。

9.3.4 尺寸的确定

随着钻井作业水深不断增加,钻井立管单节的连接与拆卸愈加耗时耗力。目前海洋钻井趋势是使用更长的钻井立管单节以节约钻井时间。较长的钻井立管单节长度为 75 ft (22.86 m)、90 ft(27.43 m)甚至更长。其余尺寸结合 API RP 16Q 规范与特定的环境载荷参数,通过计算选定。

9.3.5 可操作性限定

根据 API RP 16Q,钻井立管的操作性限定的典型标准如表9.1 所示。

表 9.1　钻井立管的操作性限定标准

设计参数	定义	钻井条件	非钻井条件
下部挠性接头连接角	平均值	1°	NA
	最大值	4°	90% 容量(9°)
上部挠性接头连接角	平均值	2°	NA
	最大值	4°	90% 容量(9°)
米塞斯应力	最大值	67% σ_y	80% σ_y
套管弯矩	最大值	80% σ_y	80% σ_y

9.4　钻井立管的分析方法

从结构分析的角度来看,海洋钻井立管可视为流场中的细长柔性体。钻井立管上部边界条件是受到风浪流载荷作用的钻井平台的各个方向的运动。对于深海钻井立管而言,设计的一个关键技术挑战就是表面环流和底流引起的涡激振动疲劳损伤。这些分析工作为钻井立管系统设计奠定基础。

9.4.1 钻井立管分析模型

钻井立管设计与分析中的主要参数如图9.9 所示。

1. 钻井立管组件

进行分析之前,必须确定钻井立管的组件,典型的钻井立管组件包括:井口接头、立管下部组件接头、下部挠性接头、立管连接器和主管道、周边管线、伸缩接头、张紧器/环、主动升沉绞车、硬悬挂接头、软悬挂接头、卡盘－常平架、立管运转工具等。

2. 钻井立管载荷

海洋钻井立管接触物质种类较多,工作环境恶劣,导致海洋钻井立管受力极其复杂,深海条件更是如此,作用在钻井立管上的各种载荷及产生原因如表9.2 所示。

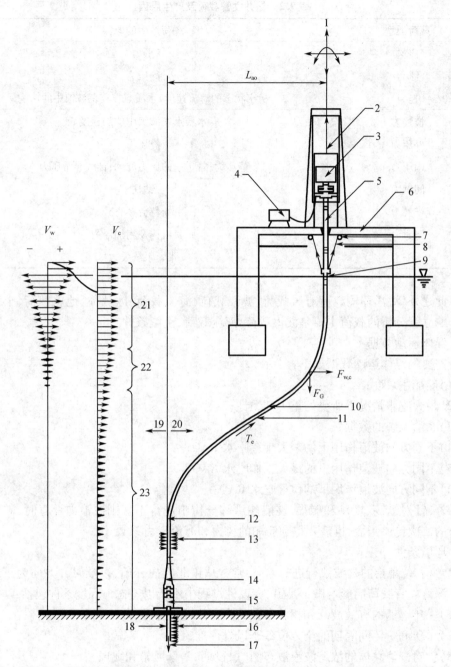

图 9.9 C/ WO 立管设计与分析中的主要参数[ISO 13628 – 7,2003(E)]示意图

1—由一阶波型产生的波浪运动;2—绞车的张紧和冲程; 3—水面设备;4—水面压力;5—滑动接头;

6—钻井板;7—张紧器滑轮;8—张紧器的张紧和冲程;9—张力接头;10—外径;11—立管接头;

12—弯曲加强杆;13—外部压力;14—应力接头;15—水下设备;16—土壤约束工具;

18—导管弯曲加强杆;19—上游;20—下游;21—激励区;22—剪力区;23—阻尼区

表9.2 钻井立管载荷及产生原因

载荷类型	载荷产生的原因
质量	重力
浮力	静压力
拖力	稳定状态的海流速度;水质点在震荡波浪中的速度
惯性力	水质点在波浪中的加速度
外压力	静压力
内压力	静压力;管子中的压力波动;油气异常压力
间歇力	钻柱
横波力	斯特劳赫力
张紧力	张紧机构及附加浮力
压缩力	张紧系统失效

除此之外,海洋环境载荷有风载荷、波浪载荷、海流载荷、冰载荷、地震载荷、土壤条件等。影响立管分析的载荷主要是波浪载荷、海流载荷、土壤条件。

3.浮体运动数据

所需要的浮体运动数据如下:

(1)船舶主尺度;

(2)最大吃水情况下所受的重力和惯性;

(3)系泊系统的数据;

(4)不同方向波浪作用下的最大生存吃水 RAO;

(5)不同方向波浪作用下的最大工作吃水 RAO;

(6)不同方向波浪作用下的位移吃水 RAO。

另外,针对纵荡、横荡和艏摇,在船舶漂移分析中进行不规则波浪力计算时,需要考虑波浪力的二次传递函数,也需要得到船舶的风力和海流阻力系数。

4.环境条件

通常,方位角指的是波浪行进的方向,常常从正北方向开始,以顺时针方向为正。潮汐变化对深海立管载荷的影响微不足道,在设计过程中不予以考虑。环境条件包括:

(1)一年一遇的有效波高和相关参数的全方位飓风标准;

(2)十年和一年间隔期的全方位冬季风暴标准;

(3)针对波浪总体的浓缩波浪散布图(服役期、冬季风暴和飓风);

(4)环流/漩涡标准剖面图;

(5)十年和一年一遇的海流剖面和相关的风、波浪参数;

(6)底流的超越概率和标准化的底流轮廓图;

(7)环流/漩涡和底流的组合标准剖面图(最大位);

(8)十年一遇的环流/漩涡,一年一遇的底流或者一年一遇的环流/漩涡流组合剖面图;

(9)百年一遇的潜流超越概率和轮廓图。

基流是当没有漩涡时存在于水柱上部的海流。土壤不排水抗剪强度、单位浸水重力和 ε_{50} 等的平均值在立管连接分析中可用来计算沿油井柱土壤的等效弹簧刚度。

5. 循环载荷下土壤的 $P-y$ 曲线

软土在循环载荷作用下的 $P-y$ 曲线研究由 Matlock 在 1975 年首次提出。需要一系列的 $P-y$ 曲线来对泥线下不同深度导管套筒/土壤之间的相互作用进行模拟。

9.4.2 可行性分析

可行性分析的目的是针对各种不同泥浆所受重力和立管顶部张力来确定可操作性条件。限定标准的可操作性条件同时采用静态和动态波浪计算分析。

静态分析包括分析在当前海流作用下钻井平台上部和下部的偏移量,以此来确定向上和向下的偏移量是否达到了极限值。通常需要考虑两种海流的组合:基流 + 底流和涡流 + 底流。典型的三种泥浆所受重力都将参照它们各自的顶部张力进行建模。

动态分析过程除了加入了波浪荷载外,其他与静态分析一样。动态分析常采用时域分析,即采用 H_{max} 的规则波并且至少持续 5 个周期。通过动态分析确定出 LFJ 和 UFJ 角度的最大值,并与规范限定位进行比较。

挠性接头角度的限定条件如下:

(1)动态分析的连接钻探 上挠性接头角度的平均值小于 $2°$,最大值小于 $4°$;下挠性接头角度的平均值小于 $1°$,最大值小于 $4°$。

(2)非连接钻探 上烧性接头角度的最大角小于 $9°$;下挠性接头角度的最大角小于 $9°$。值得注意的是,对于钻井立管的静态分析来说,上、下挠性接头角度的限值都是 $1°$。

立管的其他动力响应限定如下:

(1)立管极限状态下的米塞斯应力 <0.67 倍的屈服应力;

(2)立管连接器强度限定;

(3)张紧器与 TJ 行程限定。

在井口及导管系统中荷载限制如下:

(1)立管下部组件连接器;

(2)防喷组件法兰与管卡;

(3)井口连接器;

(4)导管弯矩(0.8 倍屈服应力)。

对钻井来说,通常根据 LFJ($1°$)和 UFJ($2°$)的平均角度来确定包络。在非钻井条件下,通常采用套管的最大动力弯矩来控制包络。

9.4.3 漂移分析

漂移分析是钻井立管系统设计过程的一部分。漂移分折目的是确定极端环境条件或漂移/驱动条件下何时启动断开程序。该分析适用于钻井和非钻井运行模式。在各个模式中,漂移分析都将确定船舶在各种风和海流及波浪作用下的最大漂移位置。漂移分析的首要任务就是确定断开点位置的评估标准。这些标准可以根据设备在加载路径下的额定负载能力来确定:

(1)导管的套管达到 80% 屈服强度;

(2)张紧器和伸缩接头顶出行程;

(3)顶部和底部挠性接头的限制;

(4)井口连接器的过载;

(5)立管下部组件连接器的过载；

(6)立管接头应力(达到 0.67 倍的屈服应力)。

耦合系统分析常用在一个包括土壤、套管、井口与防喷器组、立管、张紧器和船舶的模型之中。该系统通常采用环境作用(风、海流和波浪)的组合来计算动力时域响应。在耦合的铺管船法中，船舶漂移(或船舶偏移)是分析的输出结果。该方法考虑了土、套管、立管与船舶的相互作用，这比非耦合方法更加精确。通常，非耦合方法要单独计算船舶的偏移，再应用到立管模型中进行二次分析。

在钻井立管的静力与动力分析完成之后，系统断开点的确认如下：

(1)在特定的环境荷载条件下的船舶偏移，可产生与组件断开标准相等价的压力或荷载，该偏移量则为该特定组件的容许断开偏移；

(2)容许的断开偏移量需要沿着钻井立管系统中各个关键组件进行确定；

(3)断开点(POD)为钻井立管系统中所有重要组成部分的最小容许断开偏移；

(4)一旦船只偏移达到了立管断开的条件，该偏移断开程序启动(红色限制)，通常为 60 s，这是 EDS 的时间；

(5)对于非钻井系统，将 EDS 时间断开点的启动偏移调整为 50 ft，这是非钻井系统调整后的红色限制；

(6)对于钻井系统，断开点的启动偏移通常在 EDS 前 90 s。

9.4.4 薄弱点分析

薄弱点分析是钻井立管设计过程的一部分，薄弱点分析的目的是设计和确定在极限偏移条件下系统的破坏点。立管系统需要通过设计来保证薄弱点位于防喷组件(BOP)之上。

分析的基本假定是所有设备的加载路径都是按制造商的规范设计的。立管系统潜在的薄弱点通常有：

(1)钻井立管的过载；

(2)连接器或法兰的过载；

(3)张紧器超出其张紧能力；

(4)超出顶部和底部挠性接头的限制；

(5)井口的过载。

薄弱点分析的评价标准适用于钻井立管系统中每个潜在的薄弱点。薄弱点的标准往往确定系统是否失效。张紧器张紧能力的评价标准通常取决于张力绳的抗拉强度。铁圈垫板孔眼承载能力的评价标准通常取决于每个孔眼的屈服强度。

挠性接头的失效载荷通常为挠性接头所能承载的最大弯矩和拉力的组合，也与角度锁定后的附加载荷有关。

标准的立管接头与导管接头的失效载荷通常取为超出立管材料屈服应力时，所能承受的最大弯曲应力与拉应力的组合。

为了消除不确定性，需要进行全时域的薄弱点计算分析，计算包括：

(1)对于选定的风、波浪和海流的组合进行动态规则波分析，对潜在的薄弱点进行载荷动力放大效应分析，尤其是井口连接器和立管下部组件连接器。

(2)敏感性分析，主要用来确定不同参数对薄弱点的影响，如泥浆所受重力和土壤特性。

（3）浮式结构物偏移量范围从船舶的平均偏移位置到浮式结构物极限偏移位置，其中极限偏移位置通过系泊耦合分析获得。

（4）完成钻井立管系统的偏移分析后，通过对结果的处理来得到偏移产生的力和弯矩，然后将其与钻井立管系统薄弱点处的评价标准进行对比。

如果薄弱点处于防喷组件之下，那么连接失效就会对油井的完整性、立管完整性和成本产生严重的影响。对此应进行扩展分析，以便使薄弱点会在这些部位产生。

在一个平静的环境下，由于轻度的海流和较小波高的波浪，慢漂会在井口产生较小的静力和动力弯矩。而在快速漂移的环境中，当张紧器超出其张紧能力时，下部立管在波浪作用增大井口连接器的静态弯矩之前就已经被拉直。这意味着临界环境可以是在井口连接器上产生较大静态弯矩的高海流、产生较大动态弯矩的巨浪和产生缓慢漂移的低速风的组合。

9.4.5　涡激振动疲劳分析

钻井立管的涡激振动分析目的如下：

（1）预测涡激振动的疲劳损伤；

（2）确定疲劳关键部件；

（3）确定所需张力和容许海流速度。

模型求解后，将结果输入到 Sheer7 中。需要用户自定义的参数如下：

（1）模型的临界值；

（2）结构阻尼系数；

（3）斯特劳哈尔数；

（4）单模态与多模态的双带宽速率；

（5）带有涡激振动抑制设备的立管截面模型。

在钻井立管的涡激振动分析中，假定浮式结构位于平均漂移位置，则该分析包括：

（1）用 F.E 模态分析软件为涡激振动分析生成模型形状和模态曲线；

（2）在初始静力分析所得张力分布的基础上，采用 Sheer7 对立管进行建模；

（3）采用 Sheer7 分析立管在每个海流剖面下的涡激振动响应；

（4）评估各海流剖面导致的立管损坏；

（5）从疲劳损伤的角度出发，画出各海流剖面作用下沿立管在关键部位的疲劳损伤。

9.4.6　波浪运动疲劳分析

钻井立管的动态疲劳评估常常采用时域分析法，并且在分析中考虑了船舶的偶然偏移和低频运动。进行疲劳分析的步骤描述如下：

（1）进行初始静态分析；

（2）采用相关的静态疲劳海流进行重启动分析；

（3）对所有荷载情况进行动态时域分析，在每个分析中使用相关的波浪数据；

（4）对时域分析的结果进行后处理，以此来评估钻井立管在关键部位的疲劳损伤。

9.4.7　悬挂分析

两个悬挂构造假定如下：硬悬挂，挤压伸缩接头并在船体上锁紧，从而使立管顶部随着船舶上下移动;轨悬挂,立管由立管张紧器支撑,这些张紧器的空气压力容器(APV)都保持打开状态,并配有一个顶部安装补偿器(CMC),它们提供了一个与船舶相连的垂直弹簧连接。

利用随机波进行时域分析至少需要 3 h 的模拟时间。硬悬挂的实例为一年一遇的冬季风暴、十年一遇的冬季风暴和十年一遇的飓风。软悬挂的实例为十年一遇的冬季风暴和十年一遇的飓风。动态时域分析的目的是测试各个模型的可行性。

在硬悬挂模型中,立管从防喷组件中分离出来,只有立管下部组件连接在立管上。在硬悬挂方法中,只有位移是固定的。转动由常平架 - 卡盘的刚度决定。下放保护装置位于主甲板上。

对软悬挂方法来说,立管所受重力由张紧器和绞车来承担。绞车的刚度为零,而张紧器的刚度可基于张紧器所承受的立管所受重力以及波浪作用下立管的冲程估算得到。

硬悬挂和软悬挂分析的评价标准如下:

(1)针对软悬挂,要对张紧器和滑动接头的冲程进行限制;

(2)最小顶部张力要保持正值,以避免卡盘隆起;

(3)最大顶部张力为下部结构和悬挂工具的额定值;

(4)立管应力极限为 $0.67F_y$。

(5)常平架的角度要适当以避免滑出;

(6)龙骨与常平架之间的最大角度要避免与船碰撞。

9.4.8　双重作业干扰分析

在使用辅助钻井平台进行部署活动时,双重作业干扰分析将会对不同情况下,现场以及与主设备相连的钻井立管进行评估。该分析的目的是确定海流和偏移的限制量,以确保不会导致任何钻井立管、辅助钻井平台上的悬挂设备或绞车之间发生碰撞。主管道与辅助钻井平台和钻井平台之间的距离是一个重要的设计参数。值得注意的是,主管道与月池、船体或支撑发生的碰撞需要在完成叠加模型之前就对各项进行独立评估。

根据双重作业分析所提供的资料,可以得到静态偏移以及由海流荷载产生的附加静态偏移。最后,在系统中加上海流荷载,并对钻井立管、双重作业设备与船舶之间的最小距离进行评估。

采用阻尼放大系数来考虑涡激振动阻尼对完井立管(关闭辅助钻井平台)的影响。在钻井立管(关闭主钻井平台)中不会采用阻尼放大系数,这样会相对保守地估计由海流造成的下游偏移。辅助钻井平台设备通常布置在 10% ,30% ,60% ,90% 的深水和上游处,而主要钻井立管一般在下游进行连接。

9.4.9　接触磨损分析

钻杆与水下装置筒壁的接触会导致钻杆在旋转与拉动过程中对两者表面造成磨损。表面较软的水下装置的筒壁将比钻杆受到更大程度的磨损,所以筒壁是研究的主体。磨损体积的估算工作是在 Archard 及其他工作的基础上进行的。磨损的表达式为

$$V_w = (K/H)NS \tag{9 - 2}$$

式中　V_w——两者表面的全部磨损体积,in^3;

　　　K——材料常数;

H——BHN 材料硬度；

N——法向表面接触力，lb；

S——滑动距离，in。

这个公式是在大量材料组合的情况下，通过大量的实验获得的。实验结果表明，在表面条件不变的前提下，磨损率 V_w/S 取决于接触面积和旋转速率或滑动速度。表面温度的升高会导致这种参数的变化。80 ksi 材料的 H 值是 197 BHN，对挠性接头的耐磨环和耐磨套管来说，H 值是 176 BHN。

法向力 N 是从荷载作用下的钻杆的接触分析中得出的。滑动距离 S 与 RPM 的关系如下：

$$S = \pi d (RPM) t \tag{9-3}$$

式中 d——钻井管道或钻杆接头的直径；

t——时间，min。

将式（9-2）代入式（9-3）中，求解 V_w 的函数 t，得到

$$t = (H/K)(V_w/N)(\pi dRPM) \tag{9-4}$$

与干燥的接触条件相比，钻井液能润滑钻头以减少磨损。因此，该研究在不考虑润滑效应的情况下进行计算，得到的结果偏于保守。此外，磨损体积 V_w 还与磨损厚度 t_w 有关。

为得到磨损厚度，需要考虑磨损形状。磨损区域是由筒壁和工具接头或钻杆外径所形成的新月形边界。可能的接触情况如下：

（1）工具接头与套管的接触；

（2）工具接头与防喷组件 - 立管下部组件的接触；

（3）工具接头与立管接头的接触；

（4）工具接头与挠性接头的接触；

（5）钻杆与立管的接触；

（6）钻杆与挠性接头的接触。

对于工具接头的各种张力和各个位置而言，挠性接头的角度以 0.1° 的速度在 0°~4° 之间增加。每个增步下的反力都要记录下来。只要钻杆张力保持在一个大于零的给定角度，在反力作用下就会不断地发生磨损。当磨损厚度达到 1″ 时，反力就将保持不变。因此，应计算磨损一定厚度所需的时间。

计算磨损的第一步就是估算泥线附近钻柱的张力，因为其与接触反力有关。为了简化计算，常常采用偏于保守的方法，将每个接触位置的反力按工具接头 5 个位置上的钻柱张力进行标准化计算。

一个典型的磨损计算步骤如下：

（1）确定输入钻杆倾角、材料硬度、张力范围、RPM 等数据；

（2）由张力计算法向力；

（3）从 $t_w - V_w$ 曲线中得到滑动距离 S；

（4）得到每个 t_w 下的分钟数。

9.4.10 反冲分析

导管反冲分析的目的是确定反冲系统设置和船舶的位置要求，以保证断开时实现以下目标：

（1）立管下部组件接连器不会发生故障；

（2）立管下部组件立管和防喷组件保持通畅；

（3）立管能以可控的方式升起。

如果船舶有自动反冲系统，那么反冲分析就不需要特定的程序。每一阶段的反冲规范如下：

（1）断开　立管下部组件与防喷组件的倾角不能超过连接器的容许偏离角度，这会在断开之前产生限制张力减少的可能性。

（2）间隙　立管下部组件应尽快提升以避免当船舶前倾时与防喷组件相碰。

（3）速度　钻杆不应提升过快，以避免滑动接头在高速下超过最大行程。

反冲分析的立管建模要求与悬挂分析要求一样。此外，它还要考虑张紧器系统的非线性与速度特性。时域立管分析程序可以单独使用，或与表格处理软件一起使用。分析的先后次序如下：

（1）进行连接立管分析；

（2）释放立管下部组件基座，打开吊卡，然后分析随后的瞬间响应；

（3）改变张紧器的响应特性来模拟阀门开闭，并分析在一系列波浪作用下的立管响应。

该分析要多次重复进行，以确定操作之间必需的时间延迟。必须对立管上升冲程进行监测，以检测是否冲出以及在什么速度下冲出。即使立管允许在悬挂中冲出滑动接头，也要对断开后的立管垂直振动进行监测，以确保其不与防喷组件发生碰撞。

9.5　本章小结

按功能上划分，钻井立管与生产立管区别较大，按结构形式划分钻井立管属于顶部张紧式立管。一般说来，钻井立管系统主要包括卡盘/万向节、张紧器系统、分流系统、伸缩节、顶部柔性接头、立管单节、底部柔性接头、立管下部组件（LMRP）和防喷组件（BOP）等部件。影响钻井立管的因素主要是环境因素和作业因素，前者包括水深、风浪流、土壤条件等，后者包括钻井液密度、脱离后立管的悬挂模式、浮力块的分布、涡激抑制设备、节流与压井管线的工作压力等。

在进行深海钻井立管的设计时，既要进行立管的静态分析，又要进行立管的非线性动力学分析。前者包括载荷的分析、应力分析、极限载荷制定和立管结构的设计等；后者包括时域和频域分析、确定性和非确定性分析、线性和非线性波浪理论、立管下部组件和防喷组件脱离后的悬挂模式影响轴向动态分析、波浪运动疲劳性能分析等。

参 考 文 献

［1］白勇.海洋立管设计［M］.哈尔滨：哈尔滨工程大学出版社，2014.

［2］宋儒鑫.深海开发中的海底管道和海洋立管［J］.船舶工业技术经济信息，2003（06）：31－42.

［3］AZAR J J. A comprehensive sduty of marine drilling risers［Z］. American Society of Mechanical Engineers Petroleum division，1978.

［4］许亮斌，畅元江，蒋世全，等.深水钻井隔水管静态性能参数敏感性分析［J］.中国造船.2007：8.

［5］　API RP16Q. Recommended practice for design, selection, operation and maintenance of marine drilling riser system ［S］. Washington DC：American Petroleum Institute,1993.

［6］　API RP 2A – WSD. Recommended practice for planning, designing and constructing fixed offshore platforms – working stress design,Rev. 21［S］. 2000,10.

［7］　API RP 2RD. Design of risers for floating production systems and tension leg platforms ［S］. First Edition,American Petroleum Institute. 2006,5.

［8］　许亮彬. 浮力块对深水钻井隔水管主要性能的影响[J]. 中国海上油气. 2007(05):338 –342.

［9］　CRAIK K M. Development and implementation of a top – tensioned riser for drilling, completion and producing operations［C］. Offshore Technology Conference,2002.

第 10 章　顶部张紧式立管

10.1　概　　述

与其他类型的立管相比,顶部张紧式立管(TTR)在顶部有张力的作用,通过张力支撑立管重力,防止底部压缩,限制涡激振动损伤和邻近立管间的碰撞。顶部张紧式立管可进行完井、修井操作,以及具有完成生产、回注、钻井和外输等功能。对于这样的立管系统来说,就不需要再采用单独的钻井架进行油井检修工作。顶部张紧式立管要求平台具有良好的运动性能,尤其是垂荡,因此一般用于 Spar 平台和 TLP 平台,具体结构如图 10.1 所示。

顶部张紧式立管通常用作钻井立管和生产立管。传统的勘探钻井立管使用带有水下防喷组件(BOP)的低压立管,例如 Auger TLP 的顶部张紧式立管系统。具有钻井能力的浮式生产平台现在大部分都使用干式防喷组件的顶部张紧式立管,例如 Hutton TLP 的顶部张紧式立管系统。

顶部张紧式立管作为深海油气田开发常见的立管类型之一,其主要优点有:

(1)可以使用水上采油树与防喷组件系统;

(2)疲劳性能好;

(3)可以实现生产、钻井的一体化;

(4)方便检修。

不仅干式采油树对于钻井、完井、修井等过程具有更大的灵活性,而且顶部张紧式立管采用了集束概念,并且是竖直站立,直接位于平台下方,其检测操作更有效。此外,对于一些为了保证油田正常生产所必需的装置而言,如立管的检测系统、气举(Gas Lift)、加热保温系统和溶解剂注入管线等,在顶部张紧式立管系统上也较易实现安装。

当然,顶部张紧式立管在具备上述优点的同时,同样具有以下几个缺点:

(1)对平台运动要求较高;

(2)造价比较昂贵;

(3)需要很多配套的连接装置;

(4)需要很多监测系统;

(5)在超深水的应用中存在诸多技术挑战。

然而,顶部张紧式立管的优势是其他类型的立管难以媲美的,其很好的适用性使其在海洋油气田的开发中得到了广泛的应用。

针对顶部张紧式立管,在设计过程中存在着以下几个关键问题:

(1)顶部张紧式立管系统的总体布局;

(2)立管选型设计,包括立管形式(双重管或多重管)和壁厚选取,材料选取;

(3)顶部张紧系数;

(4)顶部张紧系统的选型设计,拉伸系统有浮力筒张紧、液压气动张紧等多种方式,其中拉伸系统的选择主要取决于对承重的要求;

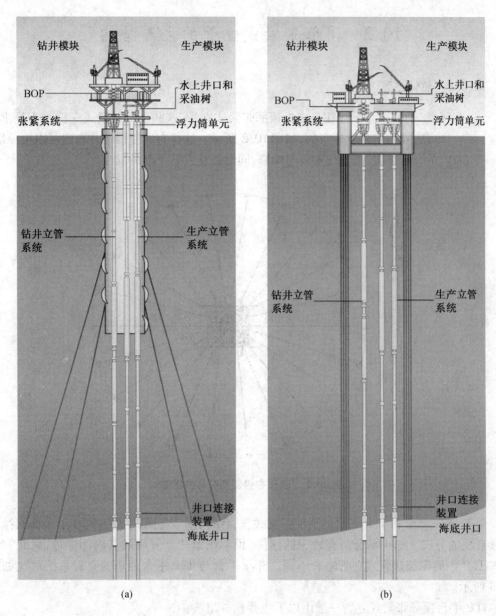

图 10.1　用于 **Spar** 平台和 **TLP** 平台的顶部张紧式立管结构示意图

（a）Spar 平台顶部张紧式立管结构；（b）TLP 平台顶部张紧式立管结构

（5）立管组件的选型设计,如应力节、龙骨节;

（6）防腐及保温设计;

（7）顶部张紧式立管系统的总体响应及强度、疲劳分析,干涉分析;

（8）与平台的连接设计;

（9）与海底的连接设计;

（10）海上安装方案设计。

10.2 顶部张紧式立管的主要结构

10.2.1 总体布置

Spar 平台与 TLP 平台上往往有多根顶部张紧式立管,这些顶部张紧式立管并不是垂直站立,而是与海底成一定角度分布的,如图 10.2 所示。这样布置使得油井布置可以更分散,也方便 ROV 在海底穿梭,以进行安装与检修,同时防止立管干涉的发生。

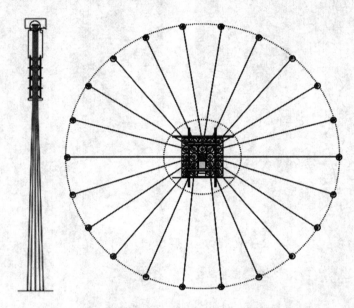

图 10.2 TTR 布置侧视图与俯视图

用于 Spar 平台和 TLP 平台的顶部张紧式立管结构基本相同,主要区别在于顶部支撑和张紧系统的方式。Spar 平台具有较深的浮筒,顶部张紧式立管可从其内部穿过,因此其结构与 TLP 中的顶部张紧式立管略有不同。Spar 平台与 TLP 平台使用的立管系统对比如图 10.3 所示。

TLP 平台顶部张紧式立管一般由以下主要构件组成:

(1)回接连接器(Tieback Connector);

(2)底部锥形应力节(Taper Stress Joint);

(3)立管主体,包括标准管节点(Standard Pipe Joint)以及连接装置(Standard Pipe Joint);

(4)顶部应力节(Tension Joint);

(5)顶部张紧系统(Top Tensioner);

(6)采油树(Christmas Tree);

(7)立管外侧涡激振动抑制装置;

(8)对中器。

典型的墨西哥湾 TLP 平台使用的顶部张紧立管的典型结构如图 10.4 所示。

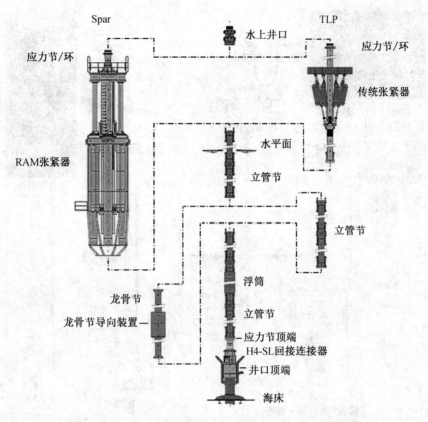

图 10.3　Spar 平台与 TLP 平台顶部张紧式立管系统示意图

Spar 平台主体中部设有月池,该月池自下而上贯穿整个主体,顶端张紧式立管系统通过月池向上与平台上体的生产设备相连,向下则深入海底。每个顶部张紧式立管通过自带的浮力罐提供张力支持,因此立管的轴向载荷与壳体运动解耦,同时降低平台对水深参数的敏感度。在月池内部还安装有导向架装置以提供浮力罐及立管的横向支持,减少其与主体内其他设施相互碰撞的可能性。

世界上第一座 Spar 平台采用的是浮力罐张紧系统,其主要结构包括:

(1)浮力筒张紧器(Buoyancy Cans);

(2)上下支撑杆(Upper Stem and Lower Stem);

(3)龙骨导向装置(Keel Guide)。

一般浮筒支撑的顶部张紧式立管如图 10.5 所示。但是为了解决浮力筒和 Spar 结构之间的碰撞问题,越来越多的顶部张紧式立管设计采用张紧器系统,如 Holstein Spar 中使用的顶部张紧式立管就是液压张紧器。图 10.3 中的 Spar 使用的就是 RAM 压缩柱塞式张紧器。

10.2.2　顶部张紧系统

顶部张紧式立管依靠张紧器系统为其提供张紧力,以保证立管系统的结构安全。由于上部浮式生产设施在风、浪、流的作用下会偏离平衡位置,导致立管与平台之间发生相对运动,为避免立管各部件损坏,可以通过调节张紧器系统实现立管的提升和下放。

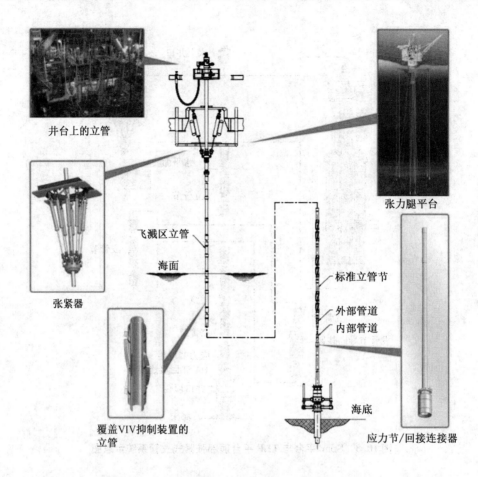

井台上的立管

张力腿平台

张紧器

飞溅区立管

海面

标准立管节

外部管道

内部管道

覆盖VIV抑制装置的
立管

海底

应力节/回接连接器

图 10.4　典型的墨西哥湾 TLP 平台 TTR 系统结构图

　　用于干树式生产模式的顶部张紧式立管系统的张紧装置可以分为五种,即浮力筒张紧系统、液压气动式张紧器、固定式立管张紧器、被动弹簧式张紧器以及 N - line 式(并列线性式)立管张紧器。其中应用最广泛的张紧系统是液压张紧和浮力筒张紧,以控制立管稳定性与运动。

　　固定式立管张紧器在比较温和的海况条件下应用,相对甲板固定,张紧力随着潮汐和平台的倾斜位置而改变,立管顶端张紧程度通过测量和计算获得。目前固定式立管张紧器已经应用到亚太地区和西非地区的 TLP 平台上面。被动弹簧式张紧器通过高强钢盘式弹簧实现立管张紧,其首次应用是墨西哥湾的 Prince TLP 平台,该平台是世界上第一座用于生产井口的微型 TLP 平台。N - Line 立管张紧器是为了替换钻井立管钢丝绳式张紧器而开发的新型立管张紧器,不过该张紧器同样也可以用于外输立管和生产立管张紧。N - Line 立管张紧器的主要优点是:优化了甲板布局,且简化了维修作业,该张紧器已经装备到了半潜式钻井船 Stena Tay 之上。

　　立管顶部张紧力与立管湿重之比称为顶部张紧系数(TTF),初步设计需要保留一定余量,应达到 1.7 左右,正常操作工况满足 1.5 即可。

　　下面将对常见的浮力筒张紧系统和液压气动式张紧系统进行详细介绍。

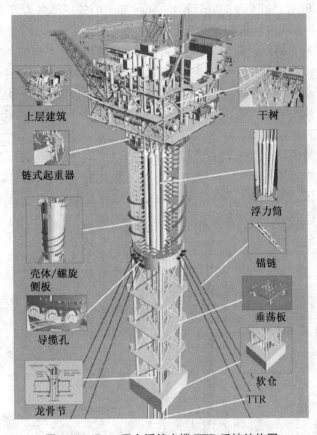

图 10.5　Spar 平台浮筒支撑 TTR 系统结构图

1. 浮力筒张紧系统(Buoyancy Can Riser Tensioner)

浮力筒张紧系统如图 10.6 所示,主要应用于 Spar 平台。由于 Spar 平台是深吃水结构,其浮力筒穿过平台内部,需要顺应式导向架完成两者之间的过渡,防止碰撞损坏。平台内部管体外套上下支撑杆(Upper Stem and Lower Stem)。

图 10.6　运输中的浮力筒张紧器

与固定式平台和张力腿平台的立管相比,Spar 平台中的顶部张紧式立管有如下特点:

(1)由于每个立管通过自带的浮力筒提供顶端张力支持,浮力筒在垂直方向上可以与 Spar 平台发生相对独立的自由移动,因此立管的轴向载荷与平台主体运动解耦;

(2)浮力筒在水平方向上受到导向架的约束,浮力筒和导向架之间的作用力取决于 Spar 平台的水平运动、浮力筒和导向架之间的空隙以及导向架和浮力筒之间的相对刚度;

(3)在 Spar 平台底部基线处,立管与导向架之间有一种专门的底部连接装置,它允许平台主体和立管之间有相对运动。

Spar 平台上的浮力筒立管张紧装置如图 10.7 所示。它最主要的作用是为刚性立管系统提供张力以避免立管质量转移到平台上。同时,采用浮力筒形式,可以限制或减少立管系统本身与平台主体之间的相互作用。对于深水海域开发而言,这一特征在设计浮式平台和立管系统的过程中起到了重要的作用。

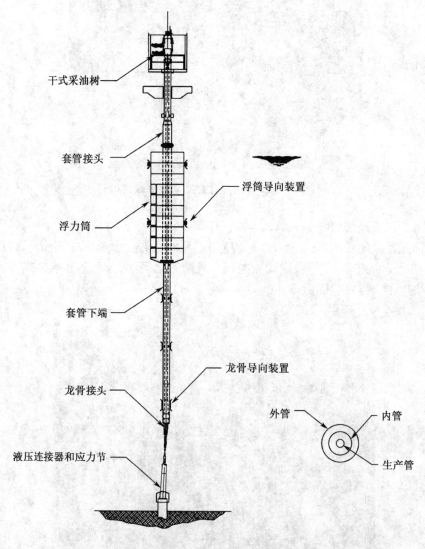

图 10.7 Spar 平台浮力筒张紧装置示意图

虽然该系统在垂向上使立管质量由浮力筒提供的浮力独立平衡而不转移到平台主体上，但是它会在一些接触点上与平台主体发生横向碰撞。为了减小立管运动以及相互碰撞对浮力筒和主体的破坏作用，可以采用异型橡胶缓冲垫，通过螺栓安装在接触点处。随着对 Spar 平台研究的不断深入和技术水平的不断提高，出现了称为"顺应式导向架"（Compliant Guides）的装置。通过在接触面上安装该装置，可以减小 Spar 平台主体与浮力筒之间可能发生的水平碰撞以及动载荷。顺应式导向架允许浮力筒在立管轴向上的相对自由滑移，通过提供横向的顺应式结构来防止或减小横向碰撞载荷。顺应式导向架由高强度耐磨损的材料制成，如人造橡胶材料。在平台主体和浮力筒之间安装顺应式导向构件已经得到了实际应用，第一座应用顺应式导向构件的 Spar 平台是 2002 年安装在墨西哥湾1 654 m 水深海域中的 Horn Mountain Spar。

2. 液压气动式张紧系统（Hydro Pneumatic Tensioner）

TLP 平台通常采用液压气动式张紧系统为顶部张紧式立管提供预张力。其结构形式为套筒结构，活塞底部与立管上的载荷环相连接，通过液压驱动，使活塞在套筒内做往复运动，从而达到提升、下放立管的目的（图 10.8）。

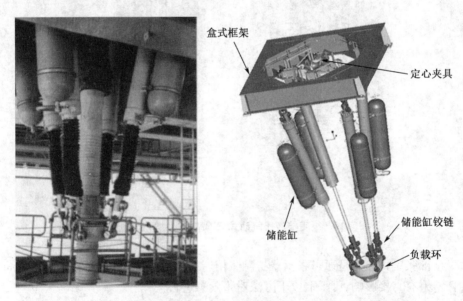

图 10.8　液压式张紧器实物图与模型图

液压式张紧器系统主要由液压缸、空压机、蓄能器、控制撬、气瓶、关断阀、注液机等设备构成，设备之间通过必要的管线或软管等连接起来，并由控制系统完成所需的功能。

对于 TLP 平台而言，液压气动式张紧器能够满足恶劣的海洋环境需要。具体可分为直接液压气动式张紧器和 RAM 式立管张紧器，如图 10.9 所示。其主要构件都是若干组由蓄能瓶和液压缸组成的张紧单元。对于直接液压气动式张紧器而言，立管轴向负载通过负载环后作用在液压缸活塞杆上，活塞杆向下移动，蓄能瓶内气柱被压缩，液压油压缩蓄能瓶内气柱。蓄能瓶内气体通常是干燥的空气或者氮气。

近年来，对 RAM 式张紧器研究越来越多，并已在墨西哥湾应用。与常规液压气动式张紧器液压缸活塞杆被立管轴向负载拉伸不同的是，RAM 式立管张紧器液压缸活塞杆是被立管轴向负载压缩。显然，RAM 式立管张紧器结构比常规液压气动式张紧器紧凑，而且上下行程更长,可承受更大的负载,因而可以用于更加恶劣的海况条件和负载条件。液压气动式张紧器的关键技术问题是,活塞杆在潮湿、高盐度的海洋环境气氛以及立管负载共同作用下,会产生腐蚀疲劳和应力腐蚀裂纹。活塞杆采用碳钢作为母材,采用硬质铬或者陶瓷作为涂层,采用 NiCr(例如 Incoel 625)作为二者之间的固结层,这种材料配置方式的活塞杆,在海洋环境服役 3 年之后,会产生腐蚀失效,裂纹在涂层中出现并向母材扩展。为此,需要研究开发抗腐蚀性强的新的活塞杆材料及其涂层技术。

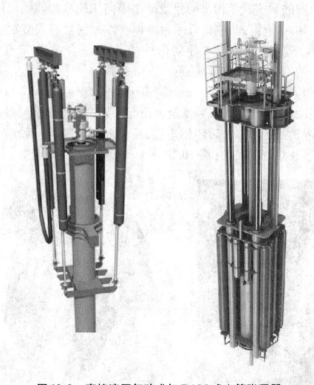

图 10.9　直接液压气动式与 RAM 式立管张紧器

　　由于顶部张紧式立管是通过张紧器与浮体相连接的,故张紧器的特性对于立管冲程能力的计算结果有直接影响,可采取以下方法对张紧器进行模拟:
　　(1)张紧器对立管系统施加恒定张紧力;
　　(2)张紧器提供的张力与冲程呈线性关系,可以将张紧器用弹簧单元来模拟;
　　(3)张紧器提供的张力与冲程呈非线性关系,张紧器的张力和刚度特性通过非线性梁单元来模拟。

10.2.3　立管主体

　　顶部张紧式立管主体一般可分为单层套管和双层套管。单层套管为外面一层套管(Casing),内部一根油管(Tubing),双层套管为外部两层套管,内部一根油管,使用哪种管取决于功能要求、水深、油藏压力、干涉和维修要求、经济以及安全性等。
　　单层套管结构是最轻的方案,成本也较低,但由于只有一个保护层,有时不能满足安全性等要求。例如,在某些维修操作下,需将内部的生产管移走,只留一层外部套管,内部流体的质量可能使得井口处压力过高,泥线附近的失衡容易造成危险。已有运营商证实,对于超深水的高压油藏,使用单层套管非常危险。

双层套管由两根同心管构成,内有油管,如图 10.10 所示,当发生上述意外情况时,即使内套管失效,外套管也能起到保护作用。另外,其双层套管结构能够起到更好的保温性能。高温油藏在开采过程中常因与海水之间的热交换发生热量流失,在内套管与油管之间可填充固定的水或氮气,在内外套管之间可填充热凝胶(Thermal Gels)等隔热材料,以降低生产过程中的热流失。单层套管也可在套管与油管之间填充固定的水,但往往还需在管外添加额外的隔热材料来保持温度。但是,质量相对较大是双层套管的一个劣势,会对平台造成更大的负荷。

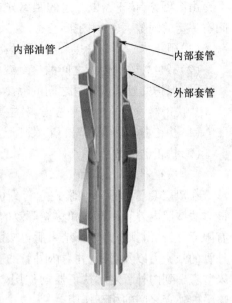

图 10.10 双层套管结构示意图

顶部张紧式立管可分为钻井立管和生产立管,对于钻井立管,双层套管的形式比较受欢迎。生产立管相对于钻井管外径较小,且要求更大的承压能力,较小的外径也有利于降低流体拖曳力和立管质量。对于生产立管,单层管直径一般为 11～12 in,双层套管直径为 14～15 in。

有些新型的双层套管结构会在内管与绝热材料之间设置主动加热线以使内管油气资源能够保持良好的流动性,为了不损坏绝热材料,在内外管之间要按照一定的距离安装扶正器(Centralizer),如图 10.11 和图 10.12 所示。

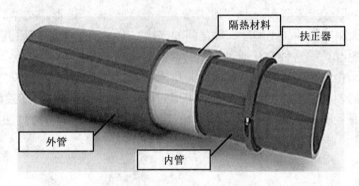

图 10.11 管中管三维结构模型

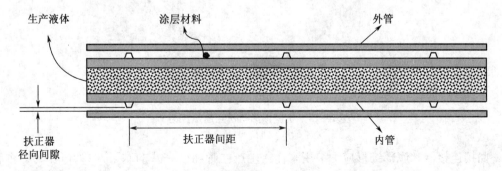

图 10.12 管中管结构截面示意图

由图可见,扶正器以一定的距离分布在内管与外管之间,与内管紧密相连,而与外管之间有一定的间隙,其作用主要有:

(1)阻止内管和内管接头与外管发生摩擦;

(2)减少外管和内管之间的接触载荷;

(3)保护并延长内外管之间的隔热材料的使用寿命。

从扶正器设计的角度来考虑,其主要设计参数包括以下三个方面:

(1)扶正器和外管之间的最大环形间隙;

(2)扶正器的数目;

(3)扶正器之间的间距。

在双层套管的顶部张紧式立管分析中,目前工程界普遍采用等效模型进行各种分析,该方法按照内外管刚度之和建立等效的单层立管,将等效的单层立管用于立管在位强度的有限元分析,得到内力计算结果后再按照内外管的轴向刚度比例和弯曲刚度比例来分配内外管的张紧力以及弯矩,并对内外管的应力进行校核。等效模型最大的缺点就在于等效管未曾考虑到内外管之间扶正器的作用效果,而是将内管和外管等效为一根单独的立管,忽略了内外管之间的相互作用。

10.2.4 应力节

立管两端要与平台边界结构相连接,应力较大,为了避免应力集中导致的结构损伤,需要对连接区域进行加强设计,故应力节应运而生。

顶部应力节点连接立管主体与张紧器,上部通过张力环与张紧系统相连,底部可通过法兰或螺纹与立管主体相连。底部应力节连接立管主体与回接连接器,其锥形结构可以控制该处的局部弯曲与疲劳载荷。底部应力节是一次锻造件。锥形应力节(Tapered Stress Joint,TSJ)实现大刚度部件与小刚度部件之间的连接。为了实现刚度转换,其自身的刚度必须是沿着轴向变化的,而这种变化通过壁厚的锥形变化来实现。

锥形应力节用于顶部张紧式立管水下井口连接时,小刚度上端与立管连接,大刚度下端与井口的机械连接器连接。应力节底部可通过法兰连接,或与回接连接器作为一个整体,预留一个机械锁截面。如图10.13和图10.14所示。此外上部可通过法兰或螺栓与立管连接。

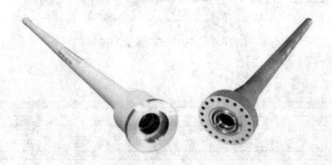

图10.13　机械锁紧与法兰连接应力节

回接连接器和底部锥形应力节用来连接生产立管和已完井的水下井口,可作为一个整体构件制造。

图 10.14　应力节实物图

在设计寿命内,所有预期的载荷组合条件下需要承受的过度弯曲要求,决定了锥形应力节的厚度和长度。锥形应力节的设计长度也会受到加工制造等方面因素的限制,其较合理的长度应该在 18 m(60 ft)以内。如果必要的话,锥形应力节还可以通过增加节数来得到更长的长度。

在锥形应力节的总体设计分析中,关键问题是极限响应和疲劳响应。通常需要通过局部有限元分析方法来校核锥形应力节的设计,并确定在总体疲劳分析中需要使用的应力集中系数。一般来说,锥形应力节的危险区域在锥形应力节和连接器之间的结合处。有必要在这个接合面使用更厚的立管,以便尽可能地优化响应并限制锥形应力节的长度。

10.2.5　标准立管连接器

顶部张紧式立管从底部应力节到水面以下 50 in 左右,使用标准立管节点,如图 10.15 所示。标准立管节点为无缝钢质套管,屈服强度从 80 ksi 到 125 ksi 不等。为了防止腐蚀和撞击破坏,需要增大水线面附近的管节点壁厚,通常在外部加氯丁橡胶层。

标准的顶部张紧式立管节点长度为 40 ft 或 60 ft,可采用焊接或机械连接的方式,其中机械连接方式是通过位于每一个管段末端的机械连接器(立管连接器)组合在一起的。这个连接器可以连接或分离立管、传递载荷,并且为立管提供密封性。

最常用的立管连接器包括:

(1)螺纹或者沟槽连接器,通过扭矩或者径向过盈装配;

(2)法兰连接器,如美国国家标准协会法兰;

(3)紧凑式法兰连接器;

(4)挡块式连接器,在公头和母头之间使用径向楔固定;

(5)箍式连接器,它是通过插销组装的。

为了改善立管的多种运动响应,浮力调整和立管连接器的布置可以是多种形式。在布置立管时,需要考虑的关键因素如下:

图 10.15　标准立管节点

（1）立管的曲率。在立管弯曲的位置,如果海流和波浪载荷较大,则避免使用浮力接头,这样可以降低柔性接头的弯曲角度。

（2）涡激振动。增大浮力或增加连接器数可以降低涡激振动引起的疲劳损伤。

（3）悬挂。保持浮力管节位于波浪区的下面以减小立管上的横向载荷,在立管底部使用滑动接头增加张紧力,这些措施都可以改善立管在悬挂状态下的应力大小。

（4）安装和回收。当立管进入波浪区的时候,控制好立管的浮力,降低立管的横向载荷。

螺纹式连接器使用螺纹接头连接各个立管,省去了焊接的步骤,螺纹连接如图 10.16 所示。截止到目前,已经证实螺纹连接是一种可靠的深水连接方式。这项技术已经应用在了墨西哥湾的

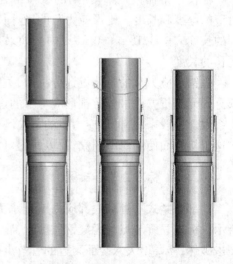

图 10.16　螺纹机械连接示意图

TLP 平台和 Spar 平台上。螺纹机械连接方式的优缺点如下。

优点:

（1）安装 95/8 in 的立管可能仅需要 2~5 min,而采用焊接可能需要 30~50 min,即机械连接效率高,降低了安装成本;

（2）可以使用一般的钻井船或者钻井平台进行连接,因为其具有相关的配套设备;

（3）疲劳特性好;

（4）可用高强度钢,利于减轻立管的质量,降低对浮力筒所能提供的浮力要求。

缺点:

（1）承受的应力有限,稳定性差;

（2）现有安装船多数适合于焊接安装连接;

　　(3)连接工具和设备、人员不如焊接完善;

　　(4)缺少可行的立管系统与之配套;

　　(5)易腐蚀。

　　到目前为止,在顶端张力式立管系统中已经应用了多种专用的连接器。在选择连接器类型时,要考虑以下因素:

　　(1)生产还是钻井应用类别(单用途还是多用途);

　　(2)内部还是外部立管(对双套管结构而言);

　　(3)暴露在水中的情况;

　　(4)可用空间(对内部立管而言);

　　(5)立管连接器的材料(考虑高强度焊接的问题);

　　(6)飞溅区的要求;

　　(7)过去使用的连接器的经验或者历史记录;

　　(8)载荷(极限轴向力、压力和弯曲载荷);

　　(9)疲劳特性(应力集中系数 SCF 和 $S-N$ 曲线);

　　(10)密封方法和持续能力;

　　(11)立管安装和运行的要求。

　　目前规范中推荐的立管连接器使用要求为:

　　(1)双层生产立管的内层结构,一般采角 110 级钢连接器,其末端是加厚的,并且使用一体式螺纹连接(没有焊接)。一些情况下,连接器会安装到非加厚的普通立管上。

　　(2)外套结构(单一成分或双套管生产立管),一般使用 X80 级别的焊接式钢连接器。

　　(3)钻井立管,一般是 X80 级别的标准钢制法兰,或者专用的法兰连接器。

　　连接器的选择对于钻井立管来说尤为重要,连接器必须可以在多种工况下组装或断开。目前来说,在双层管钻井立管中,尽管螺纹连接在内层管连接上使用非常普遍,但法兰式连接仍然是更优的选择。以下从立管连接器的功能要求、密封要求和局部分析要求等方面进行介绍说明。

　　1. 功能要求

　　在可靠的模式下,立管连接器允许有多种结构和断开方式。立管连接器还应允许半接头之间的可交换性,以便保证立管单节在不同装配顺序下都能够正常运行。

　　整个立管结构的外部应该保证设备有较好的通过性,这些设备包括引导架结构和用于立管安装、回收、检查、维护的专门工具。

　　立管管线和各组件都应该布置一定的内部清洗孔道,在必要的时候能够使清洗组件轻松地进入井口位置,进行清管和维护工作。

　　对于永久性固定的立管,在接头或连接部位应该提供可以连接阳极附加装置(手镯状阳极)的条件。立管上与电气有关的连接应该采用焊接形式,或采用其他的一些可靠的方法,但必须保证处于低应力状态。

　　2. 密封要求

　　连接件与其配合部分之间应该是密封的,配合的部分应该与通过立管的流体相匹配。封口必须保证能够在内外载荷作用下保持完整性。封口的设计可以是整体性或者非整体性的,其中整体性密封内置于连接器,并且不可替换。而非整体性密封使用的是单独的密封元件,这些元件是可以被替换和拆除的。

立管连接器的密封必须在静态下完成,应该在彼此没有相对运动或者只存在很小相对运动的接口之间进行密封,这有利于保证密封处良好的工作性能。

对于连接器与立管部件之间的密封设计工作,应该考虑到外部压力的作用,还应该考虑导致外部载荷和内压频繁变化的运行条件,如果这些条件与外部压力组合起来的话,可能导致在密封处产生频繁的反向压力作用。因此在密封设计中,所有的工作条件(如试运行、测试、开始运转、温度、操作等)都应该加以考虑。

就像连接管线一样,浸泡在内部液体中的密封环也应该考虑内部腐蚀的问题,而且要选择兼容性好的材料。因此,在真实的环境条件下,封口和封口表面都需经过防腐蚀设计。

在立管连接器上,金属与金属之间的密封是最常见的密封形式。而对于那些没有采用金属与金属密封形式的固定立管,应该增加一部分额外的密封。

对于输送可燃液体、高压和腐蚀性液体的情况,应该使用可靠性较高的密封形式。密封形式的选择还要考虑使用寿命、所处的化学环境和温度条件以及压力和允许的相对位移条件等。

循环载荷作用下的连接器应该采用非承载式密封(Non - load - carrying Seal),这样做可以保持高度可靠的防渗漏性能。

对于连接器和密封口,包括任何螺栓预紧形式,都应该作为一个整体系统来确定其密封性能。因为连接器对密封也会产生影响,这些影响主要来自公头和母头连接器的扭矩、螺栓支撑能力以及预紧力等因素。

3. 局部分析要求

对于连接件和其他的结构零件应该进行局部有限元分析,这些零件包括井口模块、锥形接头、张力接头、柔性或球形接头、滑动接头以及复杂的立管截面(多层管结构)。在局部分析中使用的载荷和边界条件需要从整体分析中获取。

在强度、泄漏和疲劳的有限元分析中,要应用最不利条件下的容许裕度来进行计算。疲劳分析中,最重要的因素是应力集中系数(SCF)。应力集中点是结构发生疲劳断裂的根源,因此利用最不利条件下的容许裕度来计算应力集中系数对于得到连接器的疲劳寿命是很有必要的。

10. 2. 6 回接连接器

立管的回接是深水油气田开发中的重要环节,通过回接连接器将井口与立管进行连接,构建成了完整的水下生产系统。目前所采用的水下回接施工技术方法主要有机械连接和水下焊接方式,其中机械连接方式适合深水海底管道回接。

回接连接器按连接部位可以分为内部回接连接器和外部回接连接器。内部回接连接器是靠井口内部的沟槽进行连接的,而外部回接连接器是靠井口的外沟槽进行连接的。按结构特点还可以分为常规连接器和细长型连接器。

图 10. 17 为内部回接连接器结构与实物图,其主要特点如下:

(1)连接器外径 825. 5 mm(32. 5 in),适用于 Spar 平台;

(2)单根立管连接使用普通的金属密封,双立管使用 VX 型井口密封;

(3)弯矩承受能力强。

图 10. 18 为外部回接连接器结构与实物图,其具有与内部回接连接器相似的特点,但外部回接连接器外径为 1 191. 26 mm(46. 9 in),适用于 TLP 平台。同时,外部回接连接器能够

比内部回接连接器承受更大的弯矩、极限拉力和剪力。

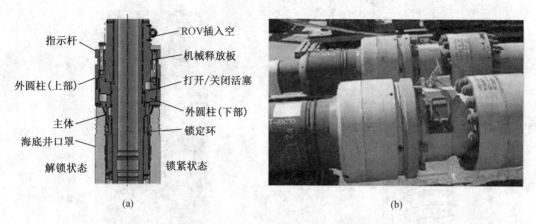

图 10.17 内部回接连接器结构与实物图

(a)结构图;(b)实物图

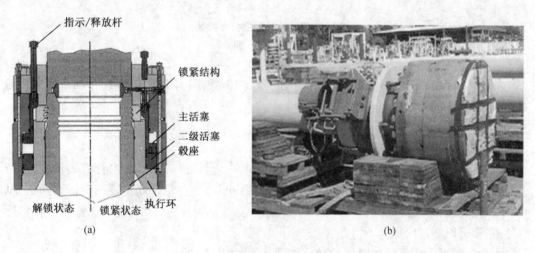

图 10.18 外部回接连接器结构与实物图

(a)结构图;(b)实物图

图 10.19 为细长型回接连接器。细长型回接连接器最大外径为 825.5 mm(32.5 in),可以用于外径为 476.3 mm(18.75 in)的井口,特别适合用于 Spar 平台。该结构能够用于 TLP 和 Spar 平台,并且和外部回接连接器一样,能够承受很大的弯矩、极限拉力和剪力。

细长型外部回接连接器的驱动方式采用液压驱动,且有一套备用的机械解锁系统。该连接器的结构细长,直径较小。

细长型外部回接连接器有一种锁紧方式和两种解锁方式:液压锁紧、液压解锁和机械解锁。在连接器的液压锁紧过程中,液压油通过右边液压管进入由本体和外壳构成的上部锁紧液压腔,推动活塞向下运动,使锁紧环向内收缩,卡在井口上。液压解锁过程与液压锁紧过程相反。解锁液压油由左边液压管进入由本体和外壳构成的下部解锁液压腔,推动活塞向上运动,使锁紧环向外弹开。

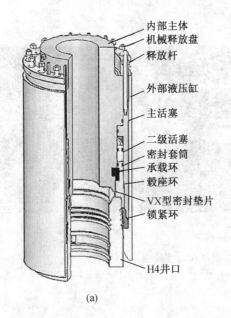

内部主体
机械释放盘
释放杆
外部液压缸
主活塞
二级活塞
密封套筒
承载环
毂座环
VX型密封垫片
锁紧环
H4井口

(a)

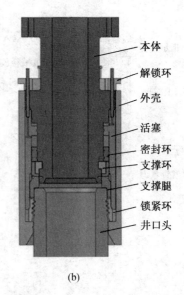

本体
解锁环
外壳
活塞
密封环
支撑环
支撑腿
锁紧环
井口头

(b)

图 10.19　细长型回接连接器

(a)整体图;(b)剖面图

当液压解锁失效时,可以利用 ROV 操作专门的工具,向上提升解锁环,带动活塞向上运动,从而达到解锁的效果。

10.2.7　龙骨节

顶部张紧式立管从 Spar 平台月池底部穿出时,由于月池尺寸有限,立管数量较多,为防止立管与平台相撞,需要采用龙骨导向装置(Keel Guide)。在龙骨处安装一个钢质网架,每一个网格内安装一个导向套(Guide Sleeve),一根立管从中穿过,当平台与立管产生相对运动时,立管可以在其内部上下滑动。

龙骨节附近管体需要加厚,一般为双锥形,如图 10.20 所示。

龙骨接头用于对外壳上的疲劳危险区域进行局部加强。龙骨接头通过收缩配合的轮毂和滚球固定在柱轴的中心处,而龙骨接头的两端则是通过法兰连接到立管上。

由于平台运动和环境载荷作用,立管中的弯矩一般是通过安装在柱轴底部末端的龙骨接头以及柱轴和立管之间的一套对正器(Centralizer)来传递。

龙骨接头位于立管伸进平台月池底部的位置,通过提供必要的额外壁厚来承担载荷的分布,龙骨接头可以避免由于平台运动而在立管上产生的较大的弯曲应力。

在龙骨接头设计中,比较关键的几个设计因素包括:冲程、平台底部月池入口处的立管弯曲响应、接头与引导器结构之间的摩擦力和剪切力等。工程实践中的建议是,龙骨接头长度应该比许用的平台运动冲程大 50%,同时接头的横截面以及锥形截面的设计由设计环境工况和操作工况下的承载弯矩的要求来决定。

海水环境下,龙骨支撑的潜在摩擦影响可能很大,甚至可以影响龙骨接头外壳的设计。因此,在立管系统详细设计阶段中需要考虑龙骨接头和主引导器表面之间间歇的接触和摩擦。

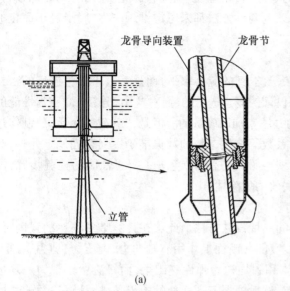

(a)　　　　　　　　　　(b)

图 10.20　龙骨节结构和模型图

(a)结构图;(b)模型图

疲劳问题也是不可忽略的一点。初步的龙骨接头疲劳分析可以使用 $S - N$ 曲线,其对应的应力集中系数(SCF)为 1.5。对于具体的工程实例,疲劳问题需要详细评估,并且要考虑龙骨接头设计的所有方面。

10.2.8　立管法兰

立管接头的形式较多,其中常见的为螺栓法兰连接,它既是一种可拆连接件,又是一种承压密封件。为保证立管、管道和设备正常的全运行,法兰连接应做到:

(1)有足够的强度,不因可拆卸连接的存在而削弱整体结构的强度,连接结构本身也要能抵抗所有的作用力;

(2)连接处保持密封不泄露,螺栓法兰整个系统有足够的刚度,尤其在操作外力及温度有波动、介质有腐蚀情况下,仍能保证紧密密封;

(3)能迅速并多次重复装拆;

(4)经济合理。

法兰设计需要连接件具有足够的强度和保证整个操作过程中不产生泄露。一般来说,由于法兰连接件强度是通过力学模型计算的,因此较容易满足要求。但法兰连接密封主要取决于法兰的制造质量、螺栓的选取、密封件的选取及整个密封系统的装配质量。即使是同一批产品,其质量差异及装配状况都对密封性能有很大的影响。因此,严格地说,密封计算只能是近似的。以下介绍法兰强度的设计方法,其主要分为三类:基于材料力学的分析方法、基于弹性分析的方法和基于塑性极限载荷的分析方法。

1. 基于材料力学的分析方法

该分析方法主要分为巴赫法和 TY8100 法。巴赫法是将高颈法兰设想成沿圆周展成以悬臂梁的简单方法,此法着重强调了法兰的径向变形;TY8100 法是将法兰环视为一内外周边简支的圆环,在环内缘上作用有均布的垫片力,在螺栓中心圆圆周上作用有均布螺栓力,此法着重强调了法兰的环向弯曲变形。以上两种方法都未考虑锥颈应力,属于过于简化的近似方法。

2. 基于塑性极限载荷的方法

该计算方法的出发点,并不注重于法兰本身的应力水平,而是着眼于法兰连接的密封性能。因此对法兰的强度计算是以极限设计的概念进行的,而对整个"连接"的密封性能的检验是通过制作一个"载荷 – 变形"图的办法来加以确认的。但是,"载荷 – 变形"的制作过程所需要的垫片的回弹性能、比压、垫片系数等物性参数的数据准确性尚存问题。此外,此图的制作过程十分烦琐。在 AD 规范的法兰设计方法中,免去了密封性能的检验步骤,因此,采用这种方法设计的法兰存在密封失效的危险性。

3. 基于弹性分析的方法

Waters 法是此类方法中最具代表性的一种设计方法。此法在计算带颈法兰的强度时,将整体法兰分解成 3 部分:壳体、毂和法兰环,各断面上作用有轴向力、内压力、剪力、弯矩、螺栓的上紧力、垫环处的反力等。将壳体和毂均视为弹性基础梁,而将法兰环视为一环形平板,由它们各自变形微分方程获得通解,然后根据三者互相的边界条件,计算法兰的弹性名义应力,并控制适当的许用应力,以保证法兰具有足够的刚性,从而使整个连接达到密封可靠的要求。

虽然 Waters 法计算也存在着一些缺陷,例如该方法略去了压力载荷所造成的不连续应力以及内压在圆筒、锥颈上引起的直接薄膜应力。但大量实践表明,Waters 法在通常情况下能获得满意的设计结果且计算简便。美、法、英、日等国规范相继采用 Waters 法,它是美国机械工程师协会(ASME)法兰设计的理论基础,我国也采用该法修订"三部压力容器法兰标准"和制定了钢制管法兰国家标准中的美洲体系法兰部分。

10.3　顶部张紧式立管的设计

10.3.1　顶部张紧式立管设计要求

顶部张紧式立管的设计过程中一般遵循以下规范:

(1) API RP 2RD(1998) *Design of Risers for Floating Production Systems and Tension Leg Platforms*,1998 年出版。

(2) DNV OS F201(2001) *Dynamic Risers*,2001 年出版。

(3) API RP 16Q *Recommended Practice Design*, *Selection*, *Operation and Maintenance of Marine Drilling Riser*, 1993 年出版。

包括立管管系、部件在内的立管系统在设计时还要遵循以下基本设计原则:

(1)立管系统应该满足基础设计任务书中给出的功能和运行要求;

(2)设计时要确保一些无意识情况不会升级为重大灾难;

(3)能够进行简单可靠的安装、回收,并且坚固耐用;

(4)方便进行检查、维护、更换和修理;

(5)立管的接头和各个部件必须能够在目前认可的技术条件下制造出来;

(6)结构细节方面的设计和材料选择应该考虑到尽量降低腐蚀、侵蚀和摩擦的影响;

（7）在切实可行的范围内,尽量保证立管的各个元件不会产生疲劳,对于不能依据这个规则设计的无效或者多余的元件,在设计阶段尽可能提早地把它们检查出来;

（8）设计时,要考虑为张力、应力、角度、振动、疲劳裂纹、摩擦、磨损、腐蚀等方面的监测提供便利。

10.3.2　设计阶段的划分

对于顶部张紧式立管的设计一般分为两个阶段,初步设计阶段和详细设计阶段。对于不同的设计阶段,顶部张紧式立管的设计分析深度也不一样。

一般在初步设计阶段主要完成以下内容的设计工作:

（1）决定顶部预张力系数(TTF)。预张力系数由立管顶部张紧系统的张紧力与立管的水下质量所决定。它是顶部张紧式立管设计的关键参数,将影响到立管的后续设计分析内容,如立管间的干涉、立管的涡流激振、立管强度、张紧系统以及平台的损伤条件等内容。

（2）立管总体的选型设计。包括选择立管的类型(双重管或多重管)论证及尺寸计算。尺寸计算主要是进行管线最小壁厚的选择,壁厚主要决定于环向应力、组合应力及静水压力压溃。

（3）冲击分析。冲击分析需要考虑潮流、热膨胀、风暴涌、平台的下沉、立管间距及船体吃水的误差、张紧器及船体损伤条件、船舶运动及张紧器的刚度等因素的影响。

（4）张紧系统的选型设计。张紧系统有浮力筒、液压、气压张紧器及直接悬挂三种方式。张紧系统的选择主要取决于对承重的要求。

（5）立管组件的选型设计。立管组件的设计一般采用特殊的程序进行设计,对这些程序的输入一般为所需要的张力、理想的弯曲角度等。

（6）前期的涡激振动评估。一般使用商业化软件(如 Shear7)进行立管横向涡激振动疲劳损伤评估,如果立管的涡激振动疲劳损伤不满足规范要求,需要考虑减缓立管涡激振动损伤的方法,包括增加顶部预张力系数和添加减缓激振装置两种方法。

（7）干扰分析。干扰分析包括多根立管间的干扰、立管与平台的干扰以及立管和锚链间的干扰。干扰分析考虑剧烈风暴和海流两种情况。

（8）强度分析。强度分析需要进行各个荷载工况的有限元分析,从而校核立管各部件的强度是否满足规范要求。可以使用静态分析、时域分析或频域分析方法。

（9）疲劳分析。疲劳分析包括三部分的疲劳损伤评估,即波浪力引起的疲劳、立管涡流激振引起的疲劳和船体运动引起的疲劳。最后对这三个疲劳损伤按规范进行组合,得到总的疲劳损伤评估。

对于详细设计阶段,所有设计工作需要足够详细以进行采购和制造,而且工程过程、说明书、测试、勘测和制图等工作需要全面开展,这个阶段也称作"工程执行阶段"。

10.3.3　连接器的设计要求

顶部张紧式立管连接器的设计应该能够确保蓄积的液体不会干扰它的安装或者运行。

顶部张紧式立管连接器的强度应该足以承受设计载荷和变形的影响而不会超过它的设计极限,这些变形通常是由制造/破裂、管子主体结构上的外载荷、热梯度以及内外压力载荷引起的,关键的限制因素都应该在设计中考虑周全。

在强度、疲劳、渗漏和防火性能上,连接器至少要设计成与管子或者焊缝具有相同的级别,以确保结构的完整性。

对于那些在腐蚀环境下工作的连接器,设计时需要采取一些补偿措施,可以通过在节点处采取腐蚀控制方式来设计连接器,或者给连接器添加一个防腐涂层。这些都可以在一定程度上降低腐蚀。

在设计顶部张紧式立管连接器和各个组件时制造者应该对下面的载荷参数/条件加以考虑和记录:

(1)组装载荷,也就是连接器之间进行组装时的装配载荷;

(2)内外压力,包括测试压力以及海水、泥浆和其他媒介产生的压力;

(3)立管不同水深截面上的弯矩和有效张力;

(4)循环载荷,也叫做立管不同水深截面上的循环应力;

(5)热应力影响(蓄积的流体/水、异种金属)和热瞬态;

(6)安全装置的断开载荷,即突发性事故发生时的载荷。

在极限状态(ULS)和偶然的极限状态(ALS)需要考虑的问题包括(但是不限于)下面各项:

(1)局部弯曲,即局部结构的挠曲变形;

(2)不稳定的裂痕和过度屈服;

(3)密封性,即连接器防止液体或者气体渗漏的紧密性;

(4)某个连接器的螺纹脱离(带有螺纹的连接器);

(5)滑动件之间的耦合效应,即一些部件之间的滑动摩擦。

诸如变形、偏斜、最后阶段的损坏等现象,这些都不利于立管的正常使用,因此需要在使用极限状态(SLS)考虑这些因素的影响。

10.3.4 初步设计阶段的分析

设计顶部张紧式立管之前,为确保设计满足标准,需要进行分析的内容包括:顶部预张力系数的确定,管道尺寸、形式,冲程分析,张紧系统的尺寸确定,立管部件的尺寸确定,初步的涡激振动分析,干扰分析,强度分析,疲劳分析。

1. 顶部预张力系数分析(TTF)

$$TTF = 顶端张紧力/立管湿重$$

一般 TTF 取值在 1.2~1.6 之间,以下因素决定了 TTF 的选择:

(1)相互干扰,考虑到相邻管道之间的作用;

(2)立管的涡激振动;

(3)立管的材料选取;

(4)受损状态,考虑不同张紧器和浮体的类型。

2. 管道尺寸分析

一般要考虑生产立管和立管套集束。第一种类型必须满足井口预期流量的要求,而其他类型必须满足 API 5CT 规范中涉及关于漂移方面的要求,如表 10.1。

表 10.1 不同外径立管的漂移要求

漂移心轴尺寸		
外径/in	长度/in	直径/in
$8\frac{5}{8}$ 或更小	6	$d \sim 1/8$
$9\frac{5}{8}$ 或更小	12	$d \sim 5/32$
16 或更小	12	$d \sim 3/16$

注:d 代表内层管子直径

管壁厚一般由以下因素决定:

(1)周向应力;

(2)组合应力;

(3)塌陷,即压力引起的管子塌陷变形。

周向应力通常决定了立管壁厚大小。在设计立管时,周向应力也是一个需要重点考虑的对象。

在计算周向应力时,需要考虑以下因素:

(1)制造裕量;

(2)内外管壁的腐蚀裕量;

(3)磨损裕量,如立管组合。

3.张紧系统尺寸分析

对于张紧系统的尺寸分析,分别以浮力筒和液压/气动张紧器为例。

浮力筒尺寸的大小取决于以下因素:

(1)顶端张力系数和立管湿重;

(2)井湾尺寸大小;

(3)茎秆尺寸大小;

(4)考虑浮力时,茎秆的应用;

(5)确定冗余量的方法选择;

(6)对于完井或者修井任务需要补充的张紧系统。

液动/气动张紧器是立管和平台之间的一个弹簧式装置,它的构造形式取决于以下几个方面:

(1)顶端张力系数和立管湿重;

(2)气缸数量;

(3)确定冗余量的方法选择;

(4)张紧轮的刚度;

(5)冲程。

因为立管的质量会影响到它的功能和疲劳寿命,因此张紧系统的质量在系统分析中也要考虑。然而张紧系统支持的质量从完井/修井到钻井过程中一直变化,并且立管从生产到注水这一过程中的功能转变也会导致张紧器支撑质量的变化。

立管质量应该包括下面各项组件的裕量:

(1)连接器;

（2）阳极、控制线、应力节和龙骨接头的质量；

（3）浮力舱；

（4）涡激振动抑制器装置；

（5）制造商提供的壁厚裕量。

4. 冲程分析

对于顶端张力式立管，张紧器会在立管上部向上提拉，目的是限制弯曲变形和保持恒定的张力。当浮体和立管相对垂向移动时，张紧器必须能够产生持续的拉力。通常将立管的行程称为冲程，会影响张紧器、绞车、表面设备和钻台之间的间隙以及滑动接头等的设计要求。

在冲程分析中，需要考虑的影响因素包括：潮汐（单位深度）、海流（单位速度）、热膨胀、风暴潮（单位深度）、升沉（单位深度）、立管间隔和船体吃水的裕量、受损状态（张紧器和平台）、平台运动、张紧器刚度。

5. 涡激振动分析

一般情况下需要对立管的长期疲劳状况和极限状况进行涡激振动疲劳分析。对于立管涡激振动引起的疲劳扭伤的前端评估，一般可以使用商业化的软件程序。MIT 编写的 Shear7 是目前应用最广泛的一个评估程序。

针对顶部张紧式立管，减轻涡激振动疲劳损伤有两个主要的方法，分别是增加顶端张力系数和增加抑制装置。螺旋列板（Strake）和整流罩（Fairing）是目前最普遍的两种抑制装置，它们均可以将单独立管的运动降低 80% ~ 90%。由于引起的阻力系数更小，因此整流罩要比螺旋列板更加适用，这一点已经在立管阵列中得到了证实。

在确定涡激振动抑制装置的长度时，设计者需要考虑以下因素：

（1）将效率修正系数添加到升力系数中；

（2）使用迭代的方法计算升力系数，这种方法直接给出了振幅直径比 A/D，需要进行换算；

（3）对于抑制装置需要考虑使用升力系数曲线。

6. 干扰分析

在立管分析中一般会面临两种干扰情况，分别是立管和立管之间、立管和平台锚泊线之间的干扰，这些干扰一般是由强度较大的风暴和海流单独或共同造成的。干扰原理通常是屏蔽效应。图 10.21 描述了这种屏蔽效应，图 10.22 说明了在干扰分析的计算中涉及的各种力。

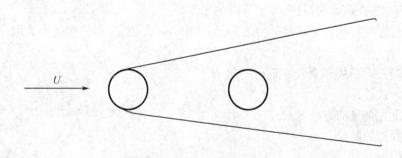

图 10.21　屏蔽效应示意图

虽然进行立管干扰分析的难度较大，但是目前已经有很多干扰分析软件程序可以使用。其中有两个重要参数必须要考虑，分别是顶端预张力系数和阻力/立管湿重比，因此在分析的时候，潜流、张力调整器的精度和立管涡激振动对阻力系数的影响必须加以考虑，确保分析的准确性。另一方面,风暴引起的干扰可以通过时域分析和频域分析方法计算,这些在 API 2RD 规范中都有明确的表述。

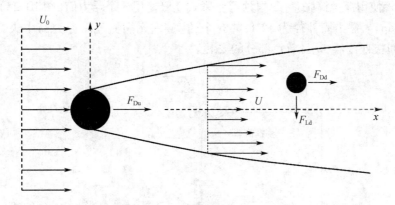

图 10.22　尾流中的流动形式

由于干扰具有破坏性,因此在设计中需要采取一些减缓措施,来降低接触程度,否则就需要证明这种接触不会对立管产生破坏。

这种相互干扰可以通过以下方式削弱:减少接触、增加顶端张力系数、增加井湾处立管间隔以及调整海底井口间距等。

7. 强度分析

强度分析的目的是检查立管各组件的临界水平。在基础设计阶段,可以利用有限元分析方法对多种载荷情况进行分析,可以应用的技术手段包括静态模拟方法、频域和时域模拟方法。

如 Spar 平台上顶部张紧式立管的分析分为三个步骤:第一步是由环境条件获得 Spar 平台的运动形式,并且需要得到对 Spar 平台运动的影响规律;第二步是通过分析处理这些信息得到龙骨处的最大位移、相应的倾斜角、最大倾斜角和相对应的纵荡值;第三步是将这些运动加入立管有限元分析模型中,进而分析校核立管各组件中的应力水平。

8. 疲劳分析

疲劳分析的目的是检查主要部件的疲劳水平是否符合要求,确定分析焊缝使用的 $S-N$ 曲线形式以及决定连接件的许用应力放大因子(SAF)等。波浪载荷引起的疲劳分析可以采用频域和时域模拟的方法进行。

10.4　顶部张紧式立管典型工程实例

10.4.1　Hoover Spar 平台立管系统

Hoover 平台位于墨西哥湾 Alaminos Canyon Block 25,水深 1 463 m(4 800 ft),运行商是 ExxonMobil,共有 6 根生产顶部张紧式立管,1 根钻井立管。

1. 生产立管

该系统顶部张紧式立管包含一个直径为 4.5 in 的油管,外面还有双层套管。外管直径 13.375 in,主要用作结构构件与次要承压层;内管直径 9.625 in,具有更高的抗屈服能力。油管与内套管之间环形空间内充满气体。内外套管分别于井口系统相连。外管通过外部液压回接连接器与外径为 18.75 in 的表面井头相连。内套管通过凹凸式悬挂装置与井头相连。

生产立管使用浮力筒张紧,每根顶部张紧式立管使用 3 个浮力筒(图 10.23),总张紧能力为 1 240 kips①,浮力筒外径为 11 f,共 6 个舱室,内充满氮气。浮力筒中央开孔直径为 50 in,以便回接连接器、龙骨节点部分的安装。

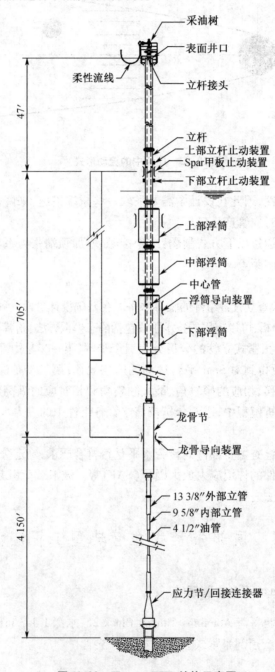

柔性流线

采油树

表面井口

立杆接头

立杆
上部立杆止动装置
Spar甲板止动装置
下部立杆止动装置

上部浮筒

中部浮筒

中心管
浮筒导向装置

下部浮筒

龙骨节

龙骨导向装置

13 3/8″外部立管
9 5/8″内部立管
4 1/2″油管

应力节/回接连接器

47′

705′

4 150′

图 10.23　Hoover TTR 结构示意图

---

① 1 kips = 4.448 kN。

2. 钻井立管

钻井立管包括外径 21 in 的外套管和外径 13.375 in 的内套管。钻井立管有两种防喷组件,当要钻 17.5 in 的井口时,使用 20.75 in,工作压力 3 000 psi 的防喷组件,要钻低于使用外径 13.625 in 立管的井口时,采用 13.625 in,工作压力 10 000 psi 的防喷组件。

钻井立管使用 RAM 式液压张紧器支撑,而非浮力筒张紧,因此可以迅速调节钻井过程中的张力。

10.4.2　Holstein Spar TTR 干树系统

Hostein 油出位于墨西哥湾南部,水深 4 344 ft,使用干树系统与顶部张紧式立管作为生产立管,运行商为英国石油公司(BP)。该平台是首次使用液压张紧器的 Spar 平台,而非浮力罐张紧。Hostein Spar 是 Truss Spar,拥有 15 根顶部张紧式立管,其中 12 根生产立管,3 根注水管,均为双层套管,尺寸如表 10.2 所示。立管系统能够兼顾钻井与生产,不需专门的钻井立管。1 个井口为评估井,6 个井口由可移动海洋钻井平台(MODU)钻得,9 个井口由本平台钻得。

表 10.2　双层套管立管主体尺寸

参数	外套管	内套管管
外径/in	14 – 7/8	11 – 7/8
壁厚/in	0.594	0.55
屈服强度/ksi	80	95
材料	X80	T9

生产管外径 5.5 in,注水管外径 7 in。注水管内外环充满水,生产管内环充满氮气,外环填充材料为气凝胶绝热保温毡(Insugel)。钻井时内管和外管最大泥浆质量分别为 12 ppg 和 14 ppg。内套管采用 T95 钢,以满足酸性作业的要求。下部应力节长为 38 f,最大壁厚 3 in,顶部壁厚 0.6 in。螺旋减涡侧板分布长 1 300 ft,其中龙骨以下 800 ft,间距 17D,侧板宽 0.25D。外管龙骨节内双锥形管部分长为 89 ft。龙骨节附近的内管也需局部加厚,总长 36 ft,包括中间 6 ft 长厚度均为 0.77 in,上下两端各 15,为锥形。

外部回接连接器型号为 Vetco Gray H4 – SL,外径 45.5 in。平台导向装置和张力环内径为 50 in 以方便其穿过。内部回接连接器最大工作压力 10 ksi。液压张紧器集中分布于支撑模块内,模块截面 60 ft × 60 ft 见方,深 20 ft,内为网格结构,共 20 个井缝,每个面积为 11.5 ft^2。生产、注水工况立管顶部张紧系数(TTF)为 1.6,钻井作业时名义 TTF 为 1.4。张紧器设计压力为 1 200 psi,可产生名义张力 1 500 kips,极限压力 3 000 psi。

该张紧式立管的总体结构与尺寸如图 10.24 所示,套管整体结构尺寸和海底井网布置如图 10.25 所示。

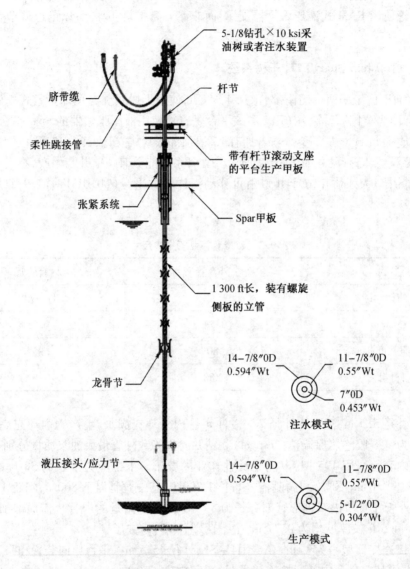

图 10.24　Hostein TTR 结构布置示意图

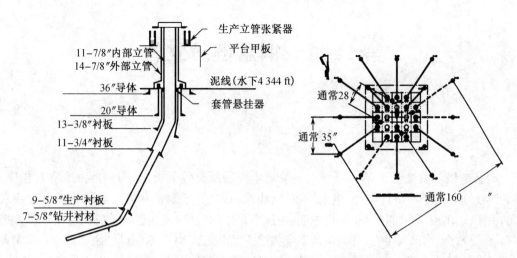

图 10.25　套管系统结构尺寸与海底井网分布示意图

10.5　本章小结

顶部张紧式立管是一种典型的深水干树式立管系统。按功能可以分为钻井立管、完井/修井立管、生产/注入立管、注入立管和输出立管。本章主要介绍的是张紧式立管的结构组成和设计分析等方面的内容。

参 考 文 献

[1] 缪国平. 挠性部件力学导论[M]. 上海：上海交通大学出版社,1995.

[2] LI X,GUO H,MENG F. Stress analysis of top tensioned riser under random waves and vessel motions [J]. Journal of Ocean University of China,2010,9(3): 251 –256.

[3] SAAD P,SALAMA M M,JAHNSEN O. Application of composites to deepwater top tensioned riser systems [C]//ASME 2002 21st International Conference on Offshore Mechanics and Arctic Engineering,American Society of Mechanical Engineers,2002.

[4] API RP 2RD. Design of risers for floating production systems (FPSs) and tension-leg platforms (TLPs)[S]. 1998.

[5] TRIANTAFYLLOU M S,ENGEBRETSEN K,BURGESS J J,et al. A full-scale experiment and theoretical study of the dynamics of underwater vehicles employing very long tethers[C]. In Proc. Fifth Int. Conf. On behaviour of Offshore Structures,Trondheim,Norway,1988,549 –563.

[6] YONG B,QIANG B. Subsea pipelines and risers[M]. Amsterdam:Elsevier Science Ltd,2005.

[7] ZHANG Q,ZHANG R,HUANG Y,et al. Designand analysis of taper stress jointfor top tensioned risers[C]. Proeeedings of 20th ISOPE,Beijing,2010,(2):23 –28.

[8] JAEK R M,JAMRS F. Sensitivity analysis of parameters affecting riser performanee[C]. OffshoreTeehnology Cobferenee. Houston,TexaS,1977,2918.

[9] CHAPLIN J R,BEARMAN P W,C Y. Blind predictions of laboratory measurements of vortex-inducted vibrations of a tension riser[J]. Journal of Fluids and Structures,2005,21,25 –40.

第11章 钢悬链线立管

11.1 概　述

钢悬链线立管被认为是解决深水立管成本问题最有效的方案,与其他深水立管相比,钢悬链线立管由于经济性能好、概念简单、结构性能好、易于制造和海上安装等特点受到人们的关注,它出现于20世纪90年代中期,经过十几年的发展,现在已经被成功应用于张力腿平台、Spar平台、半潜式平台、浮式生产系统和浮式生产储运系统,水深已经超过3 000 m,成为深海开发的首选立管。不同浮式平台下的钢悬链线立管如图11.1和图11.2所示。

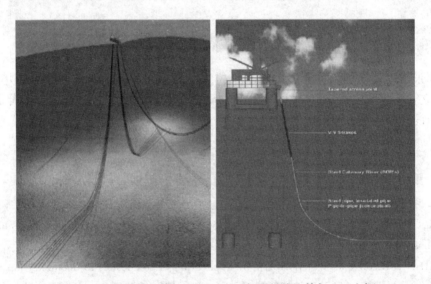

图11.1　钢悬链线立管与FPSO(左)、钢悬链线立管与TLP(右)

1994年壳牌公司(Shell)在墨西哥湾872 m水深的张力腿平台Auger上安装了世界上第1条钢悬链线立管,引起了工程界和学术界的极大关注。自墨西哥湾的第一条钢悬链线立管问世以来,已经有数百条钢悬链线立管在墨西哥湾、巴西坎普斯湾、北海、挪威海、印度海和西非投入使用,开创了深水立管系统的新纪元。

在深水环境下采用湿采油树进行水/气注入和油/气输出时应该优先选择钢悬链线立管。截止2008年末,全球已经有超过100个工程项目采用钢悬链线立管,其中主要以墨西哥湾为主。同时,全球30条正在使用的钢悬链线立管具有详细的工程概念。表11.1选择性地给出了一些应用于不同浮式结构的典型钢悬链线立管工程项目。

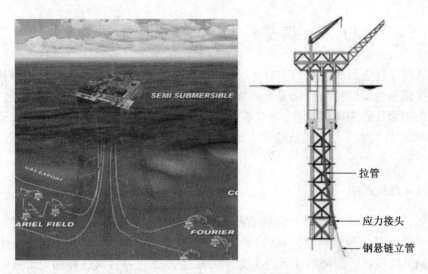

图 11.2　钢悬链线立管与半潜平台(左)、钢悬链线立管与 Spar(右)

表 11.1　典型钢悬链线立管(SCR)项目

项目名称	位置	水深/ft	浮式结构类型	SCR 尺寸	悬挂系统
Shell Auger	GoM	2 860	TLP	6″×10″ PIP 12″外输	锥形应力节 柔性接头
BP Thunder Horse	GoM	6 000	Semi	18″ & 24″外输油 & 气 8″ & 12″生产	柔性接头
Chevron Tahiti	GoM	4 000	Spar	20″外输 8″生产	外输用柔性接头 生产用拉管
Enterprise	GoM	8 000	Deep draft Semi	20″外输 8″生产	柔性接头
BP Marlin	GoM	3 245	TLP	8″×12″ PIP 生产	钛合金应力节
Shell Bonga	WoA	3 600	Spreadmoored FPSO	16″生产气 10″ & 12″生产油 12″注水	柔性接头
Petrobras	OB	2 986	Semi	10″外输气	柔性接头
Esso Nigeria	WoA	4 000	Spreadmoored FPSO	12″注气	柔性接头

在超深水浮式产品的生产中,钢悬链线立管在设计、焊接和安装方面所面临的问题主要与深水环境内重力整合引起的较高悬挂张力有关,此外还需要考虑高温、高压、腐蚀、服务条件等方面的内容。

11.2 钢悬链线立管的主要结构

钢悬链线立管集海底管线与立管于一身,一端连接井口,另一端连接浮式结构。它与平台的连接是通过柔性接头(Flex Joint)或应力接头(Stress Joint)自由悬挂在平台外侧,无需液压气动张紧装置和跨接软管,节省了大量的平台空间。立管另一端,通过管道终端管汇(PLET/PLEM)与水下生产系统连接。该立管无须海底应力接头或柔性接头的连接,大大降低了水下施工量和难度。

11.2.1 悬挂系统

近几年,越来越多的油气生产运输管线都选择钢悬链线立管与浮式结构相连。立管顶端连接处承受大交变弯矩和轴向拉力,平台运动、海洋腐蚀等复杂作用,容易发生疲劳破坏。通常钢悬链线立管顶部终端通过类似于柔性接头或应力接头这样的顶部终端装置与浮式平台相连接,以增加该区域的刚度。图11.3所示的是通过柔性接头或者应力接头将立管与浮式平台相连接。

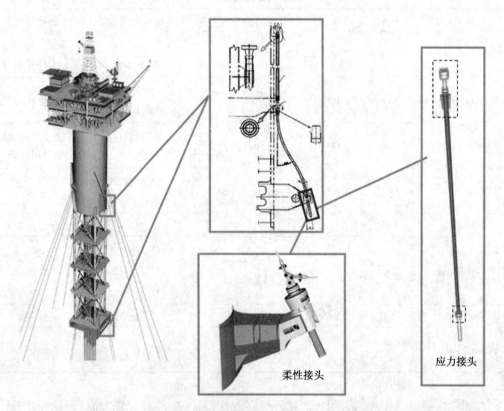

柔性接头

应力接头

图 11.3 立管通过柔性接头或应力接头与浮式平台相连接

钢悬链线立管在浮式平台上的悬挂系统包括悬挂系统的入口(Porches)或者拉管(Pull Tubes),平台入口处使用了包含支座(Basket)和焊接板结构的托结构,焊接板结构将支座连接在平台上。平台入口既可以适用于柔性接头,也可以适用于应力接头。钢悬链线立管连接在柔性接头或者应力接头的底部,排气套管连接在柔性接头或者应力接头的顶端,顶部终端装置的托结构将会被焊接到平台主体的入口上,同时包括了顶部终端装置支座,悬挂系统在设计过程中还要考虑载荷的要求。

1.柔性接头

对于大部分钢悬链线立管的安装来讲,与平台的主要连接形式是使用层状弹性体和钢结构的柔性接头,目的是为立管和生产平台的固定管线间提供一种承压连接,柔性接头也可以对平台连接处的立管进行解耦处理。

柔性接头比锥形应力接头更加昂贵,柔性接头由钢和弹性体层制成,因而为适应不同的旋转角度可以设计成多种形式。柔性接头通过一个立管入口与船体相连,进而与入口端部的支座合为一体。因此,可以通过一个管筒把柔性接头连接到船体管线系统上。

如图 11.4 所示为柔性接头实物图和结构图。

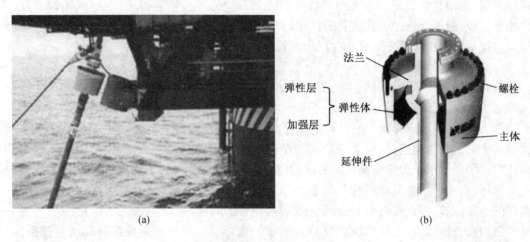

(a)　　　　　　　　　　　　　　(b)

图 11.4　柔性接头

(a)实物图;(b)结构图

合成橡胶的弹性接头带有一个旋转轴承,因此扭曲应力可以通过旋转轴承的转动得到释放。设计柔性接头可以抵抗平均位置的弯曲变形。此处存在很大的轴向弯曲变形,并且转动轴承通常并不滑动,因而柔性接头可以有效地降低弯曲。这样的一个调整装置可以降低作用在橡胶弹性体和旋转轴承上的截荷。因此轴承会在初始方向或者接头调整时进行滑动。

柔性接头内的波纹系统可以保护合成橡胶弹性元件不会受到压力降低引起的破坏,这种压力降低通常是由饱和气体环境里的内压波动引起的,在主体/柔性元件和波纹之间的空腔是密封的,并且填充了以水 - 丙二醇为基本成分的抗腐蚀液体。

连接立管的柔性支座(图 11.5)和平台结构连在一起,该支座通常由刚性

图 11.5　柔性接头支座

连接到平台上的钢管和柔性接头组成。钢管中含有用于补偿钢悬链线立管自然悬垂弧线的渐变弯曲段。钢管端部、柔性接头以及立管中串列相连,这种结构允许柔性接头逆着管线方向拉伸,同时柔性接头结构可以使钢悬链线立管随着平台一起移动。

2. 应力接头

深海钢悬链线立管顶端并非垂直悬挂,而是在静态或动态中都具有一定的悬挂角度,接头不仅需要承受巨大的张力作用,还有弯曲作用。由于交变应力作用,发生疲劳破坏的可能性较大,是立管局部设计分析的重点之一。在应力接头的设计中,需要考虑的问题是如何布置接头的形式来使应力沿接头分布尽可能均匀,以达到充分利用材料的目的。

在实践中常用于钢悬链线立管的有锥形应力接头(Tapered Stress Joint,TSJ)、套管应力接头(Sleeved Stress Joint,SSJ)。锥形应力接头顾名思义从顶端到底端外径成锥形分布,内径则保持一致,可以通过调整其长度、两端外径来满足设计需求。锥形应力接头模型由两部分组成:锥形接头及附带考虑的一段立管。套管应力接头由多根不同长度、不同直径的管相套组成,通过合理的设置管套的尺寸(直径、壁厚、长度)及数量使其满足设计需求。套管应力接头模型由三部分组成:立管、内套管及外套管。

(1)锥形应力接头

钢悬链线立管悬挂锥形应力接头结构如图 11.6 所示,其可分为锥形主体、顶部圆锥与上端法兰、下端法兰三个组成部分。

图 11.6 中锥形应力接头的材料是钛合金。上端法兰通过钢质法兰过渡之后,实现与浮式装置上的工艺管道连接;下端法兰同样是通过钢质法兰过渡之后,实现与钢悬链线立管的连接。用于锥形应力接头悬挂的套筒,其材料采用高强钢。为了隔离钛合金顶部圆锥和钢质套筒,采用了非金属材料作为衬垫。如果锥形应力接头材料是钢,可采用与柔性节点相同的连接方式,即直接与钢悬链线立管焊接,从而不再需要下端法兰。锥形应力节是一种可靠的全金属结构,主要由钢或钛合金制成。钛合金应力节的两端都需要法兰接头,来实现底端钛合金应力节到钢悬链线立管的过渡,以及上部分与平台管系的过渡。图 11.7 显示的是悬挂入口处的锥形应力节。

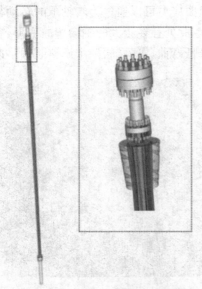

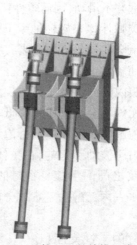

图 11.6　锥形应力接头结构图　　　　图 11.7　悬挂入口处的锥形应力节

锥形应力节不属于机械装置,可以把它看为是立管延长的一部分。锥形应力节用于钢悬链线立管悬挂时,小刚度下端与立管连接,大刚度上端与平台上的工艺管道连接。其作用与柔性节相同,同样是降低平台和立管之间的运动应力,只不过锥形应力节提供的转角范围不如柔性节点大。锥形应力节的结构机理与柔性节的不同,其不同点主要体现在钢悬链线立管和平台主体的连接方式上。对于锥形应力节以及其支撑结构的设计要考虑到作用在立管上的大弯矩。简单来说,锥形应力节的作用类似于固定的端部连接系统。柔性节点在高温、压力波动、腐蚀性介质的条件下,其球形模压弹性轴承容易失效。锥形应力节没有弹性单元,所以介质适应性优于柔性节点。此外,与柔性节点相比,锥形应力节设计紧凑,便于检查,气密性好,如果需要工具等从内部通过时,易于进行弯度控制。

为了适应钢悬链线立管端部的高弯矩,锥形应力节通常由高强度钢或者是弹性模量低的钛合金材料制成。锥形应力节材料早期采用高强钢,现通常采用钛合金。与柔性节点等相比,钛合金锥形应力节在许多场合已经成为很有吸引力的技术选择。

①锥形应力节材料

如果锥形应力节材料是钛合金,则与钢制立管集成时(属于异种金属连接),需要解决与之相关的腐蚀防护问题;锥形应力节防腐包括外表面防腐和内表面防腐。

因为钢在海水中一直会有阴极保护,所以钛合金连接表面氢吸附的累积成了需要重点考虑的问题。而阻止钛合金氢化有两种选择途径:一是使用不导电的屏蔽涂层,二是对钛合金部件进行电化学隔离。

内表面防腐主要须考虑异种材质金属接触引起的电化学效应。可供选择的解决方案是:插入一个电化学兼容耐蚀合金(CRA)接头(典型的是 6 ~ 12 m 长),起到钛合金部件和碳钢部件之间的电化学缓冲。

②锥形应力节与立管的连接

立管通常采用高强钢,锥形应力节与立管的连接方法取决于锥形应力节的材料。高强钢锥形应力节与高强钢立管可直接采用焊接方法进行连接,钛合金锥形应力节与高强钢立管则采用法兰螺栓方法进行连接。

③锥形应力节的安装方法

目前钢悬链线立管悬挂锥形应力节全部采用平台边缘悬挂方式。悬挂插座结构的关键部分通常是与平台连接的边缘焊缝,承受张力、剪力和力矩的复合作用(就剪力和张力而言,锥形应力节和柔性节点的差别可以忽略)。

柔性节点悬挂插座可以直接用于锥形应力节。虽然锥形应力节弯矩比柔性节点弯矩略大,但结构更加紧凑,弯矩起到的实际作用并不大,其影响可以忽略。因此,锥形应力节可以在为柔性节点设计的悬挂插座中工作。

锥形应力节与柔性节点相比,具有更加紧凑、更加靠近平台边缘且减小负载的特点。锥形应力节比柔性节点更加紧凑,这就使得锥形应力节点的轴能安装在离边缘更近的地方,并导致载荷也比柔性节点低。

在安装过程中,锥形应力节采用起重机支撑,绞车牵引就位,如图 11.8 所示。

(2)套管应力节

套管应力节的概念首次提出是为了离岸管中管及 Spar 平台底部接头的应用。目前,Technip 公司对该方向的研究展示了套管应力节对于拉管的潜在应用。

套管应力节利用单管或者是错列长度的多管在立管外部以提供不同的刚度,满足应力节对于弯矩强度和柔性的需求。在套管应力节的设计中,要考虑套管的数量、直径和壁厚。套管焊缝的位置也应慎重选择以获得好的疲劳性能。套管应力节与平台的连接有两种方式,分别通过拉管和悬挂入口进行链接。

图 11.9 显示的是套管应力节悬挂入口的连接方式,套管应力节的悬挂装置为内部的套管,这与柔性接头和锥形应力节的悬挂系统类似。套管应力节连接于内部套管上,套管可以终止于内部套管的内部或外部。悬挂系统被设计为允许立管通过的连续的通道。

钢悬链线立管拉管悬挂系统通常应用一个在拉管上的锥形应力节,立管通过一个套管穿过拉管,代替了锥形应力节和拉管的

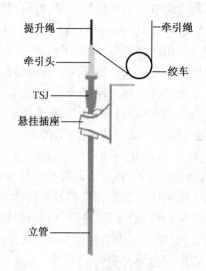

图 11.8　钢悬链线立管悬挂 TSJ 的牵引安装示意图

组合。图 11.10 展示的是带套管的拉管悬挂系统,套管通过其上端或下端的颈圈与立管相连,通过颈圈的连接只束缚了套管底部和立管之间的旋转运动,不会传递弯曲载荷。根据不同的设计要求,设计中有时会把它当成完全刚性的。

图 11.9　套管应力节通过悬挂入口与平台的连接示意图

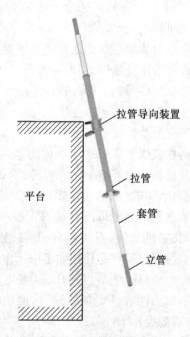

图 11.10　套管应力节通过拉管与平台连接

在现有的立管悬挂方式中,套管应力节是一种简单有效的选择,它具有如下优点:

①有效的成本和进度　现成可使用的材料和组件可用来制造套管,省去了昂贵的加工

费和锻造费,因此可降低成本和缩短进度。

②可靠性　套管应力节对于液流提供了一个连续的导管,没有其他可泄露的缝隙。由于套筒连接在立管的外部,对于酸性介质、二氧化碳、高温以及高压没有附加的要求。

③疲劳性能　对于每一个套筒套管应力节都是连续的没有焊缝的管道,因此疲劳裂纹不会在套筒和立管中直接传递。

④设计适应性　套管应力节可以选择不同的套筒尺寸和数量进行优化,以适应不同的应用。

11.2.2　立管主体

1. 钢悬链线立管主体材料

深海立管最常用的材料是碳钢(如美国石油协会 -5L 规格,等级 X52 ~ X70 和更高,比如 API 5L X60,X65,X70)和特种钢(也就是合金钢,如 13% 铬)的钢材,在选择材料时要考虑成本、侵蚀能力、重力要求和焊接性能等因素。

钢材的等级越高(直到特种钢),单位体积(质量)的价格越高。然而,随着高等级钢材生产成本的降低,海洋工业的普遍趋势是使用高等级的钢材。

材料选择是深海立管设计最初的步骤之一,它是系统设计中的关键要素。此外,材料选择还与制造、安装以及运行成本有关系,例如:

(1)制造　钢材等级越高,成本越高。但是钢材等级的提高通常会减少管壁厚度,这导致了使用高等级钢材时总体制造成本可能会比使用低等级钢材还低。

(2)安装　高等级钢材难以焊接,因此铺设速度比低等级钢材慢。然而由于管道在深水中铺设,安装铺设船以它的最大铺设张力铺设管道,使用高等级钢材显然更合适,因为管道质量的减少可以降低铺设张力。总体来说,从安装角度讲,低等级钢材管道比高等级钢材管道的安装成本低。

(3)运行　由运输的产品决定,包括化学侵蚀(内部)、内部冲刷侵蚀和 H_2S 引起的侵蚀等。

2. 钢悬链线立管防腐蚀涂层

海洋油气资源开发要求海洋工程结构在服役期内具备足够的可靠性和安全性,而腐蚀问题是导致结构失效的主要原因之一。作为海洋工程结构的防腐措施,工程界通常采用防腐涂层结合阴极保护的复合防腐技术。

外防腐层应具备的基本性能有:有效的电绝缘性;有效的隔水屏障性;涂敷于管道的方法不会对管道性能产生不利影响;涂敷于管道上的涂层缺陷最少;与管道表面有良好的附着力;能防止针孔随时间扩展;能抵抗装卸、储存和安装时的损伤;能有效地保持绝缘电阻随时间恒定不变;抗剥离性能;抗化学介质破坏;补伤容易;物理性能保持能力强;对环境无毒;能防止长期在深海中工作过程不发生变化和降解。

以上为防腐层性能的基本要求,实际操作中,又分为施工与安装过程对涂层性能的要求和使用过程中对涂层性能的要求。

常用的防腐蚀涂层有熔结环氧(FBE)和三层聚乙烯(3LPE)。

三层聚乙烯结构防护层系统是根据管道防腐多年的实践经验,将北美优良的环氧树脂粉末(FBE)与欧洲的聚乙烯(PE)屏障保护层结合起来构成的一种防腐涂层系统。自20世纪80年代中期开始应用以来,已经在全球范围内推广。

三层聚乙烯结构防护层又称三层PE,是近几年从国外引进的先进的防腐技术。它的全称为熔结环氧/挤塑聚乙烯结构防护层,结构由以下三层组成:底层为熔结环氧(60 ~ 80 μm);中间层为胶黏剂(170 ~ 250 μm);面层为挤塑聚乙烯(约2 mm)。防腐层总厚度大于2.2 ~ 2.9 mm。在三层结构中,环氧底漆的主要作用是:形成连续的涂膜,与钢管表面直接黏结,具有很好的耐化学腐蚀性和抗阴极剥离性能;与中间层胶粘剂的活性基团反应形成化学黏结,保证整体防腐层在较高温度下具有良好的黏结性。中间层通常为共聚物黏结剂,其主要成分是聚烯烃,目前广泛采用的是乙烯基共聚物胶粘剂。共聚物胶粘剂的极性部分官能团与环氧底漆的环氧基团可以反应生成氢键或化学键,使中间层与底层形成良好的黏结;而非极性的乙烯部分与面层聚乙烯有很好的亲合作用,所以中间层与面层也具有很好的黏结性能。聚乙烯面层主要起机械保护与防腐作用,与传统的二层结构聚乙烯防腐层具有同样的作用。三层结构聚乙烯防腐层综合了环氧涂层和挤压聚乙烯两种防腐层的优良性质,将环氧涂层的界面特性和耐化学特性,与挤压聚乙烯防腐层的机械保护特性等优点结合起来,从而显著改善了各自的性能。因此,作为埋地管线的外防护层是非常优越的。据有关资料介绍,三层PE可使埋地管道的寿命达到50年,是目前在国际上被认为最先进的管道外防腐技术。

三层PE防腐涂层的生产流程是:进管及检验→钢管表面清洗及预热→钢管表面打砂除锈→除锈钢管质量检验→钢管感应加热→FBE喷涂→黏结剂挤出涂敷→PE挤出、涂敷→冷却系统→管端预留处理→防腐涂层检验及标识→出管。

三层PE涂层由于综合了各类涂层的优点,具有优良的黏结性能、电绝缘性能、耐水及抗腐蚀性能以及优良的机械强度和韧性等特点。在环境保护方面,石油沥青和煤焦油瓷漆等涂层是无法与其比拟的。三层防腐层在各类气候和条件下均可使用,不仅用于陆地管道,而且也开始用于海洋管道。

3. 其他功能涂层

由于生产物通常具有较高的温度,以及立管触地段与海底的摩擦作用,通常立管还需要热绝缘涂层以及耐磨性涂层。常用的涂层有:

(1)热绝缘涂层   Multi - Layer PP,GSPU,PUF。

(2)耐磨性涂层   HDPE,HDPP。

11.2.3　浮力材

浮筒材料作为深水油气技术开发应用材料,适合于所有海洋石油系统的海洋立管,对于钢悬链线立管来说,可通过在部分区域悬挂浮力块形成"波形"或者"拱形",使其成为缓波形立管,可以很好地改善悬链线立管在触地点的受压及疲劳等问题。

1. 浮力材料的作用及要求

浮力材料通常安装在深水海洋立管外部,主要是为了减轻深海中刚性立管的质量;此外,由于立管长期工作于海洋恶劣环境中,固定在其外表面的这些浮筒也能很好地起到保护作用,对于高温高压的油藏,如欧洲北海、墨西哥湾的油藏,以及中国渤海湾海域,对海洋立管提出更高的绝热要求,除了对海洋立管进行设计外,外部的浮筒也能起到很好的绝热保护作用。

因此,根据深水技术海洋立管的性能和使用条件,其外部浮筒材料必须满足如下要求:

(1)浮筒材料的密度尽可能的小,使其单位体积提供尽可能大的浮力,从而提高海洋立管的工作性能；

（2）能承受所要求的静水压力，不会在规定的使用深度以内造成破坏，即满足抗压条件；

（3）较低的吸水率和体积弹性模量，使它在较大的水压下能提供稳定的浮力，保证海洋立管安全可靠的工作。

（4）需考虑到立管和浮筒材料整体的处理。

2. 浮力材所用的材料

浮力材材料的选择对于整个水下作业系统至关重要，通常情况下主要有三种：聚氨酯泡沫材料、共聚物泡沫材料、复合泡沫材料。

（1）聚氨酯泡沫

由聚氨酯泡沫材料制作的浮力材，成本可以得到很好的控制，但其主要应用在水面以及水面下深度小于 100 m 水中。

在水下用这种泡沫材料必须由其他材料完全包覆以保证与水完全隔离，因为这种泡沫具有吸水性，如果长时间与海水接触，在水压作用下，材料会吸水。

（2）共聚物泡沫

交联式共聚泡沫体是坚硬的闭孔泡沫体，能在无需完全外壳封闭的情况下承受海水静压力。这种泡沫体通常被加工为块状或者片状，但在加工及测试之前，必须考虑很多关键因素。

此种材料的低密度泡沫适合于短期应用，如果长期应用于连续的水静压力载荷环境中，这种材料将会发生塑性蠕变，产生变形以及体积缩小，容易降低浮力。该材料的密度范围为 $40 \sim 400$ kg/m^3，工作最大水深可达 600 m。

（3）复合泡沫材料

复合泡沫材料是最新一代的浮筒材料，这种材料优点是在极低密度的情况下能保持足够的强度，具有高压缩强度质量比、低蠕变和低吸水率的特性，从而为深海中的设备提供浮力、提供保护成为可能。钢悬链线立管浮筒核心基本采用这种材料作长期使用。

11.3　钢悬链线立管的结构特征

11.3.1　悬链线理论

深海钢悬链线立管通常在水下安装成特殊的几何形态以满足生产需求。对钢悬链线立管进行总体设计分析前，通常需要通过有限元静力分析确定其在海洋环境中的静力平衡形态，然后基于此形态进行总体动力分析。首先利用悬链线方程粗略确定出钢悬链线立管的初始形态，再基于此初始形态进行有限元静力分析，以获得钢悬链线立管准确的静力平衡形态。自由悬挂式是最简单的一种形态，同时也是最经济的安装形态。通常认为自由悬挂型的钢悬链线立管的几何形态可以用不考虑弯曲刚度的锚链的悬链线方程近似描述。

悬链线是指具有均质、完全柔性而无延伸的链条或缆绳自由悬挂于两点上时所形成的曲线，一般钢悬链线立管由于自身有拉伸和受到海流力的作用，与理论上的悬链线不能完全吻合，但为了计算分析方便，尤其是对钢悬链线立管系统进行初步设计与评估时，仍常用悬链线来描述系管线的特性，而忽略海流力和管线弹性伸长的影响。图 11.11 所示为钢悬链线立管的整体受力状态图,图 11.12 所示为无弹性悬垂管线上任意一小段单元的静力图。

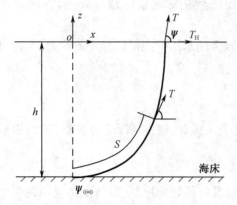

图 11.11　钢悬链线立管的整体受力状态

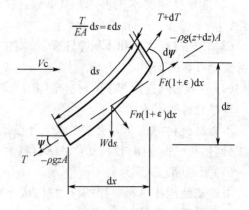

图 11.12　钢悬链线立管的局部受力状态

W—立管的单位长度质量;ds—单元的长度;
T—单元下端张力;dT—张力在 ds 上的增量;
ρ—海水密度;g—重力加速度;
dz—单元的垂直长度;T_H—水平张力;h—水深

轴向平衡方程:

$$dT - \rho gA dz - W\sin\varphi ds = 0 \qquad (11-1)$$

法向平衡方程:

$$T d\varphi - \rho gA d\varphi - W\cos\varphi ds = 0 \qquad (11-2)$$

令 $T - \rho gzA = T'$,经过积分得到

$$s - s_0 = \frac{T_H}{W}\int_{\varphi_0}^{\varphi}\frac{1}{\cos^2\varphi}d\varphi = \frac{T_H}{W}\tan\varphi = s \qquad (11-3)$$

由于 $dx = \cos\varphi ds$,所以

$$x - x_0 = \frac{T_H}{W}\int_{\varphi_0}^{\varphi}\frac{1}{\cos\varphi}d\varphi = \frac{T_H}{W}\ln\frac{1+\sin\varphi}{\cos\varphi} = x \qquad (11-4)$$

又因为 $dz = \sin\varphi ds$,故

$$z - z_0 = \frac{T_H}{W}\int_{\varphi_0}^{\varphi}\frac{\sin\varphi}{\cos^2\varphi}d\varphi = \frac{T_H}{W}\left(\frac{1}{\cos\varphi} - 1\right) = z + h \qquad (11-5)$$

令 $\dfrac{T_H}{W} = \alpha$,经过整理可以得到

$$x = \alpha\cos h^{-1}\left(\frac{z+h}{\alpha} + 1\right) \qquad (11-6)$$

由此,当已知水深 h,水平张力 T_H 及单位长度等效质量 W,即可确定悬链线的空间坐标位置。由于根据悬链线理论求解出来立管的空间位置呈现悬垂状态,所以根据其形态命名为钢悬链线立管。

11.3.2　钢悬链线立管的拖地段

简单式钢悬链线立管可分为悬垂段、拖地段两个部分。触地点(Touch Down point,

TDP)是悬链线立管最初接触海床的部位,是悬链线段和拖地段的连接点;悬挂点是悬垂段和浮体的连接点。图 11.13 是钢悬链线立管的在位形态示意图。

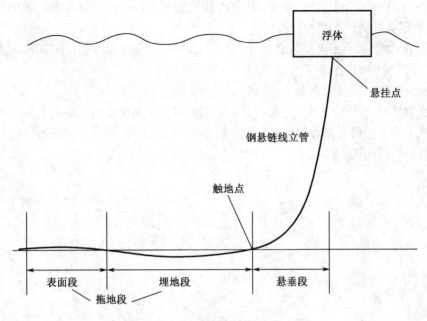

图 11.13 钢悬链线立管在位形态示意图

在海洋环境载荷及顶端浮体运动的影响下,悬垂段和浮体之间,拖地段与海床土体之间都会发生耦合作用,此过程中悬挂点和触地点受力复杂,在长期交变载荷作用下,易发生疲劳破坏。因此,控制钢悬链线立管设计和安全服役的因素主要为顶部和触地点疲劳寿命以及拖地段与海底的相互作用。

钢悬链式立管的触地点区域受力情况复杂,是立管结构分析的关键点,也是钢悬链线立管数值模拟的难点。对于触地区管土相互作用,国内外众多学者进行了大量试验研究和数值模拟研究。

管土相互作用是一个包含着立管、海床与海水的非常复杂的作用过程。管土相互作用既需要考虑海床对于钢悬链线立管的约束作用,也需要考虑钢悬链线立管运动对于海床的作用以及导致的海水对海床的作用。全尺寸模型试验的结果也表明管土相互作用过程包含沟槽形成、土壤的非线性刚度、有限的土壤吸力以及钢悬链线立管与土壤分离等情况,是一个非常复杂的非线性过程。

海床对于钢悬链式立管在侧向和垂向的运动都有非常复杂的约束作用。侧向土抗力包括钢悬链线立管和海床之间的摩擦力、钢悬链线立管横向运动时受到的被动土压力。由于上部船体发生较大的侧向位移,触地点区域也会相应地向一侧移动,那么该运动就会导致该土壤区域对钢悬链线立管产生初始的摩擦力及被动土抗力。随着立管运动,海床底部会产生沟槽,此时除非钢悬链线立管与沟槽壁发生相互作用,否则只是受到摩擦力的作用。海床对于钢悬链线立管的垂向作用力也分成两种,分别为向下的土抗力(土壤刚度)和向上的土抗力(土壤吸力)。对于向下运动的钢悬链线立管,海床土会表现一定的弹性(小变形)或者塑性(大变形)。然而当钢悬链线立管向上运动的情况下,其会受到周围土壤的吸力作用,这个吸力会抵制钢悬链线立管向上运动来阻止其与土壤的分离。用荷载 – 变形曲线表示的海床刚度是分析管土相互作用时的一个重要的参数。因此,对于钢悬链线立管与海床土的相互作用进行分析,得到精确并真实地反应管土作用的 $P-y$ 曲线是非常重要的。

Aubeny 和 Biscontin 完善了的管土相互作用模型被广泛接受。在他们提出的模型中任意的立管位置会经历以下四种阶段:

(1)贯入阶段,包括由于立管自重导致的初始贯入以及随着立管向下运动导致的立管变形比初始贯入大而产生的贯入;

(2)在立管和海床土发生分离之前的上举或下降运动;

(3)在立管和海床发生部分分离或者立管和海床再接触阶段的上举或下降运动阶段;

(4)在上举和下降运动过程中,钢悬链线立管和海床土完全没有接触的阶段。

图 11.14 给出相应的示意图。

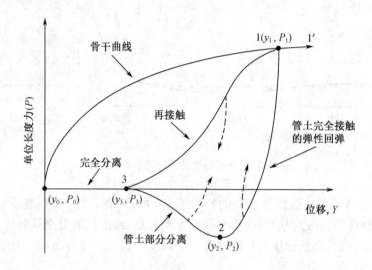

图 11.14 $P-y$ 模型

在这个模型中,骨干曲线、两个吸力极限曲线(下边界)和一个再接触边界曲线(上边界)共同组成了三个边界线,这些边界线就是后续管土作用曲线的边界圈。因此,所有位移荷载工况都可以认为是从边界曲线开始的加载路径,各个阶段有其对应的经验公式。

钢悬链线立管随浮体运动时,其拖地段将与海底发生相互作用,这是影响触地点疲劳循环的最重要参数。在管线的反复作用下,海底将形成沟槽,其宽度一般为 2~3 倍的管径,深度一般为 0.5~1 倍的管径。

图 11.15 所示的全尺度模型试验显示,海底沟槽的形成对钢悬链线立管的出平面运动有较大影响,当暴风和流迫使浮体发生大幅度漂移时,拖地段的拔出和出平面运动将受到沟槽的阻力作用,引起立管局部应力增大,当悬链段处于绷紧状态立管张力较大时,沟槽的影响尤为严重。

在沟槽的形成过程中,管线的运动将受到土的阻力作用。阻力的大小取决于海底的刚度,而海底刚度对钢悬链线立管触地点的疲劳寿命有较大影响。海底刚度越大,对触地点的疲劳损伤影响越严重。深水油气田大多具有软质黏土海底(例如,墨西哥湾的海底泥线处强度为 2.6 kPa,随深度呈线性增长,增长幅度为 1.8 kPa/m),其压缩刚度小,当变形达到 20% 管径时,刚度完全消失,呈理想塑性的性质。不过软质黏土海底的吸力较大,吸力对疲劳损伤的影响虽小,但对极限应力的影响较大。

图 11.15　大比例模型试验

11.3.3　钢悬链线立管的布局

安装有钢悬链线立管的浮式结构主要有张力腿平台、Spar 平台、半潜式平台和浮式生产储运系统,其中半潜式平台和浮式生产储运系统的一阶响应较大,Spar 平台的一阶响应较小。张力腿平台和 Spar 平台的升沉运动较小,而水平漂移较大。在极端海况时,运动幅值可达水深的 6% ~10% 。具有悬链线系泊系统的浮式生产储运系统,最大漂移量可达水深的 20% ~25% 。

为了适应不同水深的需要,钢悬链线立管的概念被不断地发展和延伸,目前已经出现了 4 种基本形式的钢悬链线立管,如图 11.15 所示,即简单式悬链线立管(Simple Catenary Riser)、浮力波或缓波悬链线立管(Buoyant Wave /Lazy Wave Riser)、陡波悬链线立管(Steep Wave Riser)和 L 型立管(Bottom Weighted Riser/L Riser)。

其中的缓波和陡波立管是为了减小立管的顶部张力而设计的,其隆起部分由浮力来实现,因此它们的适用水深比简单悬链线立管更深。

简单式悬链线立管与浮式结构通过柔性接头连接,自由悬挂在平台外侧,悬浮部分的弯曲长度接近 90°,水平地与海底接触,在与海底接触之前有一部分是悬浮的,这段长度会随着浮体位置的变化而变化,实际的长度由浮体的漂移位置来决定。

浮力波或缓波立管与简单式悬链线立管很相似,缓弓形部分由浮力支撑。与海底接触之前为"弓"形,与海底接触时是水平的。

陡波立管需要浮力来支撑"弓"形部分,与其他类型悬链线立管不同的是,它与海底接触时不是水平的,而是垂直于海底表面,并且与海底的接触点固定。

L型立管由刚臂和弯曲点连接的垂直和水平的两段组成,也需要浮力装置,水平段的材料是钛,一端弯曲与竖直向立管相连,另一端连接其他管线。水平段立管保持平衡需要一小部分浮力,刚臂柱的系缆可以保证竖直段立管的稳定性。

就悬链线形式而言,由于简单悬链线立管可供适用船体运动的悬链线长度有限制,故该立管形式主要适用于船体平移运动较小的 TLP 平台及 Spar 平台,而对浮体平移运动较大的 FPSO,简单钢悬链线立管并不适用。

缓波立管/变形式缓波立管/陡波形立管及迷你波形立管较简单,悬链线立管对船体平移运动具有更大的顺应性,而且可以更容易地适应浮体结构大的慢漂运动,因此对于 TLP 平台、Spar 平台及 FPSO 均适用。

L 型立管较波形立管及简单悬链线立管而言,可以适应更大的船体运动,承受更大的流体载荷,特别适用于连接在浅水中大直径出油的 FPSO。

11.4 钢悬链线立管的设计

11.4.1 钢悬链线立管的设计流程

考虑到深水钢悬链线立管遇到的独特挑战,故建立了不同于其他立管形式的钢悬链线立管设计流程。图 11.16 的流程图展示了适用于任意浮式结构的深水钢悬链线立管的典型设计过程和关键问题。

根据图 11.16 所示的流程图,对于典型的钢悬链线立管,一般设计过程可分为如下四个阶段。

1. 准备阶段

在此阶段,收集和评估所有有关于钢悬链线立管设计的信息。评估关键设计参数,与顾客达成一致。基于相关项目经验,制定某些先决条件,设计验收标准要根据设计规范进行制定。

最重要的任务是制定钢悬链线立管设计基础文件(DBD),该文件对所有即将遇到的工程任务给出了其基本设计条件。在开始进一步的工程设计之前,需要审查和批准立管设计基础文件。

2. 初步设计

钢悬链线立管设计基础文件建立之后,要进行初步设计,包括:

(1)立管壁厚的初步设计;

(2)钢悬链线立管整体布局;

(3)通过静力分析,得到其初步的布置形式。

3. 部件设计

钢悬链线立管的部件设计包括防腐涂层、保温涂层、防磨涂层以及阴极保护的选择。

4. 详细设计

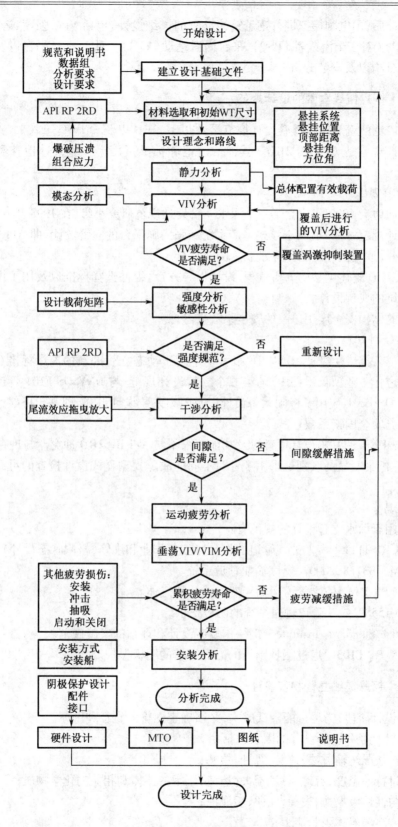

图 11.16　深水钢悬链线立管设计流程图

初步设计后,用电脑模拟进行钢悬链线立管的详细设计,包括 VIV、强度、运动疲劳、垂荡引起的 VIV（对于半潜或者 FPSO）,平台涡激运动(VIM)（对于 Spar 平台以及深水半潜平台）,干涉分析以及安装分析。

11.4.2　钢悬链线立管的设计规范

应用最广泛的钢悬链线立管设计规范是 API RP 2RD 以及 DNV OS F201。钢悬链线立管的初步设计规范是 API RP 2RD。其他的规范和标准可用于一些设计检查和必要时的参考。

1. API RP 2RD

美国石油协会 1992 年成立了一个深水立管设计规范研究小组,在 1998 年 6 月,第一个深水立管设计规范——"适用于浮式生产系统和张力腿平台的立管设计"即 API RP 2RD 正式发布。自此,该规范广泛用于深水立管的设计。

API RP 2RD 阐述了结构分析过程、设计指导方针、组件选择标准以及用于浮式生产系统的立管系统的典型设计。

该标准的结构安全度用单一的安全系数来考虑。

2. DNV OS F201

在 2001 年,挪威船级社(DNV)发布了一个用于动态立管的新的离岸标准(OS)F201,该标准基于合作工业项目组(JIP)的第二个立管设计规范,与 DNV OS F101 管道设计规范相似。DNV OS F201 应用了极限状态设计以及阻力系数设计形式,即基于可靠性和风险概念来校准部分安全因素系数。

DNV OS F201 的基本设计原理以及功能要求不与 API RP 2RD 冲突。与现存的 API RP 2RD 相比,它们最明显的区别是采用了针对不同的故障模型显式设计检查的可靠性极限状态设计。

3. 其他规范

其他应用于深水立管设计的规范有:

(1)API RP 1111　海上油气管道的设计、建造、作业和维修(极限状态设计)。

(2)ASME B31.8,2000　燃气输配管道系统。

(3)49 CFR Part 192　管道运输天然气或其他气体。

(4)ISO 15589-2　管道输送系统的阴极保护。

(5)British Standards Institute　钢结构疲劳设计和评估的实施规范。

(6)DNV RP F103　通过牺牲阳极的海底管道的阴极保护。

11.4.3　钢悬链线立管初步设计

在初步设计阶段,为尽可能降低成本,必须确定立管的直径和壁厚。

影响立管直径和壁厚设计的因素包括:

(1)工作状况运输方法,清管,腐蚀,检测;

(2)井口特性温度,流址,热址损失,造渣,正常的流体和相关的化学物质;

(3)结构性约束爆炸,失稳,屈曲,后屈曲;

(4)安装事项船体张紧能力;

(5)建造事项制造能力,制造产生的偏差,焊接工序,检测;

（6）船体位移和运动；

（7）海况条件；

（8）深水环境。

井口特性决定了井口成分和性质随时间的有序变化情况，对正常和非正常关闭运行状态。设计者应该对安装、试运行和运转阶段可能遇到的各项因素做到全面考虑。

1. 材料的选择

在选择材料时需要考虑的因素有强度要求、断裂和疲劳性能要求、焊接缺陷可接受程度以及是否适用于脱硫/酸性条件。

在缺少更详细的数据情况下，DNV-OS-F201 规范 C303 提供了对各种钢材可能发生的屈服应力水平的初步溢度降级估测参考。

（1）材料等级优化

材料级别的优化源于管线的制造和焊接过程。除了满足建造和安装成本的最小化，优化过程还要满足运行要求。由于不同的材料等级对立管的工作寿命有很大影响，经营者一般会参与到材料级别的最后筛选中。

（2）材料的拉伸属性

产品等级规范（PSL）1 中的 A25，A，B，X42，X46，X52，X56，X60，X65 和 X70 级别应该满足表 11.2 所述的拉伸要求。产品等级规范（PSL）2 中的 B，X42，X46，X52，X56，X65，X70 和 X80 级别应该满足表 11.3 所述的拉伸要求。

表 11.2　PSL 1 规范的拉伸要求

等级	最小屈服强度		最小极限拉伸强度	
	psi	MPa	psi	MPa
A25	25 000	172	45 000	310
A	30 000	207	48 000	331
B	35 000	241	60 000	414
X42	42 000	290	60 000	414
X46	46 000	317	63 000	434
X52	52 000	359	66 000	455
X56	56 000	386	71 000	490
X60	60 000	414	75 000	517
X65	65 000	448	77 000	531
X70	70 000	483	82 000	565

表 11.3　PSL 2 规范的拉伸要求

等级	最小屈服强度		最大屈服强度		最小拉伸强度		最大拉伸强度	
	psi	MPa	psi	MPa	psi	MPa	psi	MPa
B	35 000	241	65 000	448	60 000	414	110 000	758
X42	42 000	290	72 000	496	60 000	414	110 000	758

表 11. 3(续)

等级	最小屈服强度		最大屈服强度		最小拉伸强度		最大拉伸强度	
	psi	MPa	psi	MPa	psi	MPa	psi	MPa
X46	46 000	317	76 000	524	63 000	434	110 000	758
X52	52 000	359	77 000	531	66 000	455	110 000	758
X56	56 000	386	79 000	544	71 000	490	110 000	758
X60	60 000	414	82 000	565	75 000	517	110 000	758
X65	65 000	448	87 000	600	77 000	531	110 000	758
X70	70 000	483	90 000	621	82 000	565	110 000	758
X80	80 000	552	100 000	690	90 000	621	120 000	827

X42 到 X80 等级应该符合购买者和制造商间达成的共同拉伸要求。此外,这些要求还要满足表 11. 2 的 PSL 1 管和表 11. 3 的 PSL 2 管的要求。

对于冷扩张管,每根管子的主体屈服强度和主体极限拉伸强度的比率不应超过 0. 93。该强度应该是产生总延伸为 0. 5% 计量长度时的拉伸应力,这个量需要由应变仪来确定。除了记录延伸外,还包括使用的条状测试样本的名义宽度,或者圆棒样本的直径和计量长度。对于 A25 级别的管子,制造者需要证明装配的材料已经接受了测试并且满足 A25 级别的力学要求。

(3)酸性环境

酸性工作环境发生在立管内输送碳水化合物的情况。此时含有高浓度的 H_2S 和 CO_2,pH 值很低,它们和水混合形成的酸性环境会产生腐蚀作用,H_2S 的存在还会增加钢材对氢的吸收。

氢含量和长蚀严重度随着 pH 的降低、H_2S 含量和温度的升高而增加。有效的脱水可以保证输油段的稳定,控制化学品的含量则可以降低腐蚀作用,并且在一定程度上影响氢的吸收、防止氢诱导的脆性断裂和硫化物引起的应力腐蚀开裂现象。

为了预防腐蚀缺陷,可以应用抗腐蚀合金包层或者衬管,API(1998)规范对抗腐蚀合金包层和内衬管有一套详细说明,将它们分成如下类别:

①冶金黏结管——在结构外部管和抗腐蚀内管之间带有冶金黏结剂的管子。

②机械性包层管——生产包层管最简单、经济的方法是在内部线性排列一些碳钢管。

抗腐蚀合金管可以通过焊接形式连接或者螺纹、耦合连接器进行连接,焊接包括离岸焊接和岸上焊接。由于岸上环境更加可控,因而岸上焊接质量更高、耗时更短。并且包层管离岸焊接有一定的技术挑战,因而需要更长的时间。

2. 壁厚设计

深海立管的壁厚是决定立管承受安装和操作期间内、外荷载作用能力的关键因素,也是影响工程费用的关键因素,因此合理适度选择立管的壁厚不仅能够确保立管安装和操作期间内的安全运营,还能有效降低工程建设、安装和运行费用。深海立管最小壁厚的确定是进行海洋立管总体强度设计、涡激振动分析和疲劳强度分析的基础。合理地选择钢管壁厚,是确保海底管道系统安全运营的保障。

海洋深水立管因其受外部静水压力和内部介质压力等复杂的环境条件共同作用,在管壁厚度的校核方法上与浅水有所不同,所遵循的规范也不同。

目前在深水海洋立管壁厚的设计上有很多指导性的标准和规范,通常根据规范 API RP 2RD 以及 API RP1111 校核钢悬链线立管的最小壁厚。

校核的主要内容有:

(1)纵向载荷设计;

(2)复合载荷设计;

(3)内压校核;

(4)外压校核;

(5)屈曲校核。

3. 构型设计

钢悬链线立管的整体构型设计包括以下参数:

(1)悬挂位置;

(2)悬挂角;

(3)方位角;

(4)悬垂段长度;

(5)触地点位置;

(6)从立管悬挂点到触地点的水平距离;

(7)触地点到转移点的立管长度;

(8)水下终端。

以上所有参数,悬挂角是最重要的。表 11.4 给出了钢悬链线立管在不同浮式结构下的悬挂角度。

表 11.4　典型的钢悬链线立管悬挂角

浮式结构	Spar	Semi	TLP	FPSO
悬挂角/(°)	8 ~ 14	10 ~ 18	10 ~ 14	12 ~ 16

水深、浮体运动特点以及立管直径是决定立管悬挂角的主要因素。

立管整体布置的过程是一个循环迭代的过程,包括了关于浮体、锚泊以及水下设施的界面设计,通常需要几个周期的循环分析。

4. 悬挂系统设计

在钢悬链线立管与浮体相连接的终端,需要一个悬挂系统。最常用的有三种悬挂系统,分别是柔性接头、锥形应力节以及拉管。

对于悬挂系统的选择取决于所需角度偏移、立管尺寸以及顶部张力的功能要求。不同的悬挂系统提供不同的回接设计,仅从回接设计的角度来说,对于锥形应力节和柔性接头需要一个悬挂入口终止设施(Porch Termination),这是为了:

(1)容纳柔性接头和锥形应力节;

(2)容纳多种钢悬链线立管直径;

(3)在不知道立管方位角的情况下,有更好的适应性;

(4)对于立管悬挂角的变化有更好的适应性。

并且柔性接头对于不同立管性能特征具有更好的适应性。

为柔性接头设计的悬挂入口的直径大小与为锥形应力节设计的不同。由于柔性接头的尺寸较大,通常需要更大尺寸的悬挂入口。

5.涡激振动抑制装置选择

为了缓和涡激振动的疲劳破坏,需要在高流速区的立管上安装涡激振动抑制装置。目前常用于钢悬链线立管的涡激振动抑制装置为螺旋列版和尾流板。其中,螺旋列版是最常见的,将近99%安装的钢悬链线立管都装置了螺旋列版。IHF项目混合使用了两种抑制装置,在顶部使用了尾流板,在底部使用了螺旋列版。

图11.17展示了两种用于钢悬链线立管的不同类型的涡激振动抑制装置。

图11.17 涡激振动抑制装置——螺旋列板(左)和尾流板(右)

在选择涡激振动抑制装置时,需要考虑以下因素:

(1)保温要求;

(2)水动力性能要求;

(3)在保证系统可靠性以及减少维修概率的情况下,降低装置组件的数量;

(4)对于所选安装方法的可处理性和可安装性,如J型铺设、滚筒铺设以及S型铺设;

(5)费用和交货计划表。

需要注意,螺旋列板设计有不同的构型,螺距和列板高度是主要参数,目前常用的尺寸为(D为立管直径):

(1)螺距$16D$,列板高度$0.25D$;

(2)螺距$5D$,列板高度$0.15D$。

早期$16D \times 0.25D$形式的螺旋列板应用广泛,然而$5D \times 0.15D$形式的螺旋列板有以下优点:

(1)拖曳力系数低;

(2)水动力直径小;

(3)更高效的涡激振动抑制;

(4)用材料较少;

(5)经济性能好。

由于这些优点,在最近的钢悬链线立管项目中 $5D \times 0.15D$ 形式的螺旋列板受到了越来越多的关注。

11.5　钢悬链线立管的总体强度分析

11.5.1　概述

开展钢悬链线立管总体强度分析时应首先建立钢悬链线立管系统的有限元分析模型,包括平台主体模型、锚泊模型、立管系统模型和管土作用模型等。模型建立完成之后需要进行试算以保证模型的可行性。然后根据实际环境载荷设计的荷载矩阵进行实际各载荷工况的计算。计算时分别进行静力计算和时域动力计算,将结果进行强度校核,主要看每个工况下立管系统的结构强度能否满足相关规范的要求,具体安全系数由不同工况而定。

11.5.2　钢悬链线立管强度设计分析中的关键问题

钢链悬立管设计要求足以抵抗极限海况的环境,例如墨西哥湾 100 年一遇的飓风。预期的极限峰位应力和张力一般通过钢悬链立管响应时间记录来计算,这些记录是通过设计风暴条件以及频域分析方法得到的。

深水钢悬链线立管的强度设计分析一般会遇到不小的挑战,主要问题涉及以下方面。

1. 很高的钢悬链线立管悬挂张力

对超深水钢悬链线立管,水深在决定悬挂张力方面起着重要作用。为了最大程度地降低张力,设计者通常使用连接在海面部分附近的浮力筒,正如在 Allegheny King Kong 项目中的钢悬链线立管结构一样。

较高的悬挂载荷要求在立管连接入口位置设置更多的支撑钢结构,同时也要求船体排水量更大。除此之外,大部分的许用应力被高悬挂张力和巨大的轴向应力占用,因而仅仅剩余了很小一部分的许用弯曲应力。

通过使用更高级别的钢材料(如 X70)可以在一定程度上降低悬挂张力,同时增加了许用弯曲应力的范围。

2. 钢悬链线立管触地区域有效压缩梁杆模型的等效弯曲

钢悬链线立管触地区域的运动和船体运动引起的悬垂运动响应耦合在一起。在剧烈的海况下,船体的垂荡运动会引起钢悬链线立管触地区域有效的压缩变形,因而导致在海床位置的钢悬链线立管会发生剧烈震荡/侧向弯曲,威胁到立管的整体性。

3. 钢悬链线立管触地区域的应力屈服和低循环疲劳问题

传统方法中触地区域的 Von Mises 应力是根据 API 2RD 规范以 80% 的材料屈服应力进行校核的。新的设计规范如 DNV 规范、ABS 管线和立管指导规范等,还需要校核力矩、轴向力和内外压力等。

11.5.3　钢悬链线立管总体强度分析方法

1. 立管模型模拟

总体强度分析建立的有限元模型要尽量地详细,以接近实际的工程结构。以有限元软件 Orcaflex 为例,所有的立管组件均采用混合梁单元在 OrcaFlex 软件中进行模拟。单元网格的划分需要满足临界面积响应的精度要求。在高荷载处,网格需要细化,以确保沿立管的 Von Mises 应力包络线是精确的。关键位置的有限元模型要足够详细以获得合理的应力恢复,需要多次划分网格以得到最适宜的网格。

强度分析的模型将包括以下钢悬链线立管系统的完整组件:

(1)浮力材;

(2)锥形应力节;

(3)立管主体。

立管顶端通过应力节连接半潜平台,底端与立管基础相连。有限元模型采用均质管(Homogeneous Pipe)单元来模拟,为了尽量模拟真实的立管结构和使用不同的网格密度,设定应力节为合适的长度,两端分别与平台和钢悬链线立管相连。应力节使用均质管(Homogeneous Pipe)单元来模拟,由于立管顶部应力较大,通过柔性接头(Flex Joint)单元将应力节与半潜平台连接,该端固定方式为允许发生旋转。

基于所在位置物理性质的空间变化来对立管进行离散化,一般来说,在应力分布不重要的区域使用粗网格,例如立管的中间悬挂部分。然而对于应力分布比较重要的区域网格划分比较精细,例如触地区以及立管悬挂区。

单元长度的选取遵循以下规则:

(1)边界附近,单元长度不能超过

$$C = \sqrt{\frac{EI}{T}} \qquad (11-7)$$

(2)远离边界,单元长度不能超过

$$C = \frac{\pi}{\omega}\sqrt{\frac{T}{m}} \qquad (11-8)$$

其中,ω 是最大分析横向频率;T 是顶部张力;m 是单位质量。

(3)连续单元的单元长度比不应超过 1:2。

应注意的是,实体单元网格密度比上述要求更加精细。

2. 数值分析方程

求解立管结构运动方程的计算数值方法有很多,如集中质量法、有限差分法和有限单元法。Orceflex 支持的方法是集中质量法,其可以处理海洋立管、管线及锚泊线等细长体非线性结构大变形等问题。

结构的一般运动方程可简化为下式:

$$M(p,a) + C(p,v) + K(p) = F(p,v,t) \qquad (11-9)$$

式中 $M(p,a)$——系统的惯性载荷;

$C(p,v)$——系统的阻尼载荷;

$K(p)$——整个系统的刚度载荷;

$F(p,v,t)$——整个系统的外部载荷;

p,v,a,t——分别代表计算的位置、速度、加速度和时间。

同时需要对连续结构体进行离散,根据集中质量法的计算方法将结构划分成一系列没有质量的小段和节点,每个小段只代表管线的轴向和旋转特性,而其他特性诸如质量、所受重力和浮力等认为全部集中于相应的节点上,而节点和分段的编号从 A 端向 B 端依次开始,具体如图 11.18 所示。

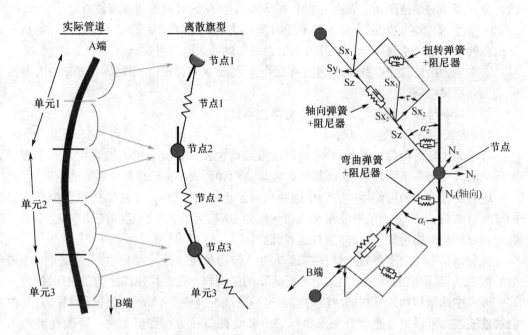

图 11.18　集中质量法原理示意图

力和力矩被认为直接作用在节点上,而每个分段被模拟成没有质量的类似于伸缩套管的弹簧单元。然后按照相应的力和力矩计算方法,依次计算作用在每个节点上的有效张力、弯矩、剪切力、扭矩和总体载荷。

3. 结构物波浪荷载

(1)立管的波浪荷载

立管属于细长杆结构,其波浪荷载的计算在工程上常使用 Morison(1950)的经验公式。Orceflex 软件使用的是此公式的拓展形式,即

$$F = (\Delta \cdot a_{w} + C_{a} \cdot \Delta \cdot a_{r}) + \frac{1}{2}\rho \cdot V_{r} \cdot |V_{r}| \cdot C_{D} \cdot A \qquad (11-10)$$

式中　F——结构所受的波浪力;

　　　Δ——结构所占空间的流体质量;

　　　a_{w}——流体的绝对加速度;

　　　C_{a}——结构的附加质量系数;

　　　a_{r}——流体相对结构物的相对加速度;

　　　ρ——流体的密度;

　　　V_{r}——流体相对结构物的速度;

　　　C_{D}——结构的阻力系数;

　　　A——阻力面积。

从公式的形式可以认为结构所受的波浪力由两部分组成,一部分是惯性力,另一部分是阻力。其中惯性力也可以分为两部分,即流体的绝对惯性力(Froude - Krylov)部分和流体相对物体的附加质量力部分。同时这一公式基于下面的隐含假定:

①对于惯性力项,相对流体流动和立管之间相关运动的位移来说,立管的直径是很小

的。流体流动的加速度在立管中心线上被评价,更高阶的对流加速度项被忽略了。

②惯性、附加质量和阻力系数是不随时间变化的。随时间变化的水动力由入射流和流体运动的不稳定性来建模。脉动升力和阻力引起的漩涡脱落可忽略。

③水动力由立管中心线上加速度和法向速度分量来确定。三维作用引起的入射流上的切向分量被忽略。

④立管响应和入射流是共线的,升力略去不计。

(2)大尺度结构物的波浪荷载

对于大尺度的构件如船体和平台,其波浪载荷主要来自波绕射与波辐射。对于置于波浪场中的大型海洋结构物来说,必须同时考虑这两种形式的荷载作用。

绕射是指波浪向前传播的方向中遇到相对静止的结构物后,又在结构物表面产生一个向外散射的波,入射波与散射波相互叠加到达稳定时,又形成一个新的波动场,这个稳定的波动场对结构物的荷载问题称之为绕射问题。

辐射是指以一定模态做小幅振荡运动的结构物在稳定的波浪场中产生一个向四周辐射的波浪场,新形成的辐射波的波动场对运动的结构物的荷载作用称之为辐射问题。

波浪中的结构物所受到的波浪力包含有一阶线性波浪力和二阶非线性漂移力,其中一阶线性波浪力可以通过速度势来求解。二阶非线性漂移力在数值上比一阶线性波浪力小得多,但由于波浪本身的非线性相互作用会产生对结构物的低频(差频)作用,大部分深海结构在水平方向或铅直方向的恢复力很小,对应的自然振荡周期较大。

11.6 钢悬链线立管的疲劳分析

11.6.1 概述

与强度分析一样,参考相关规范对钢悬链线立管的要求,开展钢悬链线立管的疲劳分析。根据规范,疲劳分析的内容分为运动疲劳分析、涡激振动疲劳分析和累积疲劳分析。立管结构运动疲劳分析方法的选取主要取决于波浪分析类型和浮体的运动响应,涡激振动分析方法主要有尾流振子模型和自激模型,相关水动力参数需要实验测量后获得。对钢悬链线立管进行波激疲劳及涡激振动疲劳分析,最后再叠加起来,作为总的累积疲劳损伤。

疲劳分析的数据除了包括强度分析的基础数据外,还包括目标海域的涌浪和海浪的长期波浪数据(有义波高、平均跨零周期及其出现的概率等)、长期洋流数据(不同表层流速在不同方向上的出现概率)以及有关涡激振动的立管水动力参数等。

11.6.2 疲劳分析注意因素

1. 环境影响

在腐蚀环境中或是温度增加的情况下,立管疲劳寿命较低。校核和维护有涂层的绝缘管和覆盖层的整体性,可以将海水到达立管围壁的危险降到最低。

2. 环形焊缝

在立管中环形焊缝通常是最大的临界疲劳位置点,然而现有的疲劳设计规范很有限,且不能反映当前的实际状态。因而,在实际中会利用各种各样的曲线进行设计,这些曲线通常是由详细的疲劳试验数据或者特别设计的疲劳测试得到的。

接头处管壁不重合是环形焊缝严重影响疲劳性能的主要原因,主要是因为在焊接时圆周方向的收缩变形导致了轴向变形或角变形,后者在环形焊缝中不明显,但是前者却很难避免。这种不重合的主要影响发生在当进行轴向加载时,接头处沿着关闭方向会出现二次弯曲,并且不重合引起管子内表面间偏移的同时,也影响外部沿着关闭方向的焊缝质量,这种不重合不利于实现全焊透焊接。

3. 平均应力修正

不考虑变形特征(压缩或者拉伸)或者外加的平均应力,所有的 $S - N$ 曲线都是以外加应力范围的形式来表达的。焊缝节点可能由于焊接而引起很高的残余应力,这种残余应力会把外加应力转换为同一应力范围内拉伸效果。设计 $S - N$ 曲线所采用的就是模拟这一状态下产生的测试数据。如果焊接组件应力降低或者评估非焊接材料,这些设计规范又提供了许多参考因素。通常假设任何外加应力部分都是没有破坏性的、可以忽略的,然而残余应力可能来源于焊接以外的其他形式,例如卷轴。因此,通常建议采用保守的处理方法,并且在钢悬链线立管的设计中不采用平均应力修正。

4. 累计损伤

$S - N$ 设计曲线使用与恒幅值交变载荷情况,为了考虑钢悬链线立管在频谱载荷作用下引起的变幅载荷循环,需要应用 Miner 规范。下面的公式表明了失效发生的情况。

$$\frac{n_1}{N_1} + \frac{n_2}{N_2} + \frac{n_3}{N_3} + \cdots + \frac{n_i}{N_i} = \sum \frac{n_i}{N_i} = D = 1.0 \qquad (11-11)$$

其中,D 为累计损伤率。

实际应用时,通常在疲劳设计寿命中采用安全系数,并且假定 $D < 1.0$。为了应用 Miner 规范,有必要把实际的工作应力谱(通常指定为一年并且假设每年都重复)转化为几个恒定的应力范围单元,即应力 S_1 对应 n_1 次循环,S_2 对应 n_2 次循环等,从疲劳损伤角度来说是等效的,这叫作循环计数方法。

11.6.3　触地点的疲劳分析

触地点是钢悬链线立管的特征点,特别是简单悬链线立管,它是悬垂段和拖地段的连接点,易引起局部高应力(图 11.19)。当浮体在风、浪和流的作用下发生运动时,悬垂段和流线段会同时随浮体运动,从而引起触地点沿轴线变化,同时引起流线段与海底发生相互作用。触地点的疲劳损伤主要是由浮体运动和涡激振动引起的,海底刚度对触地点的疲劳损伤有较大影响,海底刚度越大,立管与海底相互作用引起的疲劳损伤越严重。

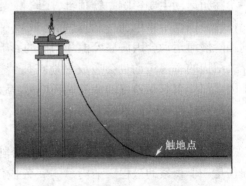

图 11.19　钢悬链线立管的触地点

1. 触地点的疲劳分析

触地点在钢悬链线立管的研究中是个十分关键的问题,因为它决定着钢悬链线立管的疲劳寿命,因此也是在钢悬链线立管研究中无法回避的问题。

立管总体疲劳分析的目的是在一个较短的稳定的环境载荷时间内,对立管的损伤分布情况进行估算。下图根据 $S - N$ 曲线方法,在静力分析和动力分析的基础上,计算并绘制出某一钢悬链线立管疲劳寿命沿其长度的分布。从图 11.20 中可以看出,在钢悬链线立管的顶端悬挂区和触地区域,其疲劳寿命远远小于立管的其他区域,在很大程度上反映了实际工程中的问题。

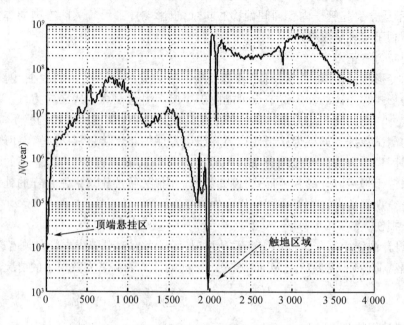

图 11.20   钢悬链线立管的疲劳寿命沿其长度的分布

影响触地点疲劳损伤的因素主要有海底刚度、钢悬链线立管涡激振动和浮式结构的运动等。钢悬链线立管与海底相互作用是触地点疲劳损伤的最重要参数,海底刚度越大,触地点的疲劳损伤越严重。同时,海底沟槽的形成对触地点的疲劳损伤也造成不利的影响。涡激振动造成的疲劳损伤主要集中在触地点,并且大波浪引起的极限响应也在触地点,而小波浪则会引起立管顶部较大的响应。浮式结构的运动对触地点的影响取决于运动形式,一阶高频运动主要影响立管顶部,二阶慢漂运动使触地点在静态触地点左右改变位置,从而使疲劳损伤不集中在一个点,而是散布在一定范围内,这就分散了疲劳损伤。但出平面的二阶慢漂运动会因海底摩擦和沟槽的影响而导致触地点的应力急剧上升至最大值,此外浮式结构的垂荡运动也会造成触地点疲劳损伤。因此,尽管触地点静张力最小,但其他多个因素都会引起触地点的疲劳循环应力,从而使动应力在触地点发生突变而达到峰值。

2. 触地点疲劳的计算方法

(1) $S-N$ 曲线法

海洋平台在服役时会受到风、浪、流等随机载荷的作用,结构在交变荷载作用下的疲劳损伤是一个积累的过程。结构总的疲劳损伤量可以通过把不同幅值的应力循环所造成的疲劳损伤按适当原则累加得到,当结构总的疲劳损伤量达到一个临界时就将发生疲劳破坏。疲劳累积损伤规律是进行海洋平台结构疲劳分析的基础之一。

工程中常用交变应力的应力范围 S 与结构在该应力范围的恒幅交变作用下达到疲劳破坏所需的循环次数 N 来表示结构的疲劳强度。长期以来对疲劳试验数据的研究发现,在双对数坐标系中,S 与 N 常常接近直线,即 $S-N$ 曲线,其表达式为

$$\lg N = \lg A - m \lg S \qquad (11-12)$$

式中　S——应力范围；

　　　N——疲劳寿命；

　　　m,A——由疲劳试验得到的参数。

一般海洋工程中所应用的 $S-N$ 曲线多是在双对数 $S-N$ 曲线的基础上进行修正的曲线。应用最多的是英国能源部(UK DEn)发布的一组曲线,美国船级社(ABS)、法国船级社(BV)、中国船级社(CCS)在其规范中直接选用该组曲线,挪威船级社(DNV)规范则对其做了一定的修正。

(2)雨流计数法

应力时程直接关系到结构的损伤程度计算,大致可分为恒幅应力时程、变幅应力时程和随机应力时程。在分析疲劳寿命前需要对测量的数据进行统计,以便得到不同大小应力幅值的循环次数,并结合 $S-N$ 曲线计算得到结构的总损伤度。

应力时程常用的统计方法包括峰值计算法、变程计数法和雨流计数法,这些方法具有各自的特点,也有不同的使用范围。峰值计数法对应力时程波形各载荷等级中的所有波峰和波谷的数目进行统计,该方法充分记录了载荷的波动信息,但夸大了实际载荷时间历程中小载荷波动的幅值,即增加了载荷对结构的损伤程度,因而结果偏于保守。变程计数法记录了应力时间历程中波峰与波谷之间的距离,而没有考虑该历程与零载荷之间的距离,即考虑了振幅这一影响结构疲劳寿命的主要因素,却忽略了载荷的静态分量。

雨流计数法也称为塔顶计数法,主要特点是根据结构的应力时程进行计数,充分统计载荷波形中的循环和半循环,是一种在疲劳分析领域使用较为广泛的计数法,其基本步骤如下:

①由随机载荷谱中选取适合雨流计数的典型段,进行计数。

②将载荷历程曲线看作多层屋顶,假想有雨流沿最大峰值或谷值开始往下流,若无屋顶阻挡则雨流反向继续流动至端点。如图 11.21 所示,即从 A 点开始沿 AB 流动,至 B 点后落至 CD 屋面,继续流动至 D 处;由于 D 处没有屋顶阻挡,雨流反向沿 DE 移动至 E 处,下落到屋顶 LM,至 M 处流动结束。

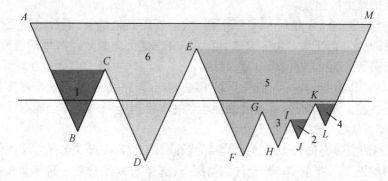

图 11.21　雨流计数法

③记录雨流经过的最大峰值和谷值作为一个循环,删除载荷时间历程中雨流已经过的部分。

按以上步骤不断重复取出应力时程中的所有循环,并记下各自的循环次数。如图11.21 所示,该载荷时间历程可分为 6 个循环。

雨流计数法计算机流程图如图 11.22 所示,编制相关程序的计算规则如下。

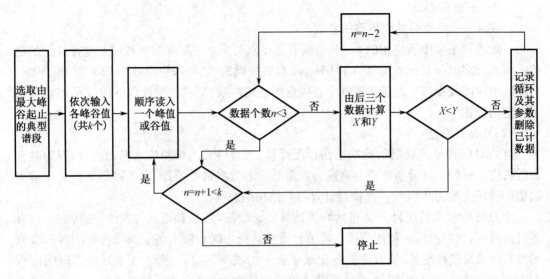

图 11.22　雨流计数法流程图

选取由最大峰谷起止的典型谱段,按载荷谱顺序依次输入各峰谷值;读入下一峰谷值,直至数据完毕;若数据点小于 3,则返回步骤 2;若数据点大于或等于 3,则由最后读入的 3 个峰谷值计算变程 X 和 Y。这三点中,第一点与第二点的差的绝对值为 Y,第二点与第三点的差的绝对值为 X;比较 X 与 Y 的大小,若 $X < Y$,则返回步骤 2;若 $X > Y$,则将变程 Y 记做一个循环,删除与 Y 相应的峰谷值,返回步骤 3。

在雨流计数中,应力时程的每一部分只计数一次,典型载荷段计数完毕后只需要考虑其重复次数即可估算出结构疲劳总寿命。需要注意的是,采用雨流计数的基本假设是大循环应力引起的损伤,并不受小应力循环的影响,同时应力循环次序对结构疲劳损伤的影响可以忽略。

3. 触地点的疲劳优化方案

(1)触地点位置的疲劳寿命远低于钢悬链线立管的其他部分,通过定期变化浮体停靠位置、浮体工作吃水、立管入水角等方法,可以直接改变作为触地点区域的管段,达到分散立管疲劳累计破坏、优化立管使用寿命的目的。

(2)虽然各机构推荐的 $S - N$ 曲线类似,但合理选择 $S - N$ 曲线仍然是提升钢悬链线立管疲劳寿命的快速方法。此外,通过改善触地点的焊接制造工艺等办法能有效优化应力集中情况,延长钢悬链线立管的工作寿命。

(3)触地点的疲劳寿命对于浮体运动较为敏感,因此钢悬链线立管与浮体的耦合运动对疲劳寿命影响极大。在工作环境允许的情况下,选择 Spar 平台等一阶运动较小的平台能够有力缓和触地点的疲劳应力,从而提升立管使用寿命。

(4)海床刚度也能对触地点的疲劳寿命产生影响,借助安装浮力装置或采用缓波、陡波等新型混合立管形式能够优化立管触地时的应力状态,缓解立管与土壤的相互作用,以提高结构工作寿命。

(5)在触地点等特征位置合理使用钛合金等优秀材料或装备保护外层,虽然增加了一定的建造成本,但能使钢悬链线立管的工作寿命得到极大延长,并改善立管在酸性、高温、高压等恶劣环境下的使用空间。

11.6.4　顶部连接点的疲劳分析

立管和平台通过应力节或柔性节来连接,以此提供立管悬挂处足够的刚度。对于深海钢悬链线立管,立管顶端并非垂直悬挂,而是在静态或动态中都具有一定的悬挂角度,由此接头不仅需要承受巨大的张力作用,伴之还有弯曲作用,应力水平高,发生破坏的可能性较大,是立管分析的重点之一。在应力接头的设计中,需要考虑的问题是如何布置接头的形式来使应力沿接头分布尽可能均匀,以达到充分利用材料的目的。

深海钢悬链线立管应力接头在立管安全性方面较为关键,因此国内外研究人员对其进行了一系列研究。在对应力接头进行分析前,应对钢悬链线立管进行总体分析。分析分两步进行:非线性静力分析和时域的动力分析。首先利用悬链线方程建立钢悬链线立管的近似形态,然后施加边界约束、浮力和重力等静载,进行非线性静力分析以确定立管在海洋环境中的静力平衡状态,时域的动力分析在完成静力分析之后进行。在动力分析中需要施加波浪、流以及平台运动等动态载荷。在立管顶端附近提取总体分析的动力响应,作为对应力接头进行精细化局部分析的边界载荷。

应力接头的局部分析需要建立细化的三维有限元模型。锥形应力接头采用三维实体单元建模,套管应力接头则采用壳单元,为考虑立管对接头的影响,用壳单元建立了一段长度立管,并用接触单元模拟接头与立管的相互作用。在应力接头的顶端施加固定约束,在管端部施加轴向拉力、横向力、扭矩及弯矩的时历载荷,并进行动力分析。载荷数据来自之前立管总体分析的局部响应。进行应力接头的动力分析后,提取节点正应力的时间历程,然后利用多轴疲劳理论进行寿命估算,基本分析流程如下:

(1)模拟海洋环境,对立管总体进行时域动力分析;

(2)提取总体分析的局部响应时域谱块,作为后续局部分析的边界载荷;

(3)建立应力接头局部有限元模型,施加时域组合载荷时域谱块,并进行动力分析;

(4)利用多轴疲劳理论计算各节点的疲劳寿命,取最低值为结构的疲劳寿命。

下面以某一锥形应力接头为例说明其疲劳情况。

锥形应力接头模型由两部分组成:锥形接头及附带考虑的一段立管。接头几何形式如图 11.23 所示,相关几何参数如表 11.5 所示。

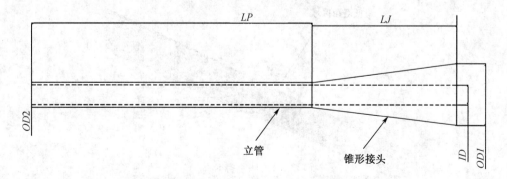

图 11.23　某锥形应力接头的几何模型

表 11.5 某锥形应力接头的几何参数

参数	立管/m	TSJ 顶端/m	TSJ 底端/m
长度(L)	20	12	
外径(OD)	0.46	0.7	0.46
内径(ID)	0.4	0.4	0.4
壁厚(t)	0.03	0.15	0.03

由于结构长期受交变载荷作用,会产生疲劳累积损伤,有导致疲劳破坏的可能性。因此相对于通常的应力分析,疲劳分析具有更加实际的意义。由于结构应力处于线弹性范围,将利用 $S-N$ 曲线法即高周疲劳方法进行寿命估算。

锥形应力接头的多轴疲劳寿命云图如图 11.24 所示,寿命以载荷谱块重复数的对数值表示,红色区域为高寿命区,蓝色区域为低寿命区,用载荷谱的循环次数的对数值表示其寿命值。最低寿命点位于接头与管连接处,是结构的最危险区域。这与之前通过应力值大小的判断是一致的:该区域不仅应力值最大,而且疲劳寿命最低,是整个结构最值得关注的区域。最低寿命沿锥形应力接头长度分布如图 11.25 所示,通过该图能看到最低寿命位于立管和接头的连接处。

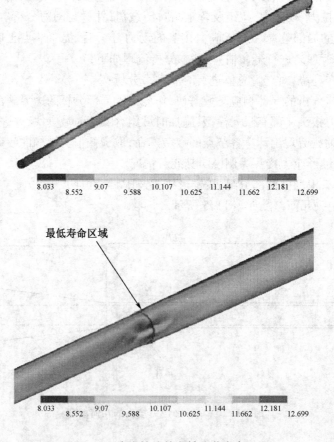

图 11.24 应力接头的多轴疲劳寿命云图

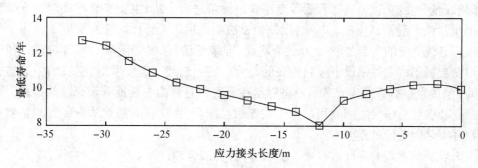

图 11.25　最低寿命沿应力接头长度分布情况

工程上对立管结构的疲劳估算方法是将管轴向拉压应力和轴向弯曲应力的线性叠加作为疲劳分析所考虑的应力循环信号：

$$\sigma(\theta,t) = \sigma_a(\theta,t) + \sigma_{M_x}(\theta,t) + \sigma_{M_y}(\theta,t) \tag{11-13}$$

式中　$\sigma(\theta,t)$——立管总体应力；

$\quad\quad \sigma_a(\theta,t)$——立管轴向拉压应力；

$\quad\quad \sigma_{M_x}(\theta,t), \sigma_{M_y}(\theta,t)$——立管轴向弯曲应力；

$\quad\quad \theta$——立管截面径向不同角度。

其基本假设为轴向上的应力为发生疲劳破坏的主要原因，忽略径向和环向及剪切应力影响。这种方法对于简单受载的薄壁结构而言通常是适用的，但对于复杂受载的大壁厚结构物存在一定局限性。对应力接头进行多轴疲劳寿命估算的同时，用式(11-12)所示的简化单轴方法对接头结构危险点进行寿命估算，并与多轴疲劳方法估算结果进行对比，结果如表 11.6 所示。在接头结构受到组合载荷作用下，轴向应力仍然作为诸多应力中的最主要成分，对疲劳破坏起主要贡献，但简化的单轴估算方法与多轴寿命估算的结果还存在较明显差距，这是因为结构在实际工作状态下，虽然轴向应力占主要成分，但除此之外其他应力成分的交变作用也会对其造成损伤。因此用简化的单轴方法估算疲劳寿命可能使结果偏于危险。

表 11.6　某应力接头疲劳寿命的对比

节点号	最大等效 应力/MPa	最大轴向应力 /MPa	单轴寿命 /年	多轴寿命 /年
#5996	99.74	87.57	198.57	186.9

11.7　钢悬链线立管的安装分析

11.7.1　概述

钢悬链线立管安装分析的主要目的是为了证明立管的可安装性以及找出局限性，决定安装和交接过程的极限状态。这些极限要求与环境数据一同考虑，以此决定安装过程的季节性需求及安装方案的可行性。

深水钢悬链线立管通过铺管船等专用安装设备进行安装,主要安装方式包括 S 型铺设法、J 型铺设法和卷筒铺设法。其中,卷筒铺设法不适用于大管径钢管的安装。

钢悬链线立管的安装过程分为三个阶段,即铺管阶段、提管阶段和移管阶段。铺管是指使用安装驳船将立管铺设下放到海底的过程。钢悬链线立管安装时,主流的安装方式为 S 型和 J 型铺设。提管是指安装驳船将停留在海底的立管的一段提升至海上的阶段。移管则是指安装驳船与平台之间利用吊绳等装置相互配合,将立管的顶端从安装驳船位置移动到平台并安装固定的过程。

在钢悬链线立管的设计过程中,主要的设计标准包括:

(1) API RP 2RD(1998)　*Design of Risers for FPSs and TLPs*。

(2) DNV OS F201(2001)　*Dynamic Risers*;ABS(2004):*Subsea Riser Systems*。

(3) ASME B31.4　*Pipeline Transportation Systems for Liquid Hydrocarbons and Other Liquids*,*Chapter IX – "Offshore Liquid Pipeline Systems"*,1998 年出版。

此外,一些由管理机构发布的标准对立管设计作了一些扩展,如 ABS(2001)*Guide for Building and Classing Undersea Pipelines and Risers* 等。

11.7.2　安装过程分析

安装分析可以基于 OrcaFlex 软件,对钢悬链线立管的 J 型铺设进行数值分析。考虑立管内部为空,以及内部注水两种情况,利用 OrcaFlex 软件进行建模分析计算,可以得到不同安装步骤、不同位置点处的最大等效应力、最大弯曲应力和有效张力等结果,最终绘出曲线图并根据收集的数据找到最大值以及出现的位置,校核其是否满足规范要求,以此来设计和分析安装流程,并优化安装方案。

下面介绍某缓波钢悬链线立管的 J 型铺设三个阶段的特点。

(1) 铺管阶段

由于铺管阶段的特殊性,进行计算时,分为三个阶段分别计算。下放阶段由 OrcaFlex 选取几个典型的位置,铺管过程如图 11.26 所示。

第一阶段:下放至 500 m,1 000 m,1 500 m,2 000 m,2 300 m。具体下方位置的选取由项目决定。

第二阶段:立管末端到达海底井口。

第三阶段:铺管船以一定航速 v_1 行驶离开,同时辅吊绳以速度 v_2 从海面上下放立管到海底。

在每个过程分析中,根据下放到达的位置不同,分别分析立管最大等效应力、最大弯曲应力、有效张力等数据。

(2) 提管阶段

铺管完成后,铺管船离开工作海域,立管完全躺在海底,立管 B 端锚泊固定在海底井口,A 端为自由端。海洋平台安装完成后,铺管船再次到达该地点,将立管的 A 端提升到海面上。

提管过程类比铺管下放阶段,海水水深不同,立管的长度也不一样,因而铺管船的出发位置以及航速略有不同。在整个提管过程中,铺管船不停地调整航速以及吊绳的收缩速度,以使立管的形态始终保持为 J 型。提管流程如图 11.27 所示。

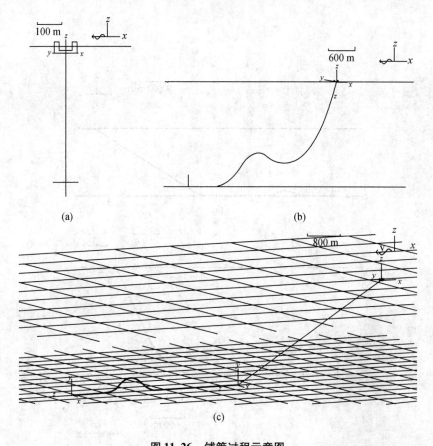

图 11.26 铺管过程示意图

（a）第一阶段；（b）第二阶段；（c）第三阶段

（3）移管阶段

提管结束之后，铺管船将提升至海面的立管 A 端移动到海洋平台，风、浪、流的数据仍然沿用提管阶段的数据。

移管过程开始阶段，A&R 缆索张紧并独自承担立管的质量，而牵引链完全松弛，A&R 缆索和牵引链长度不发生变化。

移管的过程中，A&R 缆索缓缓伸长，使得立管的 A 端在水中有所下降，同时缓慢收起牵引链，但牵引链中张力仍然不承担立管质量，A&R 缆索仍承担立管的全部质量。

继续伸长 A&R 缆索，同时收紧牵引链。A&R 缆索的张紧与牵引链的伸长相互配合，使得牵引链中的张力由零逐渐增大，A&R 缆索中的张力逐渐减小。在此过程中，A&R 缆索和牵引链共同承担立管的质量，立管上端逐渐向平台方向移动。A&R 缆索中的张力减小至零时，由牵引链承担起立管的全部质量。

缓慢收起牵引链，立管 A 端在牵引链的牵引下逐渐升高，向平台靠近。同时，A&R 缆索伸长，保持完全松弛状态。立管不断升高，直至到达与平台连接的合适位置，移管过程结束。移管流程图如图 11.28 所示。

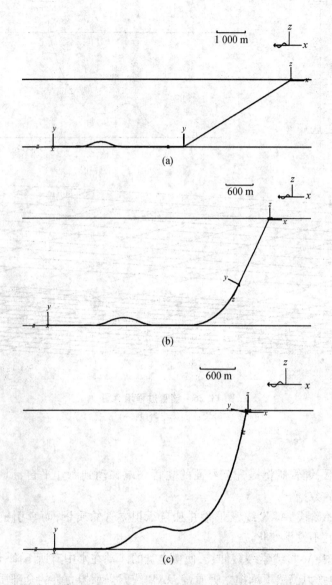

图 11.27　提管过程示意图

(a)初始阶段;(b)中间阶段;(c)最终阶段

深海工程中立管系统的设计分析

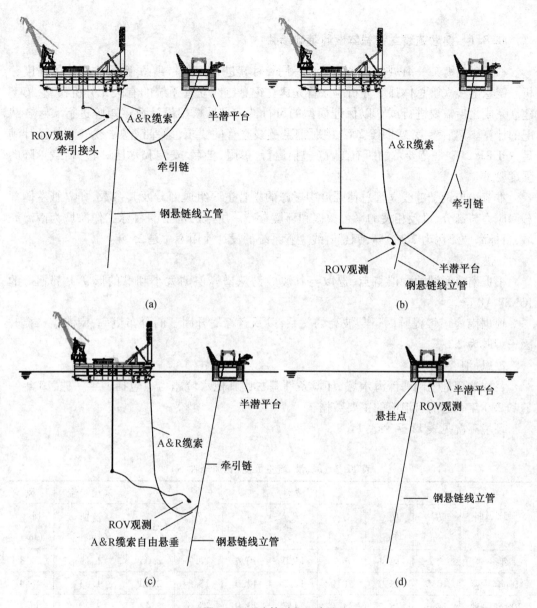

图 11.28　移管过程示意图

（a）A&R 缆索独自承担立管质量，牵引链完全松弛；

（b）A&R 缆索伸长，牵引链收起，A&R 缆索仍承担立管全部质量；

（c）A&R 缆索继续伸长，牵引链继续收起，直至牵引链承担立管全部质量；

（d）收起牵引链，在管 A 端向平台靠近

11.8 钢悬链线立管设计分析算例

11.8.1 钢悬链线立管总体设计基础参数

本节以南海某一海域的目标平台为例子,对其进行钢悬链线立管系统的总体强度分析。钢悬链线立管总体强度分析应该首先建立钢悬链线立管系统的有限元分析模型,模型建立完成之后需要进行试算以保证模型的可行性。最后根据设计荷载矩阵进行实际各载况的计算。然后参考 API RP 2RD 中对钢悬链线立管的要求,确保钢悬链线立管的设计满足 API RP 2RD 规范要求的所有工况(包括运行、极限、自存、安装和水压试验)荷载矩阵的强度要求。

本节给出钢悬链线立管总体强度中考虑的立管主要组成部分及其参数,如立管主体部分和应力节部分,以及相关的平台数据和环境参数。所举的例子的目标工作海域为南海海域,目标海域海深为 2 300 m,钢悬链线立管系统的设计使用寿命是 25 年。

1. 波浪谱

根据南海海域的海浪特点,选取与其波浪谱从谱峰值的大小和谱的形状上都相近的 JONSWAP 谱。

根据南海谱峰提升因子与波高的关系,以及谱峰提升因子的分布概率,南海谱峰提升因子可取为 2.0。

2. 风、浪、流数据

目标油田处于南海深海水域,环境条件基本比其他水域恶劣。包括 1 年一遇、10 年一遇和 200 年一遇的风浪流的主要数据。

环境工况见表 11.7 和表 11.8。

表 11.7 风、浪、流主极值(台风条件下)

循环周期	波浪							表层海流	风
	H_s /m	H_{max} /m	T_z /s	T_m /s	T_s /s	T_p /s	Gamma	流速 /(m/s)	风速 /(m/s)
1 年一遇	7.2	12.4	8.6	11.0	10.4	11.7	2.05	1.19	29.8
10 年一遇	10.5	18.0	10.0	12.7	12.0	13.5	2.29	1.63	41.9
200 年一遇	14.3	24.5	11.6	14.7	13.9	15.6	2.42	2.20	56.3

表 11.8 洋流极限流速　　　　　　　　　　　单位:m/s

水深/m	重现期		
	一年一遇	十年一遇	二百年一遇
0	1.193	1.633	2.195
75	1.013	1.407	1.836
100	0.590	0.790	1.067

表 **11.8**（续）

水深/m	重现期		
	一年一遇	十年一遇	二百年一遇
600	0.380	0.521	0.700
1 000	0.163	0.223	0.300
1 500	0.100	0.100	0.100
2 300	0.100	0.100	0.100

3. 平台数据

平台相关数据包括半潜平台的主要参数、慢漂数据、单位规则波下的 RAO 和系泊系统等主要参数。图 11.29 为平台结构图。

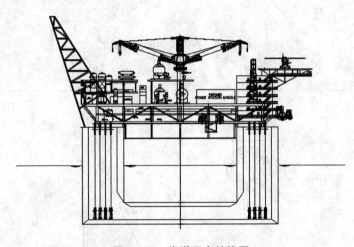

图 **11.29**　半潜平台结构图

慢漂数据包括平台的极限偏移数据以及浪流荷载共同作用条件下的船体偏移。极限漂移数据包括在锚泊系统完整和不完整两种情况下，1 年一遇、10 年一遇、200 年一遇不同方向环境载荷下的漂移极值。

RAO 参数包括作业和生存荷载情况下，浪向角从 0° 到 180° 之间的数值，以 15° 为间隔，六个自由度的位移转角数据。

4. 锚泊系统参数

本项目平台采用多点系泊系统，共有 16 根系泊缆，分为 4 组，每组 4 根，每一组内相邻两根系泊缆之间的夹角为 5°（图 11.30）。

每根系泊缆由三部分组成，上部与平台连接的为无挡锚链（R4S 无挡锚链），中部为聚酯缆（Polyester Rope），下端为锚链（R4S 无挡锚链）。

5. 钢悬链线立管系统参数

钢悬链线立管系统主要参数包括立管总体布置参数、立管主体参数、应力节参数和浮力材参数等。

简单钢悬链线立管总体布置图如图 11.31 所示，同时表 11.9 给出了钢悬链线立管总体布置主要数据。

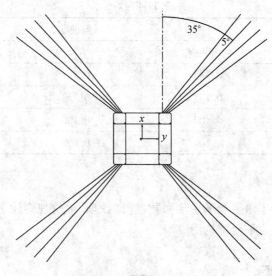

图 11.30　系泊缆的布置方式

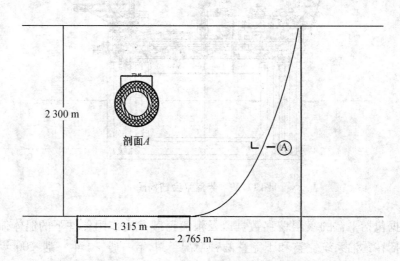

图 11.31　钢悬链线立管的总体布置

表 11.9　钢悬链线立管的总体布置参数

参数	单位	数值
钢悬链线立管悬挂角	(°)	12
钢悬链线立管触地点距平台重心水平距离	m	1 450
钢悬链线立管拖地长度	m	1 315
钢悬链线立管悬挂处距平台重心水平距离	m	26.5

表 11.10 给出了拟定的钢悬链线立管主体部分的分析参数。

表 11.10　立管主体的分析参数

参数	单位	数值
外径	mm	273.05
壁厚	mm	31.75
材料等级（API 5L）	—	X-65
SMYS 最小屈服应力	ksi（MPa）	65（448）
最大可拉伸应力	ksi（MPa）	77（531）
杨氏模量	ksi（MPa）	3×10^4（2.07×10^5）
泊松比	μ	0.3
钢材密度	kg/m³	7850
保温层厚度	mm	53.34
保温层密度	kg/m³	800
内流体属性与设计压力		
立管内流体密度	kg/m³	790
设计压力	MPa	40
测试水压压力	MPa	1.25×40
压力定义基点位置	m	平均海平面
水动力参数		
阻力系数	Cd	1.0
附加质量系数	Cm	1.0

11.8.2　钢悬链线立管强度校核

API RP 2RD 中,在进行钢悬链线立管总体强度校核时,主要校核不同工况下立管主体的最大等效应力是否满足规范要求,即立管的最大 Von Mises 应力是否小于 2/3 倍的钢材屈服应力与安全系数的乘积,具体的安全系数参照不同的工况而定,详细数据如表 11.11 所示。

表 11.11　强度校核参数

工况	安全系数	许用系数	许用应力/MPa
测试	1.35	0.9	403.20
作业	1	0.67	300.16
极限	1.2	0.8	358.40
自存	1.5	1	448.00

根据 API RP 2RD 的要求,建立了钢悬链线立管总体强度分析荷载矩阵,其考虑的工况包括安装、水压试验、运行、极限和自存五种。表 11.12 中列出基于初始设计参数条件下的所有工况,并根据工况分类和浪流方向组合进行编号分类。编号原则是 LC 表示工况(Load Condition),数字表示工况号,最后两个英文代表浪流组合方向。

表 11.12　强度分析载荷工况

工况编号	工况名称	工况	环境	方向	锚链	内容物密度 /(ton/m³)	内压 /MPa	ASF	Gamma	RAO
1	LC01W			W						
2	LC01SW			SW						
3	LC01S			S						
4	LC01SE	安装	1年一遇	SE	完整	0	0	1.35	2.05	作业
5	LC01E			E						
6	LC01NE			NE						
7	LC01NE			N						
8	LC01NW			NW						
9	LC02W			W						
10	LC02SW			SW						
11	LC02S			S						
12	LC02SE	测试	1年一遇	SE	完整	1.025	1.25×40	1.35	2.05	作业
13	LC02E			E						
14	LC02NE			NE						
15	LC02N			N						
16	LC02NW			NW						
17	LC03W			W						
18	LC03SW			SW						
19	LC03S			S						
20	LC03SE	作业	10年一遇	SE	完整	0.79	40	1	2.29	作业
21	LC03E			E						
22	LC03NE			NE						
23	LC03N			N						
24	LC03NW			NW						
25	LC04W			W	8 根					
26	LC04SW			SW	11 根					
27	LC04S			S	12 根					
28	LC04SE	极端	10年一遇	SE	15 根	0.79	40	1.2	2.29	作业
29	LC04E			E	16 根					
30	LC04NE			NE	3 根					
31	LC04N			N	4 根					
32	LC04NW			NW	7 根					

表 11.12（续）

工况编号	工况名称	工况	环境	方向	锚链	内容物密度/(ton/m³)	内压/MPa	ASF	Gamma	RAO
33	LC05W			W						
34	LC05SW			SW						
35	LC05S			S						
36	LC05SE	极端	200 年一遇	SE	完整	0.79	40	1.2	2.42	作业
37	LC05E			E						
38	LC05NE			NE						
39	LC05N			N						
40	LC05NW			NW						
41	LC06W			W	8					
42	LC06SW			SW	11					
43	LC06S			S	12					
44	LC06SE	存活	200 年一遇	SE	15	0.79	40	1.5	2.42	存活
45	LC06E			E	16					
46	LC06NE			NE	3					
47	LC06N			N	4					
48	LC06NW			NW	7					

1. 静力分析

进行静力分析的目的是确定系统的初始平衡位置，以作为时域动力分析的初始值。静力分析中考虑的荷载为定常荷载，包括静水压力、浮力、重力、流荷载以及土壤的反作用力等。

2. 时域动力分析

动力分析的目的是考虑波浪对系统的作用力，以检验系统在指定工况的作用下的响应是否满足规范要求，保证系统的安全性。动力分析可以考虑整个系统的耦合作用，考虑包括半潜平台、系泊系统及立管主体管线对整个系统动力响应的影响。动力分析时间为1 200 s，动力分析完成后，需要根据规范要求提取响应数据，与规范提供的标准进行校核，根据工况分类的不同，相应的许用参数也不同，具体参考总体强度设计荷载矩阵。

现以工况 LC03W 为例，给出简单钢悬链线立管的计算结果和分析结论。

根据规范要求，钢悬链线立管主体主要的校核内容为等效应力。在 LC03W 工况条件下，时域动力分析得到的简单钢悬链线立管主体在整个模拟时间中的等效应力的最大值、最小值以及平均值。图 11.32 给出了整个模拟时间内立管主体有效应力变化趋势。

根据 API RP 2RD 提供的不同工况分类下的许用系数，可以得到许用应力，以此判断结构是否在指定工况下满足规范的要求。对于工况 LC03W 的时域分析结果，可知简单钢悬链线立管在该工况下，立管主体的最大等效应力出现在立管顶部附近，位置为 20.5 m，最大值为 276.829 MPa，而该工况的许用系数为 0.67，则 X－65 钢材在该工况下的许用应力为

300.16 MPa,故计算等效应力小于许用应力,满足规范要求。

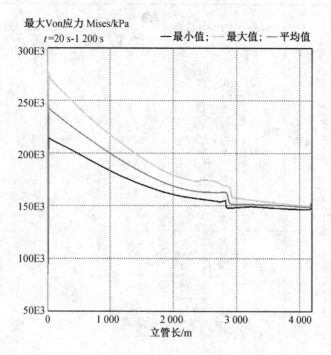

图 11.32　立管主体有效应力的变化趋势

注:位置 0 代表立管主体顶端。

　　根据强度分析载荷矩阵,对简单钢悬链线立管进行了总体强度分析,对压力测试、临时、作业、极限、自存等 48 种工况分类计算,分别得到各浪、流方向作用下的立管主体最大等效应力分析结果及其变化趋势。各工况下,简单钢悬链线立管主体等效应力变化趋势如图 11.33 所示。

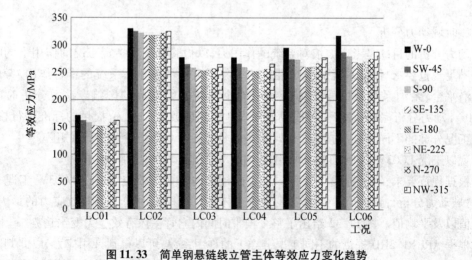

图 11.33　简单钢悬链线立管主体等效应力变化趋势

　　通过计算结果可以发现,每种工况下立管主体最大等效应力均是在 W 风浪流方向,即在主平面内浪流沿立管向半潜平台方向,最接近许用应力,为最危险状态。同时,每一个工况下立管主体顶部的应力变化剧烈,但应力略小于许用应力,满足规范的要求;各工况相比较而言,压力测试工况(LC02)平均应力最大,因为 LC02 内压为设计压力的 1.25 倍;自存工况(LC06)结果相比之下仅小于压力测试工况(LC02),因而可判断工况 LC06 为最危险工况;临时工况(LC01)平均应力最小,主要原因是 LC01 内压为 0;而其他工况的内压都为设计压力,因此内压对等效应力的影响比较明显。

11.8.3 钢悬链线立管疲劳分析算例

一般来说,在深水的环境条件下,简单布置形式的钢悬链线立管疲劳破坏严重,不容易满足要求,应对钢悬链线立管总体强度算例中的简单钢悬链线立管的疲劳进行计算分析,校核其是否满足规范要求。

根据总体强度分析结果,判定 W 浪流组合方向为最危险方向,可以选择钢悬链线立管在运行工况 W 方向为疲劳损伤特征方向,得到总的运动疲劳损伤结果如图 11.34 所示。

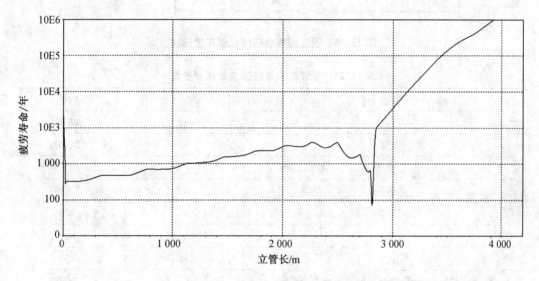

图 11.34 运动疲劳损伤结果

最终立管主体在运行工况下的疲劳寿命曲线显示,考虑波浪条件下的运动疲劳安全系数,立管主体运动疲劳寿命最小值为 7.177 年,位置为触地区立管 2 811 m 处。而钢悬链线立管设计疲劳寿命为 25 年,所以钢悬链线立管主体在波浪下的运动疲劳寿命比设计寿命小,不满足规范要求。

根据前面已经提到的钢悬链线立管疲劳损伤缓解优化方案,可以采取缓波形式的钢悬链线立管改善其触地区的疲劳损伤,立管的设计疲劳寿命基于累积损伤计进行预测。选用强度分析算例的基础数据对缓波布置形式的钢悬链线立管进行疲劳分析。

缓波型钢悬链线立管的布置图以及参数数据如图 11.35 和表 11.13 所示。

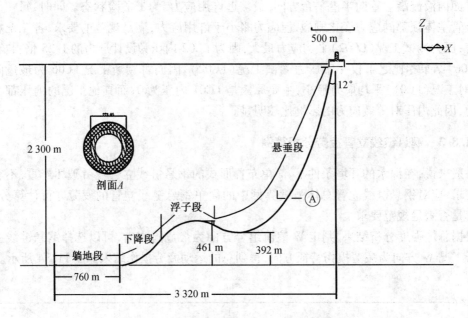

图 11.35　缓波型钢悬链线立管布置形式

表 11.13　缓波型钢悬链线立管布置参数

参数	单位	数值
总长	m	4 700
水深	m	2 300
悬挂角	(°)	12
悬垂段	m	2 630
浮子段	m	700
下降段	m	620
躺地段	m	750
钢悬链线立管触地点距平台重心水平距离	m	2560

1.波浪运动疲劳分析

　　根据总体强度分析结果,可以确定最危险的环境工况。最大疲劳损伤也以此环境工况为准,为了增加计算可靠性,考虑了钢悬链线立管主体圆周截面的八个位置的疲劳损伤值,图 11.36 给出立管主体截面八个点的布置,其中 Y 方向为来流方向。通过进行钢悬链线立管的总体疲劳分析,得到总的运动疲劳损伤结果。

　　图 11.37 给出了立管主体在运行工况下的疲劳寿命曲线,其中横坐标为立管主体长度方向,0 点为立管主体顶部,纵坐标为疲劳寿命。

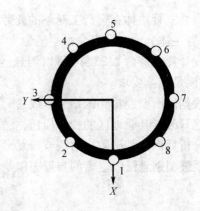

图 11.36　钢悬链线立管主体的应力点位置

波浪条件下的运动疲劳安全系数为 10,考虑安全系数得到立管主体运动疲劳寿命最小值为 64.7 年,位于顶部 20.5 m 处。根据规范要求,钢悬链线立管设计疲劳寿命为 25 年,所以钢悬链线立管主体在波浪下的运动疲劳寿命比设计寿命大,满足规范要求。

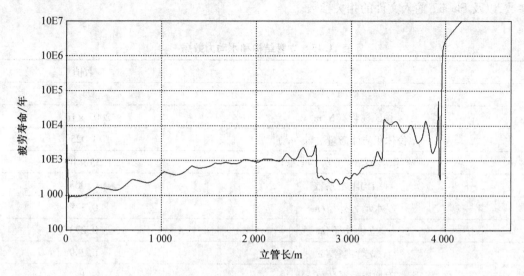

图 11.37　钢悬链线立管主体运动疲劳寿命曲线

2. 涡激振动疲劳分析

立管的涡激振动疲劳计算是基于长期洋流数据进行的,表 11.14 给出了拟定海域的长期洋流数据。

表 11.14　长期洋流概率分布

表层流速/(cm/s)		10	20	30	40	50	60	70	80	合计/%
方向	N	0.66	1.36	0.95	0.47	0.24	0.07	0	0	3.75
	NNE	0.54	1	0.63	0.3	0.17	0.03	0	0	2.68
	NE	0.47	0.72	0.48	0.22	0.13	0.01	0	0	2.03
	ENE	0.35	0.76	0.44	0.19	0.11	0	0	0	1.84
	E	0.46	0.7	0.38	0.15	0.04	0	0	0	1.73
	ESE	0.53	0.85	0.48	0.19	0.04	0.01	0	0	2.1
	SE	0.71	1.06	0.75	0.26	0.09	0.01	0	0	2.89
	SSE	0.77	1.34	1.1	0.64	0.44	0.07	0	0	4.36
	S	0.85	1.78	1.74	1.06	0.55	0.09	0	0	6.07
	SSW	0.97	2.33	2.52	1.51	0.9	0.2	0.04	0	8.46
	SW	0.99	2.96	3.38	2.09	1.28	0.26	0.07	0.01	11.05
	WSW	1.09	3.58	4	2.87	1.37	0.45	0.11	0.01	13.48
	W	1	3.4	4.31	2.82	1.42	0.49	0.08	0.03	13.55
	WNW	0.92	3.01	3.85	2.52	1.32	0.38	0.05	0.01	12.05
	NW	0.94	2.3	2.6	1.58	0.86	0.19	0.03	0	8.5
	NNW	0.81	1.73	1.52	0.91	0.36	0.12	0.01	0	5.46
合计/%		12.06	28.89	29.14	17.77	9.32	2.37	0.39	0.07	100

$S-N$ 曲线的选取要根据焊接的等级来决定。一般工程上,焊接的等级可以达到 E 级,所以适用的 $S-N$ 曲线有 DoE F2 以及 DoE E。本文选取 $S-N$ 曲线为 DoE E,应力集中系数 SCF 取 1.2。表 11.15 和表 11.16 分别给出了立管进行涡激振动分析所需的结构和水动力参数,以及 Shear7 输入文件的相关参数。

表 11.15 立管结构和水动力数据

参数	数值
结构模型	1
杨氏模量/(N/m^2)	2.07×10^{10}
单位体积流体质量/(kg/m^3)	1 025
流体运动黏性系数/(m^2/s)	1.35×10^{-6}
结构阻尼系数	0.003
水动力外径/m	0.379
立管外径/m	0.273
立管内径/m	0.209
附加质量系数(Ca)	1
斯托罗哈数(St200)	0.18
升力系数换算因数	1
升力系数表格类型	2
阻尼系(静水区域,低流速区域,高流速区域)	0.2,0.18,0.2

表 11.16 Shear7 计算和输出要求

参数	数值
计算要求	1(计算全部响应)
应力集中系数	1.2
单模态约化速度双带宽	0.5
多模态约化速度双带宽	0.2
主要模态识别阈值	0.7
读取升力系数表格数目	2
是否考虑重力加速度影响	0(不考虑)

使用 Shear7 进行钢悬链线立管的涡激振动疲劳计算,分析中使用 OrcaFlex 计算立管的模态、振型等数据。计算时同时考虑了立管在阻力方向和升力方向上的涡激振动疲劳损伤。得出了沿管各截面最大涡激振动疲劳损伤值。图 11.38 给出了涡激振动导致疲劳寿命沿立管主体长度变化趋势。

考虑安全系数后可以得到涡激振动导致的立管主体最小疲劳寿命 317 年,和钢悬链线立管设计疲劳寿命比较,可以知道钢悬链线立管主体的涡激振动疲劳寿满足规范要求。

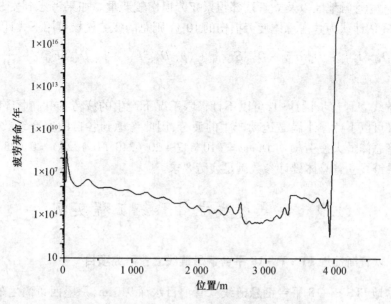

图 11.38　钢悬链线立管主体涡激疲劳寿命曲线

3. 积累疲劳分析结果

根据 API 2RD 的规定, 立管主体的疲劳分析包括运动疲劳和涡激振动疲劳等, 同时立管主体的疲劳损伤需要考虑各种因素的累积。API 规范通过安全系数来进行累积计算, 具体如下:

$$\sum_i SF_i D_i < 1.0 \qquad\qquad (11-13)$$

其中, D_i 是各种工况的疲劳损伤; SF_i 是相应的安全系数。

对于钢悬链线立管, 涡激振动的安全系数取为 20; 应用于其他疲劳损伤分析的安全系数取为 10。根据前两部分的疲劳损伤计算结果, 可以得到累积疲劳损伤, 如图 11.39 所示。

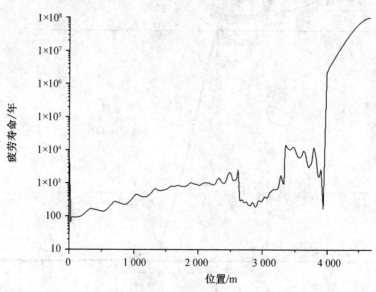

图 11.39　累积疲劳损伤

注: 位置 0 代表立管主体顶端。

可以看出,立管触地区以及立管顶部积累疲劳损伤较严重。如果考虑到安装过程中产生的疲劳,保守估计认为其占总体疲劳损伤的 10%,则总的疲劳校核可用下式计算:

$$D_{w}SF_{w} + D_{VIV}SF_{VIV} + D_{H}SF_{H} + D_{VIM}SF_{VIM} + (p_{XS}D_{XS}SF_{XS} + p_{XC}D_{XC}SF_{XC}) + \frac{f}{DL} < \frac{1}{DL}$$

$$(11-14)$$

在钢悬链线立管初步设计中,可以不计极限工况下产生的疲劳,同时对于钢悬链线立管系统本身又可以不计浮体涡激运动产生的疲劳,因此考虑到各自的安全系数后,可计算钢悬链线立管总体最大疲劳损伤 Dtotal = (10/647 + 20/6340 + 0.1/25) = 0.023 < 1/25 年,从而得出钢悬链线立管总体设计参数满足疲劳要求。

11.9 钢悬链线立管系统工程实例

11.9.1 坎普斯盆地 FPS P-18 平台钢悬链线立管研究项目

坎普斯盆地 FPS P-18 平台钢悬链线立管项目水深 910 m,是墨西哥湾之外的海域第一次使用钢悬链线立管,也是除张力腿平台外,第一次应用在半潜式平台上。半潜式平台的运动和位移较张力腿平台有很大不同,其静态位移和动态运动的幅度都更大,因此有必要使用更高张力的钢悬链线立管以减小其弯矩。

此项目中的钢悬链线立管通过柔性接头连接在平台上,悬挂角为 20°,立管总长 3 310 m,顶端距离触地端 1 319 m,布置形式图和柔性接头结构分别如图 11.40 和图 11.41 所示。立管焊接而成,使用材料为 API Spec 5L, X60 级钢,外径为 273 mm(10.75 in),壁厚为 20.6 mm (0.182 in)。整根立管涂有熔结环氧,在底部附加涂有防磨层。

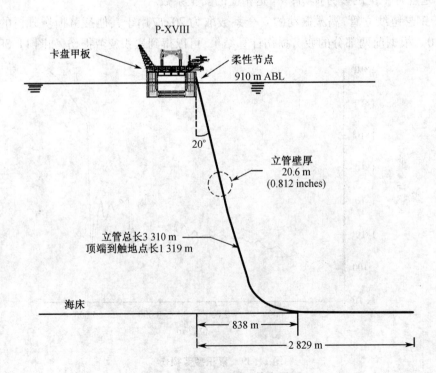

图 11.40 钢悬链线立管布置图

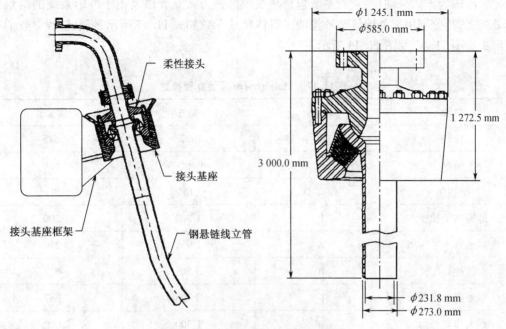

图 11.41 顶部柔性接头结构示意图

11.9.2 墨西哥湾 Matterhorm 项目

该项目位于墨西哥湾密西西比海峡水深 2 850 ft 处,平台主体为 TLP,平台结构形式如图 11.42 所示。

图 11.42 Matterhorm 项目平台结构形式

采油树为干式采油树,立管系统包括 9 根顶部张力式立管以及用于外输系统的两根钢悬链线立管,分别用来外输气和外输油。具体尺寸参数如表 11.17 所示,钢悬链线立管的布置形式如图 11.43 及图 11.44 所示。

表 11.17　Matterhorm 项目立管参数

参数	单位	外输气管	外输油管
外径	in	10.75	8.625
壁厚	in	0.664	0.539
悬挂角	度(°)	15	18
螺旋列板长度	ft	1 300	1 200
距触地点水平距离	ft	1 955	2 240
悬挂长度	ft	3 508	3 671
触地点处水深	ft	2 706	2 687
最大作业压力	psi	1 500	2 000

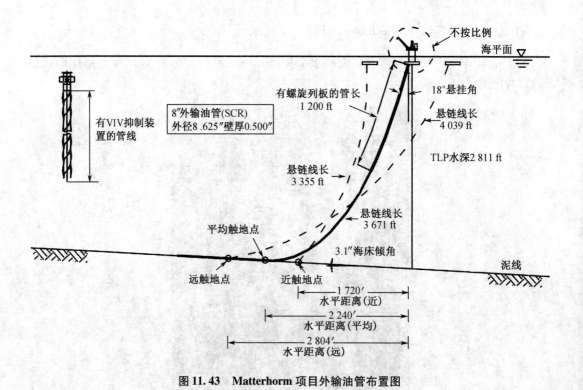

图 11.43　Matterhorm 项目外输油管布置图

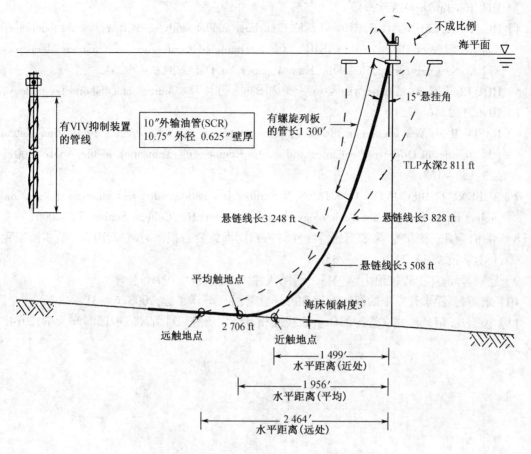

图 11.44　Matterhorm 项目外输气管布置图

11.10　本章小结

本章对钢悬链线立管关键技术进行了详细阐述,并介绍了钢悬链线立管主要结构部件的结构组成、类型、设计方法以及关键技术。然后对悬链线理论、拖地段和顶部连接点进行了详尽的介绍,对钢悬链线立管进行了结构布局上的分类。同时叙述了钢悬链线立管的设计流程、设计规范和设计内容。通过钢悬链线立管典型工程案例分析,对其总体强度分析和疲劳寿命分析流程进行了详细的介绍。

参 考 文 献

[1] SKOMEDAL N G,VADA T. Numerical simulation of vortex shedding induced vibrations of a circular cylinder[R]. A. S. Veritas Research Report No. 87 – 2005. Oslo,Norway,1987.

[2] OTTENSEN H N E. Vibrations of pipe arrays in waves[C]. In Proc. Third Int. Conf. On Behavior of Offshore Structures,Boston,MA,1982,641 – 650.

[3] VANDIVER J K,LI L. Shear7 program theoretical manual[K]. Dept. of Ocean Engineering,

MIT,Cambridge,MA.1994.

[4] HU H J E,LEUNG,C F,CHOW Y K. Centrifuge model study of SCR motion in touchdown zone[C]. Proceedings of the ASME 28th International Conference on Offshore Mechanics and Arctic Engineering,Honolulu,Hawaii,paper No. OMAE2009 - 79281.

[5] HOWELLS H. Steel caten risers west of shetlands[J]. The Journal of Offshore Teehnology, 1996,4(2):6 -7.

[6] BASIM B M. New frontiersin the designofsteel catenary risers for floating Production system [J]. Journal of Offshore Mechanics and Arctic Engineering,Transation of the ASME,2001, 123:153 -158.

[7] AUBENY C,BISCONTIN G,ZHANG J. Seafloor interaction with steel catenary risers,final project report for Offshore Technology Research Center[R],College Station,TX. 2006.

[8] 秦伟,康庄,宋儒鑫. 深水钢悬链线立管的双向涡致疲劳损伤时域模型[J]. 哈尔滨工程大学学报,2013,34(1):26 -33.

[9] 竺艳蓉. 海洋工程波浪力学[M]. 天津:天津大学出版社,1991.

[10] 宋儒鑫. 深水开发中的海底管道和海洋立管[J]. 海洋工程,2003(6):31 -42.

[11] 杨超凡. 钢悬链式立管与海床土非线性相互作用研究[D]. 青岛:中国海洋大学,2014.

第12章　混合式立管

12.1　概　　述

混合式立管(Hybrid Riser)也称塔式立管或自由站立式立管,因其特殊的结构布置,始终保持对浮体运动和刚性立管之间具有良好的解耦作用,在墨西哥湾、西非海域以及巴西海域等水深超过 1 500 m 和 2 300 m 的深水与超深水油田开发项目中得到了大量应用。

混合式立管是一种以钢性立管作为主体部分,通过顶部浮力筒的张力作用,垂直站立在海底,以跨接软管作为外输装置与海上浮体相连接的立管结构形式。图 12.1 给出了一个混合式立管的典型结构图。

图 12.1　混合式立管结构示意图

混合式立管作为深海油气田开发的立管类型之一,主要具有以下几个优点:

(1)立管顶部浮力筒位于海平面以下,因此混合式立管系统受海上风浪的影响较小;

(2)通过跨接软管与海上浮体相连,所以浮体运动对立管的影响较小;

(3)立管的自身质量全部由顶部浮力筒提供的张力来承担,减小了对生产平台的浮力要求;

(4)在风浪条件下,可以实现快速解脱;

(5)疲劳寿命较高;

(6)在海上浮体没有到达目标油田之前,可以预先对混合式立管进行安装;

(7)对于油气田的外扩适应能力较高。

当然,混合式立管在具备上述优点的同时,也具有以下几个缺点:

（1）设计经验缺乏；

（2）造价比较昂贵；

（3）需要很多配套的连接装置。

（4）需要很多监测系统。

然而，混合式立管的优点相对于其自身的缺点具有更好的适用性，因而在深海油气田的开发中得到了广泛应用，而且可以作为我国南海深水油气田开发的立管结构形式。

12.2 混合式立管系统的结构组成

混合式立管是以刚性立管为主体，通过柔性跨接软管将浮式平台与立管上方鹅颈弯管连接在一起的立管系统。鹅颈弯管处于立管顶部，主要作用在于由垂直立管向跨接软管传输油气。按鹅颈弯管和浮力筒的相对位置，混合式立管可分为两类：分离式混合式立管和整体式混合式立管。图 12.2 为两种形式的混合式立管总体结构示意图。所谓分离式混合式立管，指垂直立管不穿过浮力筒，而是与浮力筒分离，通过系链或其他柔性连接装置连接，跨接软管与鹅颈弯管相连。由于立管不穿过浮力筒，因此位于立管顶部的鹅颈弯管处于浮力筒的下方。所谓整体式混合式立管，是指垂直立管穿过浮力筒，跨接软管与立管顶部的鹅颈弯管相连，因此位于立管顶部的鹅颈弯管处于浮力筒的上方。

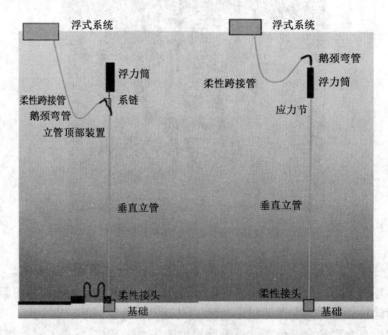

图 12.2 分离式和整体式混合式立管示意图

综上可以看出，无论是整体式还是分离式的混合式立管，一般均由以下主要构件组成：

（1）柔性跨接软管（Flexible Jumper）；

（2）浮力筒（Buoyancy Can）；

（3）锚链线或者应力节点（Tether Chain/Keel Joint）；

（4）鹅脖结构（Gooseneck Assembly）；

（5）立管顶部装置（Top Riser Assembly）；

（6）顶部楔形应力节点 TSJ（Upper Tapered Stress Joint）；

（7）立管主体（SLOR，Tower，COR）；

（8）底部楔形应力节点（Lower TSJ）；

（9）立管底部装置（Lower Riser Assembly）；

（10）底部跨接短管（Riser Bottom Jumper Spool）；

（11）输油短管（Off－Take Spool）；

（12）立管基础（Riser Base）；

（13）桩基（Pile Foundation）；

（14）其他。

此外，对于鹅颈弯管处于浮力筒之下的布置，即对于分离式混合式立管，垂直立管与浮力筒要通过系链连接；对于鹅颈弯管处于浮力筒之上的布置，即对于整体式混合式立管，在浮力筒龙骨处应设有龙骨节，以防弯距过大。

12.2.1　刚性主管

刚性主管分为单管、管中管和集束管，如图 12.3 所示。刚性主管材料的选择、壁厚的确定和截面类型选择单管式还是集束管式，需要考虑很多因素，例如设计者的经验、买家的要求、成本、海况、建造和安装厂家的条件，等等。

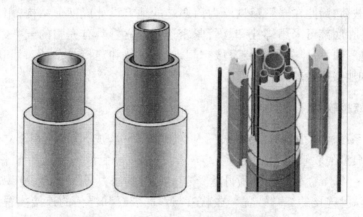

图 12.3　单管、管中管与集束管模型图

1. 单管式

单管式立管设计柔性大，立管连接既可以采用焊接连接又可以采用机械连接，而且可以采用模块化安装，效率高。但是机械连接的立管直径不能太大，同时柔性软管承受的高温高压也有一定的限制。单管具有以下优点：

（1）可以提前安装；

（2）水动力性能好；

（3）不会存在因为海域狭小而造成的立管拥堵现象；

（4）不需要很大的铺管船；

（5）方便管理、维修和回收；

（6）对桩基和土壤条件的要求没有 TTR 条件高。

2. 管中管式

管中管式立管适合于恶劣环境下重油的生产,可以采用钻井船安装,在顶部采用两根柔性软管分别和管中管式立管的内外两层管相连,而且具有很好的应力响应,可以把高载荷迅速地传递给楔形应力节点。管中管式立管一般采用的连接都是螺纹机械连接,可以采用钻井船或者海洋工程辅助船安装。

管中管式立管采用的是一种热效率高的同轴管中管系统,典型的中央生产管一般12.75 in,外包套管一般16 in,两层管之间存在一个环形区域,可以用来充满惰性气体,用于气举或其他目的。外层套管可以提供一定的浮力,从而减少顶部浮力筒的张力,环形区域因具有隔热优良特性和一定的压力可以用来检测内部生产管是否泄露。旁边的伺服管线和保温管线可以安装在环形剖面内,也可以安装到浮力筒的凹处。通常管中管采用的是套管的连接方式,一般有两种这样的连接:一种是标准的套管连接,连接成本低,但是遭受海水腐蚀较大,因而要求一个相对较高的应力连接,应力集中系数可以达到4.0,基于材料的良好性能,可以不采用焊接;另外一种是修改后的套管连接方式,成本也较低,同时减少了立管受到的外载荷,这种连接要求在里管连接末端有适当的加工,但对成本影响较小。底部立管是通过 BRA 和桩基,海底管线焊接而成。

3. 集束管式

这种集束立管由不同种类以及不同直径的钢性管和伺服管线组成,通过不同种类的柔性软管和浮体连接,在安装和建造过程中都存在着很大的风险。立管穿过浮力筒主管,承受很高的弯矩载荷,为此在立管穿越浮力筒两端的地方设计成楔形结构,用来降低立管上的应力,浮力筒在底部可采用螺栓和立管紧密连接。立管具有完整的气举系统、脐带缆系统、配套的其他管路,可以节省安装海域空间,但是建造和连接复杂,密封和腐蚀不容易得到保证,安装和建造风险较大。

12.2.2 跨接软管

跨接软管系统主要由软管、终端装置和弯曲扶强材构成,其作用在于立管与浮体之间的液体传递。典型的软管一般内径为 12 英寸,长度一般为浮体至桩基水平距离的 1.4 ~ 1.6 倍,约 300 ~ 450 m。软管设计为可承受 3 000 psi 的压力,并可承受 90 ℃ 的高温。软管的两端为采用法兰连接的终端装置。在软管与鹅脖装置和浮体的连接位置设有弯曲扶强材以限制软管的弯曲半径。在软管与浮体的连接处,配有张紧系统使其适应浮体的运动,以减小额外的垂向载荷。

软管的属性依赖于立管的用途、清管及绝缘要求,而终端装置、弯曲扶强材的设计制造则需遵照软管建造厂商的具体要求。在跨接软管的设计中,应满足在浮体发生最大慢漂时,倾斜转角和弯曲半径符合规范要求。考虑油气田开发的经济性,软管的长度以较短为宜,且不同用途的软管长度一般不同,以避免相互间的碰扰。

12.2.3 浮力筒

浮力筒位于水下的深度根据油田区域波浪载荷作用的条件和最高海流速度来平衡选取,混合式立管浮力筒的顶部一般位于水下 50 ~ 200 m 处,与浮式平台相距 120 ~ 500 m,在条件允许的情况下,为了便于安装,浮力筒位于水下的深度以接近于水平面为宜。浮力筒的主要作用在于提供一定的张力,使立管站立在水中,并处于张紧状态,以改善立管的动态响应,降低立管涡激振动,提高立管疲劳寿命,同时限制柔性跨接管的张力载荷以及偏移角。浮力筒的总体尺寸要考虑到立管管体、跨接软管及内部液体的质量,当然还要考虑生产和建造厂家的条件。浮力筒由多个具有脱水作用的舱室构成,每个舱室具有入水和出水部分,从而保证浮力筒内部的压力稳定。

　　根据立管和浮力筒的相对位置,浮力筒分为整体式浮力筒(即垂直立管穿过浮力筒)和分离式浮力筒(即垂直立管不穿过浮力筒),图 12.4 给出了两种浮力筒结构示意图。浮力筒在位工作时,其内部充满氮气,设计为内外压平衡,以尽量减小壁厚。且一般内部压强略高于外部静水压强,以使浮力筒发生偏移,而在深度上下降时,仍能尽量维持压力大致平衡。而分离式浮力筒按浮筒与立管的连接装置不同,又可分为系链连接式浮力筒和柔性连接装置(Flexible Linkage)连接式浮力筒,图 12.5 给出了两种连接方式浮力筒结构示意图。

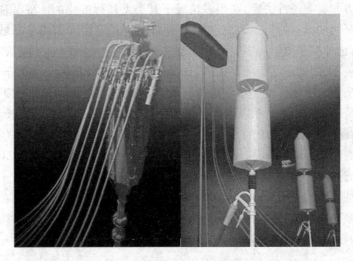

图 12.4　整体式浮力筒与分离式浮力筒示意图

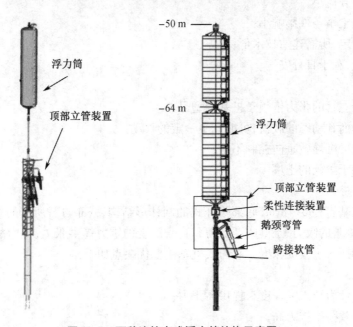

图 12.5　两种连接方式浮力筒结构示意图

按照是否对浮力筒内部压强进行动态调整,浮力筒分为两种结构形式,一种是封闭式浮力筒,另一种是底部开口式浮力筒。目前常用的是封闭式浮力筒,它具有浮力稳定等特点。基于安全方面的考虑,封闭式浮力筒通常被划分为若干个舱室,并设置有注水和排水管路。在正常工作状态时,浮力筒上部的舱室将用氮气填充,作为永久浮力舱;而底部则通常设置有一个浮力调整舱和一个备用舱,调整舱部分注水,用以调整浮力,备用舱则注满水,以提供储备浮力,防止立管系统在其他舱室进水失效后崩溃。

12.2.4 混合式立管的桩基

桩基为混合式立管在海底的基座系统,桩基一般深度为 200 m 或者更深。桩基由可以和立管完整连接的具有钻探和泥浆吸力功能的装置构成,桩基的直径和插入土壤的深度由立管所需的张力和土壤条件决定,在很多情况下其类型是标准化的。桩基顶部和混合式立管的连接方式有两种,一种是铰接式连接,一种是固定式连接。如西非海域采用的重力辅助吸力式桩基,这种桩基便于许多安装船安装并适合地方厂家建造。而巴西海域采用的是模块化方式安装,采用的是钻探灌浆式锚(Drilled and Grouted Piles),类似于钻井套管,通过抛锚控制桩腿插入土壤的深度。这种桩基一般和立管之间采用专门的连接装置连接,用来保证和控制载荷的有效传递。桩基和浮体的水平距离取决于跨接软管的长度、立管基座的偏置、浮力筒的深度和整个系统的方位角。目前存在的桩基类型主要有重力式桩基(Gravity Base)、吸力式桩基(Suction Pile)、钻探和灌浆式桩基(Drilled and Grouted Pile)、喷吹式桩基(Jetted Pile)和驱动式桩基(Driven Pile)。

1. 重力式桩基

重力式桩基全是钢制或者混凝土式的,依靠自身的重力完成固定立管,适合于比较结实和较小下沉的海床,重力式桩基主要优缺点如下。

(1)优点

①对井口载荷小;

②设计受土壤条件影响小;

③容易固定,所需建造技术低;

④成本低,利于日程安排。

(2)缺点

①提供给立管的张力依赖于桩基的型号;

②由于侧面和动态的载荷,可能产生一定的移动;

③海床的下沉导致垂向控制不足;

④不适和于柔软的土壤。

2. 吸力式桩基

吸力式桩基直径 5～8 m,底部张开式的圆柱形结构,依靠自身所受的重力插入柔软的土壤中,依靠桩基的吸力、土壤的摩擦力和自身所受的重力提供张力,张力的极限值依赖于桩基的直径和插入土壤的深度。吸力式桩基主要优缺点如下:

(1)优点

①可以设计为插入大深度来提供高张力;

②对侧向载荷抵抗力高;

③吸力的设备容易调动;

④垂向位移控制较好；

⑤受环境因素影响较小；

⑥容易安装和拆除。

（2）缺点

①要求较好的土壤条件；

②土壤属性和截面摩擦力具有不确定性；

③大型圆柱体在水中运输、吊装时要考虑附加质量；

④大直径的吸力桩在海底布置困难；

⑤底部截面的摩擦受到时间的影响；

⑥建造受厂家的影响。

图 12.6 所示为典型的吸力式桩基。

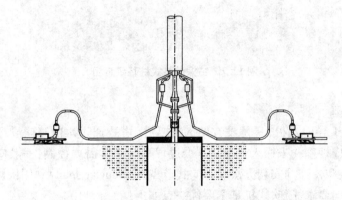

图 12.6　吸力式桩基示意图

3. 钻探灌浆式桩基

这是一种传统建造方法，是一种被普遍应用的桩基。桩基采用机械连接，外径一般 30~40 in。桩基被扎入预先钻好的孔中，然后灌上泥浆。张力的极限值一般通过改变桩基的长度和壁厚来实现。桩基和立管之间一般通过楔形应力节点连接，用于减少载荷、弯矩的传递和降低疲劳。钻探灌浆式桩基主要优缺点如下：

（1）优点

①土壤条件一般不影响钻井过程，因而完不成预计深度的风险较小；

②提高张力可以通过增加桩基节点和壁厚来实现；

③传统的钻探甲板和旋转设备可以安装这样的桩基；

④垂向运动控制好；

⑤定位容易，再布置困难小；

⑥安装时间短。

（2）缺点

①受到钻井船预先到达指定海域限制；

②不能局部建造，要求具有较高的焊接质量；

③深水中的桩基孔稳定性不足，沉淀物容易导致坍塌；

④损坏和被弄湿的土壤会减少土壤的容积。

图 12.7 所示为典型的钻探灌浆式桩基。

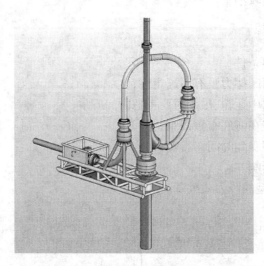

图 12.7　钻探灌浆式桩基示意图

4. 喷吹式桩基

该桩基类似于导向式桩,只是没有钻的桩基孔,塔式通过水的喷吹导致桩基内部土壤的移除和腐蚀形成桩基孔来插入桩基。这个过程垂向通常需要控制,一般应用于很多钻井船,被认为是高效和快速的安装方法。导向式节点(Conductor Joint)利用机械连接达到预定的桩基长度和轴向要求,喷吹式桩基主要优缺点如下:

(1)优点

①适合于深水井,快速而且成本不高;

②通过一定的运输和处理可增加桩基的长度,可以方便地增加极限张力;

③垂向控制好;

④可以插入坚硬的土壤。

(2)缺点

①经验受到深水限制;

②坚硬的土壤和岩石可能影响喷吹操作;

③一般不局部建造,为了保证焊接质量,要抵抗侧向载荷和弯矩;

④要求土壤固化,对外层摩擦(Skin Friction)全部有效;

⑤如果喷吹和互换没有优化或者控制,容易导致导向桩卡住;

⑥过多的喷吹土壤会导致较大的损坏并弄湿土壤,从而降低桩基的能力。

5. 驱动式桩基

该桩基圆柱形,一般 20～90 in,通过水下液压锤打入。为了减少操作的损失通常建造过程中不建造中间连接器(即使它会提高建造效率)。这种桩基适合于标准的基础,并同后续抛下的锚匹配,驱动式桩基主要优缺点如下:

(1)优点

①降低接触土壤量,但是具有较高的摩擦力和可靠性;

②要求建造技术低;

③垂向控制好；

④固化时间短；

⑤受环境因数影响小；

⑥运输和操作规范。

（2）缺点

①硬土、沙土和岩石会影响打桩；

②水下液压打桩锤移动性差；

③超深水需要特定的液压锤和脐带系统。

6. 混合式立管桩基的选取

在各油田项目中，选取混合式立管桩基的一般原则如下：

（1）土壤条件；

（2）抵抗土壤载荷能力；

（3）提供张力幅值；

（4）极限载荷和弯矩响应；

（5）安装需求；

（6）建造问题；

（7）成本和日程等。

位于墨西哥海湾 Green Canyon 29 项目中的第一根混合式立管系统，其四根桩基是通过水下液压锤和动力装置（Underwater Power Pack）打入的，其他小直径管线分别与其连接。Total 西非海域的 Girassol 油田项目中，混合式立管的桩基为吸力式桩基，通过旋转插销同柔性节点连接。吸力桩外径为 8 m，长约 23 m，重 190 ton，可以抵抗拉力 450 ton，实际桩打入的深度比设计的要深，主要考虑保护层摩擦系数低和水流的影响。Exxon 公司在安哥拉海域的 Kizomba A，B 油田项目中，混合式立管的桩基同样是吸力桩，直径 8 m，自重 120 ton。巴西 Petrobras 石油公司在位于巴西海域的 P52 油田开发中，混合式立管的桩基是 36 in 的具有钻探和灌浆功能的桩，长约 120 m，带有楔形应力节点。

目前在各油田开发项目中的混合式立管多数采用的是吸力式桩基，主要是考虑生产、建造、安装以及对应的吸力桩适合于 FPSO 和 FPS 等。吸力式桩基的直径一般为 30 ~ 40 in，插入深度 120 m，可提供较高的张力，其建造安装技术已经逐渐成熟，可以采用多种安装方式安装，且已经应用于很多领域。一般传统小直径桩基要比吸力桩基成本低，主要成本是用在柔性节点和楔形节点上；这两种桩基都可以采用安装船或 MODU 安装，安装效率越高，成本越低。混合式立管从多个方面考虑比较适合铰接式吸力桩基和小直径的固定式桩基，主要原因有：

（1）主要成本有效地用在装置和安装上；

（2）适合于深水和超深水；

（3）降低了刚性跨接短管载荷、连接和设计要求；

（4）桩基可以采用多种方式安装；

（5）建造技术相对成熟；

（6）适合于深水和超深水松软的土壤结构。

12.2.5　鹅脖装置

鹅颈弯管连接系统连接着跨接软管和垂直立管管体,承受的弯矩较大,一般设定其曲率半径为直径的 3 或 5 倍。

鹅脖装置位置一般有两种(图 12.8):

(1)一种是位于浮力筒的下方,与分离式浮力筒结构相对应,如图 12.8(a)所示这样的连接简化了立管和浮力筒的接触,因为此时立管不必穿过浮力筒,而且跨接软管可以和鹅颈弯管系统提前装配。但是连接相对困难,同时跨接软管的更换、修复比较麻烦,还需要安装复杂的跨接软管断开系统。

(a)　　　　　　　　　　　　　　(b)

图 12.8　两种鹅脖连接系统结构示意图

(a)浮力筒下方鹅颈弯管系统;(b)浮力筒上方鹅颈弯管系统

(2)另一种是鹅颈弯管系统位于浮力筒的上方,与整体式浮力筒相对应,允许立管和跨接软管独立安装,如图 12.8(b)所示。该连接方式降低了跨接软管的连接费用,跨接软管安装较快,风险性较小,便于其损伤检测和扶强材等构件的安装,以及维修和更换、回收管线,同时降低跨接软管的疲劳损伤。但这样立管需要穿过浮力筒与跨接软管连接,因而在浮力筒内部要设计适当的立管连接装置,在浮力筒的顶端要有一个专门的连接装置连接跨接软管和立管,这就增加了浮力筒的设计复杂性。

12.2.6　海底基座和立管的连接系统(LRA)

立管与海底基座连接系统的设计应考虑多方因素,如立管基础需要能抵抗长期的垂向、水平及弯曲载荷。目前,海底基础与立管的连接主要有铰接式和固定式两种形式。

1. 铰接式基座连接系统

铰接式连接最常用,其优点在于采用了类似于传统 TLP 桩基的可旋转式合成橡胶柔性单元,允许立管发生旋转,而不在海底桩基处产生弯矩;主要缺点在于会对底部输油短管的设计造成一定的影响,此种布置形式要求短跨管需能够承受立管与海底管线终端之间夹角的变化,且需要较大的短跨管尺度以使其具备一定的柔性。铰接式连接系统如图 12.9所示。

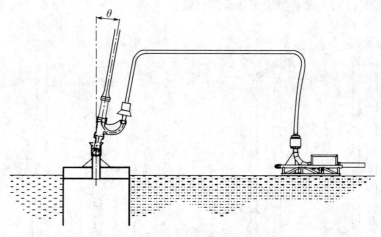

图 12.9 铰接式连接系统示意图

2. 固定式基座连接系统

固定式连接系统将立管刚性固定于海底基础，而不允许其发生任何转动，其优点在于降低了立管与海底管线终端之间的相对运动，简化了输油短管的设计；缺点是必须使用包括锥形节在内的一套完整的连接结构来承受立管与桩基之间较大的弯矩。固定式基座连接系统如图 12.10 所示。

12.2.7 海底管线和立管主体的连接系统(BRA)

立管与海底管线终端(PLET)的连接系统处于海底基础之上，主要由输油短管(Off-take Spool)、下部楔形节点(Lower Taper Joint)、下部适配器(Lower Adapter Joint)和气举系统(Gas Lift System)组成，用来确保流动液体载荷在立管和桩基之间的传递，支撑并引导立管底端构件、底部软管的正确连接和安装，对连接的立管束和底部软管提供一定力的约束和保护作用。

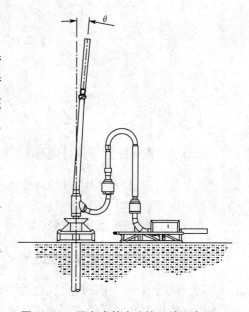

图 12.10 固定式基座连接系统示意图

典型的输油短管一般设计为"M"形，如图 12.11 所示。输油短管的一端连接海底的输油管线，一端连接刚性立管底端，中间是一段感应弯管。输油短管的设计十分关键，因为除要承受管线延伸及内流热膨胀所带来的载荷外，输油短管还要承受立管运动所引起的载荷。输油短管的设计优化可通过增加其长度和弯环数量实现，同时增加弯环数量可有效增大输油短管柔性并降低极限应力。但随之会带来一系列其他问题，如短管自重增加、安装难度增大、绝缘保温困难、液体排放不便和疲劳响应加剧等。

气举系统位于输油短管的上部，用于完成由注气管到立管主管的压力传递。在立管内部生产管线周围会有很多附和的小注气管，气体就会穿过这些注气管进入立管管体，在管径改变的地方，这些掺杂气体的液体会互相碰撞，从而降低原油的有效密度，提高生产效率。在这些有注气管的位置，由于截面属性的改变会存在较大的腐蚀现象，因而这些位置要采用抗腐蚀的材料,或者适当增加截面的厚度。

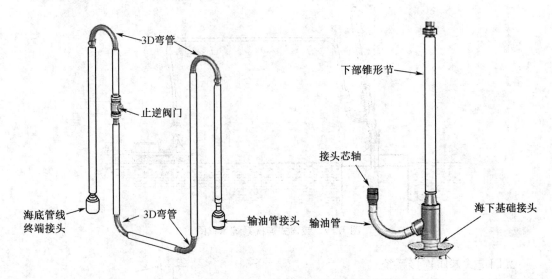

图 12.11 输油短管结构示意图

12.3 混合式立管的设计基础

12.3.1 混合式立管设计流程

在大量市场调研和对已有工程案例分析的基础上,加上设计者多年的经验,按照规范要求和油田海域概况以及客户要求,设计者就可以开始进行混合式立管设计。分离式混合式立管设计流程如图12.12所示。

12.3.2 混合式立管设计规范

目前尚没有专门用于混合式立管设计与分析的规范,混合式立管的设计主要还是基于现有的立管规范和实际的工程经验。其中最主要的参考规范和标准如表12.1所示。

表 12.1 混合式立管主要参考设计规范

代码	全称	适用范围
API RP 2RD	*Design of Risers for Floating Production Systems(FPSs),and Tension Leg Platform*	初步设计
API Bulletin 2U	*Stability Design for Cylindrical Shells*	浮力筒初步设计
API Bulletin 2V	*Design of Plat Plate Structures*	浮力筒初步设计
DNV - RP - C203	*Fatigue Design of Offshore Steel Structures*	疲劳分析
DNV - OS - 201	*Dynamic Risers*	初步设计

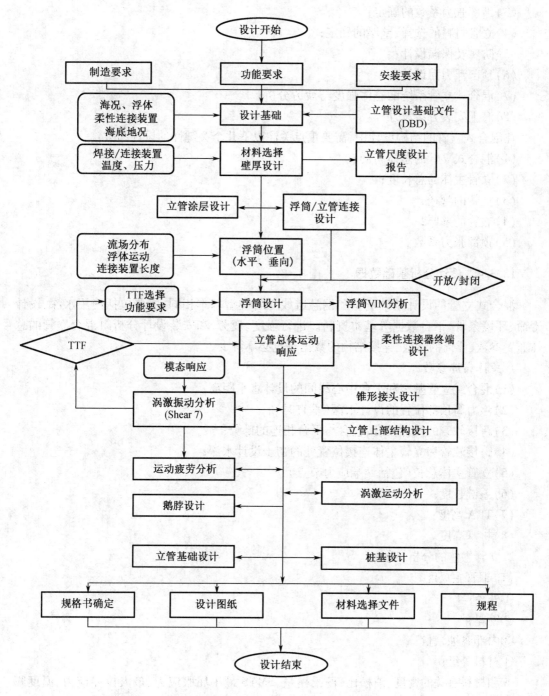

图 12.12　分离式混合式立管设计流程图

12.3.3　混合式立管关键技术

针对混合式立管,在设计过程中存在着以下几个关键问题:

(1)混合式立管系统的总体布局;

(2)立管的横截面结构设计;

（3）顶部张力系数的确定；

（4）立管材料的选择、壁厚的确定；

（5）防腐及保温设计；

（6）顶部浮力筒设计；

（7）混合式立管系统的总体强度与疲劳分析；

（8）海上安装方案设计。

在混合式立管的结构设计中，需要重点关注以下几个关键性的设计因数：

（1）混合式立管的总体布局；

（2）立管主体的总长度；

（3）立管的管径；

（4）立管的壁厚；

（5）顶部张力系数。

12.3.4　设计分析基础数据

混合式立管的设计基础资料和钢悬链线立管类型基本相同，主要包括使用水深、设计寿命、环境条件、平台数据等基本资料。进行强度、疲劳、和安装设计分析时混合立管的总体布置参数、浮筒的参数、连接结构的数据等也必不可少。

1. 总体布局参数

（1）混合式立管基座和平台中心线间的设计水平距离；

（2）浮力筒顶部位置的设计水深（垂直时）；

（3）跨接软管的设计长度，包含与平台相连的部分；

（4）跨接软管和立管主体连接位置处的初步设计水深；

（5）立管主体总长（包括两端应力节点）；

（6）系链长度；

（7）TRA 高度；

（8）桩基高度。

2. 立管主体的分析参数

（1）钢管主尺度

①外径；

②壁厚；

③内部腐蚀余量；

④材料等级；

⑤和材料有关的密度、泊松比、杨氏模量、SMYS 最小屈服应力、最大拉伸应力、温度膨胀系数等。

（2）其他参数

①保温材料及保温层厚度和密度；

②内流体密度；

③设计压力和设计测试压力；

④最大和最小设计温度；

⑤阻力系数和附加质量系数；

⑥楔形应力节点参数等。

3. 跨接软管参数

(1)内外径;

(2)干湿重;

(3)注满液体时的质量;

(4)弯曲刚度;

(5)扭转刚度;

(6)最小弯曲半径余量;

(7)需用最小弯曲半径;

(8)水动力参数等。

4. 浮筒参数

(1)浮力筒长度 L、直径 D 等主尺度;

(2)舱室数目;

(3)浮力筒自重、排水量;

(4)加入压载水后的质量;

(5)不同舱室容量;

(6)材料属性参数;

(7)中心管参数;

(8)在位工况、破损工况顶部张力系数;

(9)浮力筒水动力参数等。

12.3.5　混合式立管设计要求

混合式立管尺寸的确定需要满足以下要求:

(1)系绳的张力等于设备张紧能力;

(2)平均浮力等于生产模式下中性悬浮状态所需要浮力;

(3)顶部气罐可以提供足够的浮力确保立管基部处于拉伸状态;

(4)柔性跨接软管的长度要允许立管和平台在最大漂移位置时具有相对垂向移动。

混合式立管的尺寸及布置中的关键因素包括:

(1)总体布局、底部的布局、悬挂点位置及间隔。

(2)总布置图。

①确定立管厚度;

②立管顶部安排跨接管终端部件的特点和几何尺寸、浮力筒的几何形式;

③立管底部构造锻造形式和基础结构。

(3)浮力筒和吸力桩的尺寸。

(4)通过套筒连接器连接在输气管线上的刚性跨接短管的尺寸。

立管的壁厚要依据 A131 RP 1111 规范中的爆裂和失稳标准进行设计。管系材料的购买、建造和生产都要依据 API 5L 规范要求。

混合式立管的设计需要以下数据:

(1)水深;

(2)设计压力,水力测试(内部)压力是对应设计(内部)压力的 1.25 倍;

（3）水面和海床位置的海水密度；

（4）设计压力下的立管控制密度；

（5）设计工作寿命；

（6）选择的钢材料等级和质量密度；

（7）腐蚀裕量和绝缘要求；

（8）在完整条件以及一条管线破损条件下，对应的船体最大许可位移与水深的百分比；

（9）20年后浮力筒中泡沫浮筒的渗水量假定为初始顶部张力的$X\%$。

对于作业中的立管顶部以及完全关闭时的立管底部两个位置，必须要确定顶部最大张力，依据 API 2RP 规范等效应力必须在许用应力范围内。API 5L 规范中的壁厚和直径尺寸要比 API RP 1111 和 API 2RD 中要求尺寸略高或相近。

如果最大的设计温度不高于 121 ℃，依据 API RP 1111 规范在壁厚计算中不需要考虑温度降级系数。

在计算需要的钢管壁厚时需要依据 API RP 1111 规范的如下准则：

（1）液压测试下的管子爆裂强度标准；

（2）作业时管子的破裂强度；

（3）管线安装时的破裂强度。

无缝钢管可以用作立管管系。双向埋弧焊钢管（直径通常不小于 18 in）具有价格优势，相对 API RP 1111 破裂应力校核标准，使用这种方法的破裂系数更小。在这种情况下双向埋弧焊钢管成本几乎和无缝钢管相同，因此在混合式立管设计中通常会使用无缝管形式。

钢管需要承受集中径向应力、轴向张力和外部（内部）压力作用。采用应力利用率系数，可以证明 API 2RD 规范中的等效应力标准满足输气立管。应力利用系数通常用于海床附近（完全关闭状态）和立管顶部（最大运行状态）。

进行浮力筒设计时需要考虑两种设计情况，分别是基础方案（水下模块式泡沫浮筒）和备选方案（压缩氮气式钢质浮筒）。

基础方案中，通常使用矩形模块式浮筒来提供立管塔需要的浮力，这些浮力筒通过锁链或者横梁结构连接，成本通常比备选方案要低。这种形式的浮力筒由标准的轻质结构钢制成，方便储存运输。

备选方案中，浮筒和吸力桩的钢材料选择必须分别符合 API 中的 2B 和 2H 规范要求，其中列有关于轧制钢板和结构管系材料的细节说明。

设计时可以用带有适当浮力和阻力特性的管单元来模拟浮力筒，应注意的事项包括：

（1）进行尺寸优化以使阻力最小和浮力最大；

（2）内部隔舱的尺寸和数量；

（3）一舱或多舱破损时的浮力储备；

（4）压载控制系统；

（5）工作时的张力监测；

（6）与立管的连接方法。

在设计浮力筒时要依据以下的设计标准：

（1）提供足够的浮力，满足立管塔的静态和动态平衡。工作状态下为保持立管塔根部的横倾角在许用范围内，浮力筒和在某一塔截面位置的隔离泡沫要能够在立管塔锚处产生足够的顶部张力。

（2）设置通道使立管管系通过钢架（I 形管）延伸到浮力筒顶部。

（3）能够为跳接软管、顶部管筒以及相关的连接器提供支持，必要的话，进行顶部管筒和跳接软管的安装和替换时，在垂向要能够方便地接触到连接器。

（4）在浮力筒和立管塔之间要有过渡结构。

浮力筒在设计寿命内需要提供足够的顶部张力，整体的顶部张力是底部最小张力、管线及覆层和设备的水下重力的总和，通常为防止发生覆层和立管接头的腐蚀引起的重力损失，立管钢结构重力设定 5% 的余量。根据前期工程经验，浮力筒的水下重力一般假定为浮力筒质量的 30%（选择钢浮力筒结构）。

设计的浮力筒的围壁和隔离壁（板材钢料），需能承受安装期间内可能出现的最大内外压力差。

浮力筒的外面通常要覆盖油漆，为防止覆层破裂还要安装供牺牲阳极。浮力筒的内部也需要涂漆，在内部各个舱之间设置水密人孔，以方便焊接、安装及卸除压载系统和涂漆的工作人员通行。

在浮力筒外部安装侧板以抑制可能发生的涡激振动现象。

计算所需要的浮力大小，需要确定安装、就位工况和绝热要求下立管的水下重力。

立管根部通常采用吸力桩作为基础固定结构，此外一些长期根基的方案可能采用重力根基或两者的组合。根基设计主要受到运行时混合式立管净浮力产生的恒定顶部张力的影响，还会受土壤特性、设计载荷、相关安全系数以及安装时的压力变化的影响。

吸力桩的尺寸需要根据 API RP 2T 规范和 API RP 2A 规范进行设计，通常是圆柱形，直径约 6.5 m，壁厚 35 mm 左右。吸力桩的顶部还要预留阴极保护装置、辅助安装结构的空间，如下拉纹车或者安装锚的橇装泵机组等。土壤会产生垂向控制力，包括内部和外部表面的摩擦、吸力桩的水下重力等。吸力桩的设计计算遵循以下方程：

$$W_{\mathrm{B}} + \alpha \int_{H_0}^{H} c \times \mathrm{d}A_{\mathrm{s}} > T \times \gamma_{\mathrm{s}} \qquad (12-1)$$

式中　W_{B}——根基的水下重力；

α——一个系数，考虑了黏土层的重塑（取 0.4）；

H——锚的总长度；

H_0——不会产生土壤阻力的锚长度（考虑管线不会伸进土壤中，取 1 m）；

c——非排水剪切强度；

A_{s}——同时考虑内部和外部表面摩擦的锚内嵌表面积；

T——最大垂向张力；

γ_{s}——安全系数（取 2）。

12.4　浮力筒的设计方法

深水混合式立管顶部浮力筒设计的主要内容包括：确定顶部浮力、筒浮力设计的基本要素、基本任务与流程，进行浮力筒主尺度和内部构型的确定以及浮力筒吊耳结构的设计等。

12.4.1 浮力筒设计基础

顶部浮力筒的设计要素主要包括:浮力筒净浮力、浮力筒长度、浮力筒外径、舱室数目和中心管尺度等。同时应与立管总体设计相配合,确定浮力筒顶部距海面的深度,验证立管张力系数是否符合要求,检验整个混合式立管系统的总体性能等。

对于特定的混合式立管系统,会存在不同的顶部浮力筒设计方案,因此需在所有可行的设计方案中,按照某种特定的标准找到最佳设计方案,即对顶部浮力筒进行结构优化设计。

顶部浮力筒的设计过程具有逐步近似及不断深化的特性,是一项比较复杂的工程设计,整个过程涉及多参数以及多目标优化。其基本原则是:遵守国际、国家和地区规范、符合买方要求、树立系统工程的观念、协调统筹等。

混合式立管顶部浮力筒的设计涉及的基本问题包括:浮力筒阻力最小化与浮力最大化的优化、浮力筒舱室的数量与尺寸、单/多个浮力筒舱室破坏的冗余以及建造工艺及安装条件等。

进行混合式立管顶部浮力筒设计时,需预先知道的基本数据包括:垂直立管和跨接软管参数、立管内部流体参数、立管顶部张力要求、立管顶部装置以及系链等的质量。

1. 浮力筒结构优化设计的基本数学模型

(1)设计变量

$$X = [L, D, t, m, n, d]^T \tag{12-2}$$

式中　L——浮力筒长度;

　　　D——浮力筒外径;

　　　t——构件厚度;

　　　m——浮力筒自重;

　　　n——浮力筒舱室数目;

　　　d——中心管外径。

(2)目标函数

$$\begin{cases} F(X) = K_1 \cdot Lift_{net} + K_2 \cdot Hydro + K_3 \cdot St + K_4 \cdot (Const + Inst) \\ F(X) \Rightarrow \max \end{cases} \tag{12-3}$$

其中　$Lift_{net}$——浮力筒净浮力(或立管顶部张力系数);

　　　$Hydro$——浮力筒所受水动力;

　　　St——浮力筒强度;

　　　$Const + Inst$——建造场地、生产工艺水平和海上安装能力限制;

　　　K_1, K_2, K_3, K_4——各项指标的权重系数,设计中应恰当选择权重系数,体现不同指标的重要程度。

在工程中,一般将浮力筒净浮力设为最重要的设计指标。

(3)约束条件

$$\begin{cases} [L, D] \in R[L, D] \\ t(X) \geqslant TTF \\ s(X) \leqslant \sigma \end{cases} \tag{12-4}$$

即长度、外径的变量处于合理范围之内;舱室或中心管破损后,TTF 满足指定要求;最大应力小于许用应力。

2. 浮力筒长度直径比对水动力的影响

浮力筒处于立管顶部,且尺度相对较大,其所受水动力的大小将直接影响立管系统的总体性能,故需研究不同长度直径比 L/D 对其水动力的影响。

由 Morison 公式,静止刚性圆柱在均匀流中沿流向所受的水动力为

$$F = \left(C_D \rho \frac{D}{2} |u|u + C_M \rho \pi \frac{D^2}{4} \dot{u} \right) \cdot L \tag{12-5}$$

式中　C_D——拖曳力系数;

　　　C_M——惯性力系数;

　　　u——流速;

　　　ρ——流体密度;

　　　D——浮力筒直径;

　　　L——浮力筒长度。

设 $L/D = \varepsilon$,且浮力筒排开水体积 $\pi D^3 \varepsilon / 4$ 为定值 V,则流体拖曳力可表示为

$$F_d = C_D \rho \frac{D}{2} |u|u \cdot L = C_D \rho \frac{D}{2} |u|u \cdot D\varepsilon = \frac{2V C_D \rho |u|u \pi^{\frac{1}{3}}}{\pi (4V)^{\frac{1}{3}}} \varepsilon^{\frac{1}{3}} \tag{12-6}$$

令 $\lambda = \dfrac{2V C_D \rho |u|u \pi^{\frac{1}{3}}}{\pi (4V)^{\frac{1}{3}}}$,且假定对所有的 L 与 D,拖曳力系数 C_D 一致,故可得

$$F_d = \lambda \varepsilon^{\frac{1}{3}}$$

可见,拖曳力与 ε 即 L/D 成正相关关系。对 L/D 自 1 至 26 每间隔 1 依次取值,所得流体拖曳力变化曲线如图 12.13 所示。

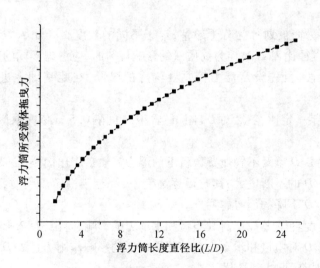

图 12.13　浮力筒所受拖曳力与 L/D 关系图

同理,流体惯性力可表示为

$$F_I = C_M \rho \pi \frac{D^3}{4} \dot{u} \varepsilon = C_M \rho \pi \frac{D^3}{4} \dot{u} \frac{4V}{\pi D^3} = C_M \rho \dot{u} V \tag{12-7}$$

流休惯性力表达式中不含 ε,但惯性力系数 C_M 与 ε 即长度直径比 L/D 相关。其关系如表 12.2 所示。可见,随长度直径比的增加,惯性力系数 C_M 呈递增趋势,即浮力筒所受流体惯性力增大。

表 12.2　惯性力系数与长度直径比关系表

L/D	C_M
1.2	1.62
2.5	1.78
5.0	1.90
9.0	1.96
∞	2.0

浮力筒初步设计时,可对不同长度直径比方案下的浮力筒水动力变化趋势进行分析,从而确定较佳的主尺度范围。

3. 浮力筒长度直径比对质量的影响

浮力筒的自重将影响到浮力筒净浮力的大小,从而对立管顶部张力系数造成影响,因此研究不同外形条件下浮力筒的质量变化规律是十分必要的。

质量变化规律研究的前提条件是:对于不同长度直径比的浮力筒,其排水体积为恒定量,即

$$\frac{\pi D^2}{4} \times L = C \tag{12-8}$$

其中,C 为常量。

由于实际的浮力筒被划分为若干舱室,对于不同的长度直径比 L/D,舱壁质量存在差异,因此研究长度直径比 L/D 对浮力筒质量的影响规律时,应考虑不同的舱室划分情况。

在初步设计阶段,可先设定浮力筒主要构件的壁厚,在此基础上进行质量的规律性研究。

对 $\pi D^3 \varepsilon / 4$ 取某一定值,然后对 L 自 1 m 至 40 m 间隔 0.5 m 依次取值,并计算相应的 D 和 L/D。

通过计算不同 L/D 以及不同舱壁数目下的浮力筒质量得出曲线(图 12.14)。

随着浮力筒 L/D 的不断增大,其质量逐渐变小,并趋于稳定。同时,舱室数目越多,质量随长度直径比 L/D 下降的趋势越明显。

综合浮力筒长度直径比 L/D 对其质量和水动力的影响,得出图 12.15。

可见浮力筒 L/D 对质量和水动力有着截然相反的影响作用。且 L/D 在 4 至 6 之间时,质量和水动力两个指标可达到最优。

根据现有自由站立式立管浮力筒的工程实例,其长度直径比也多处于 4 至 6 的范围之内。因此,在进行浮力筒的初步设计时,可依据此结论确定其基本外形。

4. 内部构型对浮力筒质量的影响

浮力筒主尺度确定后,舱室数目和中心管尺度将是影响其自重的主要因素。研究质量变化规律时,仍以浮力筒构件壁厚 20 mm 为前提。且应尽可能包含浮力筒主要构件。其中

肘板及吊耳等质量在规律性分析中可根据工程实例设置为确定值,且在外形确定的条件下,外壳质量恒定,故主要变量为舱壁质量、加强筋质量以及中心管质量。

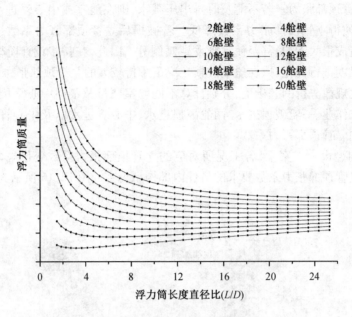

图 12.14　浮力筒长度直径比对其质量的影响

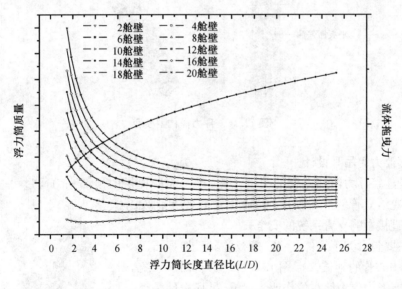

图 12.15　浮力筒长度直径比对其质量和水动力的综合影响

　　以上质量未包含浮力筒压载设备及管系等的质量,根据工程经验及调研结果,已知此类设备的质量约为总质量的 30%,故可在上述质量的基础上除以 70%,以得到较为真实的浮力筒质量,这将使得后续顶部张力系数规律性研究中所得 TTF 更为精确。

5. 内部构型对立管顶部张力系数的影响

浮力筒正常在位工作时,其底部压载舱充满压载水。浮力筒发生破损时,应及时排出压载水,维持立管顶部张力。若不能及时排出压载水,则在舱室或中心管进水后,浮力筒会损失部分浮力,使得立管顶部张力系数降低。若破损后立管顶部张力系数过小,则会对整个系统的性能造成很大影响,甚至使立管发生倾倒等。因此,在初步设计阶段,需对浮力筒分舱和中心管尺度进行优化,以在舱室破损工况下维持较大的立管顶部张力系数。

在质量变化规律分析的基础上,分别计算不同舱室数目及不同中心管尺度组合情况下浮力筒正常在位作业、一舱破损进水、两舱破损进水、中心管进水以及中心管和一舱同时破损进水工况下的立管顶部张力系数。

不同内部构型设计方案下,各工况所对应的立管顶部张力系数变化规律不同,设计过程以确定满足立管顶部张力系数要求的最佳内部构型为主。图 12.16 所示为多个舱室的浮力筒模型。

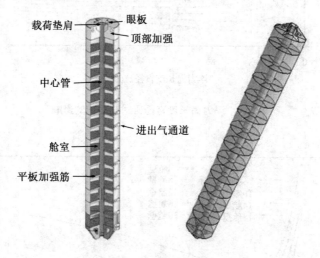

图 12.16　浮力筒构型模型

6. 顶部浮力筒吊耳设计

吊耳是连接浮力筒和立管的关键结构,浮力筒所提供的顶部张力通过吊耳传递给系链,进而传递给立管。若在服役期间吊耳强度不足而发生损坏,将直接影响立管系统的安全。

吊耳主要包含如下构件:主板、颊板、隔板、加强筋以及过渡管(中心管的延长管)(图 12.17)。进行吊耳系统设计时,主要考虑浮力筒在位作业工况下,吊耳构件是否满足强度要求。

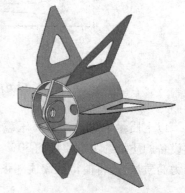

12.4.2　浮力筒主尺度计算方法

通过对浮力筒长度直径比的规律性研究,可得出浮力筒具有较佳的综合性能时其主尺度的基本范围,即长度直径比的范围。此时,可根据目标油田立管系统的基

图 12.17　吊耳模型图

础数据来确定浮力筒主尺度的具体数值。

评估顶部浮力筒主尺度是否满足功能要求的最重要指标为立管顶部张力系数 TTF。所谓顶部张力系数,是指立管顶部张力与立管湿重之比。

图 12.18 所示的为自由站立式立管顶部结构,在 O 点处,立管顶部张力系数的计算公式为

$$TTF = \frac{W_{BC} - W_{Tether} - W_{TRA} - W_{Jumper}/3}{W_{Pipe} + W_{Coat} + W_{Fluid} - W_{Displacement}} \qquad (12-9)$$

式中 W_{BC}——浮力筒湿重(含压载水);

W_{Tether}——系链湿重;

W_{TRA}——立管顶部装置湿重;

W_{Jumper}——跨接软管湿重;

W_{Pipe}——钢管干重;

W_{Coat}——保温层干重;

W_{Fluid}——立管内部流体让质量;

$W_{Displacement}$——立管所排开水的质量。

混合式立管在位正常工作时,要求其顶部张力系数为 1.5 左右,进行初步设计时,可预留 15% 左右的顶部张力余量,即顶部张力系数一般取 1.7 左右。

确定浮力筒主尺度具体数值的基本思路如下:

(1)根据所给定的基础数据,计算立管系统的相关质量,得出立管湿重;

(2)假定一所需顶部张力系数(如1.7),计算立管顶部所需张力;

(3)根据立管顶部所需张力、软管部分质量、系链及立管顶部装置 TRA 等的湿重,并假定一浮力筒压载水质量(一般取 80~100 t),计算所需浮力筒净浮力;

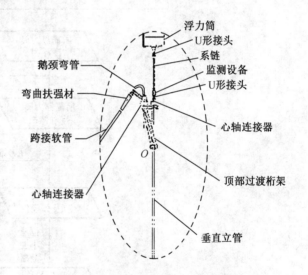

图 12.18 自由站立式立管顶部结构

(4)根据经验参数,即浮力筒自重约为排开水质量的30%,估算浮力筒排水体积,并在已确定的 L/D 范围内取某一数值,初步得出浮力筒长度与外径;

(5)对所得出的浮力筒长度与外径进行简单数据处理,即消去高位小数或四舍五入,得出新的浮力筒主尺度;数据处理的原则是,在保证浮力筒净浮力的前提下,尽量维持或减小浮力筒直径值,而增大其长度,一般不建议增大其直径,这主要基于建造中需进行弯曲卷板考虑;

(6)根据新的浮力筒主尺度估算其净浮力,并验算立管顶部张力系数是否在可接受范围之内,若满足要求,则主尺度设计结束;若不满足要求,对长度与外径重新取值,直至满足要求。

浮力筒主尺度确定的基本流程如图12.19所示。

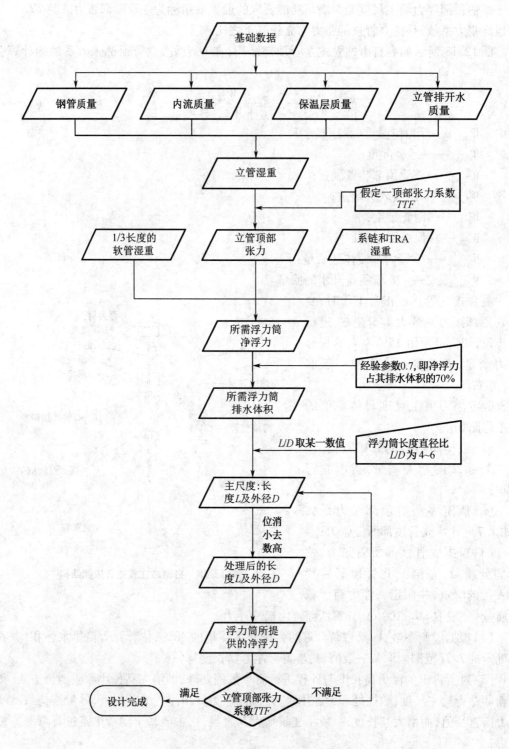

图 12.19　浮力筒主尺度确定流程

12.4.3　顶部浮力筒设计的基本任务与流程

顶部浮力筒初步设计的基本任务包括：

(1)确定浮力筒主尺度；

(2)确定浮力筒的内部构型，即确定浮力筒舱室数目和中心管尺度。

顶部浮力筒初步设计的基本流程如下：

(1)进行水动力以及质量等规律性研究，确定浮力筒长度和直径比 L/D；

(2)依据立管系统数据，初步确定满足立管顶部张力系数要求的浮力筒主尺度；

(3)在主尺度已确定的前提下，进行质量以及强度等规律性研究，从而确定浮力筒内部构型；

(4)综合各项因素，检验所设计的浮力筒是否满足功能要求、是否满足建造及安装可行性要求；

(5)若不满足各项基本要求，重新设计，直至满足各项指标要求。

自由站立式立管顶部浮力筒的设计是一个不断循环验证并逐步优化的过程，其基本流程如图 12.20 所示。

顶部浮力筒初步设计完成后，需对浮力筒吊耳系统及压载调节系统等进行详细设计，并对其建造安装方案展开研究。

12.4.4　规范标准和参考参数

目前，尚无针对混合式立管顶部浮力筒设计的相关规范和标准，但在其设计过程中，可参考表 12.3 中规范。

表 12.3　顶部浮力筒设计可参考的规范

规范代号	规范名称
API RP – 2RD	*Design of Risers for Floating Production Systems（FPSs），and Tension Leg Platforms（TLPs）*
API RP 2A – WSD	*Planning，Designing and Constructing Fixed Offshore Platforms – Working Stress Design*
API Bulletin 2U	*Stability Design for Cylindrical Shells*
API Bulletin 2V	*Design of Flat Plate Structures*
DNV Rules	*DNV Rules for Planning and Execution of Marine Operations*

进行混合式立管顶部浮力筒初步设计时，可供参考的工程经验参数如下：

(1)已投入工程应用的自由站立式浮力筒，长度和直径比 L/D 一般处于 4 ~ 6 之间；

(2)浮力筒所提供的净浮力使得立管顶部张力系数 TTF 约为 1.5，初步设计保留余量，达到 1.7 左右；

(3)浮力筒自重约为其排开水质量的 30%；

(4)浮力筒压载设备及其他排气管系等的质量约占其总质量的 30%（算入自重）。

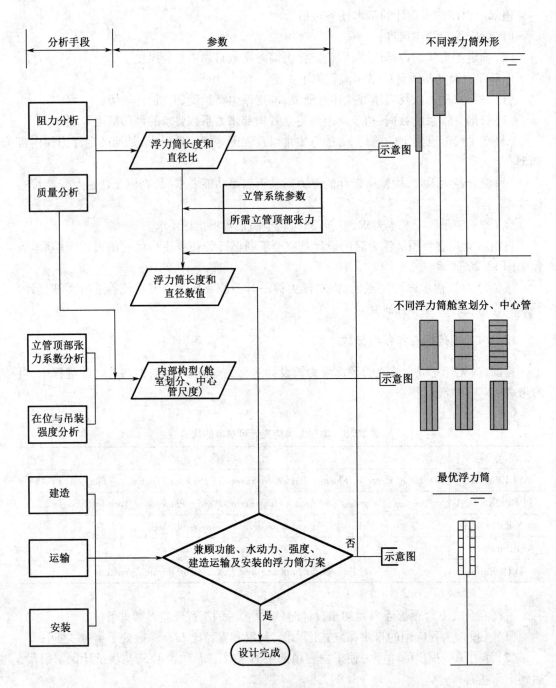

图 12.20　顶部浮力筒设计流程图

12.5　混合式立管的总体强度分析

12.5.1　概述

目前尚无针对混合式立管强度分析的规范要求,因此可参考 API RP 2RD 中对其他类型立管的要求,对混合式立管进行强度分析研究。总体强度分析主要目的如下:

(1)确定混合式立管的总体布置;

(2)确保混合式立管的设计满足 API RP 2RD 规范要求的所有工况(包括运行、极限、偶然和水压试验)荷载矩阵的强度要求;

(3)确定局部荷载,为其他组件分析提供输入参数。

混合式立管总体强度分析应该首先建立立管系统的有限元分析模型,模型建立完成之后需要进行试算以保证模型的可行性。对简单载况计算成功后,再根据设计荷载矩阵进行实际各载况的计算,分析的流程如图 12.21 所示。

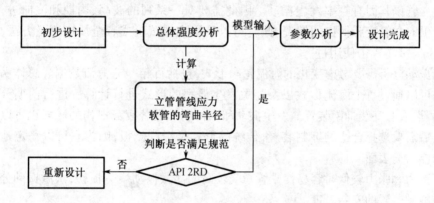

图 12.21　总体强度分析流程图

在进行混合式立管总体强度校核时,主要校核不同工况下的混合式立管的立管主体的最大等效应力和跨接软管的最小弯曲半径是否满足规范要求,具体的安全系数参照不同的工况而定。

12.5.2　校核标准

根据混合式立管结构特点,混合式立管总体强度分析主要校核结果为各浪、流方向作用下的刚性立管最大等效应力和跨接软管的最小弯曲半径及其变化趋势。然后按照相应工况的安全系数进行比较,确定混合式立管设计参数是否满足强度要求;同时判断出最危险工况和浪流组合方向,以便下一步进行强度敏感性参数和疲劳分析。如果不满足要求,需要修改混合式立管总体布置设计参数,不断重复上面的过程,经过多次的计算和优化确定最终的设计方案。

12.6 混合式立管总体疲劳分析

12.6.1 概述

如同其他类型的立管分析一样,混合式立管的疲劳分析包括平台漂移分析、波浪运动分析、涡激振动(VIV)分析和安装疲劳分析,如采用湿拖法安装则必须进行疲劳分析。

作用在立管上部的水动力载荷是造成立管一阶疲劳损伤的主要原因,可通过降低立管顶部高度缓解,由跨接软管引起的疲劳问题可以通过增加软管的长度来减缓。

漂移运动可能会在鹅颈处引起显著的疲劳损伤,在这个位置柔性跳接软管连接到立管和根部应力节上,可以通过在选定海况下的立管总体分析方法来计算立管的响应,同时应用 Weibull 统计学分布方法确定长期的应力循环载荷。进行这些分析,必须要认真选取平均漂移量,因为连接到平台上的绳索可能会对船体的响应产生显著的非线性影响。

如果混合式立管是采用控制深度湿拖法,可能会产生显著的安装疲劳问题,因为湿拖法会诱导立管以其固有频率发生振动。因此需要对一系列的波高、周期和浪向进行分析,确定可能引起立管疲劳损伤的情况,此时可以采用模型试验或者全尺度测量方法,这种方式已在 Girassol 工程中使用过。

涡激振动分析需要考虑变化的海流轮廓形式,包括百年一遇海流数据。总体涡激振动疲劳损伤可以通过每个海流形式以及相关发生概率的形式进行计算。进行前期分析的时候,可以假设没有安装抑制装置。发生振动和未抑制的显著疲劳损伤的区域也可以进一步确定。然后需要选择合适的抑制装置,传统的形式是螺旋侧板,因为它可以稳定地附着在合成泡沫浮力筒表面。

水下重力和张力较低时容易使立管承受较高的涡激振动疲劳损伤,涡激振动分析的目的就确定抑制装置的安装长度。

疲劳损伤沿着立管长度方向的分布可以通过一阶和二阶损伤影响、在位涡激振动和安装疲劳累积形式进行计算。关键部件的疲劳寿命需要采用断裂力学的分析方法进行校核。每种影响产生的损伤可以用来形成载荷图谱,这些图谱必须要顺次给出,使得它们能够代表立管安装和长期的响应形式。

12.6.2 混合式立管疲劳分析流程

海洋工程结构的疲劳分析既复杂,又难以分析准确,对于产生平面裂纹的工程结构,目前可采用断裂力学的方法;对于非平面裂纹的工程结构,常用的方法有 $S-N$ 曲线法、谱分析法和雨流计数法。产生疲劳的原因有很多,对于混合式立管结构,疲劳损伤主要由浮体运动和海流产生的涡激振动导致。

而立管结构运动疲劳分析方法的选取主要取决于波浪分析类型和浮体的运动响应,涡激振动分析方法主要有尾流振子模型和自激模型,相关水动力参数需要实验测量后给出。混合式立管总体疲劳分析的流程如图 12.22 所示。

混合立管的疲劳计算是通过线性累积损伤理论得到的。线性疲劳累积损伤理论是工程中广泛采用的一种疲劳寿命计算方法。总体来说立管的疲劳分析包括四部分内容:

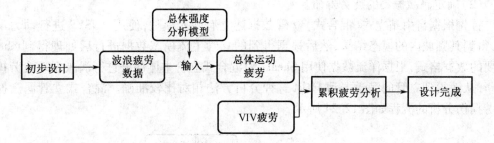

图 12.22　混合式立管总体疲劳分析流程图

（1）载荷的计算；

（2）应力的计算；

（3）$S - N$ 曲线的确定；

（4）疲劳累积损伤的计算。

1. 混合式立管运动疲劳分析

混合式立管运动疲劳分析的目的在于确定在位服役期间一阶（波致高频）和二阶（FPSO 低频）运动对混合式立管和相关组件疲劳寿命的影响。

首先建立混合式立管系统的有限元分析模型，模型建立完成之后需要进行试算以保证模型的可行性。然后根据疲劳波浪数据进行混合式立管的疲劳分析，得到运动疲劳损伤和运动疲劳寿命，分析的流程如图 12.23 所示。

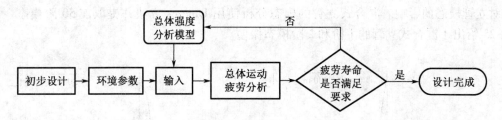

图 12.23　波浪运动疲劳分析流程图

根据疲劳波浪数据提供的每种工况进行计算，每次循环造成的平均损伤为 $1/N$，这种损伤是可以积累的。n 次恒幅荷载所造成的损伤等于其循环比 $c = n/N$；变幅荷载的损伤 D 等于其循环比之和，即

$$D = \sum_{}^{l} n_i/N_i \qquad\qquad (12-10)$$

式中　l——变幅荷载的应力水平级数；

　　　n_i——第 i 级荷载的循环次数；

　　　N_i——第 i 级荷载下的疲劳寿命。

当损伤积累到了临界值 Df 时，即 $D = Df$ 时，就发生疲劳破坏，最终计算得出立管主体的运动疲劳损伤和疲劳寿命。

2. 混合式立管涡激振动疲劳分析

混合式立管的涡激振动疲劳分析的目的如下：

（1）判断是否需要或给出涡激振动抑制装置的覆盖范围；

（2）确定涡激振动的疲劳寿命。

首先根据自由站立式（混合式）立管数据建立有限元模型，使用 ANSYS 进行动力学分析，得到其频域内的模态结果，然后根据得到的立管主体模态数据进行后处理得到 Shear7 需要的数据格式，根据洋流数据使用 Shear7 对混合式立管主体部分进行涡激振动疲劳损伤分析，从而得到立管的涡激振动响应，这种分析方法相对比较准确。混合式立管涡激振动疲劳损伤分析的流程如图 12.24 所示。

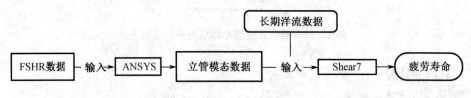

图 12.24　混合式立管涡激振动疲劳分析流程图

进行混合式立管模态分析的目的是计算混合式立管的湿模态，即考虑附连水质量的模态响应。得到的模态数据和振型数据进行后处理从而得到 Shear7 需要的立管模态响应数据。

混合式立管的有限元模型使用 Beam 单元进行模拟，同时考虑到浮力筒对系统质量矩阵的影响需要将浮力筒的影响计入在内。模型中需要考虑附加水质量对立管模态的影响，故在计算中将附加水质量等效在内。

进行混合式立管的模态分析前首先必须进行混合式立管的静态分析，从而计入顶端张力对立管模态的影响。混合式立管的模态分析使用 Lanczos 方法并提取前 50 阶模态。图 12.25 给出了混合式立管的 1 阶和 2 阶模态振型。

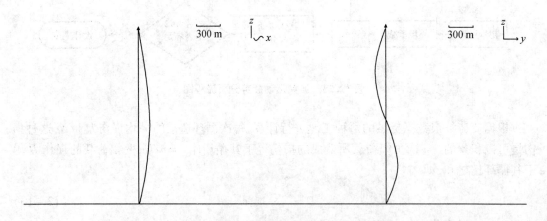

图 12.25　混合式立管的 1 阶和 2 阶模态振型

立管的涡激振动疲劳计算是基于长期洋流数据进行的，给出拟定海域的长期洋流概率数据，shear7 输入文件的相关参数包括立管的结构和水动力参数。

使用 Shear7 进行混合式立管的涡激振动疲劳计算，分析中使用 ANSYS 计算的模态、振型等数据。图 12.26 给出了 Shear7 进行立管涡激振动疲劳分析流程图。

计算时同时考虑了立管在阻力方向和升力方向上的涡激振动疲劳损伤。可以计算出沿管各截面最大涡激振动疲劳损伤值。

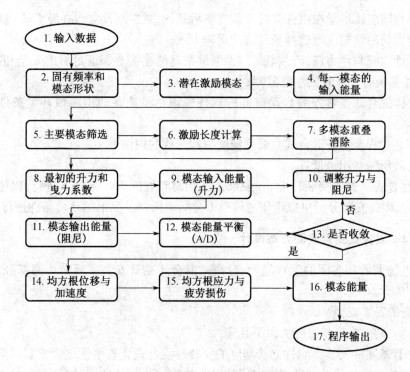

图 12.26　Shear7 分析流程图

3. 混合立管累积疲劳分析

根据 API RP 2RD 的规定,立管主体的疲劳分析包括运动疲劳和涡激振动疲劳等,同时立管主体的疲劳损伤需要考虑各种因素的累积。API 规范通过安全系数来进行累积计算,具体如下式:

$$\sum_i SF_i D_i < 1.0 \qquad\qquad (12-11)$$

其中,D_i 是各种工况的疲劳损伤;SF_i 是相应的安全系数。

在混合式立管初步设计中,可以不计极限工况下产生的疲劳,同时对于混合式立管系统本身又可以不计涡激运动和浮体垂荡运动产生的疲劳,因此考虑到各自的安全系数后,可计算混合式立管总体最大疲劳损伤,可以确定混合式立管总体设计参数是否满足疲劳要求。

12.7　总体安装分析

12.7.1　混合式立管安装方案设计原则

立管的安装需要考虑的因素有很多,如立管的尺寸和质量、安装船的费用、安装海域的环境条件以及安装周期等,对于混合式立管这种新型立管系统,不光要考虑刚性直管的安装,还有考虑浮力筒和跨接软管的安装,一般混合式立管安装方案的选择主要考虑以下几项原则:

(1)安装周期尽量短;

（2）浮力筒应该尽量在刚性立管安装完毕后到达,减少刚性立管在海上等待时间;

（3）浮力筒的运输应该选择最经济的运输方式;

（4）刚性立管与浮力筒、跨接软管以及海底桩基的连接要保证足够的安全和准确,在安装上述连接系统时应该时刻注意监测;

（5）整体混合式立管安装启动时间的选择应该尽量选在油田海域环境条件最好的周期内;

（6）安装过程要保证混合式立管系统受力和造成的损伤最小;

（7）安装所需费用最低。

对于混合式立管的安装作业,一般都是在相对较好的天气条件下进行,以便达到较高的安装精度,因此安装分析可以选用总体强度分析中操作工况下的环境条件进行分析。

12.7.2　混合式立管安装方案设计

根据市场调研和实际的工程经验,分离式混合式立管安装主要分为两部分,即立管的安装和浮力筒的安装。

1. 立管的安装流程

立管的安装主要步骤可分为以下几步:

（1）立管基座的安装　刚性立管基座的安装是混合式立管刚性立管安装的第一步。刚性立管基座它是在陆地上已经焊接完毕的组合结构,下放后可以直接和海底桩基相连。考虑到刚性立管基座自身结构类型的特殊性,因此为了保证安装过程中的安全性和方便性,不采取直接从安装船月池中间下放刚性立管基座,而是直接从安装船甲板吊装刚性立管基座,然后经由舷侧慢慢下放至一定水深后,再经由安装船牵引线拉至月池中间与刚性立管单根进行焊接。其中刚性立管基座的下放由于经过水上、水中和水下三个过程,要时刻注意吊绳的张力和刚性立管的应力,以保证安装过程的安全性。

（2）立管单根的安装　刚性立管的安装同传统的钢制立管安装一样,大多采用机械螺纹连接或者焊接的方式连接,一般在月池中进行,如图 12.27 所示。对于一定水深的部位还要安装涡激振动抑制装置。

（3）立管与顶部连接装置（TRA 与系链）的连接（图 12.28）　在立管主体单根全部焊接完毕之后,将要进行立管主体与顶部连接装置的连接与下放操作。由于顶部连接装置及其附属装置质量较大,在风、浪、流联合作用下将会对立管主体产生较大影响,首先应选择对立管主体处于最危险水深状态进行静力分析,然后对整个下放过程进行时域动

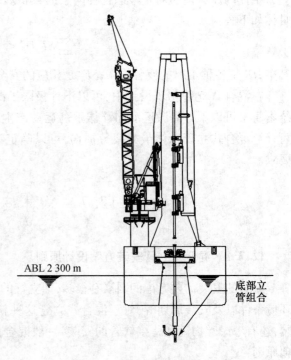

ABL 2 300 m

底部立管组合

图 12.27　立管单根连接示意图

力分析,检验吊绳和立管主体等结构的强度是否满足要求。

(4)立管与顶部浮力筒的连接 在刚性立管单根焊接完毕以及顶部连接装置安装完成,待浮力筒拖运到位之后,将要进行刚性立管与顶部浮力筒之间的安装,实现该过程有两种方式。如果浮力筒采用干拖方式运输到达安装海域,则可以将刚性立管与顶部连接装置起吊到甲板上,先与浮力筒连接完毕,然后在一起下放入水;如果浮力筒采用湿拖方式运输,则可以在浮力筒入水之后,在 ROV 的监测下,在水下完成刚性立管与浮力筒的连接。图 12.29 所示为浮力筒与立管顶部的连接与下水。

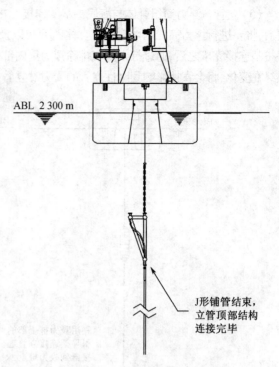

ABL 2 300 m

J形铺管结束,立管顶部结构连接完毕

图 12.28 立管顶部连接示意图

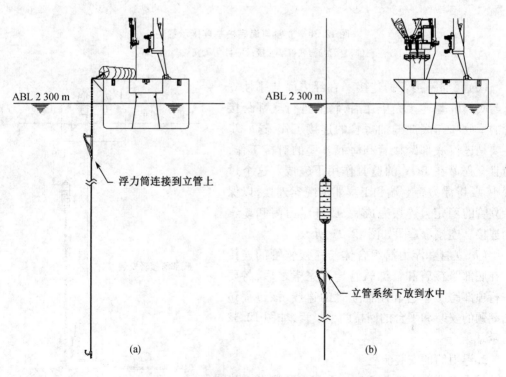

ABL 2 300 m

浮力筒连接到立管上

(a)

ABL 2 300 m

立管系统下放到水中

(b)

图 12.29 浮力筒与立管顶端连接与下水示意图

(a)浮力筒与立管顶端连接图;(b)立管系统下水图

（5）立管与浮力筒组合体与海底桩基的连接　在刚性立管和浮力筒组合体下放到一定位置之后，将要进行浮力筒和刚性立管组合体的回拉以及与海底桩基的连接工作。在刚性立管与海底桩连接完毕之后，通过打入氮气排除浮力筒内部的压载水，在这个过程中浮力筒提供的浮力始终在变化，将会直接影响到刚性立管的受力。立管与海底桩基连接如图 12.30 所示。

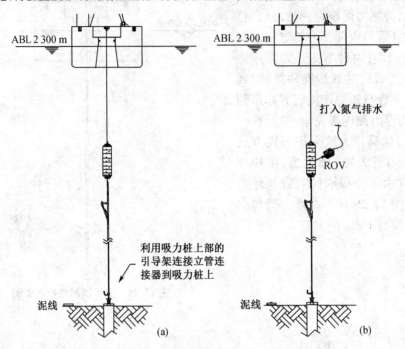

图 12.30　立管与海底桩基连接示意图

（a）立管与海底桩基连接；（b）浮力筒充气调节立管

（6）底部跨接管的连接　在浮力筒与刚性立管与底部桩基连接完毕之后，将要进行底部跨接管的下放和与底部输油短管的连接工作，这一步主要是进行底部跨接管和海底基座的对接工作，而且全程可在 ROV 的监测作用下完成。这个过程中，要将浮力筒上端和工程船的缆索连接，以保持立管的稳定。连接完成后，放开浮力筒和缆索的连接。连接示意图如图 12.31 所示。

（7）立管和浮力筒组合体与跨接软管的连接在底部跨接管和输油软管连接完毕之后，将要进行顶部跨接软管和刚性立管的连接，该过程包括鹅颈的安装和平台的回拉两个过程，如图 12.32 所示。

2. 浮力筒的安装流程

浮力筒建造完工并通过一系列检验测试合格后，一般将首先通过起重机将其吊装至运输船上，在利用拖船拖运至目标海域进行海上安装。浮力

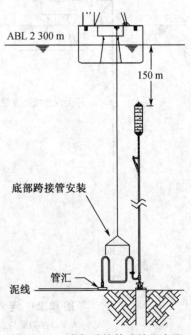

图 12.31　底部跨接管连接示意图

筒的安装一般分为两部分,即浮力筒的吊装和浮力筒的拖航。

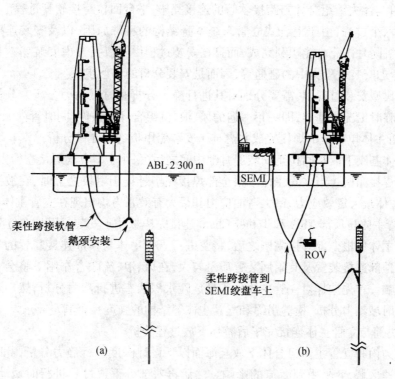

图 12. 32　跨接软管的连接示意图

(a)鹅颈弯管立管连接;(b)柔性跨接管连接到半潜平台

(1)浮力筒的吊装

浮力筒在建造场地建造完成之后,一般来讲无论采用湿拖还是干拖运至安装地点都需要先从陆地上吊装至运输船上。

(2)浮力筒的拖航

浮力筒拖航方式要根据混合式立管安装地点与浮力筒建造场地之间的远近来定,目前包括干拖和湿拖两种方式。若浮力筒建造场地距安装海域较远,出于经济性考虑,可先干拖置弃置点,再利用价格低廉的拖船湿拖至安装地点;若海上安装点与建造场地的距离较短,可将浮力筒直接干拖至海上安装点进行安装。此外,若浮力筒尺度较小,且吊机起吊能力满足,可在甲板上将浮力筒扶正,并将其垂直下放入水。在安装船甲板上进行浮力筒的扶正操作时,要注意浮力筒部件的保护工作,并避免使浮力筒产生过大应力。

12. 7. 3　混合式立管安装分析

在混合式立管的安装过程中,有几个状态是比较典型也是比较危险的状态,此时立管承受的弯矩和产生的应力可能比较大,需要具体分析,这几个典型过程如下:

(1)刚性立管基座的下放过程;

(2)立管单根全部采用 J 型铺设方式焊接完毕,悬挂于安装船甲板上;

(3)立管与顶部 TRA 和 Tether Chain 的连接完毕后,悬挂于安装船甲板上;

(4)立管与顶部浮力筒的连接完毕,与海底桩基连接之前的整体下放过程;

（5）立管与顶部浮力筒组合体与海底桩基连接完毕,浮力筒打入氮气排除压载水过程;

（6）立管与浮力筒组合体与跨接软管的连接完毕,平台回拉跨接软管过程。

上述这六个过程,由于混合式立管系统本身结构的特殊原因,以及安装连接过程中需要几艘起重机同时作业才能顺利完成,而且在安装过程中不仅要考虑安装船本身的运动影响,还需要考虑安装过程当中的碰撞等,因而是安装分析的典型步骤。

在六种典型安装过程中,需要分别对其进行静力分析和时域动力分析。分析选择的环境参数是以临时工况为基准,即一年一遇的风、浪、流组合环境条件,同时管内无流体。

（1）立管主体单根全部焊接完成并悬挂于安装船甲板之上在位分析

立管主体基座下放和回拉至安装船月池中间之后,采用 J 型方式焊接立管主体单根,直至全部单根焊接完毕。当立管主体单根全部焊接完毕悬挂于甲板之上时,在波浪和海流作用下,立管主体最大等效应力、最大弯曲应力和最大有效张力均出现在立管主体顶部附近。

（2）立管主体与顶部 TRA 和 Tether Chain 连接完毕悬挂于安装船甲板在位分析

在立管主体单根全部焊接完毕之后,将要进行立管主体与顶部连接装置的连接与下放操作。由于顶部连接装置及其附属装置质量较大,在风、浪、流联合作用下将会对立管主体产生较大影响。首先选择对立管主体处于最危险水深状态进行静力分析,然后对整个下放过程进行了时域动力分析,检验吊绳和立管主体等结构的强度是否满足要求。

（3）浮力筒与立管主体连接完毕后整体下放过程分析

选择浮力筒和立管主体组合体下放至海面以下设计深度进行静力分析,此时立管主体位于最大流速区域,容易受到海流的影响。然后再对部分下放过程进行时域动力分析,校核吊绳和立管主体强度是否满足要求。

（4）浮力筒与立管主体整体与海底桩基连接完毕后浮力筒排除压载水在位分析

选择浮力筒内部压载水未全部排除,对一舱有水、两舱有水和三舱有水状态分别进行静力分析,校核立管主体和浮力筒组合体结构强度是否满足要求。

（5）跨接软管与立管主体连接完毕,半潜平台回拉跨接软管过程分析

该过程进行的是顶部跨接软管的安装,需要安装船和平台联合作业才能完成,而且此时安装船与浮力筒已经完全断开,立管主体质量完全由浮力筒浮力提供,同时浮力筒在海流作用下也会发生比较大的偏移,将会影响跨接软管的连接和回拉过程,而且跨接软管的质量和形态将会影响到立管主体的偏移。因此首先选择跨接软管回拉的某一过程中进行静态强度分析,检验跨接软管最小弯曲半径和立管主体强度是否满足要求,然后在静态分析基础上对整个跨接软管回拉过程进行动力分析,校核混合立管系统各构件是否满足强度要求。

混合式立管安装过程主要校核结果与混合式立管总体响应分析有所不同,因为它的变化范围更为广泛,不同的安装阶段需要校核不同的分析结果,对于上述分离式混合式立管安装过程,其主要校核的结果格式可参考表 12.4 所示。

表 12.4　混合式立管主要安装过程校核表

混合式立管安装	安装过程	浮力筒最大等效应力/MPa	吊绳最大张力/kN	刚性立管最大等效应力/MPa	刚性立管最大弯曲应力/MPa	刚性立管最大有效张力/kN	刚性立管最大偏移/m	浮力筒最大偏移/m
浮力筒安装	浮力筒吊装							
	浮力筒拖航							
刚性立管安装	基座下放							
	单根焊接							
	顶部连接装置安装							
	与浮力筒连接							
	与海底桩基的连接							
	跨接软管安装							

12.8　分析算例

12.8.1　混合立管强度分析算例

本节以混合式立管系统为例,进行总体强度分析,目标平台的目标作业海域定位于我国南海深水海域。环境数据、平台数据参考钢悬链线立管的总体强度分析。混合立管系统总体布置如图 12.33 所示,具体布置参数见表 12.5。

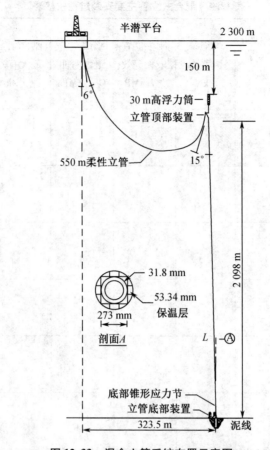

图 12.33　混合立管系统布置示意图

表 12.5　混合立管总体布置参数

参数	单位	数值
自由站立式立管基座和半潜平台中心线间的设计水平距离	m	350
浮力筒顶部位置的设计水深(垂直时)	m	150
跨接软管的设计长度,包含与平台相连的部分	m	550
跨接软管和立管主体连接位置处的初步设计水深	m	195
立管主体总长(包括两端应力节点)	m	2 098
系链长度	m	15
TRA 高度	m	7
桩基高度	m	5

　　有关立管主体、浮力筒、跨接软管、锚泊数据、悬挂数据等详细设计参数在这里不给出详细说明。

　　总体强度分析建立的有限元模型要尽量详细,以接近实际的工程结构。所有的立管组件在 OrcaFlex 软件中均采用混合梁单元进行模拟。单元网格的划分需要满足临界面积的响应的精度要求。在高荷载、大曲率和几何属性改变处,网格需要细化,以确保沿立管的冯－米塞斯应力(V－M)包络线是精确的。整个数值模拟过程需不断对网格进行细化并对结果进行比较,直到满足要求。

强度分析的模型将包括以下自由站立式立管系统的完整组件:

(1)浮力筒;

(2)浮力筒与立管的连接锚链系统;

(3)顶部立管组件(底部立管结构系统);

(4)锥形应力节;

(5)柔性跨接管;

(6)鹅脖组件;

(7)立管节点;

(8)旋转插销。

整体计算分析模型如图 12.34 所示。

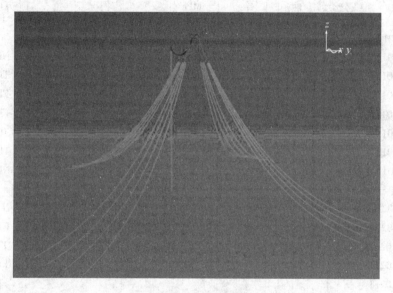

图 12.34　整体计算模型

首先进行静力分析以确定系统的初始平衡位置,来作为时域动力分析的初始值。静力分析考虑的荷载为定常荷载,包括静水压力、浮力、重力、流荷载及土壤的反作用力等。

动力分析的目的是考虑波浪对系统的作用力,以检验系统在指定工况的作用下的响应是否满足规范要求,保证系统的安全性。动力分析可以考虑整个系统的耦合作用,考虑包括平台、浮筒、软管以及立管主体管线对整个系统动力响应的影响。动力分析的模拟时间应该足够长,以体现系统在指定荷载下的稳定响应,一般强度分析的模拟时间为响应稳定后再延续 7~8 个波浪周期。动力分析完成后,需要根据规范要求提取响应数据,以与规范提供的标准进行校核,根据工况分类的不同,相应的许用参数也不同,具体参考总体强度设计荷载矩阵。

1. 总体强度分析荷载矩阵

环境参数主要包括混合式立管工作海域风浪流数据,一般应该由客户提供,主要包括一年一遇、十年一遇和百年一遇时不同方向的波浪数据;一年一遇、十年一遇、百年一遇时不同方向的海流数据。

根据混合式立管结构特点和给定的环境条件,就可以建立混合式立管总体强度分析荷载矩阵,其考虑的工况包括水压试验、临时、运行、极限和自存五种。在每一种工况中,均定义了许多独立的荷载工况,每一荷载工况都是由环境条件、压力、浮体位移、系泊状态以及浮力筒条件等一系列变量组合的结果。表12.6列出基于初始设计参数条件下的所有工况,并根据工况分类和浪流方向组合进行编号分类。编号原则:LC 表示工况(Load Condition),数字表示工况号,最后两个英文代表浪流组合方向。在混合式立管的强度分析中定义了主平面,即立管、浮力筒、跨接软管及其与浮体的连接点确定的竖直平面,在图12.35中给出了详细的说明。

表 12.6　混合式立管总体强度分析荷载矩阵

工况编号	名称	工况分类	环境载况		压力/MPa	温度/℃	锚链情况	浮筒情况	流浪方向	API 2RD安全系数
			波浪	洋流						
1	LC01NN								NN	
2	LC01NL								NL	
3	LC01TL								TL	
4	LC01FL	压力测试	1 yr	1 yr	a×Design	Design	Intact	Intact	FL	0.90
5	LC01FF								FF	
6	LC01FR								FR	
7	LC01TR								TR	
8	LC01NR								NR	
9	LC02NN								NN	
10	LC02NL								NL	
11	LC02TL								TL	
12	LC02FL	临时	1 yr	1 yr	0	1.8	Intact	Intact	FL	0.90
13	LC02FF								FF	
14	LC02FR								FR	
15	LC02TR								TR	
16	LC02NR								NR	
17	LC03NN								NN	
18	LC03NL								NL	
19	LC03TL								TL	
20	LC03FL	运行	10 yr	1 yr	Design	Design	Intact	Intact	FL	0.67
21	LC03FF								FF	
22	LC03FR								FR	
23	LC03TR								TR	
24	LC03NR								NR	

表 12.6（续）

工况编号	名称	工况分类	环境载况		压力/MPa	温度/℃	锚链情况	浮筒情况	流浪方向	API 2RD 安全系数
			波浪	洋流						
25	LC04NN								NN	
26	LC04NL								NL	
27	LC04TL								TL	
28	LC04FL	运行	1 yr	10 yr	Design	Design	Intact	Intact	FL	0.67
29	LC04FF								FF	
30	LC04FR								FR	
31	LC04TR								TR	
32	LC04NR								NR	
33	LC05NN								NN	
34	LC05NL								NL	
35	LC05TL								TL	
36	LC05FL	极限	100 yr	1 yr	Design	Design	Intact	Intact	FL	0.80
37	LC05FF								FF	
38	LC05FR								FR	
39	LC05TR								TR	
40	LC05NR								NR	
41	LC06NN								NN	
42	LC06NL								NL	
43	LC06TL								TL	
44	LC06FL	极限	1 yr	100 yr	Design	Design	Intact	Intact	FL	0.80
45	LC06FF								FF	
46	LC06FR								FR	
47	LC06TR								TR	
48	LC06NR								NR	
49	LC07NN								NN	
50	LC07NL								NL	
51	LC07TL								TL	
52	LC07FL	极限	10 yr	1 yr	Design	Design	Demaged	Intact	FL	0.80
53	LC07FF								FF	
54	LC07FR								FR	
55	LC07TR								TR	
56	LC07NR								NR	

表 12.6(续)

工况编号	名称	工况分类	环境载况		压力/MPa	温度/℃	锚链情况	浮筒情况	流浪方向	API 2RD安全系数
			波浪	洋流						
57	LC08NN								NN	
58	LC08NL								NL	
59	LC08TL								TL	
60	LC08FL	极限	1 yr	10 yr	Design	Design	Damaged	Intact	FL	0.80
61	LC08FF								FF	
62	LC08FR								FR	
63	LC08TR								TR	
64	LC08NR								NR	
65	LC09NN								NN	
66	LC09NL								NL	
67	LC09TL								TL	
68	LC09FL	极限	10 yr	1 yr	Design	Design	Intact	Flooded	FL	0.80
69	LC09FF								FF	
70	LC09FR								FR	
71	LC09TR								TR	
72	LC09NR								NR	
73	LC10NN								NN	
74	LC10NL								NL	
75	LC10TL								TL	
76	LC10FL	极限	1 yr	10 yr	Design	Design	Intact	Flooded	FL	0.80
77	LC10FF								FF	
78	LC10FR								FR	
79	LC10TR								TR	
80	LC10NR								NR	
81	LC11NN								NN	
82	LC11NL								NL	
83	LC11TL								TL	
84	LC11FL	自存	100 yr	1 yr	Design	Design	Damaged	Flooded	FL	1.00
85	LC11FF								FF	
86	LC11FR								FR	
87	LC11TR								TR	
88	LC11NR								NR	

表 12.6(续)

工况编号	名称	工况分类	环境载况		压力/MPa	温度/℃	锚链情况	浮筒情况	流浪方向	API 2RD安全系数
			波浪	洋流						
89	LC12NN								NN	
90	LC12NL								NL	
91	LC12TL								TL	
92	LC12FL	自存	1 yr	100 yr	Design	Design	Damaged	Flooded	FL	1.00
93	LC12FF								FF	
94	LC12FR								FR	
95	LC12TR								TR	
96	LC12NR								NR	
97	LC13NN								NN	
98	LC13NL								NL	
99	LC13TL								TL	
100	LC13FL	自存	100 yr	1 yr	Design	Design	Intact	Flooded	FL	1.00
101	LC13FF								FF	
102	LC13FR								FR	
103	LC13TR								TR	
104	LC13NR								NR	
105	LC14NN								NN	
106	LC14NL								NL	
107	LC14TL								TL	
108	LC14FL	自存	1 yr	100 yr	Design	Design	Intact	Flooded	FL	1.00
109	LC14FF								FF	
110	LC14FR								FR	
111	LC14TR								TR	
112	LC14NR								NR	

注：yr—年；Design—设计值；Intact—完整；Damaged—损坏；Flooded—淹设。

2. 总体强度结果分析

根据强度分析载荷矩阵,对混合式立管进行了总体强度分析,对压力测试、临时、操作、极限和自存等 112 种工况分类计算,分别得到各浪、流方向作用下的立管主体最大等效应力和跨接软管的最小弯曲半径分析结果及其变化趋势。立管主体等效应力和跨接软管最小弯曲半径变化趋势分别如图 12.36 和图 12.37 所示。

3. 危险浪流组合分析

由于混合式立管系统本身的特点和荷载矩阵的制定,上面计算分析的 112 种工况都认为波浪和海流来自于同一个方向,并没有包含波浪和海流来自于不同方向的工况。而对于混合式立管来说,浪流异向时可能使得跨接软管最小弯曲半径达到最小或者跨接软管张力达到最大,不满足设计要求,因而需要根据上面计算分析后得出的最危险工况,再次进行异向浪流组合分析。结果表明浪流组合方向对混合式立管的顶部张力影响不大,说明混合式立管对顶部浮体运动与立管主体运动之间具有良好的解耦作用。

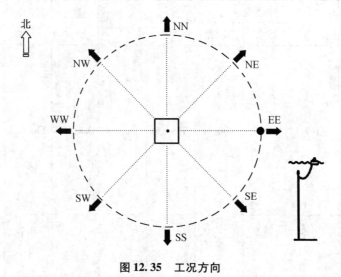

图12.35 工况方向

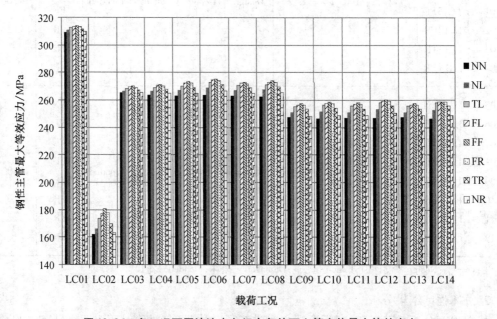

图12.36 各工况不同浪流方向组合条件下立管主体最大等效应力

4. 不规则波作用下混合式立管总体强度分析

实际海况波浪大多为随机不规则波,因此在混合式立管强度分析中,要对规则波分析选出的最危险工况进行不规则波时域分析,计算结构动力响应,然后与规则波结果进行对比分析,判定前期规则波计算结果是否偏于保守。对选出的百年一遇海流极限工况(LC06)的最危险方向FF进行了不规则波时域计算,根据该海域特点波浪谱,根据给定的环境参数,选取不同的波浪时间进行模拟。

根据计算结果,波浪类型的选取对跨接软管最大有效张力和立管主体最大等效应力影响相对较大,而对跨接软管最小弯曲半径和立管主体顶部有效张力影响不大,可以得出采用不规则波计算的结果相对于规则波计算结果偏于安全,说明总体强度分析采用规则波进行多工况强度分析是可行的。

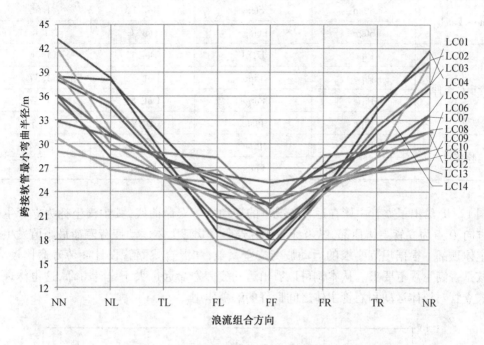

图 12.37　各工况不同浪流方向组合条件下跨接软管的最小弯曲半径

12.8.2　混合立管的疲劳分析算例

继续利用上面的分析基础数据进行混合立管的疲劳分析。具体分析方法和钢悬链线立管的疲劳分析大同小异。对混合立管进行涡激运动疲劳分析时,同样需要立管的结构和水动力数据,以及 Shear7 需要的特殊参数。

根据总体模型建立的详细程度,分析中校核立管主体的疲劳损伤时,不同部位应该按照要求选取不同的 $S-N$ 曲线和应力集中系数 SCF。同时还应该考虑到腐蚀余量的影响,设置壁厚系数。混合式立管各个关键部位的应力集中系数统计见表 12.7 所示。

表 12.7　$S-N$ 曲线与应力集中系数

关键部位	起始点	终止点	$S-N$ 曲线	应力集中系数
Roto – Latch	Stem	Stem	DoE F2	1.56
	Stem	Flange	DoE C	1.4
立管线	LTSJ	Pipe	DoE C	1.34
	Pipe	Pipe	DoE F2	1.34
	Pipe	Transitional	DoE F2	1.37
	Thick	Pipe	DoE F2	1.37

表 12.7（续）

关键部位	起始点	终止点	$S-N$ 曲线	应力集中系数
Roto – Latch	Stem	Stem	DoE F2	1.56
	Stem	Flange	DoE C	1.4
立管顶部组件	Pipe	UTSJ	DoE C	1.36
	Pipe	Pipe	DoE F2	1.37
	Pipe	Forge	DoE F2	1.37
	Pipe	Plate	DNV	1.5
鹅脖装置	Pipe	Pipe	DoE F2	1.34
	Pipe	Forge	DoE C	1.37

图 12.38 给出了立管主体在运行工况下的运动疲劳寿命曲线,其中横坐标为立管主体长度方向,0 点为立管主体顶部,纵坐标为疲劳寿命。立管主体运动疲劳寿命最小值发生在立管主体顶部。根据规范要求的运动疲劳安全系数,和混合式立管设计疲劳寿命比较,可以校核是否满足规范要求。从本例可以看出运动疲劳寿命远远大于设计寿命,这也体现了混合式立管对浮体运动和立管主体之间良好的解耦作用。

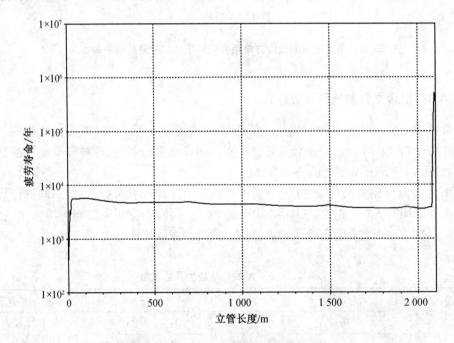

图 12.38　混合式立管主体疲劳寿命曲线

　　进行混合式立管的模态分析前首先必须进行静态分析,从而计入顶端张力对立管模态的影响。混合式立管的模态分析中提取前 50 阶模态。图 12.39 给出了混合立管主体固有频率随模态阶数变化的趋势。同时软件给出在低流速情况下立管的低阶模态可能被激活,在数据提供的最高流速情况下第 9 阶模态可能被激活,但发生的可能性小,对总的疲劳损伤并不显著。

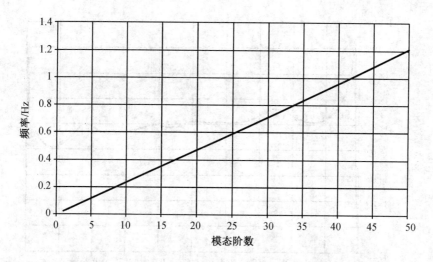

图 12.39　混合式立管主体固有频率随模态阶数变化趋势

使用 Shear7 进行混合式立管的涡激振动疲劳计算,分析中使用了已经得到的立管的模态、振型和洋流等数据。计算时考虑了立管在阻力方向和升力方向上的涡激振动疲劳损伤。图 12.40 和图 12.41 分别给出了涡激振动导致的疲劳损伤和疲劳寿命沿立管主体长度变化趋势。

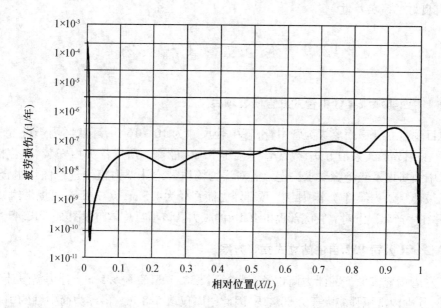

图 12.40　混合式立管 VIV 疲劳损伤曲线

根据计算结果得出涡激振动导致的立管主体最小疲劳寿命是 899 年,而混合式立管设计疲劳寿命为 25 年,考虑到安全系数,即规范要求的疲劳寿命为 500 年,因此混合式立管主体的涡激振动疲劳寿命满足规范要求。

对于混合式立管,涡激振动的安全系数取为 20,而应用于其他疲劳损伤分析的安全系数取为 12。根据运动疲劳和涡激振动疲劳损伤计算结果,可以得到累积疲劳损伤。

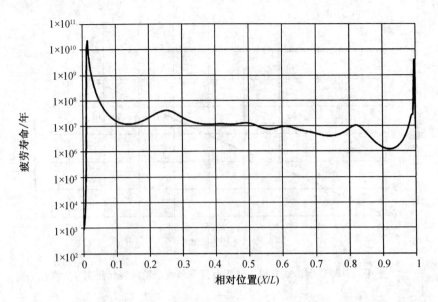

图 12.41　混合式立管 VIV 疲劳寿命曲线

如果考虑到安装过程中产生的疲劳,保守估计其占总体疲劳损伤的 10%,根据公式计算其累积疲劳寿命为 0.029 4,小于规范要求的 1/25 年,满足规范要求。且立管的疲劳损伤较小,具有良好的疲劳特性。

12.9　混合立管工程实例

12.9.1　西非海域某管中管式立管研发项目

该项目垂直立管截面形式为管中管,管中管尺寸为 10 ~ 16 in,环状区用于设置气举管线。FPSO 采用分散式系泊方式,柔性管连接于 FPSO 舷侧。所需浮力由安装、在位情况下立管的水中质量以及热绝缘要求决定。需对浮力筒以及泡沫浮力模块进行优化组合,以使技术工艺最佳且最为经济。本项目中,顶部浮力筒直径为 4.5 m,长 13.5 m,可提供约 150 t 的提升力,并在生产工况下对立管底部提供 100 t 的张力。该项目总体布置图如图 12.42 所示。

12.9.2　H 公司 P52 自由站立式立管方案

垂直立管由充满氮气的浮力筒拉紧,浮力筒长 36.5 m,直径 5.5 m。浮力筒设计为内外压力平衡,其中内部压强略大于外部水压,因此壁厚仅取 5/8 in。沿浮力筒中轴的中心管外径为 36 in,壁厚 1 in。图 12.43 为 P52FSHR 总体布置示意图,立管及浮力筒参数见表 12.8 和表 12.9。浮力筒底部为 2.25 m 长的龙骨节,以减轻弯曲影响。浮力筒与立管通过浮力筒顶部锥形节之上的载荷垫肩相连,同时在顶部锥形节上部设置有载荷监测系统。浮力筒通过布置在每一舱室边侧的气口进行排水操作。每个舱室均设有进气口和出气口。图 12.44 所示为浮力筒内外压强及排出压载水过程示意图。

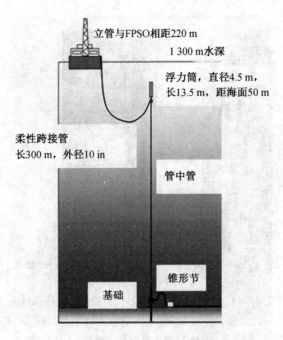

图 12.42　西非海域 FSHR 总体布置示意图

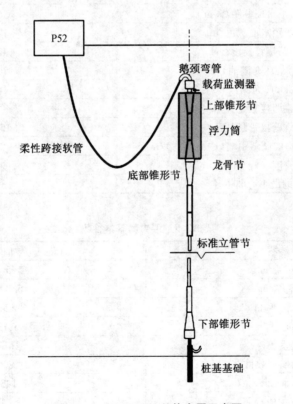

图 12.43　P52FSHR 总体布置示意图

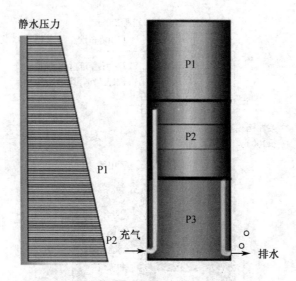

图 12.44　浮力筒内外压强及排出压载水过程示意图

表 12.8　立管基本参数

参数	数值
基础与平台偏移距离/m	360
浮力筒距水面深度/m	175
柔性跨接管长度/m	425
底部张力(充满油)/t	200
底部张力(充满水)/t	180
立管处柔性跨接管悬挂角/(°)	40.2
平台处柔性跨接管悬挂角/(°)	15.6
浮力筒顶部向平台的倾斜距离(中性环境)/m	85
油密度/(kg/m³)	841
软管的最小弯曲半径	3D

表 12.9　浮力筒基本参数

参数	数值
外径/m	5.5
壁厚/in	5/8
总长度/m	36.5
中心管/in	外径 36,壁厚 1
舱室数目	16
连续舱室数目	1 或 2
每舱室长度/m	2.143
空气中质量/t	205 + 12
最大提升力/t	565
服务状态提升力/t	514

12.10　本　章　小　结

　　本章对混合式立管关键技术进行了详细阐述,介绍了混合立管主要构件的组成、类型和用途。通过对比,清楚地显示了混合式立管与其他几种深水生产立管的优缺点。然后对混合式立管主体、浮力筒和其他部件的设计方法,以及涉及的关键问题进行了详细的介绍和总结。

　　根据环境条件与平台特性,介绍了自由站立式立管的尺寸参数与总体布置的设计方法,并着重对顶部浮力筒的设计方法和重点问题进行解释,包括浮力筒主尺度和内部构型的确定。本章按照规范及工程经验要求,对混合式立管进行了总体强度分析和疲劳分析,并列举了两个经典的混合式立管的工程实例,方便读者借鉴。

参 考 文 献

[1] 刘佳宁,孙丽萍.自由站立式立管浮力筒结构设计与分析[D].哈尔滨:哈尔滨工程大学,2010.

[2] 陈鹏,石山.集束立管塔的设计和动态分析[D].哈尔滨:哈尔滨工程大学,2009.

[3] 魏帆,岳前进.深水立管的水动力分析与抑制[D].大连:大连理工大学,2009.

[4] 康庄,梁文洲,贾鲁生.集束塔式立管总体强度分析方法研究[J],中国海洋平台,2012,27(1):28-32.

[5] 康庄,梁文洲,齐博,等.集束巧式立管总体疲劳分析方法研充[J]船海工程,2012,41(1):88-91.

后　记

　　人类文明的进步与能源的使用密不可分。进入 21 世纪,世界经济飞速发展,使得人类对能源的需求量日益增大。新能源技术在短时间内不能完全代替化石能源,因此人类对化石能源尤其是油气资源的需求在长时间内依然保持稳定增长的态势。目前陆地和浅水的油气资源的开发已经不能满足人类对能源的需求,各国把目光投向了深海油气的开发。

　　在我国,海洋石油资源相当丰富,经权威机构初步估算,整个南海的石油地质储量大致为 230 亿至 300 亿吨,约占我国石油总资源量的三分之一,堪称第二个波斯湾。与资源现实相对应的是我国落后的海洋工程装备设计与研发能力。我国海洋石油资源开采的主力——中国海洋石油总公司在南海的活动范围还仅限于近海海域,距离南海有争议的海域还很远。在我国南海的争议海域,石油勘探开采的作业水深需 1 000 ~ 3 000 米,而以我国目前的勘探开采技术,实际作业水深只能达到 500 米,这与国际先进水平的 3 000 米技术相去甚远,而且也达不到南海石油开发的基本要求。这种技术瓶颈也是阻碍我国深海石油勘探开采的最根本原因。

　　海洋石油开发工程,主要运用海洋钻井装置、采油装置进行钻井、完井、采油、油气分离处理和油气集输作业。这些工程技术、工艺与相应的装备是获取海洋油气的手段。海洋立管是深海石油天然气开采必不可少的设备,它连接了海底资源与海上作业平台,进行输运及钻探工作,但是国内深海立管的相关研究起步较晚,且实验设施较国际相对落后,国内立管相关理论研究和工程经验与国际水平还存在一定距离,因此深水立管的相关课题在国内的展开和深入研究十分必要,其紧迫性与重要性将直接影响我国深海石油工业项目的发展。

　　中国海洋工程领域科技的发展、海洋工程技术的壮大,不仅要依靠前辈们留下的宝贵经验,更要依靠后来人不断的探索和努力的奋斗。我们所有的船舶海工人应该抓住发展海洋经济的机会,打好基础,放开眼界,大胆创新,勇于攻坚,提高我国海工装备的市场竞争力,保障我国海上能源供给的生命线。

　　本书的编写旨在向海工专业学生的普及立管知识,以及作为科研人员、教师、工程师、海洋工程从业人员等从事相关工作的人士的参考书。由于本书涉及众多学科,不同领域内容的介绍难免会有深浅之分,可能也会遗漏相关内容,请大家见谅。

　　由于某些原因,本版并没有将复合材料柔性立管的详细介绍添加进来,以后再版会加以完善。衷心希望我们的工作能给大家的学习和工作带来帮助。最后,祝愿读者学习进步,工作顺利!